Anita Shreve
Olympia

## Zu diesem Buch

Fortune's Rocks, 1899: Ein luxuriöses Sommerhaus an der herben Küste Neuenglands ist der Schauplatz dieses Dramas einer besessenen Leidenschaft. Olympia, behütete Tochter eines wohlhabenden Verlegers, ein Mädchen von ungewöhnlicher Intelligenz, Reife und Schönheit, erlebt die Liebe wie ein Naturereignis, als ein Freund ihres Vaters zu Besuch kommt. John Haskell ist nicht nur ein bekannter Arzt und engagierter Kämpfer gegen soziale Mißstände in den nahe gelegenen Textilfabriken – er ist auch verheiratet und Vater dreier Kinder. Doch das Wissen um ihr moralisches Unrecht hindert die beiden nicht daran, in einen Strudel großer Gefühle abzutauchen, deren Folgen unabsehbar werden. Eleganz, Erotik und psychologische Finesse prägen dieses Porträt einer mutigen jungen Frau und ihrer Zeit.

*Anita Shreve* gehört zu den auch international erfolgreichsten Schriftstellerinnen der USA. Sie lebt mit ihrem Mann und ihrer Familie in Massachusetts und lehrt am Amherst College. Ihre vielfach preisgekrönten Erzählungen erschienen unter anderem in »New York Times«, »Cosmopolitan« und »Esquire«. Auf deutsch erschienen außerdem die Romane »Gefesselt in Seide«, »Eine gefangene Liebe«, »Verschlossenes Paradies«, die großen Erfolge »Das Gewicht des Wassers«, »Die Frau des Piloten« und zuletzt »Im Herzen des Winters«.

# Anita Shreve
# Olympia

Roman

Aus dem Amerikanischen von
Mechtild Sandberg

Piper München Zürich

Von Anita Shreve liegen in der Serie Piper außerdem vor:

Das Gewicht des Wassers (2840)

Eine gefangene Liebe (2854)

Gefesselt in Seide (2855)

Verschlossenes Paradies (2897)

Die Frau des Piloten (3049)

Gefesselt in Seide / Eine gefangene Liebe (Doppelband, 3320)

Ungekürzte Taschenbuchausgabe

Juni 2001

© 1999 Anita Shreve

Titel der amerikanischen Originalausgabe:

»Fortune's Rock«, Little, Brown and Company,

New York 2000

© der deutschsprachigen Ausgabe:

2000 Piper Verlag GmbH, München

Umschlag: Büro Hamburg

Stefanie Oberbeck, Isabel Bünermann

Foto Umschlagvorderseite: Francesca Woodman

Foto Umschlagrückseite: Norman Jean Roy / Edge

Satz: Uhl + Massopust, Aalen

Druck und Bindung: Clausen & Bosse, Leck

Printed in Germany   ISBN 3-492-23350-3

FÜR JAHN OSBORN,
DEN BEGNADETEN LESER

# Teil Eins

# Fortune's Rocks

# I

In der Zeit, die sie braucht, um vom Badehaus an der Kaimauer von Fortune's Rocks, wo sie ihre Stiefel zurückgelassen
und heimlich ihre Strümpfe ausgezogen hat, zum Wasser zu
gelangen, das beständig den rosig glänzenden Sand bespült,
überkommt sie eine Ahnung davon, was Begierde sein kann.
Begierde, die den Atem langsamer werden läßt; die mitten in
der Äußerung eines Satzes eine Pause der Gedankenverlorenheit fordert; die den Blick zwangsläufig auf die Bewegung
nackter Füße lenkt, die zum Wasser gehen. Dieses erste sche-
menhafte Bewußtsein von Begierde – und davon, Objekt der
Begierde zu sein – erscheint ihr wie ein langsames Ergriffen-
werden, als verdichte sich die Luft, die sie umgibt, und rufe
etwas wie ein erstes schwaches Vorgefühl des Erwachsenseins
hervor.

Sie berührt die Krempe ihres Leinenhutes, wie sie das einen
Sommer früher, selbst einen Tag früher nicht getan hätte. Vielleicht spielt sie auch an der langen Tüllschärpe ihres Hutes. Um
sie herum und hinter ihr sind Männer in Schwimmanzügen
oder in weißen Hemden und Westen; und wenn sie den Blick
hebt, sieht sie ihre Gesichter; blasse, winterliche Gesichter; die
Männer atmen die Meeresluft ein wie Riechsalz, um aus der
Enge und Erstarrung langer Monate des Eingesperrtseins befreit zu werden. Es sind ältere Männer und jüngere, sehr groß
einige, und auch eine Anzahl Knaben. Sie beobachten sie, auch
wenn sie miteinander sprechen.

Ihr Gang verändert sich, während sie durch die flache Mulde
des Strandes abwärts geht. Ihre Füße, die sie bedächtig aufsetzt,
zeichnen schwache, skandalöse Eindrücke in den Sand. Die

pfirsichfarbene Seide ihres Kleides färbt sich, als sie ins Wasser tritt, zu durchscheinendem Sepia. Die Luft ist heiß, doch das Wasser auf ihrer Haut ist eisig; und der Gegensatz läßt sie frösteln.

Sie nimmt ihren Hut ab und wirbelt mit den Füßen kleine Spritzer in den Wellen auf. Sie saugt die Meeresluft in tiefen Atemzügen ein, die den Kopf frei machen. Möglich, daß sich in diesem Moment die Männer, die sie beobachten, über das Entzücken, das sie erfaßt hat, über die Erwartungsfreude, die sie plötzlich erfüllt, ihre Gedanken machen. Daß sie so überrascht sind wie sie über die Bereitwilligkeit, mit der sie ihr Schicksal annimmt. In der Zeit nämlich, die sie gebraucht hat, um von der Kaimauer zum Meer zu gelangen, eine Entfernung von vielleicht hundert Metern, ist das Mädchen mit der langaufgestauten und schon fast verzweifelten Sehnsucht des Kindes, die spinnwebverhangenen Räume seines Winters leerzufegen, zur Frau geworden.

Es ist der zwanzigste Juni im letzten Jahr des Jahrhunderts, und sie ist fünfzehn Jahre alt.


Ihr Vater, im weißen Anzug, mit verblassendem rotblondem Haar, das der Wind über der Stirn aufstellt, ruft sie von den Felsen am Nordende des Strandes. Es sind jene Felsen, die vielen Seefahrern zum tödlichen Schicksal wurden und dem Strand und dem Landstrich dahinter den Namen Fortune gegeben haben. Er legt die Hände um den Mund, aber die Brandung macht Olympia taub für sein Rufen. Ihr Vater, eine weiße Erscheinung im umgebenden Grau, ist ein sanftmütiger und liebevoller Mann, untadelig in seinem Verhalten ihr gegenüber, auch wenn er meint, Herr über ihren Körper und ihre Seele zu sein, so als besäße er allein das Recht, beides zu verschwenden oder zu verschenken.

Am Morgen dieses Tages sind Olympia, ihr Vater und ihre Mutter mit der Eisenbahn von Boston nach Norden zu einem

Sommerhaus gereist, das sie, als sie es betraten, in weiße Laken gehüllt und ungewöhnlich staubfrei empfing. Olympia hoffte, als sie die Laken sah, ihre Mutter würde Josiah, den Diener ihres Vaters, nicht bitten, sie abzunehmen, denn sie bildeten, über die Möbel vor den sechs deckenhohen Fensterpaaren im langen Vorderzimmer geworfen, phantastische abstrakte Formen. Hinter dem Glas und der feinen Salzlasur der Gischt lag der Atlantik unter einer Haube aus opalisierendem Dunst. In der Ferne waren kleine Inseln, fast schwebend über der Linie des Horizonts.

Das Sommerhaus ist, an gewissen Maßstäben gemessen, einfach, obwohl Olympias Vater ein vermögender Mann ist. Doch es ist einzigartig in seinen Proportionen, und in Olympias Augen ist es unbeschreiblich schön. Weiß mit dunkelblauen Läden, einstöckig, mit mehreren anmutigen Veranden, ist es im Stil der Grand Hotels entlang der Küste von Fortune's Rocks und in Rye und Hampton im Süden erbaut; das heißt, es hat ein sanft abfallendes Dach mit gleichmäßig angeordneten Mansardenfenstern. Das Haus war nie ein Hotel, hingegen früher einmal ein Kloster, Sitz des Ordens des Saint Jean Baptiste de Bienfaisance, Heim von zwanzig Nonnen, die sich der Armut geweiht hatten, und Jesus, ihrem Bräutigam. In der Tat ist eine Merkwürdigkeit des Gebäudes die große Zahl zellenähnlicher Räume, von denen zwei von Olympia und ihrem Vater bewohnt werden, während drei andere zu einer Zimmerflucht für Olympias Mutter umgestaltet wurden.

Im Erdgeschoß an das Haus angebaut ist eine kleine Kapelle; und obwohl sie längst nicht mehr religiösen Handlungen dient, bringt Olympias Familie es nicht über sich, ihre weltlichen Besitztümer in den hölzernen Wänden aufzustellen. Abgesehen von einem Dutzend ordentlicher Holzbänke und einem breiten Marmorquader, der einst als Altar diente, ist die Kapelle leer.

Vor dem Haus und unter den Veranden blühen riesige Hortensienbüsche. Eine Rasenfläche senkt sich abwärts zur Kaimauer, die kaum mehr ist als eine aus Steinen aufgeschichtete Barrikade gegen den Ozean; zu dieser Jahreszeit ist sie üppig von Strandrosen überwachsen. Von der vorderen Veranda blickt man also auf smaragdgrünes Laub mit pastellroten Tupfern vor dem Hintergrund eines so strahlend funkelnden Blaus, daß es schon nicht mehr Farbe, sondern vielmehr ein Erlebnis reinen Lichts ist. Westlich der Rasenfläche ist ein Obstgarten mit Apfelbäumen, Macoun und Cortland, und im Norden liegt der Strand, der sich über gut drei Kilometer an der Küste erstreckt. Fortune's Rocks heißt nicht nur das Stück Land, das hufeisenförmig diesen Strand umschließt, sondern auch die Ansiedlung von Sommerhäusern auf Dünen und Felsen, von denen das der Familie Biddeford nur eines ist.

»Olympia, ich habe dich gerufen«, sagt ihr Vater, als sie mit nassem Saum zum Felsen hinaufsteigt, auf dem er steht. Sie ist darauf gefaßt, ihn ärgerlich zu sehen. In ihrer Ungeduld, das Meer an ihren Füßen zu spüren, ist sie versehentlich während der Badezeit für Männer an den Strand gelaufen, was man vielleicht einem Mädchen nachsehen könnte, nicht aber einer jungen Frau. Olympia versichert, daß es ihr leid tue; sie hat die Badezeiten der Männer einfach vergessen und sein Rufen wegen des Windes nicht gehört.

Aber als sie ihrem Vater näher kommt und zu ihm aufschaut und bemerkt, wie er rasch von ihr wegblickt – was gar nicht seiner Art entspricht –, wird ihr klar, daß er sie gesehen haben muß, als sie mit nackten Beinen von der Mauer zum Wasser ging. Seine Augen tränen ein wenig im Wind, und er wirkt verwundert, fast verwirrt durch ihre Anwesenheit.

»Josiah hat einen kleinen Imbiß gerichtet«, sagt er, sich ihr wieder zuwendend, und der Moment des Befremdens ist überwunden. »Er hat ihn zu deiner Mutter aufs Zimmer gebracht, damit ihr beide nach der langen Reise etwas essen könnt.« Er zwinkert und neigt sich über seine Uhr. »Mein Gott, Olympia, ist das ein Durcheinander!«

Er meint natürlich das Haus.

»Josiah scheint aber doch mit allem ganz gut fertig zu werden«, meint sie.

»Es hätte alles vor unserer Ankunft bereit sein müssen. Die Köchin sollte schon angekommen sein.«

Ihr Vater trägt noch seinen Gehrock. Seine schweren schwarzen Stiefel sind staubbedeckt, und sie meint, ihm müsse außerordentlich heiß sein und er müsse sich eingeengt fühlen. Er hat sich heute mit einer gewissen Unschlüssigkeit gekleidet – in Erwartung des Meeres, hat er Boston noch nicht ganz hinter sich lassen können.

Im hellen Sonnenlicht sieht Olympia das Gesicht ihres Vaters deutlicher als während des Winters. Es ist ein markantes Gesicht, das von Charakterstärke zeugt, von seinem Vater ererbt und später durch die eigene Lebensführung ausgeprägt und gefestigt. Am auffallendsten in diesem Gesicht sind die Augen von einem so tiefen, scharfen Blau, daß sie, trotz der rötlichbraunen Sprenkel in der Iris, den Eindruck aufrechter Moral hervorrufen. Gemildert allerdings wird dieser Eindruck selbstgerechter Redlichkeit durch ein fächerförmiges Netz von Fältchen an den Augenwinkeln und die weichen Hautfalten der Lider. Sein Haar beginnt an den Seiten grau zu werden und von der Stirn zurückzuweichen, aber seine Haut ist von gesunder Farbe und hat nichts von der Fahlheit, die bei rotblonden Männern häufig anzutreffen ist, wenn sie die mittleren Jahre erreichen. Olympia könnte nicht sagen, ob sie dem Wuchs ihres Vaters je einen Gedanken geschenkt hat, und sie könnte seine Größe nicht genau angeben – sie weiß nur, daß er größer ist als sie und ihre Mutter, wie sich das der Ordnung der Dinge entsprechend gehört. Sein Gesicht ist länglich oval, wie das Olympias eines Tages wird, wenn auch nicht direkt schmal.

»Wenn du deinen Tee getrunken hast, komm doch bitte zu mir ins Arbeitszimmer«, sagt ihr Vater ganz in der Art, wie er üblicherweise mit ihr spricht, aber sie spürt, daß etwas zwischen ihnen sich verändert hat. Die Sonne kerbt Unregelmäßigkeiten in seine Haut, und in diesem erbarmungslosen Licht glitzern silberne Lichter im rotblonden Schimmer seines glattrasierten Kinns. Er kneift gegen die blendende Helligkeit die Augen zusammen. »Ich habe einiges mit dir zu besprechen. Es geht um deine Sommerstudien«, fügt er hinzu.

Die Erwähnung der Sommerstudien wirkt ernüchternd, da sie doch so begierig ist, dem derzeitigen intensiven Einzelunterricht eine Zeitlang zu entkommen. Ihr Vater, dem das Vertrauen in die höheren Schulen und Internate verlorengegangen ist, hat es sich zur Aufgabe gemacht, seine Tochter selbst zu unterweisen. So hat er nur diese eine Schülerin und sie nur diesen einen Lehrer. Er ist überzeugt davon, daß die Ausbildung in einem Tempo voranschreitet, von dem man an höheren Schulen und Lehrinstituten nicht einmal zu träumen wagt; in ihrer Vielfältigkeit hält er seine Art der Lehre sogar für einmalig in den Vereinigten Staaten. Möglich, daß das zutrifft, denkt Olympia, aber sie kann es nicht beurteilen: Es ist vier Jahre her, seit sie zuletzt mit anderen jungen Mädchen zusammen unterrichtet wurde.

»Natürlich«, antwortet sie.

Er wirft ihr einen Blick zu und sieht dann über ihre rechte Schulter hinweg zum Meer hinaus. Er wendet sich ab und geht langsam zum Haus zurück. Sie blickt ihm nach, wie er in leicht gebeugter Haltung, eine physische Eigenheit, die ihr zuvor nicht aufgefallen ist, davongeht, und plötzlich erfaßt sie Traurigkeit, sie trauert für ihren Vater um das, was er im Begriff ist zu verlieren: die Vormundschaft über ihre Kindheit.

Sie geht leichtfüßig durch das Haus und bewundert die Skulpturen, in die die schützenden weißen Laken die einzelnen Möbelstücke verwandelt haben. Ein Garderobenständer ist zum jungfräulichen Gespenst geworden; ein langer Speisetisch zum Operationstisch; ein Satz aufgestapelter Stühle zum Thron.

Sie steigt die Treppe im vorderen Vestibül hinauf zu den Räumen ihrer Mutter.

Ihre Mutter ruht gelassen auf einer bereits von den Laken befreiten Chaiselongue mit direktem Blick auf das Meer. Sie scheint den Mann nicht zu bemerken, der vor ihrem Fenster auf einer Leiter steht. Er hält in einer Hand eine Flasche Essig und in der anderen einen zusammengeknüllten Klumpen Zeitungspapier. Josiah trägt einen Overall bei seiner Arbeit, darunter jedoch Weste und steifen Kragen. Später, wenn die Fenster gereinigt sind, wird er den Overall ablegen, seinen Rock wieder überziehen, die Manschetten unter den Ärmeln richten und ins Arbeitszimmer gehen, um Olympias Vater zu fragen, ob er sein gewohntes Glas Londoner Porter wünsche. Und dann wird Josiah, der seit siebzehn Jahren in den Diensten ihres Vaters steht, der ihm schon vor seiner Heirat und Olympias Geburt gedient hat und der es ohne Klage auf sich genommen hat, die Fenster im Zimmer ihrer Mutter zu putzen (obwohl eine solche Arbeit unter seiner Würde ist), weil er nicht möchte, daß ihr Blick aufs Meer an diesem ersten Tag des Sommerurlaubs getrübt ist, die lange, kiesbestreute Auffahrt zur Hampton Street hinuntergehen, um den neuen Mann zur Rede zu stellen, der das Haus für die Ankunft von Olympias Familie hätte in Ordnung bringen sollen.

Olympias Mutter, die selbst in den Sommermonaten nicht von ihrer Vorliebe für Blautöne läßt, trägt an diesem Tag eine Bluse aus glyzinienblauem Crêpe de Chine mit Perlmuttknöpfen und breiten Manschetten, die ihre Handgelenke und das unruhige Flattern ihrer Hände verbergen. Um ihre Taille schmiegt sich eine Schärpe aus persischer Seide. Die Vorliebe für Blautöne äußert sich auch in den Stoffen, mit denen ihr Zimmer ausgestattet ist – im blassen Beryll der Satinsteppdecke auf dem Bett, im Pfauenblau des Seidenbrokats der Chaiselongue, im lichten Bleu der Samtvorhänge an den Fenstern. Die Räume ihrer Mutter zeigen nach Olympias Meinung eine übertriebene Femininität: Sie bilden ein Boudoir – separat, abgeschlossen von den übrigen Räumen des Hauses –, dessen schwelgerisches Übermaß von anderen weder gesehen noch geduldet werden soll; es wiederholt sich nirgends in der strengen Einrichtung des Hauses.

Ihre Mutter führt eine Tasse zum Mund.

»Dein Gesicht ist gerötet«, sagt sie leichthin, aber nicht ohne einen Anflug mütterlichen Tadels.

Wie oft ist Olympia ermahnt worden, einen Hut zu tragen. Doch sie konnte nicht auf diese herrlichen Augenblicke am Wasser, die Empfindung der Sonnenwärme auf ihrem Kopf verzichten. Aber sie weiß, daß ihre Mutter ihr dieses kleine Vergnügen nicht ernstlich übelnimmt, auch wenn sie körperlicher Schönheit übermäßige Bedeutung beimißt.

Das Streben nach Schönheit, so sieht es Olympia, hat ihre Mutter zur Invalidin gemacht und ihr Leben zerstört, denn es hat sie in eine Abhängigkeit von Menschen geführt, die danach verlangen, sie zu sehen und ihr zu dienen: ihr Vater, ihr Mann, ihr Arzt und ihre Dienstboten. In der Tat scheint die Erhaltung der Schönheit alles zu sein, was ihre Mutter am Leben noch interessiert; als wären alle anderen Verzweigungen des Geistes – Fleiß, Neugier, Philanthropie – verkümmert, und nur dies eine Zweiglein hätte überlebt.

Das Haar ihrer Mutter, mit Henna getönt, so daß es die Farbe eines Bronzefuchses angenommen hat, ist an den Seiten von Kämmen gehalten und zu einem komplizierten Ensemble von Rollen aufgesteckt, eine Kunst, die Olympia erst noch meistern muß. Ihre Mutter hat perlgraue helle Augen. Ihr Gesicht, schön und stark zugleich, spiegelt nicht ihren Geist, der überaus fragil ist – so fragil, daß auch Olympia ihn schon häufig in glitzernde Scherben hat zerspringen sehen.

»Josiah hat uns einen Imbiß gerichtet«, sagt ihre Mutter mit einer Geste zu der Platte mit einem Arrangement von Fisch- und Fleischpasteten-Sandwiches.

Olympia setzt sich auf die Kante der Chaiselongue. Die Knie ihrer Mutter bilden kleine Hügel in der indigoblauen Landschaft ihres Rocks. »Ich bin nicht hungrig«, sagt sie, und es ist wahr.

»Du mußt etwas zu dir nehmen. Bis zum Abendessen ist es noch lang.«

Ihrer Mutter zu gefallen nimmt Olympia ein Sandwich von der Platte. Für den Moment weicht sie dem scharfen Blick ihrer Mutter aus und mustert das Zimmer. Sie haben nicht ihre edelsten Möbel in Fortune's Rocks, denn Seeluft und Feuchtigkeit würden Holz und Bezüge ruinieren. Aber Olympia liebt den volantumspielten Toilettentisch ihrer Mutter mit all den gläsernen und silbernen Schalen und Dosen, die ihre Kämme und Parfums enthalten, und den feinen weißen Puder, den sie des Abends auflegt. Auf dem Toilettentisch stehen auch die vielen Medikamente und Stärkungsmittel ihrer Mutter. Von ihrem Platz aus kann Olympia sie sehen, die Taubenmilch, die Pennyroyal-Pillen, das Ingwertonikum und Johnson's Liniment.

Immer schon, soweit Olympia zurückdenken kann, wurde ihre Mutter, in ihrem Beisein ebenso wie in ihrer Abwesenheit, gebrechlich genannt – eine Vorstellung, die ihre Mutter nicht zu bekümmern, die sie im Gegenteil selbst zu pflegen scheint. Ihre Leiden sind diffuser und unbestimmter Natur, und Olympia ist nicht sicher, daß je eine genaue Diagnose gestellt wurde. Es heißt, sie habe als junges Mädchen eine Rückenverletzung erlitten, und Olympia hat von Zeit zu Zeit den Ausdruck »Leberleiden« erwähnen hören. Es gibt in Boston einen Arzt, der sie häufig besucht, und vielleicht ist er nicht der Scharlatan, für den Olympias Vater ihn hält. Obwohl Olympia selbst als Kind gewiß war, daß Dr. Ulysses Branch ihre Mutter mehr um ihrer Gesellschaft als um ihrer gesundheitlichen Stabilität willen aufsuchte. Ihre Mutter scheint niemals wirklich unwohl zu sein, und Olympia hat zuweilen, wenn sie über das Wort gebrechlich nachdenkt, wie es auf ihre Mutter angewendet wird, den Eindruck, daß es ihrer Mutter weniger an Gesundheit gebricht als an Authentizität.

Infolge dieser diffusen Gebrechen ist Olympias Mutter nicht die Sorgende in der Familie, sondern vielmehr diejenige, die umsorgt wird. Olympia hat nach und nach den Eindruck gewonnen, daß dies ihren Eltern ganz recht ist; keiner von beiden hat je große Anstrengungen unternommen, etwas an der Situation zu ändern. Und mit dem Fortschreiten der Zeit, vielleicht als Resultat einer tatsächlichen Atrophie, ist ihre Mutter zur nicht nur eingebildeten Kranken geworden. Selten geht sie aus dem Haus, einzig abends läßt sie sich von ihrem Mann zur Kaimauer begleiten, wo sie sich niederläßt und für ihn singt. Seit Jahren behauptet sie, die Seeluft übe sowohl auf ihr Gemüt als auch auf ihre Stimmbänder eine heilsame Wirkung aus. Trotz der Feuchtigkeit steht in Fortune's Rocks ein Pianoforte, und sie verläßt gelegentlich ihre Räume, um recht kunstfertig darauf zu spielen. Olympias Mutter besitzt einen außerordentlich wohlgestalteten Körper, aber Olympia hat weder ihr Gesicht noch ihre Figur, noch, glücklicherweise, die Labilität ihres Geistes geerbt.

Olympias Mutter, die ihren Mann in Boston bei einem Diner kennengelernt hat, das ihr Vater zu ihrem dreiundzwanzigsten Geburtstag gab, hat erst mit achtundzwanzig Jahren geheiratet. Obwohl sie als schöne Frau galt, hieß es, ihr Gemüt, mimosenhaft empfindlich und zu innerem Rückzug neigend, sei für eine Ehe zu zart. Olympias Vater, ein Mann, der niemals einer Herausforderung aus dem Weg ging und von ebenjenen Eigenschaften fasziniert war, die andere Männer abschreckten – das heißt den wechselnden fluchtähnlichen Zuständen intensiver Stille und hochfliegender Phantasien –, umwarb sie mit einer Glut, zu der er selbst sich selten bekennt. Olympia wird nicht klug aus der Ehe ihrer Eltern; ihre Mutter scheint ihr, wenn auch aufs äußerte empfindsam, die unkörperlichste aller Frauen zu sein, und es ist häufig zu beobachten, daß sie bei einer überraschenden Berührung ihres Mannes zusammenzuckt. Olympia scheut sich jedoch, die Schwelle zu jenem verbotenen Ort zu überschreiten, an dem sie sich das Zusammenleben ihrer Eltern vielleicht in Einzelheiten ausmalen könnte. Das Band zwischen ihnen scheint mit dem Fortbestand der Ehe immer dünner geworden zu sein, so daß Olympia im Sommer ihres fünfzehnten Jahres schließlich den Eindruck gewinnt, es gebe nichts zwischen ihren Eltern als dieses eine Kind und eine Verbindung von äußerster Unbestimmtheit und Förmlichkeit.

»Du bist still, Olympia«, sagt ihre Mutter, sie aufmerksam betrachtend.

Ihre Mutter mag von zarter Gesundheit sein, aber ihr Blick ist scharf, und es ist immer schwierig, die wahren Gedanken vor ihr zu verbergen. Tatsächlich hat Olympia soeben an ihren Ausflug zum Strand gedacht und wie neben sich stehend, die etwas verschwommene und unwirkliche Gestalt einer jungen Frau in pfirsichfarbener Seide beobachtet, die unter den prüfenden Blicken mehrerer Dutzend Männer und Knaben zum Wasser hinuntergeht. Und hier, im Zimmer ihrer Mutter sitzend, errötet sie plötzlich wie ertappt.

Ihre Mutter ändert ein wenig die Haltung auf der Chaiselongue. »Ich fürchte, ich habe dieses Gespräch schon zu lange hinausgezögert«, beginnt sie zaghaft, »aber ich kann nicht umhin zu bemerken, ich meine, es springt einem ja förmlich ins Auge; ich will sagen, daß mir heute gewisse körperliche Eigenschaften an dir sehr bewußt sind, und ich denke, wir sollten bald einmal über gewisse zukünftige Entwicklungen und Widrigkeiten sprechen, denen alle Frauen ausgesetzt sind.«

Die Grammatik des Satzes ist verworren, seine Bedeutung jedoch ist klar, und Olympia schüttelt hastig den Kopf, winkt ab, wie um ihrer Mutter zu bedeuten, daß sie nicht fortzufahren brauche. Sie hat sich bei ihrer Unterrichtung über dieses

Thema ganz auf Lisette verlassen, die Zofe ihrer Mutter. Im ersten Moment ist ihre Mutter verblüfft, wie jemand, der in aller Hast eine längere Rede vorbereitet hat und nun mitten im ersten Satz zum Schweigen aufgefordert wird. Dann aber beobachtet Olympia, daß Erleichterung aufsteigt und ihre Gesichtszüge sich entspannen.

»Es hat schon jemand mit dir darüber gesprochen?« fragt sie.

»Lisette«, antwortet Olympia, die das Gespräch beenden möchte.

»Oh. Ich habe mir schon Gedanken gemacht.«

Und auch Olympia macht sich Gedanken über Lisettes Schweigen ihrer Herrin gegenüber. Sie hofft, daß die Zofe wegen dieser Heimlichkeit nicht gescholten wird.

»Du hast dich schon eingelebt?« fragt ihre Mutter schnell, jetzt ebenfalls begierig, das Thema zu wechseln. »Du fühlst dich wohl hier?«

»Sehr«, antwortet Olympia. Es ist wahr, und es ist das, was ihre Mutter zu hören wünscht. Es gilt, die Seelenruhe der Mutter nicht zu trüben.

Am Fenster rückt Josiah die Leiter ein Stück weiter, und beide blicken auf.

»Hm...«, sagt ihre Mutter sinnend. »Was meinst du, ist Josiah ein gutaussehender Mann?«

Olympia betrachtet die vom Fenster umrahmte Gestalt, die in der Luft zu schweben scheint. Er hat hellbraunes Haar, das sich von der hohen Stirn nach hinten wellt, und ein schmales Gesicht, das dem langen, schlanken Körper entspricht. Gelinde überrascht wie stets, wenn sich in der Fassade langgeübter Gelassenheit ihrer Mutter plötzlich und unvorhergesehen ein Riß auftut, weiß sie nicht, wie sie antworten soll.

»Glaubst du, er hält sich in Ely Falls eine Mätresse?« fragt ihre Mutter gespielt schalkhaft. Doch nach einem Wimpernschlag des Schweigens, in dem Olympia die Sehnsucht (und deren sofortige Zurückweisung) ihrer Mutter nach einem anderen

Leben zu spüren meint, beantwortet sie sich die Frage selbst. »Nein«, sagt sie, »wohl nicht.«

Insgesamt ist es ein Tag, an dem sich alle in Olympias Umgebung merkwürdig verhalten. Sie weiß nicht, ob das tatsächlich einer Wandlung der anderen zuzuschreiben ist oder der veränderten Wahrnehmung von sich selbst, die ihrer Empfindung nach von ihr ausströmt wie eine körperliche Ausdünstung. Wie sonst ist die uncharakteristische Sprachlosigkeit ihres Vaters zu erklären oder der Vorstoß ihrer Mutter in Gebiete, die sie normalerweise meidet: Ihre Frage zum Beispiel, wie weit Olympia über die körperlichen Beschwernisse unterrichtet ist, denen Frauen unterworfen sind; oder ihre Spekulation über Josiahs amouröse Tätigkeiten.

»Bitte, nimm doch das Tablett mit, wenn du gehst. Das wäre eine Hilfe für Josiah, der, fürchte ich, hoffnungslos überfordert ist.«

Olympia ist über diesen Gedankensprung nicht so verwundert, wie man annehmen könnte, da sie die Begabung ihrer Mutter kennt, ein Thema, von dem sie genug hat, unvermittelt aufzugeben. Olympia erhebt sich von der Chaiselongue und ergreift das silberne Tablett, froh, Josiah helfen zu können, denn sie hat ihn gern. Sie ist erleichtert, entlassen zu sein.

»Du mußt besser auf dich achtgeben«, sagt ihre Mutter, als sie aus dem Zimmer geht.

Olympia trägt das Tablett in die Küche und betritt dann das Arbeitszimmer ihres Vaters, der in einem übergroßen Mahagonistuhl mit halbhoher runder Lehne sitzt und liest: *The Shores of Saco Bay* von John Staples Locke, wie sie sieht, das erste von vielen Büchern, die er im Laufe des Sommers verschlingen wird. Ihr Vater ist ein disziplinierter und gelehrter Mann, der Zucht und Ordnung als notwendiges Bollwerk gegen Haltlosigkeit betrachtet; es kommt für ihn daher selbst an diesem ersten Tag in der Sommerfrische, trotz der unzulänglichen

Vorbereitungen auf seine und der Familie Ankunft und trotz des daraus resultierenden Durcheinanders nicht in Frage, seine Gewohnheiten zu ändern.

Im Laufe dieses Sommers wird ihr Vater, wie in vergangenen Sommern auch, in seinem Haus einen Reigen von Gästen bewirten, deren Bekanntschaft er vor allem seiner Position als Präsident des Atlantic Literary Club und als Herausgeber des *Bay Quarterly,* einer Vierteljahreszeitschrift von nicht geringem literarischem Ansehen, zu verdanken hat. Er wird, in der Art eines großzügigen Salons französischen Stils, mit diesen Leuten, größtenteils Dichter, Essayisten oder Maler, lange Gespräche führen. Tagsüber wird er für die Unterhaltung seiner Gäste sorgen, die am Strand baden, im Ely Tennis Club spielen oder bei Sonnenuntergang Bootsausflüge durch die rosig getönten Sumpfgewässer der Bucht machen werden. Des Abends wird man ausgedehnte Mahlzeiten einnehmen, die sich bis in die Nacht hineinziehen, auch wenn seine Frau sich schon zeitig entschuldigen wird. Die Frauen, die zu den Diners kommen, werden weiße Leinenkleider tragen und Shawls aus gewirkter Seide. Immer schon haben die Garderoben und Accessoires der weiblichen Gäste Olympia fasziniert.

Ihr Vater blickt zum Saum ihres Kleides, der immer noch feucht ist. Sie fragt, was er ihr als erste Lektüre dieses Sommers empfehle. Er nimmt seine Brille ab und legt sie neben sich auf den grünen Marmortisch, dessen Pendant in seiner Bibliothek in Boston steht. Rundherum sind die Fenster geöffnet, der strenge Salzgeruch der Ebbe durchweht den Raum.

»Ich möchte, daß du die Essays von John Warren Haskell liest«, sagt er, greift nach einem Buch und reicht es ihr. »Anschließend werden wir über den Inhalt sprechen, denn der Autor ist hier, in Fortune's Rocks, und wird uns über das Wochenende besuchen.«

Da hört sie zum erstenmal John Haskells Namen.

»Haskell bringt seine Frau und seine Kinder mit«, setzt ihr

Vater hinzu. »Ich hoffe, du wirst dich ihnen ein wenig widmen.«

»Natürlich.« Sie streicht mit der flachen Hand über die braune Seide des Bucheinbands und läßt ihre Finger über die erhabenen goldenen Lettern des Titels gleiten. »Aber was die Essays angeht, so habe ich von diesem Autor noch nie gehört.«

»Haskell ist Mediziner und hält Vorlesungen am College, wo ich ihn auch kennengelernt habe; aber seine wahre Berufung ist meiner Ansicht nach die des Essayisten, und ich habe mehrere seiner besten Aufsätze veröffentlicht. Haskells Interesse gilt vor allem dem Los der Arbeiter, und er scheint insbesondere bestrebt, die Lebens- und Arbeitsbedingungen der Fabrikarbeiterinnen zu verbessern. Daher sein zusätzliches Interesse an Ely Falls.«

»Ah ja, ich verstehe«, sagt sie, in dem schmalen Band blätternd. Und obwohl das Thema sie schon jetzt langweilt, wird sie später die Erinnerung an dieses Gespräch immer wieder wachrufen, um vielleicht ein übersehenes Krümelchen zu entdecken, von dem sie noch nachträglich zehren kann.

»Haskell führt eine Klinik in East Cambridge«, fährt ihr Vater fort. »Er hat sich erboten, während der Sommersaison in Ely Falls zu arbeiten, in Vertretung eines der festangestellten Ärzte, der Urlaub genommen hat.« Ihr Vater räuspert sich. »Haskell betrachtet es als äußerst glückliches Zusammentreffen, das ihm nicht nur ermöglicht, sich in der Gegend aufzuhalten, während sein Sommerhaus gebaut wird, sondern ihm auch aus nächster Nähe Einblick in die Lebensbedingungen der Arbeiter gewährt, die ihn so enorm interessieren. Und auch ich betrachte seinen Aufenthalt hier als einen Glücksumstand, da ich den Geist dieses Mannes und seine Gesellschaft überaus schätze. Ich denke, du wirst sowohl Catherine, Haskells Frau, als auch die Kinder ganz reizend finden.«

»Ach, ich soll wohl die Gouvernante spielen?« fragt Olympia scherzhaft, aber ihr Vater nimmt die Frage ernst und ist entsetzt.

23

»Aber nein, mein Kind, das ganz gewiß nicht«, antwortet er. »Die Haskells besuchen uns nur über das Wochenende. Danach wird Haskell wieder im Highland Hotel logieren, wo er bisher gewohnt hat, um den Bau des Hauses zu überwachen, das Ende Juli fertiggestellt sein sollte. Catherine und die Kinder werden bis dahin bei Catherines Eltern in York wohnen. Himmel, Olympia, wie kannst du nur glauben, ich würde dich auf solche Weise ausbeuten?«

Das Arbeitszimmer ihres Vaters ist sehr dunkel, obwohl die Fenster geöffnet sind; und seine Bücher, die Josiah teilweise ausgepackt hat, wellen sich bereits ein wenig in der feuchten Luft. Während des Sommers wird Josiah die Werke jeden Montag zu hohen Stößen aufstapeln und diese Stöße mit Eisen beschweren, um die Bücher wenigstens für ein paar Stunden wieder zur ursprünglichen Form, zu normalem Umfang zusammenzupressen.

Olympia geht still im Zimmer auf und ab und berührt die vertrauten Gegenstände, die ihr Vater im Laufe der Jahre gesammelt hat und in Fortune's Rocks aufbewahrt: ein Malachitbriefbeschwerer aus Ost-Afrika; ein juwelenbesetztes Kreuz, das ihr Vater gekauft hat, als er mit neunzehn Jahren Prag besuchte; ein Brieföffner aus vergilbtem Elfenbein aus Madagaskar; die silberne Dose mit den Briefen, die ihre Mutter ihm geschrieben hat, als er sich vor ihrer Heirat ein Jahr in London aufhielt; und eine Schreibtischlampe mit einem Schirm aus farbigem Glas und einem Besatz aus bernsteinfarbenen Kristallen, die früher Olympias Großmutter gehörte. Ihr Vater sammelt auch Muscheln, ganz wie ein kleiner Junge, und wenn sie zusammen am Strand spazierengehen, hat er stets einen Behälter bei sich, in dem er sie verstauen kann. Auf den Borden liegen fein ausgezackte Kammuschelschalen, die dunkel irisierenden Gehäuse von Miesmuscheln und verkrustete weiße Austernschalen. Wenn ihr Vater raucht, benutzt er die Muschelschalen als Aschenbecher.

Er beobachtet seine Tochter bei ihrer Wanderung durch das Arbeitszimmer. »Hat dein erster Ausflug an den Strand dir gefallen?« fragt er vorsichtig.

Sie nimmt den Briefbeschwerer aus Malachit in die Hand. Sie weiß nicht, ob sie die Momente am Strand schildern könnte, selbst wenn sie es wollte.

»Es war unbeschreiblich, nach diesem langen Winter endlich wieder den Ozean und die Meeresluft zu spüren«, antwortet sie. Aber als sie zu ihm aufblickt, hat er seine Brille aufgesetzt – ein Zeichen, daß sie entlassen ist.

Aus dem Arbeitszimmer ihres Vaters tritt sie auf die Veranda hinaus. Sie hat das Buch bei sich, das ihr Vater ihr gegeben hat, aber sie ist zu abgelenkt, um es aufzuschlagen. Im Laufe des Winters hat sie ihre volle Körpergröße erlangt, so daß sie jetzt, auf einem Stuhl auf der Veranda sitzend, über das Geländer und den Rasen hinweg sehen kann, der gemäht werden muß. Eine Blüte, die sie nicht benennen kann, verströmt einen betörenden Duft, und dieser Duft in Verbindung mit der Würze des Meeres bildet eine Wolke um sie, die berauscht und schläfrig macht.

Sie öffnet die beiden obersten Knöpfe ihres Kleides und fächelt ihren Hals mit dem losen Kragen. Sie nimmt ihren Hut ab und legt ihn nieder, worauf er sogleich über den Boden der Veranda flattert und schließlich an der untersten Sprosse des Geländers hängenbleibt. Sie schiebt ihre Hände unter ihr Kleid und löst ihre Strumpfbänder, wie sie das zuvor am Badehaus getan hat, bevor sie zum Wasser hinuntergegangen ist. Sie rollt die Strümpfe zusammen und setzt sich darauf, zieht dann den Saum ihres Kleides, der jetzt vom salzigen Meerwasser steif geworden ist, zu den Knien hinauf. Sie streckt die Beine aus, erstaunt über die sehr helle Haut, etwas, worauf sie kaum je zuvor in ihrem Leben einen Gedanken verschwendet hat. Der kühle feuchte Luftzug kitzelt sie in den Kniekehlen und an den nackten Waden. Sie stellt sich die schockierten Mienen Josiahs oder ihrer Eltern vor, käme jetzt einer von ihnen um die Ecke und sähe sie so halb entblößt; aber das außerordentliche Behagen, das das Spiel der Luft auf ihren Gliedern hervorruft, ist ihr die Hypothek späterer Konsequenzen wert. Sie richtet den Blick auf die friedlichen Horizontlinien, wo Meer und Himmel in einem Schwebezustand zusammenzutreffen scheinen. Und in der Tat ist es ganz so, als befände sie selbst sich an diesem Tag in einem Schwebezustand – als warte sie auf etwas, was sie sich kaum vorstellen kann und worauf sie nur ahnend vorbereitet ist.

## 2

Olympia beschäftigt sich in Gedanken gern mit den ehemaligen Bewohnerinnen des Hauses, den Nonnen von St. Jean Baptiste de Bienfaisance, zwanzig frankokanadischen Mädchen und Frauen aus der Provinz Quebec. Obwohl die Nonnen sich der Armut geweiht hatten und zur Gemeinde Saint André in Ely Falls gehörten, lebten sie in dem Haus in Fortune's Rocks im Genuß all der Schönheit, die diese Landschaft zu bieten hat. Olympia stellt sich vor, wie die Nonnen beschaulich auf der Veranda sitzen und zum Meer hinausblicken; oder auf den schmalen Roßhaarmatratzen in ihren Zellen liegen, die nur ein Kreuz über einem rohgezimmerten Tisch schmückt; oder gemeinsam in der Holzkapelle beten, mit französischen Gedanken und lateinischen Worten; und dann die Weite der Salzwiesen zwischen Fortune's Rocks und St. André durchwandern, um den Gottesdiensten mit den frankokanadischen Priestern und Einwanderern beiwohnen zu können. Der Kontrast zwischen der Üppigkeit des Landes, auf dem das Haus steht, und der asketischen Lebensweise der Frauen, die es bewohnten, mutet Olympia verwunderlich an; aber da sie keine Katholikin ist, kann sie nicht allzu lange über die theologischen Hintergründe dieses Paradoxons nachdenken. Tatsächlich ist ihr zu Beginn des Sommers im Jahr 1899, als sie ihren Gedanken über die frommen Frauen nachhängt, die sie in flachen Pantoffeln über die gewachsten Böden des Hauses gleiten sieht, nicht eine einzige Person katholischen Glaubens bekannt – ein Mangel, der ihr zu denken gibt, da er ihr nur eine weitere Manifestation ihres allzu behüteten Daseins zu sein scheint.

Sie ist nur einmal in Ely Falls gewesen, im vergangenen Sommer, als ihr Vater sie mitnahm, um ihr ein Wunder der Natur zu zeigen, die Wasserfälle, die sich fort in den Fluß Ely ergießen und das Städtchen zu einem wünschenswerten Standort für eine Textilfabrik machen. Sie fuhren mit dem Wagen von Fortune's Rocks bis ins Herz der kleinen Stadt mit ihren massigen Fabrikbauten aus dunklem Backstein und den dicht gedrängten Reihen von Arbeiterhäusern, und es war, dachte sie, während sie dahinfuhren, als bewegten sie sich an einem Gefälle von Namen entlang: von den Whittiers und Howells aus Fortune's Rocks, begüterte Leute, die jedes Jahr für die Sommermonate von Boston nach Norden kamen; zu den Hulls und Butlers aus Ely, alte Yankeefamilien, Eigentümer und Betreiber der Fabriken und umliegenden Geschäfte, die in behäbigen Holzschindelhäusern lebten; zu den Cadorettes und Beaudoins aus Ely Falls, Frankokanadier erster und zweiter Generation, die auf der Suche nach Arbeit von Quebec nach Süd-Maine und an die Küste New Hampshires ausgewandert waren. Die Einwohner von Fortune's Rocks, das wegen der schweren Stürme aus Nordosten im Winter kaum bewohnbar ist, unternehmen fortgesetzt Vorstöße, um aus der Gemeinde Ely auszuscheren; die Verwaltung jedoch, der Fortune's Rocks und Ely Falls unterstehen, ist nicht bereit, die wohlhabenden Einwohner von Fortune's Rocks ziehen zu lassen, da das Steueraufkommen aus den Sommerhäusern beträchtlich ist. Olympias Vater, der gemäßigt progressive Ansichten vertritt, gehört nicht zu den Befürwortern der Trennung. Er hat seiner Tochter wiederholt erklärt, daß er es für seine moralische Pflicht hält, einen Beitrag zum Wohl der Einwohner der Fabrikstadt zu leisten, auch wenn die Gemeindeverwaltung bis ins Innerste korrupt ist.

Obwohl Olympia bei diesem Ausflug mit ihrem Vater höchst beeindruckt war von dem Anblick der Wassermassen, die, fünf Millionen Gallonen in der Minute, aus einer Höhe von nahezu zwanzig Metern in einem diamantfunkelnden Schwall, der die Spinn- und Webmaschinen von Ely Falls antreibt, in die Tiefe stürzen, galt ihr größeres Interesse den nahe gelegenen, allenfalls zweckmäßigen, häufig jedoch schäbigen Reihenhäusern, in denen die Fabrikarbeiterinnen hausten. Während sie im Wagen durch den Ort fuhren und ihr Vater, als gebildeter Mann und zwei Generationen entfernt von dem Schuhmachereibetrieb in Brockton, Massachusetts, der den Reichtum seiner eigenen Familie begründete, ihr einen gescheiten Vortrag über die ausbeuterischen ökonomischen Praktiken der Textilindustrie hielt – einen Vortrag übrigens, von dem sich von selbst verstand, daß er ebenso Teil ihrer Ausbildung darstellte wie die Lektüre der Werke von Ovid und Homer, die sie in diesem Frühjahr bewältigt hatte –, mußte Olympia sich zur Ordnung rufen, um ihn nicht mit scharfem Zuruf aufzufordern, das Pferd anzuhalten. Sie wollte sich die Fassaden dieser Häuser ansehen, in deren Fenstern hier und dort ein Buch, ein federgeschmückter Hut oder ein Milchglaskrug zu sehen waren, und sich, nur von der Fasson des Hutes oder der Schlichtheit des Kruges geleitet, das Leben der Frauen hinter diesen geheimnisvollen Fenstern vorstellen. In diesen Räumen, glaubte Olympia, führten Mädchen, nicht viel älter als sie selbst, ein Leben, von dem sie unbedingt einen Blick erhaschen, wenn nicht einen tieferen Eindruck gewinnen wollte. Ein Leben, das soviel selbständiger und abenteuerlicher war als ihr eigenes, so sehr sie auch ihren Vater und ihre Mutter liebte und ihre Bequemlichkeit schätzte. Und sie weiß bis heute nicht, ob ihre Ruhelosigkeit, die wohl immer schon ein Teil ihres Wesens war, eine Folge ihres Aufwachsens in wohlgeordneten und komfortablen Verhältnissen ist oder ob sie durch die gleiche biologische Veranlagung, die ihre Mutter selbst geringfügigen Einbrüchen der Realität gegenüber unduldsam macht (und sie veranlaßt, ihr Heil in unsicherem Rückzug zu suchen), dazu bestimmt ist, der Welt weniger gleichmütig und vielleicht mit mehr Neugier zu begegnen als ihresgleichen. Aber sie sagte an jenem Tag nichts zu ihrem Vater; denn hätte sie es getan, so hätte er sie mit Erstaunen und Bestürzung betrachtet und es für notwendig erachtet, seine Einschätzung ihrer Reife und ihres Urteilsvermögens zu revidieren.

1892, nachdem Pater Pierre Bellefeuille, Geistlicher an der Kirche St. André, entschieden hatte, daß der Gemeinde besser gedient wäre, wenn die Nonnen in den Ort übersiedelten, um dort die Verwaltung des Hospizes und des Waisenhauses zu übernehmen, wurde das Klostergebäude an Olympias Vater verkauft; er war zufällig an jenem Abend im Herrenzimmer des Highland Hotels anwesend, als Pater Pierre dort erschien, um etwas zu trinken, und den bevorstehenden Verkauf erwähnte. Ihr Vater erbot sich huldvoll (und durchaus klug, wie sich zeigte), das Kloster unbesehen zu erwerben, und übergab Pater Pierre an Ort und Stelle einen Scheck über den gesamten Betrag. Der Umbau beanspruchte einen Monat Zeit – im wesentlichen für die Umgestaltung von zwanzig denkbar kleinen Zellen in acht Räume bescheidenen Ausmaßes und eine großzügige Zimmerflucht für ihre Mutter, sowie für die Installation sanitärer Anlagen im Haus, ein Luxus, der für die Nonnen nicht vorgesehen war.

Olympia sitzt, während sie sich in müßigem Sinnieren mit den Nonnen, dem Kloster und dem Städtchen Ely Falls beschäftigt, auf einer gezimmerten Bank in der ehemaligen Kapelle, die sich an die Nordseite des Hauses anschließt. Es ist ein kleines Bauwerk mit Giebeldach und klaren Glasfenstern, durch die man den vielfältigen Zauber der Natur betrachten kann, wenn schon nicht den Zauber Gottes, obwohl Olympia sicher ist, daß die Nonnen anderer Ansicht gewesen wären. An die Funktion der Kapelle als Gotteshaus gemahnt, abgesehen von der Bauweise und den Betstühlen im Inneren, nur noch der Altar – ein massiger, schwerer Quader aus feingemasertem weißem Marmor, der ohne das Kreuz und die Kandelaber und das übrige Zubehör einer katholischen Messe nackt wirkt.

Es ist später Vormittag am Tag der Sommersonnenwende, und durch ein offenes Fenster hinausblickend, versucht Olympia, auf ihrem Skizzenblock das Bild eines Bootes einzufangen, den unlackierten hölzernen Rumpf, die Segel von der Farbe schmutzigen Elfenbeins. Aber sie ist zeichnerisch nicht übermäßig begabt, das weiß sie, und so fällt denn ihre bemühte Darstellung des Bootes eher impressionistisch als naturgetreu aus, zumal sie diese Zeichenstunde nicht als Gelegenheit sieht, ihre Fähigkeiten zu verbessern, sondern vielmehr als Vorwand, um ihren Gedanken nachzuhängen. In diesem Abschnitt ihres Lebens ist Olympia sehr viel mit Nachdenken beschäftigt; es handelt sich nicht unbedingt um konstruktives Nachdenken oder um Überlegungen, die zu brillanten Lösungen irgendwelcher Probleme führen sollen, sondern eher um ein geistiges Sichtreibenlassen, einem Träumen gleich, bei dem die Gedanken umherschweifen, etwas aufnehmen, es betrachten und wieder beiseite legen, in der Art etwa, wie Schaulustige sich durch ein Warenhaus bewegen. Wenn sie täglich ihre Spaziergänge an der Kaimauer (oder, in Boston, im Park) unternimmt oder auf der Veranda sitzend zum Meer hinausblickt oder abends mit den Gästen ihres Vaters bei Tisch sitzt und beobachtet, wie das schmeichelnde gelbe Kerzenlicht auf den Gesichtern der Anwesenden spielt, beginnen ihre Gedanken zu wandern, und ihre Umgebung verändert sich. Bei Tisch allerdings übt sie sich zuweilen in einem geheimen Spiel, indem sie versucht, die Äußerungen einer Person in einem bestimmten Moment mit den in eine ganz andere Richtung gehenden Gedanken, die sie hinter der Stirn dieser Person vermutet, in Einklang zu bringen. Das Spiel führt dazu, daß sie ungewöhnlich aufmerksam auf Menschen achtet.

Ihre Zeichenübungen sind also nichts als eine List. Aber obwohl sie durchaus damit zufrieden ist, ungestört auf einer Bank in der Kapelle zu sitzen, ist sie doch ein wenig bekümmert, weil es ihr nicht gelingen will, das Boot auch nur annähernd im richtigen Größenverhältnis zu den Inseln im Hintergrund zu Papier zu bringen. Sie ist schon nicht mehr ganz bei der Sache, als sie, gedämpft zunächst, dann deutlicher, aufgeregte Kinderstimmen vernimmt. Als sie aufsteht und durch das Fenster zum Haus hinüberblickt, sieht sie auf der Vorderveranda tatsächlich mehrere Kinder; aber obwohl man meinen könnte, eine ganze Schulklasse habe das Haus überfallen, zählt sie nur vier zierliche Gestalten. Sie weiß sofort, daß John Warren Haskell mit seiner Familie eingetroffen ist und daß sie hinübergehen sollte, um die Gäste zu begrüßen.

Auf dem Weg über den Rasen erkennt sie sogleich die Familienähnlichkeit der Kinder: Es sind drei dunkelhaarige Mädchen, im Alter etwa zwischen drei und zwölf Jahren, und ein Junge, etwas älter als das kleinste Mädchen, mit dickem, glattem Haar von einem auffallenden Blond. Als Olympia mit ihrem Skizzenblock unter dem Arm die Verandatreppe erreicht und die Kinder, über das Geländer gebeugt, neugierig die sich nähernde Fremde im weißen Leinenkleid mustern, bemerkt sie, daß alle dunkle Augenbrauen haben (selbst der Junge) und eine ausgeprägte Mundpartie. Die beiden älteren Mädchen haben den Babyspeck verloren und sind schmal und schlank; die älteste wird zu beachtlicher Größe heranwachsen, sie hat schon jetzt breite Schultern und lange Beine. Sie steht mit leicht gespreizten Füßen, die Hände in den Hüften. Ihr blaßblaues Kleid mit dem weißen Kragen und der zarten Stickerei paßt nicht zu dieser burschikosen Haltung, die, wie Olympia bemerkt, etwas leicht Herausforderndes hat.

Das zweitälteste Mädchen ist schüchtern und preßt sich eine Hand an den Mund. Die Kleinste und der Junge sind ständig in Bewegung, unfähig, an einem Ort auf der Veranda zu verweilen, besorgt, sie könnten etwas Aufregendes an anderer Stelle verpassen. In den Gesichtern der Kinder, die den Rasen, die Felsen, das Meer und dann die sich nähernde junge Frau mustern, liegt ein Ausdruck, den Olympia noch am Vortag wohl selbst gezeigt hat: ein Ausdruck der Gier beinahe, als könnten sie es nicht satt werden, den berauschenden Hauch des Sommers einzuatmen.

Auf der Veranda bleibt sie stehen, um zuerst die beiden kleineren Kinder zu begrüßen, die verlegen die Köpfe senken, dann das mittlere Mädchen, das Olympia die Hand gibt, aber kein Wort sagt, und schließlich die Älteste, die ihr mitteilt, daß sie Martha heiße.

»Ich bin Olympia Biddeford«, sagt sie. Das Mädchen gibt ihr die Hand, blickt dabei aber über ihre rechte Schulter hinweg.

»Und ich bin John Haskell«, hört sie hinter sich eine Stimme.

Sie dreht sich halb herum. Sie registriert braunes Haar und lichtbraune Augen. Der Mann nickt beinahe unmerklich. Sein Hemd ist welk von der Hitze, und auf dem Saum seiner Hosenbeine hat sich eine feine Schicht feuchten Sandes abgesetzt. Seine Hemdsärmel sind offen, er ist allerdings nicht so weit gegangen, sie aufzurollen. In der kurzen Zeitspanne, die er benötigt, um die Veranda zu überqueren und ihr die Hand zu reichen, schätzt sie, daß er im Alter ihres Vaters ist, vielleicht ein, zwei Jahre jünger, also etwa vierzig. Er ist nicht direkt stämmig, denn er ist hochgewachsen, aber er hat breite Schultern. Sie hat den Eindruck, daß seine Kleidung ihn beengt.

Als er ihr die Hand entgegenstreckt, tritt er aus dem Schatten der Veranda ins Sonnenlicht. Vielleicht ist da ein leises Flattern ihrer Finger in seiner Hand, denn er neigt rasch den Kopf, so daß die Sonne seine Augen nicht mehr erreicht, und blickt zu ihren Händen hinunter, dann wieder in ihr Gesicht. Er sagt nichts, und sie auch nicht. Kein Wort des Grußes, keine höfliche Floskel. Und Olympia ist überzeugt, daß ihre Mutter, die in diesem Moment auf die Veranda treten will, dieses Schweigen zwischen ihnen wahrnimmt.

»Es freut mich, Ihre Bekanntschaft zu machen«, sagt Olympia schließlich.

»Ganz meinerseits«, erwidert er und läßt ihre Hand los. »Sie haben Martha schon kennengelernt?«

Olympia nickt.

»Und das ist Clementine«, fügt er mit einer Geste zu seiner mittleren Tochter hinzu. Er dreht sich dann zu den beiden Kleineren um. »Und die beiden Quirle sind Randall und May.«

Olympia hat das Gefühl, als werde ihr Körper von einer aus Scham und Verwirrung gemischten Empfindung erfaßt.

»Kannst du schwimmen?« Marthas Stimme trifft sie, die noch von der Wärme von John Haskells Begrüßung umfangen ist, wie ein eiskalter Wasserstrahl.

»Ja«, antwortet sie.

»Gibt es Muscheln am Strand?«

»Viele.«

Olympia möchte plötzlich weglaufen vor dem wachsamen Blick ihrer Mutter, die nicht über die Türschwelle getreten ist, die noch kein Wort gesprochen hat.

»Was für welche?«

»Wie – was für welche?« fragt Olympia zerstreut.

»Was für Muscheln«, erklärt Martha ungeduldig.

»Nun, es gibt natürlich Austern und Miesmuscheln. Und Venusmuscheln.«

»Habt ihr einen Korb?«

»Ich denke, es wird sich einer finden lassen«, sagt sie.

John Haskell entfernt sich. Er lehnt sich an das Veranda-geländer und blickt in die Ferne.

»Wo?« fragt Martha.

»In der Küche sind mehrere«, sagt sie.

»Woran arbeitest du?«

Olympia versteht die Frage zunächst nicht. Martha deutet auf den Block unter ihrem Arm.

»Ach, an einem Bild«, antwortet sie. »Es ist nicht sehr gut.«

»Zeig mal.«

Obwohl Olympia dazu keine Lust hat, fällt ihr kein Grund ein, Marthas Bitte abzuschlagen.

»Nein, es ist wirklich nicht gut«, stimmt Martha mit entwaff-nender Freimütigkeit zu, als sie sich die Zeichnung angesehen hat.

»Martha«, sagt John Haskell mit mildem Tadel. »Wir wollen Miss Biddeford jetzt nicht länger aufhalten. Komm, gehen wir ein Stück spazieren.«

Olympia blickt John Haskell und seiner Tochter nach, die die breite Verandatreppe hinuntersteigen und über den Rasen ge-hen. Martha reicht ihrem Vater kaum bis zur Schulter. Olym-pia dreht den Kopf und fängt den Blick ihrer Mutter auf, die sie nachdenklich betrachtet. Sie geht auf sie zu, macht Anstal-ten, sich an ihr vorbeizudrängen, und fragt (sie hört selbst den falschen Ton in ihrer Stimme), ob sie mit den kleineren Kin-dern einen Spaziergang machen solle. Noch ehe ihre Mutter Gelegenheit findet zu sprechen, beantwortet Olympia selbst ihre Frage. »Ich will mir nur andere Stiefel anziehen und einen Schal holen«, sagt sie und huscht an ihrer Mutter vorbei. Und wenn ihre Mutter eine Bemerkung macht, so hört sie sie nicht.

Olympias Zimmer ist beruhigend für das Auge, und sie ist in-sofern ihrer Mutter nicht ganz unähnlich, als sie häufig in den vier Wänden Zuflucht sucht. Es hat eine blaßblaue Tapete, die Farbe des Himmels, und auf diesem Hintergrund schweben

Sträußchen cremefarbener Moosröschen. Das Zimmer ist groß genug für ihr Bett, einen kleinen Nachttisch, eine Frisierkommode, einen Damensekretär und einen Sessel. Olympia hat den Sekretär vor das Fenster geschoben, so daß sie über den Rasen hinweg zum Meer hinaussehen und den Blick genießen kann, dessen sie niemals müde wird, nicht einmal an den häßlichsten Tagen, die es an der Küste New Hampshires geben kann. Am Fenster hängen weiße Musselinvorhänge, die zurückgebunden sind, so daß der weiche Stoff eine rautenförmige Öffnung zum Meer bildet. Vielleicht, denkt sie, ist es das diffuse Licht, das durch den leichten Stoff fällt, das fast immer ein Gefühl des Friedens in ihr hervorruft, wenn sie die Tür hinter sich schließt und weiß, daß sie endlich allein ist.

Doch an diesem Tag bietet das Zimmer so wenig Frieden wie jedes andere. Sie tritt zum Fenster. Sie legt sich auf dem Bett nieder und springt sogleich wieder auf. Sie mustert ihr Gesicht im Spiegel über der Frisierkommode, dreht den Kopf von einer Seite zur anderen, versucht sich vorzustellen, wie ihr Gesicht in den ersten Sekunden einer Begegnung wirkt, wie ihr Äußeres beurteilt werden könnte. Sie dreht sich seitlich und betrachtet ihren Wuchs und den Fall ihres Kleides über dem unvertrauten Busen. Sie beugt sich vor, berührt beinahe den Spiegel, um die Haut über dem gebogenen Kragen ihres Kleides in Augenschein zu nehmen, und sieht dabei, daß ihre Wangen fleckig sind. Sie ist plötzlich gewiß, daß auch ihre Mutter das bemerkt hat. Sie macht sich Gedanken über ihre Mutter, die jetzt sicherlich darauf wartet, daß Olympia in Schal und Stiefeln herunterkommt, um mit den Kindern den versprochenen Strandspaziergang zu machen. Und wie zur Antwort klopft es.

Olympia sucht sich zu fassen, tritt zur Tür und öffnet. Ihre Mutter steht vor ihr, die Arme verschränkt, den Mund zu einer Frage geöffnet, die ihr nicht ganz über die Lippen kommt. Es ist reines Glück, mehr Glück als Olympia verdient, daß sie so unwohl aussieht, wie sie sich zu fühlen behauptet. Sie bedenkt ihre Mutter mit phantastischen Lügen, indem sie erklärt, sie habe Bauchschmerzen, möglicherweise hervorgerufen durch irgend etwas, was sie gegessen habe. Fiebrig fühle sie sich nicht, fügt sie hinzu, aber sie habe sich einen Moment niedergelegt. Und noch ehe ihre Mutter etwas erwidern kann, fragt Olympia, ob sie den Kindern schon etwas von dem Spaziergang gesagt habe, denn sie glaube nicht, daß sie mit ihnen wie geplant an den Strand gehen könne.

»Ich verstehe«, sagt ihre Mutter, aber Olympia sieht den Zweifel in ihren Zügen. Olympia hat früher schon gelogen, aber ihre Lügen waren harmlose Flunkereien, die sie vor der Entdeckung irgendeiner Kleinigkeit bewahren sollten, die ihre Mutter unnötig beunruhigt hätte; sie ist sich nicht bewußt, je gelogen zu haben, um sich zu schützen oder einer Pflicht auszuweichen. Und sie hat in diesem Moment den Eindruck, daß ihre Mutter, auch wenn sie es häufig vorzieht, in einer Welt zu leben, in der kaum Entscheidungen erwartet werden, jetzt eine trifft; und daß ihre Mutter auf ihre Art beinahe so außer Fassung über Olympias offensichtlich erregten Zustand ist wie die Tochter.

»Dann kommst du zum Abendessen nicht hinunter«, sagt sie, und Olympia hört in ihrem Ton, daß dies keine Frage ist, sondern eine Feststellung.

Als sie gegangen ist, legt Olympia sich auf ihr Bett. Sie starrt ins Leere und sucht Beruhigung im Geräusch der Wellen, die sich auf dem Sand brechen. Und nach einer Weile wird dieses Bemühen mit der allmählichen Wiederkehr ruhigen, regelmäßigen Atems belohnt. Ja, sie wird so ruhig, daß sie sich aufsetzt und, nach einer Beschäftigung suchend, im Zimmer umschaut. Ihr Strickzeug liegt in der Reisetasche neben der Frisierkommode, ihr Skizzenblock auf dem Sekretär. Auf dem Nachttisch sieht sie das Buch, das ihr Vater ihr am Vortag gegeben hat. Sie nimmt es zur Hand und streicht mit den Fingern über die erhabenen goldenen Lettern des Titels. Sie setzt sich in den einzigen Sessel des Zimmers und beginnt zu lesen.

An diesem Nachmittag liest Olympia das ganze Buch aus der Feder John Haskells, nicht um sich zu bilden oder sich mit dem Inhalt vertraut zu machen, was ihr gestern noch als lästige Aufgabe erschien, sondern um in der besonderen Zusammenstellung von Wörtern nach Einblicken in den Geist eines anderen zu suchen, ganz so, als wären die Struktur der Sätze und die Wörter, die sie bilden, Formeln, die, einmal entschlüsselt, kleine Geheimnisse preisgeben könnten. Aber entgegen ihren eigentlichen Absichten wird sie bei der Lektüre vom Gegenstand des Buches in Bann geschlagen. Der Aufbau ist täuschend einfach, aber ungewöhnlich, zumindest aus Olympias noch begrenzter Sicht. In *An den Ufern der Flüsse* präsentiert John Warren Haskell dem Leser sieben Geschichten oder genauer gesagt, denkt Olympia, Porträts – außerordentlich detaillierte und scheinbar objektiv gezeichnete Porträts – von sieben Menschen, die in den Fabriken in Lowell, Holyoke und Manchester beschäftigt sind: vier Frauen und drei Männer. In der Ausführung der Porträts verzichtet der Autor weitgehend auf effektvollen Stil und, soweit Olympia dies beurteilen kann, auf jeglichen Versuch, eine der beschriebenen Personen positiv oder negativ zu schildern. Vielmehr erhält der Leser die Beschreibung eines Lebensstils, die, so empfindet es Olympia, durch die nüchterne Darstellung der täglichen Mühsal weit plastischer vom nahezu unerträglichen Los der Fabrikarbeiter erzählt, als es die kunstvollsten Worte vermöchten. Die Porträts sind schonungslos gezeichnet und enthalten Passagen, die zu lesen für sie sowohl lehrreich als auch schwierig ist – nicht aufgrund der Sprache, sondern aufgrund der Bilder, die sie heraufbeschwören; denn die Kenntnisse des Autors in häuslichen und medizinischen Angelegenheiten sind überaus detailliert. Sie fragt sich flüchtig, was ihren Vater veranlaßt haben mag, ihr so etwas zu empfehlen, obwohl es nicht das erstemal ist, daß er ihr ein schwieriges oder fragwürdiges Thema, das andere Lehrer vielleicht umgehen würden, zumutet. Er hält Olympia bei ihren Gesprächen stets dazu an, auch dem Schmerzhaften und Häßlichen ins Auge zu sehen.

An diesem Nachmittag in ihrem Zimmer verweilt sie lange bei einzelnen Wörtern: Spinnereiarbeiter und Krätze und Colomel. Sie schaudert bei der Beschreibung eines operativen Eingriffs bei einer Krebserkrankung im Frühstadium. Die hygienischen Verhältnisse in den Arbeiterunterkünften erschrecken sie. Und sie fragt sich mit mehr als flüchtigem Interesse, wie John Haskell sowohl von seelenlosen Wirkmaschinen als auch vom Schmerz der Geburt soviel wissen kann. Während sie liest und sich über diese Dinge Gedanken macht, wird ihr Seite um Seite Zugang gewährt zum breiten Wissen dieses Mannes über den menschlichen Körper und die menschliche Natur, so daß sie den irrigen Eindruck gewinnt, lange und ausführlich mit John Haskell gesprochen zu haben.

Als sie den Kopf vom Buch hebt, ist jene prachtvolle Stunde des Tages angebrochen, in der das Licht allen Dingen eine zuvor ungeahnte Klarheit verleiht. Und es gelingt ihr, sich einzureden, daß sie es irgendwie vermocht hat, unakzeptable Gefühle in akzeptable zu verwandeln, aus Verwirrung Respekt und aus heftiger Erregung Bewunderung gewonnen zu haben, und daß dieser alchimistische Prozeß es ihr gestatten wird, in einem beinahe normalen Zustand der Ausgeglichenheit zum Abendessen hinunterzugehen.

# 3

Es wird die Zeit kommen, in der Olympia das zwanghafte Kreisen der Gedanken um die ›andere‹ kennenlernt, um jene Person, die das Opfer des Diebstahls ist – die Ehefrau, die frühere Geliebte, die einstige Verlobte; das bohrende Gelüst, das eine andere Frau zum Objekt einer beinahe unerträglichen

Neugier macht; die quälende Faszination, die nicht nachläßt. Sie wird in diesem Sommer entdecken, daß sie die geheimsten Details über Catherine Haskells Leben wissen möchte: ob sie allein in ihrem Bett schläft oder eng an ihren Mann gedrückt; welche Koseworte sie flüstert und empfängt; ob sie, wie Olympia, das kurze Innehalten vernimmt und dann den leisen, gedämpften Aufschrei, der, intim und erregend, allein der Geliebten vorbehalten ist. Gibt es, wird sie sich fragen, gewisse Erinnerungen, gewisse sich an unterschiedlichen Punkten im Kontinuum der Zeit wiederholende Ereignisse, die sie und Catherine Haskell teilen, so daß ihre Erinnerungen nicht allein die eigenen sind, sondern Wiederholungen der Erinnerungen Catherines? So daß beide Frauen gleichermaßen betrogen sind?

Und in späteren Jahren wird Olympia sich fragen, ob sie nicht in der Tat eine Art Liebesbeziehung zu Catherine Haskell eingegangen ist, ob nicht ihre Neugier bezüglich dieser Frau und der Zeit, die sie mit John Haskell verbracht hat und Olympia nicht – eine Zeit, in der ein Eheversprechen gegeben und gefeiert wurde, Kinder geboren und behütet wurden, ein Ehebett tausendmal eingenommen und wieder verlassen wurde –, ob nicht diese Neugier eine verzerrte Form der Liebe war, eine Liebe, die eben ihrer Natur gemäß niemals erwidert oder gestillt werden konnte.

Olympia beschließt, zum Abendessen hinunterzugehen, und stellt sich vor dem Spiegel über der Frisierkommode ihrer unordentlichen Erscheinung. Man beschäftigt zwar in Fortune's Rocks eine Waschfrau, aber Olympia hat keine eigene Zofe (auch in Boston nicht), da ihr Vater der Meinung ist, die Erziehung einer jungen Frau zur Selbständigkeit in puncto Kleidung und persönlicher Hygiene sei von grundlegender Bedeutung. Er hält auch wenig von Eitelkeit bei jungen Mädchen und pflegt Olympia deshalb zu ermahnen, bei der Körperpflege und ihrer Garderobe auf Einfachheit zu achten, ohne ins Exzentrische abzugleiten. Er scheint allerdings solche Betonung der Bescheidenheit nur bei seiner Tochter für nötig zu halten, nicht jedoch bei seiner Frau: ihre lavendelfarbenen Seiden und nachtblauen Voiles gefallen ihm allem Anschein nach ebenso wie ihre kunstvollen, unter großem Zeitaufwand und mit vielen Kämmen gesteckten Frisuren. Und Olympias Mutter hat natürlich eine Zofe, Lisette.

Olympia hat sich an den Ermahnungen ihres Vaters bezüglich ihrer Kleidung und ihrer Erscheinung nie gestört, hat sie es sich doch längst angewöhnt, für sich selbst Sorge zu tragen. Ja, es wäre ihr, meint sie, sogar zuwider, einer anderen Person praktischer Handreichungen wegen die Intimität ihres Körpers zu offenbaren. Aber so wahr das ist, jetzt verbringt sie doch eine unangenehme halbe Stunde in ihrem Zimmer, nimmt ein Kleid nach dem anderen zur Hand und legt es wieder zurück, betrachtet ratlos eine bescheidene Auswahl an Schmuck, kann sich nicht entscheiden, ob sie ihr Haar offen tragen oder hochstecken soll, eine Frage, in der andere Überlegungen mitschwingen: Ist sie ein Mädchen, ist sie eine Frau? Ist dieses Abendessen ein zwangloser Anlaß, oder verlangt es gewisse Formen? Würde ihr Vater sie gern mit offenem oder ihre Mutter sie lieber mit hochgestecktem Haar sehen?

Olympia entscheidet sich für offenes Haar, von einem Band gehalten, und für ein Leinenkleid in Weiß und Marineblau, am Hals mit weißer Paspelierung, die einen Matrosenkragen andeutet. Aber als sie schon auf dem Weg zur Tür ist, fällt ihr Blick in den Spiegel, und sie erkennt mit Schaudern, daß sie eher einem zu groß geratenen Schulmädchen gleicht als einer jungen Dame, die im Begriff ist, sich zu einem festlichen Diner am Abend der Sommersonnenwende zu begeben. In fliegender Eile knöpft sie das ärgerliche Kleid auf, zieht es sich über den Kopf, und wählt unter den Kleidungsstücken auf dem Bett eine weiße Batistbluse und einen langen schwarzen Rock aus feinem, fließendem Wollstoff mit hohem Bund. Sie reißt sich das gleichermaßen ärgerliche Band vom Kopf und schickt sich an, ihr Haar zum Knoten aufzustecken. Ihr Haar hat um diese Jahreszeit, noch bevor sommerliche Glanzlichter es aufgehellt haben, die Farbe dunklen Eichenholzes, es ist voll und schwer, und es bedarf vieler Nadeln, wenn es hochgesteckt sicher halten soll. Aber trotz ihrer Bemühungen muß sie es dulden, daß einige lose Strähnen sich zu den Schultern hinunterstehlen, wenn sie das Abendessen nicht versäumen will. Weise unterläßt sie es, noch einmal in den Spiegel zu sehen, bevor sie hinausgeht.

Von der Veranda her hört sie gedämpfte Stimmen und macht, noch nicht bereit, am Gespräch teilzunehmen, einen Abstecher zum Speisezimmer. Zu dieser ersten Abendeinladung des Sommers ist der Tisch festlicher gedeckt als sonst und prangt im Glanz des Cloisonnéporzellans, des Kristalls ihrer Mutter und des üppigen Schmucks cremefarbener kleiner Rosen, die scheinbar beliebig, in Wirklichkeit jedoch mit künstlerischem Blick, auf dem weißen Damast verstreut sind. In Wandleuchtern und Kandelabern brennen Dutzende von Kerzen, deren Flammen von den großen Spiegeln über zwei einander gegenüberstehenden Mahagonikredenzen reflektiert werden, so daß der Eindruck entsteht, man sei von einer unendlichen Zahl warm flackernder Lichter umgeben. In der beginnenden Abenddämmerung sieht sie durch die großen Fliegengitter an den Fenstern die Strandrosenhecken, die die Südseite des Rasens säumen, und dahinter die alte Obstanlage, in der tiefrote Äpfel gedeihen, die erst in der letzten Augustwoche reif sein werden. Die Luft, die durch die Fliegengitter hereindringt, ist weich und streicht über die Haut wie ein Geist, der durch das Zimmer schwebt. Olympia verfolgt die Spur dieses Geistes im Flackern der Kerzenflammen. Hinter der Tür zur Anrichte hört sie erhobene Stimmen und das Klappern von Silber. Und dann vernimmt sie noch ein anderes Geräusch, das knisternde Rascheln von Röcken dicht an der Zimmertür.

»Sie müssen Olympia sein.«

Das erste, was Olympia, wie zweifellos allen Menschen auffällt, sind die Augen, groß und von einem so durchscheinenden Grün, daß man an vom Meer geschliffenes Glas denkt. Catherine Haskell tritt näher, und Olympia bemerkt überrascht, daß die Frau kleiner ist als sie und ein Bein leicht nachzieht.

»Was für ein wunderschöner Raum.« Catherine legt ihren Hut ab und läßt den Blick über die gedeckte Tafel schweifen. Ihr Haar ist von höchst ungewöhnlicher Farbe – ein dunkles Blond, reichlich mit Silber durchwirkt, so daß es aussieht wie feingesponnen.

»Und Sie müssen Mrs. Haskell sein«, sagt Olympia, endlich Worte findend.

»Ich werde mich nie an die überwältigende Schönheit von Fortune's Rocks gewöhnen, ganz gleich, wie oft wir hierher kommen«, erklärte Catherine, während sie versucht, eine Haarsträhne, die sich gelöst hat, in den Knoten in ihrem Nacken zurückzustecken. Ihr Lächeln fasziniert Olympia, es ist nicht direkt ein Lächeln der Selbstgefälligkeit, eher eines der inneren Zufriedenheit.

»Ich bin spazierengegangen«, bemerkt Catherine Haskell und deutet mit erklärender Geste auf den Hut. Sie trägt ein grünes Taftkleid mit mehreren Unterröcken – ein seltsames Kostüm für einen Spaziergang, denkt Olympia. Aber vielleicht war Catherine Haskell, genau wie sie selbst am vergangenen Tag, zu ungeduldig, um sich erst umzuziehen. Ihre Stiefel und die Säume ihrer Röcke sind staubig.

»Ich fürchtete, man würde meinetwegen mit dem Essen warten müssen«, sagt sie.

Olympia schüttelt den Kopf.

»Ich hoffe, die Kinder haben Sie nicht gestört«, fährt Catherine fort. »Sie haben sie doch schon kennengelernt? Ich weiß,

Martha wird begeistert von Ihnen sein und Sie über alle möglichen Dinge befragen wollen. Sie müssen sie fortschicken, wenn es Ihnen zuviel wird.«

»Aber keinesfalls«, antwortet Olympia und denkt, daß Martha überhaupt nicht begeistert von ihr war. »Ich habe sie noch kaum gesprochen, nur kurz begrüßt, da ich den ganzen Nachmittag in meinem Zimmer war.«

»Wirklich? An einem so schönen Tag? Warum denn das?«

Augenblicklich bedauert Olympia, ihre Klausur erwähnt zu haben, und weiß im selben Moment, daß sie dieser Frau nicht erzählen kann, daß sie den ganzen Nachmittag damit zugebracht hat, die Essays ihres Mannes zu lesen. Sie kann noch nicht erklären, warum es so ist, aber es erschiene ihr taktlos und indiskret wie das Stöbern in fremden Schubladen.

»Ich wollte mich ein wenig ausruhen«, antwortet sie.

»Oh, ich hoffe, Sie sind nicht unpäßlich.«

»Nein, nein, es geht mir sehr gut, Mrs. Haskell.« Olympia blickt verwirrt auf ihre Füße.

»Catherine«, sagt die Frau langsam, ihren Namen in drei Silben teilend. »Bitte nennen Sie mich Catherine. Sonst fühle ich mich zu alt.«

Olympia sieht auf und versucht zu lächeln. Es entgeht ihr nicht, daß Catherine Haskell sie eingehend mustert. Ihr Blick wandert zu ihrer Taille, ihrem Haar und kehrt dann zu ihrem Gesicht zurück, wo er einen Moment verweilt, ehe er sich zurückzieht und zum Verandafenster schweift.

»Was meinen Sie«, fragt Catherine Haskell, »habe ich noch Zeit, um hinaufzulaufen und ein frisches Kleid anzuziehen, das nicht durch Sand und Seegras geschleift worden ist?«

Es ist eigentlich keine Frage, denn Olympia ist nun ganz gewiß nicht diejenige, die bestimmt, wann man sich zu Tisch setzt. Catherine Haskell huscht mit knisterndem Rascheln ihrer zahlreichen Röcke aus dem Zimmer, wie sie auch eingetreten ist.

Olympia lehnt sich einen Moment an den Türrahmen und kann durch das Fliegengitter eines der Fenster eine kleine Robbe ausmachen, die auf einem Felsen ein trockenes Plätzchen sucht.

Mit Rufus Philbrick aus Rye, dem dort Hotels und Wohnheime gehören, und Zachariah Cote, einem unbekannten Autor aus Quincy, der zur Sommerfrische im Highland Hotel weilt, sitzen an diesem Abend sieben Personen am Tisch. (Für Olympia, die nicht erwartet wurde, hat man in aller Eile ein Gedeck aufgelegt.) Die Kinder haben schon früher gegessen und machen unter der Obhut ihrer Gouvernante, die es entgegenkommenderweise angeboten hat, noch einen Spaziergang am Strand.

Mr. Philbrick, ein großer Mann mit schlohweißem Schnauzer und Backenbart, trägt ein gestreiftes Jackett zur cremefarbenen Hose. Olympia hat den Eindruck, daß er nicht nur ein vermögender Mann ist, sondern auch ein Dandy. Cote, dessen Gedichte sie nach einer Kostprobe beiseite gelegt hat, weil die zuckersüßen und seelenvollen Bilder ihr nicht zusagen, steckt in einem zerdrückten Tweedanzug mit Weste, in dem ihm an einem so milden Abend unerträglich warm sein muß. In der Tat hat er Schweißperlen auf der Stirn. Ihre Mutter, in hyazinthblauem Chiffon und mit kostbaren Kämmen im Haar, scheint angeregter Stimmung zu sein, was bei Olympia, und sie vermutet, auch bei ihrem Vater, eine leise Unruhe hervorruft; sie haben beide oft genug solche Phasen funkelnden Witzes und sprühender Heiterkeit erlebt und haben Grund, den Zusammenbruch zu fürchten, der folgen könnte. Doch die Schönheit des lichterglänzenden Raums, in dem die sieben Speisenden beim Schein der Kerzen, die sich in den Spiegeln über den Kredenzen ins Endlose wiederholen, an der Tafel sitzen, von der milden Luft umfächelt, die durch die Fliegengitter weht und die Verheißung auf kommende Nächte mit sich bringt, bewirkt, daß Olympia sich glücklich und beschwingt fühlt.

Sie wird von den Gästen begrüßt, die Fragen und Antworten mit ihr tauschen und einen sanften Wirbel der Aufmerksamkeit um sie entfachen, den zu erwarten und freundlich hinzunehmen sie gelernt hat. Wenn alle obligatorischen Fragen gestellt sind und auf die Fischsuppe die überbackenen Austern folgen, wird man sie sich selbst überlassen, und sie wird ungestört den Gesprächen der anderen zuhören können. Das ist der Teil des Abends, den sie am meisten genießt.

Sie ist schnell in ihrem Urteil über die Gäste. Sie sieht, daß Cote in Worten und Gesten allzu begierig ist, ihrem Vater zu gefallen, der sich noch nicht entschieden hat, ob er die Verse des Dichters veröffentlichen wird. Und sie empfindet diesen offen zur Schau getragenen buhlerischen Eifer, unter diesen besonderen Umständen erklärlich, eher erbärmlich als gewinnend. Weit angenehmer ist ihr da die ziemlich schroffe Art des extravagant gekleideten Rufus Philbrick mit seinen scharfzüngigen Antworten auf die Fragen ihres Vaters, die dieser wohlgeneigt aufnimmt, da sie ihn hoffen lassen, daß der Abend immerhin durch einen Funken Esprit belebt sein wird.

Olympias Mutter trinkt große Mengen Champagner, ohne ihr Essen anzurühren, und von Zeit zu Zeit wirft Olympias Vater einen Blick auf seine Frau, legt auch flüchtig seine Hand auf die ihre. Olympia weiß, daß er hofft, seine Frau werde sich vorzeitig entschuldigen, bevor sie allmählich den Halt verliert. Catherine Haskell, in einem Kleid aus heliotropfarbenem Crêpe de Chine, das effektvoll ihr silberdurchwirktes blondes Haar betont, beantwortet höflich die Fragen der Herren und wendet sich mit schützender Fürsorge Olympias Mutter zu, um ihr mit offenkundiger Aufmerksamkeit ein Kompliment über die Rosenpracht auf der Tafel zu machen und sie zu fragen, ob sie es für ratsam halte, die Mädchen am folgenden Tag mit dem Boot in die Sumpfgewässer hinausfahren zu lassen.

John Haskell sitzt am oberen Ende des Tisches, und ab und an vernimmt Olympia seine Stimme. Die Männer, mit ihnen Haskell, erzählen Cote, der mit der Gegend nicht vertraut ist, offenbar eine Geschichte über die Dichterin Celia Thaxter, die Olympias Vater bewundert und von deren Werken er eine große Anzahl veröffentlicht hat. Thaxter war vor ungefähr fünfundzwanzig Jahren in einen hiesigen Mordfall verwickelt, zwar nur am Rande, aber doch in entscheidender Rolle. Olympia hat die ziemlich grausame Geschichte viele Male gehört, und so läßt sie ihre Gedanken einige Minuten wandern, bis man die Lamm-Medaillons und die Reiskroketten aufträgt und der gute Ton den Gästen gebietet, sie wieder ins Gespräch einzubeziehen. Sie ist in diesem Sommer auf einigen Gebieten bewandert genug, um sich an einem Gespräch zu beteiligen, wenn sie dazu aufgefordert wird, und ihr Vater weiß das. Es ist möglich, daß er jeden Moment die Gelegenheit ergreifen wird, die vorzügliche geistige Erziehung seiner Tochter zu demonstrieren, indem er sie in eine Diskussion über den amerikanischen Liberalismus oder die christlich-soziale Reform zieht. Doch sie bemerkt, daß an diesem Abend auch ihr Vater angeregter ist als sonst, beinahe erhitzt, und vermutet, daß dies wohl der zwiefachen Schönheit Catherine Haskells und ihrer Mutter zuzuschreiben ist, und der Verdoppelung, nein, endlosen Vervielfältigung dieses Glanzes in den Spiegeln über den Kredenzen. Ein Blick um den Tisch zeigt ihr, daß alle Männer in günstiger Position zu den Spiegeln sitzen und so in den Genuß der weiblichen Reize kommen, die einer gewissen Neigung eines Kopfes innewohnen, dem Bogen eines langen Halses, der sich in einer silberblonden Wolke verliert, einem flüchtig aufblühenden Lächeln, einem feinen Stirnrunzeln, dem Perlenschimmer auf weißem Busen, dem Fall einer Haarsträhne, die sich aus einem Kämmchen mit Jet und Diamanten gelöst hat. Und auch sie selbst zollt diesen Reizen wache Aufmerksamkeit wie ein Lehrling seinem Meister. Doch als sie, von ihren müßig schweifenden Gedanken getragen, zum oberen Ende des Tisches blickt, entdeckt sie, daß John Haskells Aufmerksamkeit nicht den Reizen seiner Frau oder Rosamund Biddefords gilt, sondern ihr.

Dieser Blick ist unmißverständlich. Es ist kein Blick, der sich in ein höfliches Lächeln der Bestätigung oder in eine Aufforderung zum Gespräch auflöst. Und er zeugt auch nicht von geistesabwesender Konzentration. Es ist ein durchdringender Blick, ohne Schranken und ohne Grenzen. Olympia meint, alle am Tisch müßten erstarren, wie sie selbst innerlich erstarrt ist unter der beinahe unerträglichen Intensität dieses Blicks.

Sie senkt den Kopf, aber sie nimmt nichts wahr, nicht die Gabel in ihrer Hand, nicht den Spitzenbesatz an ihrem Ärmel, auch nicht das Fleisch auf ihrem Teller. Als sie die Lider wieder hebt, sieht sie, daß sein Blick sie noch immer festhält. Es gelingt ihr nicht länger, ihre Verwirrung zu verbergen. Deshalb vielleicht dreht er rasch den Kopf und wendet sich ihrem Vater zu, als wolle er mit ihm sprechen. Und ihr Vater, zweifellos verblüfft über Haskells brüske Zuwendung (oder möglicherweise wegen dieses Blickes zu seiner Tochter), wählt diesen Moment, um der Gesellschaft laut und vernehmlich mitzuteilen: »Ich habe Olympia gebeten, Johns Buch zu lesen.«

Das Schweigen, das folgt, ist peinlicher als jedes unsachverständige Wort, das sie hätte äußern können – ein Schweigen, in dem ihr Vater und seine Gäste auf ein Wort von ihr warten; ein Schweigen, mit dem sie riskiert, Stolz und Freude ihres Vaters in Enttäuschung zu verwandeln.

»Ist es nicht so, Olympia?« fragt er schließlich, in der Stimme ein schwaches Echo des Schulmeisters, »oder hast du vielleicht noch keine Zeit gehabt, dir Haskells Essays anzusehen?«

Sie hebt den Kopf mit einer Beherztheit, die sie nicht empfindet – und wie oft in ihrem Leben wird sie eine ähnliche Vorstellung noch geben müssen –, und sagt, das Wort an John Haskell richtend und nicht an ihren Vater: »Ich habe beinahe alle Ihre Essays gelesen, Mr. Haskell, und sie gefallen mir sehr gut.«

Sie atmet so flach, daß die Luft nicht bis in ihre Lunge gelangt. Wieder tritt ein Schweigen ein, das, sich in die Länge ziehend, bei ihrem Vater Verstimmung hervorruft.

»Ich bin sicher, daß du dich etwas präziser ausdrücken kannst, Olympia«, sagt er schließlich.

Sie holt Atem und legt ihre Gabel nieder. »Die Form Ihrer Essays ist täuschend schlicht, Mr. Haskell«, erklärt sie. »Man möchte meinen, Sie hätten einfach sieben Geschichten ohne jede persönliche Bewertung und Kommentierung niedergeschrieben, aber die Porträts sind in ihrer Detaillierung meiner Meinung nach überzeugender, als alle Rhetorik es sein könnte.«

»Und wovon überzeugen sie den Leser?« fragt Philbrick, der die Essays nicht kennt.

»Sie überzeugen von der Notwendigkeit, die Lebensbedingungen der Fabrikarbeiter zu verbessern«, antwortet Olympia.

John Haskell wirft einen Blick auf Philbrick, dem immerhin in Rye eine Anzahl von Arbeiterwohnheimen gehört, als wolle er sich vergewissern, daß dieser sich durch eine Erörterung des Themas nicht vor den Kopf gestoßen fühlt. Aber er bemerkt zweifellos genau wie Olympia das kleine Lächeln im Gesicht ihres Vaters, das verrät, daß er sie vielleicht deshalb so beharrlich gedrängt hat, sich über das Buch zu äußern, weil er hoffte, damit eine lebhafte Debatte einzuleiten.

Haskell wendet sich an Olympia. Sie hofft aus tiefstem Herzen, er werde jetzt nicht sagen, sie sei zu liebenswürdig, denn das hieße, daß er sie als unbedeutend einstufe.

»Ihre Porträts sind schonungslos gezeichnet und enthalten Passagen, die zu lesen für mich sowohl lehrreich als auch schwierig war«, fährt sie fort, bevor er etwas sagen kann, »nicht aufgrund der Sprache, sondern aufgrund der Bilder, die sie heraufbeschwören, vor allem bei der Schilderung von Unfällen und medizinischen Vorgängen.«

48

»Das ist wahr, Olympia«, bestätigt ihr Vater, der den Stolz auf seine Tochter wiedergewinnt.

»Ich denke, es wird kaum einen Leser geben, den diese Porträts ungerührt lassen«, fügt sie hinzu.

»Ihr Wahrnehmungsvermögen ist erstaunlich für Ihr Alter«, wirft Rufus Philbrick ein und taxiert sie mit scharfem Blick, ohne daß sie sich von dieser freimütigen Musterung belästigt fühlt.

»Durchaus nicht«, versetzt ihr Vater. »Meine Tochter geht in eine vorzügliche Schule.«

»Und was für eine Schule wäre das?« erkundigt sich Zachariah Cote mit höflichem Lächeln bei Olympia. Ihr mißfallen sowohl die weichlich wirkende untere Partie seines Gesichts als auch die übermäßig langen Koteletten, am meisten aber mißfällt ihr, wie plötzlich sie anstelle von John Haskells Buch in den Mittelpunkt des Gesprächs gerückt ist.

»Die Schule meines Vaters«, antwortet sie.

»Tatsächlich?« ruft Rufus Philbrick überrascht. »Sie besuchen keine reguläre Schule?«

Ihr Vater antwortet für sie. »Meine Tochter hat sechs Jahre lang das Commonwealth Lehrinstitut für junge Damen in Boston besucht, bis sich schließlich nicht länger übersehen ließ, daß Olympias Bildung der ihrer Lehrer weit überlegen war. Ich habe sie aus der Schule genommen und unterrichte sie seither selbst, wobei ich hoffe, sie im nächsten Jahr am Wellesley College anmelden zu können.«

»Hat es Ihnen nichts ausgemacht«, fragt Catherine Haskell sich ihr zuwendend mit leiser Stimme, »so ganz von jungen Mädchen Ihres Alters getrennt zu sein?«

»Mein Vater ist ein begabter und liebevoller Lehrer«, antwortet Olympia diplomatisch.

»Sie wissen also eine Menge über die Textilfabriken, wie?« wendet sich Rufus Philbrick an John Haskell.

»Nicht soviel, wie mir lieb wäre«, antwortet er. »Es gehört zu den Nachteilen des Porträts als Erzählform, daß es dem Autor kaum möglich ist, einen umfassenden historischen Überblick zu geben, und genau das ist, fürchte ich, ein ernster Mangel des Buches. Meiner Meinung nach ist eine gewisse Kenntnis der historischen Hintergründe entscheidend für das Verständnis jeder Situation in der Gegenwart. Meinen Sie nicht?«

»O doch, das denke ich auch«, sagt Olympias Vater.

»Sehen Sie, in den Anfangsjahren«, fährt Haskell fort, »als die Arbeitskräfte der Textilfabriken vor allem Frauen aus ländlichen Gegenden hier im Norden waren, nahmen die Fabrikeigentümer ihren Arbeiterinnen gegenüber eine wohlwollende Haltung ein und fühlten sich verpflichtet, für anständige Unterkünfte und saubere Krankenstationen zu sorgen. Die jungen Frauen wurden zu zweit in einem Zimmer untergebracht und bekamen täglich drei Mahlzeiten in einer gemeinschaftlichen Kantine. In vieler Hinsicht war das Wohnheim ein Zuhause in der Fremde, ähnlich einem Studentenwohnheim von heute. Es gab zum Beispiel Bibliotheken und Lesekreise für die Arbeiterinnen, Konzerte, Theateraufführungen und dergleichen. Von einer jungen Frau, die in die Textilfabrik ging, konnte man damals sagen, es diene auch der ›Erweiterung ihres Horizonts‹ so lautet, glaube ich, der Ausdruck.«

»Ich habe aber gehört«, wirft Rufus Philbrick ein, »daß die Frauen zehn bis zwölf Stunden am Tag arbeiten mußten, und das sechs Tage in der Woche, und daß Krankheit und Verlust des Augenlichts keine Seltenheit waren.«

»Da haben Sie absolut recht, Philbrick. Aber mir kommt es auf die Tatsache an, daß die Verhältnisse sich rapide verschlechterten, als die Yankeemädchen nach Hause zurückkehrten und von irischen und frankokanadischen Arbeiterinnen abgelöst wurden. Die Einwanderer trafen als Familien ein, und es waren große Familien, die sich nun in Räumen zusammendrängen mußten, die ursprünglich nur für zwei Personen gedacht waren. Die alten Wohnheime können eine so große Bewohnerzahl nicht aufnehmen, und die Folge ist, daß diese Menschen unter schandbaren sanitären Bedingungen leben müssen und ihre medizinische Versorgung nicht gesichert ist. Erst in den letzten Jahren haben progressive Gruppen begonnen, sich für bessere Wohnungen, Kliniken und angemessene Kinderbetreuung einzusetzen.«

»Ja, von diesen progressiven Gruppen habe ich gehört«, bemerkt Zachariah Cote mit einem Blick in die Runde.

»Im vergangenen April«, berichtet Haskell, »bin ich mit mehreren anderen Ärzten von Cambridge nach Ely Falls gekommen. Wir haben dort eine Reihenuntersuchung bei allen Männern, Frauen und Kindern durchgeführt, die wir zur Teilnahme bewegen konnten. Die Vergütung von sieben Dollar pro Familie war immerhin über fünfhundert Personen Anreiz genug, sich von uns untersuchen zu lassen. Leider konnten lediglich sechzig als gesund eingestuft werden.«

»Das ist ein erschreckend geringer Prozentsatz«, sagt Olympias Mutter.

»Ja, nicht wahr? In den Wohnheimen wüten Krankheiten – Tuberkulose, Masern, Staublunge, Cholera, Schwindsucht, Scharlach, Brustfellentzündung –, es geht ins Uferlose.«

»Eine der Schwierigkeiten scheint doch zu sein«, bemerkt Olympias Vater, »daß bei einigen dieser Einwanderer keine kulturellen Einwände gegen Kinderarbeit bestehen. Die Frankos zum Beispiel sehen die Familie als *arbeitende* Einheit und versuchen deshalb, die Gesetze zur Kinderarbeit zu umgehen, indem sie ihre Kinder Heimarbeit ausführen lassen, manchmal, je nach dem, wie groß die Not der Familie ist, bis zu vierzehn Stunden am Tag, und das in Räumen, die praktisch keinerlei Ventilation haben.«

»Was denn für Arbeit?« fragt Catherine Haskell.

»Die Kinder müssen nähen oder heften oder trennen«, erklärt ihr Mann. »Einfache Arbeiten, immer das gleiche.« Er schüttelt den Kopf. »Sie würden Ihren Augen nicht trauen, wenn Sie diese Kinder sähen, Philbrick. Viele sind krank. Einige sind im Wachstum zurückgeblieben und haben sich die Augen völlig ruiniert. Und diese Kinder sind noch nicht einmal zwölf Jahre alt.«

Es tritt eine Pause ein, während der man diese erschreckenden Tatsachen, die verarbeitet werden wollen, ehe das Gespräch fortgesetzt wird, auf sich wirken läßt.

Olympia stochert in ihren Reiskroketten herum. Mit der Kühnheit, die sich einstellt, wenn man im Gespräch Ermutigung erfährt, richtet sie erneut das Wort an John Haskell. »Und noch etwas ist mir aufgefallen, Mr. Haskell«, sagt sie. »In Ihren Porträts liegt eine große Wärme. Ich habe den Eindruck, daß Sie diesen Arbeitern und Arbeiterinnen große Sympathie entgegenbringen.«

John Haskell antwortet mit einem feinen, aber klaren an sie gerichteten Lächeln: »Ich hatte gehofft, daß diese Sympathie für den Leser spürbar würde, aber sie scheint der Aufmerksamkeit meiner Rezensenten völlig entgangen zu sein.«

»Nun, der Kritiker Benjamin Harrow ist, denke ich, besser bekannt für seine Schärfe als für seine Gutmütigkeit«, meint ihr Vater lächelnd.

»Ich frage mich, ob diese Schriften nicht genaugenommen etwas ganz anderes sind als Essays, John«, sagt Zachariah Cote, immer noch verzweifelt bemüht, einen Part in dieser Unterhaltung zu übernehmen, die sich sehr gut ohne ihn entwickelt hat.

»Nein, im strengen Sinn sind es keine Essays, das ist richtig«, bestätigt John Haskell. »Es sind nur biographische Skizzen. Aber ich möchte gern glauben, daß die kleinen Einzelheiten eines Lebens ein Mosaik bilden, das den Leser über etwas unterrichtet, was Allgemeingültigkeit besitzt. Ich habe auch Photographien der Arbeiter und Arbeiterinnen, die ich ins Buch aufgenommen hätte, aber mein Verleger meinte, die Bilder würden der Ernsthaftigkeit des Textes Abbruch tun, darum habe ich es unterlassen – eine Entscheidung, die ich übrigens heute bedaure.«

»Ich auch«, sagt Olympia. »Ich würde sehr gern Aufnahmen von den Menschen sehen, über die Sie geschrieben haben.«

»Die Gelegenheit sollen Sie bekommen, Miss Biddeford«, antwortet er.

Und Olympia erkennt an einer heftigen Kopfbewegung ihrer Mutter, daß sie mit diesem Ansinnen vielleicht zu weit gegangen ist.

»Aber macht das denn nicht genau den Sinn der porträthaften Darstellung zunichte?« fragt Philbrick. »Können Worte je der Genauigkeit einer Photographie gleichkommen?«

»Nun, ich denke, es gibt vieles, was eine Photographie nicht zum Ausdruck bringen kann«, entgegnet John Haskell, »historische Tatsachen zum Beispiel oder eheliches Glück. Den Schmerz über den Tod eines Kindes. Innere Gebrochenheit.«

»Aber ich war immer der Überzeugung, daß ein Lebenslauf sich von einem Gesicht ablesen läßt«, sagt Philbrick. »Danach richte ich mich bei meinen geschäftlichen Entscheidungen – nach dem, was ich in einem Gesicht sehen kann. Loyalität. Redlichkeit. Verschlagenheit. Schwäche.«

»Nun, dann haben wir Glück«, bemerkt Catherine Haskell heiter. »Mein Mann hat nämlich seinen Photoapparat mitgebracht. Vielleicht läßt er sich dazu überreden, uns alle morgen zu photographieren. Danach können wir selbst entscheiden, ob sich der Charakter im Gesicht offenbart.«

»Nein, ausgeschlossen«, ruft Olympias Mutter, die den scherzhaften Vorschlag ihres Gastes ernst nimmt. »Ich werde mich niemals photographieren lassen. Niemals!«

Die Schwingung des Erschreckens, so unangemessen für den Abend und doch so bezeichnend für diesen Sommer – als hätte ein Pianist versehentlich nicht die erwarteten Töne angeschlagen und eine kurze, erschütternd schöne Melodie hervorgebracht –, durchläuft zitternd den Raum und verebbt.

»Mein Liebes«, sagt ihr Mann und neigt sich ihr zu, um ihre flatternden Hände zu berühren und zu beruhigen, eine Geste, die Olympia stets als unendlich anmutig im Gedächtnis behalten wird, »niemals würde ich erlauben, daß deine Schönheit abgelichtet wird. Ich wäre rasend eifersüchtig auf den Photographen und auf jeden, der es wagte, das fertige Erzeugnis zu betrachten.«

Vielleicht ist es die Ahnung von Gefahr, vielleicht auch Achtung angesichts der Hochherzigkeit ehelicher Liebe, die die Gäste verstummen läßt. Dann trägt Lisette den Sunderland Pudding auf und beginnt, die Teller zu füllen.

Die Töne von Bachs Partita in a-Moll perlen durch die kleinen Quadrate der Fliegengitter auf die Veranda hinaus, wo mit Zigarren und hauchdünnen Kognakschwenkern die Männer sitzen. Olympias Mutter hat sich, wie erwartet, entschuldigt, ihr Mann, der sie in ihr Schlafzimmer hinaufbegleitet hat, ist soeben zurückgekehrt. Catherine spielt mit weichem, ein wenig schwermütigem Anschlag, den Olympia bewundert. Falter schwirren um die Laternen, und sie sitzt so fern von ihrem Licht wie von den Männern. Da sich keine Frauen auf der Veranda befinden, darf auch sie sich nicht zu den Männern gesellen, aber sie könnte es nicht ertragen, einen so schönen Abend im Haus zu verbringen.

Der Mond zieht lange Lichtkegel über das Meer, das sich mit dem Einbruch der Dunkelheit geglättet hat und jetzt, bei auflaufender Flut, einem märchenhaften See gleicht. Das beständige Rauschen der Brandung umspielt sanft die Gespräche und die Klänge des Klaviers. Olympia kann nicht hören, was die Männer sprechen, aber ihre Stimmen sind leicht zu unterscheiden: die selbstsicheren und wohlwollenden, wenn auch manchmal pedantischen Töne ihres Vaters; die kurzen Stakkatoausbrüche von Enthusiasmus und die Ratschläge aus dem Mund Rufus Philbricks; das etwas kurzatmige und allzu devote

Gesäusel Zachariah Cotes; und schließlich die leisen, besonnenen Äußerungen John Haskells, dessen Stimme sich selten hebt und senkt. Sie bemüht sich, etwas von den Gesprächen aufzufangen, Wörter nur: »Ware«... »Manchester«... »Wagenbauer«... »Travestie«...

»Unterstützung«... Wörter von Männern, rauchgesättigt und leicht verzerrt von den Zungen rollend. Von Zeit zu Zeit senken die Männer ihre Stimmen verschwörerisch und stecken die Köpfe zusammen, um dann plötzlich mit schallendem Gelächter auseinanderzufahren. In diesem Moment sagt sich Olympia, daß sie vielleicht lieber ins Haus gehen sollte. Aber sie fühlt sich so angenehm matt und behaglich, daß sie sich nicht aufraffen kann. Sie hält es durchaus für möglich, daß sie einfach im Sessel einschlafen und die Nacht hier verbringen wird, diese kurze Nacht der Sommersonnenwende. Um dann bei Morgendämmerung die Sonne über dem Meer aufgehen zu sehen. Sie bemerkt nicht, daß Catherine Haskell mit dem Klavierspiel aufgehört hat, sondern wird erst aufmerksam, als sie die Stimme der Frau hinter sich hört: »Wußten Sie, daß beinahe alle Völker der Nacht der Sommersonnenwende mystische Kräfte beigemessen haben?« fragt sie.

Olympia macht Anstalten, sich aufrechter zu setzen, aber Catherine legt ihr abwehrend die Hand auf die Schulter. Sie setzt sich neben Olympia und blickt über das Geländer in die Dunkelheit.

»Sie spielen sehr gut«, sagt Olympia.

Catherine Haskell lächelt vage und macht eine wegwerfende Handbewegung, als verdiene sie dieses Lob nicht. »Nicht so gut wie Ihre Mutter, wenn ich recht unterrichtet bin«, erwidert sie. Das tiefe Heliotrop ihres Kleides verschmilzt mit dem dämmrigen Licht der Laternen, so daß sie fast körperlos wirkt: zwei schlanke Arme, der Hals, das Gesicht, das volle Haar.

»Und daß die blauen Steinpfeiler in Stonehenge ursprünglich zu einer ›Avenue‹ angeordnet waren, durch die zur Sommersonnenwende die aufgehende Sonne genau auf den Altarstein fiel? An diesem Tag wurden Opfer dargebracht. Manche sagen, es seien Menschenopfer gewesen.«

»In dieser Nacht könnte ich alles für möglich halten«, sagt Olympia.

»Ja, wirklich.«

Olympia hört das Knarren des Korbgeflechts, als Catherine Haskell sich im Schaukelstuhl zurücklehnt und zu schaukeln beginnt. Ihre weißen flachen Pumps schimmern.

»Ich hoffe, Ihrer Mutter ist nicht unwohl«, sagt Catherine.

»Sie ermüdet leicht«, erklärt Olympia.

»Ja, natürlich.«

Olympia zögert. »Sie ist von zarter Konstitution«, fügt sie hinzu.

»Ich verstehe«, sagt Catherine Haskell rasch, als hätte sie das schon vermutet. Sie dreht den Kopf zu Olympia, aber das Mädchen kann das helle Gesicht nur als schmale Sichel erkennen.

»Ich vermute, Sie sind Ihrem Vater ähnlich«, sagt Catherine.

»Und wie wäre das?« fragt Olympia.

»Stark. Fürsorglich, denke ich.«

Von der anderen Seite der Veranda erschallt wieder kurzes Gelächter, und sie blicken zu den Männern hinüber. Im Licht der Laternen studieren die beiden Frauen das Bild.

»Sie besitzen die natürliche Schönheit Ihrer Mutter«, fügt Catherine hinzu und streicht mit ihren Alabasterarmen glättend über einen unsichtbaren Rock. »Ich bin immer schon davon überzeugt gewesen, daß es im Leben eines Mädchens einen Moment gibt...« sie hält inne, denn sie hören John Haskells Stimme, die sich über die Stimmen der anderen erhebt: »... haben sich ungeheuer verschlechtert seit...« »Wenn ich Moment sage«, fährt Catherine fort, »meine ich eine bestimmte Zeitspanne, eine Woche oder einen Monat vielleicht. Aber begrenzt. Einen Moment, auf den der Körper sich vorbereitet hat...« Sie bricht ab, als müsse sie nach den geeigneten Worten suchen. »Und in diesem Moment wird das Mädchen zur Frau. Zur Knospe einer Frau vielleicht. Und nie ist sie so schön wie in dieser Zeit, so kurz sie auch sein mag.«

Olympia ist froh, daß es dunkel ist, denn sie spürt, wie sie errötet.

»Ich will damit sagen, mein Kind«, fügt Catherine hinzu, »daß Sie sich eben jetzt auf der Höhe Ihres Moments befinden.«

Olympia blickt in ihren Schoß hinunter.

»Es ist Ihr Mund, in dem Ihre Schönheit liegt«, sagt Catherine versonnen, und Olympia ist schockiert von soviel freimütiger Direktheit.

»Natürlich ist auch Ihr Gesicht schön«, fügt Catherine hastig hinzu, »aber vor allem ist es Ihr Mund, in seiner ungewöhnlichen Form, mit diesen vollen Lippen. Ihr Mund ist sein eigenes Porträt wert.«

Olympia hört die bewußte Wiederholung des Wortes »Porträt«. Durch die Dunkelheit dringt das Quietschen der Küchentür, die geöffnet und dann zugeschlagen wird. Es ist wohl die Köchin, die nach Hause geht. Olympia ist zu sehr außer Fassung, um eine Antwort zu geben, die nicht töricht wäre, und sie ist auch ein wenig beunruhigt über die Vertraulichkeit von Catherine Haskells Bemerkung, da sie einander doch kaum kennen. Später allerdings, aus der Perspektive des Rückblicks, wird sie glauben, daß Catherine mit ihren Worten mehr zu sich selbst gesprochen hat als zu Olympia, so als hoffte sie, einem Geheimnis seine Macht nehmen zu können, indem sie es definiert.

»Kurz, Sie sind von Kopf bis Fuß ein bezauberndes junges Mädchen«, sagt Catherine Haskell, jetzt aber, als hätte sie Olympias innere Reserve gespürt, einen ganz anderen Ton anschlagend, den aufmunternden Ton einer Lieblingstante oder einer anderen wohlwollenden Verwandten. »Und ich bin überzeugt, daß das Ihr Sommer sein wird.«

»Sie schmeicheln mir zu sehr, Mrs. Haskell.«

»Catherine.«

»Catherine.«

»Und ich schmeichle Ihnen bei weitem nicht genug. Wie Sie noch sehen werden. Darf ich Sie um einen Gefallen bitten?«

Olympia nickt.

»Wären Sie bereit, mit den beiden großen Mädchen eine Bootsfahrt zu unternehmen, solange wir hier sind? Ich weiß, daß Martha selig wäre.«

»Aber gern«, sagt Olympia.

»Nur mit Martha und Clementine, denke ich. Die anderen sind noch zu klein.«

»Wir haben Schwimmwesten«, bemerkt Olympia.

»Trotzdem – es wäre mir lieber, wenn Sie nur mit ihnen hinausfahren. Ich habe kein rechtes Vertrauen zu Millicents Urteil. Sie haben die Gouvernante der Kinder kennengelernt? In anderen Dingen, ja. Aber nicht auf dem Wasser. Da hat sie kaum Erfahrung.«

Eine männliche Stimme erhebt sich quengelnd und bohrend über die Stimme der anderen. Instinktiv wenden Catherine Haskell und Olympia ihre Blicke zu den Männern bei der Verandatür und dem Geschwirr von Faltern über ihren Köpfen.

»Was für ein Esel, dieser Cote«, flüstert Catherine.

Und Olympia lacht, mindestens so sehr aus Erleichterung wie aus Genugtuung darüber, ihre eigene Einschätzung bestätigt zu hören.

Aber noch während sie lacht, und vielleicht ist es nichts weiter als ein durch das Mondlicht hervorgerufener Trug, sieht sie die weiße Haut in Catherine Haskells Gesicht papierdünn gespannt.

»Bleiben Sie nicht zu lange auf.« Sie stützt sich beim Aufstehen auf Olympias Arm, und das Mädchen erinnert sich, daß sie leicht hinkt. Ihre Finger sind erschreckend kalt.

»Wie warm Sie sind«, murmelt sie, sich abwärts neigend.

Ihr Gesicht ist nur Zentimeter von Olympias entfernt, so nahe, daß diese ihren Atem wahrnimmt, süß von der Minze, die zum Lamm serviert wurde. Einen Moment lang glaubt Olympia, Catherine werde sie küssen.

Olympia weiß noch mehr über die Sommersonnenwende: daß sie in das Sternzeichen der Zwillinge fällt und daß an diesem Tag in Assuan, achthundert Kilometer südöstlich von Alexandria, am Mittag die Strahlen der Sonne genau vertikal einfallen; daß die Angehörigen seherischer Kultgemeinschaften zur Sonnenwende ihre Körper mit Symbolen bemalen und der Sonne mit Klagegesängen huldigen, bis sie entweder bewußtlos zu Boden fallen oder die erwarteten Erscheinungen haben; daß zur Sonnenwende die höchsten Fluten des Jahres zu verzeichnen sind, vor allem dann, wenn Vollmond ist. Der Mond ist in dieser Nacht nicht ganz voll, aber doch beinahe, und dies wird den wenigen Menschen, die in Fortune's Rocks in sehr nahe am Wasser gebauten Häusern leben, ein Quell unruhiger Besorgnis sein.

Sie huscht von der Veranda und geht im Schatten am Rand des Rasens entlang, um die Aufmerksamkeit der Männer nicht auf sich zu ziehen. Unten an der Mauer sucht sie nach einem trockenen Stein, um sich zu setzen. Sie wählt einen natürlichen Vorsprung über einer naßglänzenden Kalligraphie aus Seetang, die jedesmal, wenn die Wellen schäumend in die Felsspalte neben ihr eindringen, überspült wird. Das Wasser steht in der Tat hoch und züngelt selbst nach den obersten Steinen. In der Nähe des Wassers ist die Luft kühler, und sie fröstelt ein wenig auf dem steinernen Sims, auf dem sie mit untergeschlagenen Beinen hockt.

Die Veranda des Hauses, etwa hundert Meter entfernt, ist in den Schein gelber Lichter getaucht, die im leichten Wind flakkern. Sie sieht die Männer bei der Tür, aber ihre Stimmen kann sie wegen der Brandung nicht hören.

Sie zieht ihre leichten Sommerschuhe und ihre Strümpfe aus und stellt sie auf ein trockenes Plätzchen. Sie drückt ihre Fußsohlen in den glitschigen Seetang unten an den Steinen. Die Berührung ruft ein Schaudern hervor und weckt Gedanken an die unzähligen Meeresgeschöpfe unter der trügerisch stillen Wasseroberfläche. Im vergangenen Sommer mußte sie auf Geheiß ihres Vaters, der ihr sonst nicht erlauben wollte, allein mit dem Boot hinauszufahren, das Schwimmen erlernen. Zum Unterricht gingen sie an die Bucht hinunter, und Olympia empfand anfangs solchen Ekel vor dem Schlamm, der sich zwischen ihre Zehen setzte, und der Vorstellung einer Begegnung mit irgendwelchen Meeresbewohnern, daß sie das Schwimmen beinahe in Rekordzeit erlernte. Immerhin so ordentlich erlernte, daß sie sich wahrscheinlich retten könnte, sollte sie nicht allzuweit von der Küste entfernt über Bord gehen. Und dies, obwohl ihr Vater in seinem Schwimmanzug und in seiner peinlichen Verlegenheit darüber, so ungepanzert zu sein, äußerst wunderlich wirkte, beinahe komisch. (Vielleicht, geht es ihr jetzt durch den Kopf, war der rasche Erfolg nicht nur ihrer Angst vor Kontakt mit dem schlüpfrigen Unbekannten zuzuschreiben, sondern auch seinem dringenden Wunsch, sich möglichst schnell wieder mit schicklicherem Gewand zu panzern.)

Sie weiß nicht, wie lange sie auf den Steinen sitzt und zusieht, wie das Wasser sich seinem Höchststand nähert. Der Mond geht unter, und es wird dunkler. Sie denkt daran, ins Haus zurückzukehren, als eine unerwartet hohe Welle den Stein überspült, auf dem sie sitzt, ihre Schuhe und Strümpfe an sich reißt und wie eine Diebin in der Nacht verschwindet. Die eisige Kälte des Wassers, das ihren Rock durchnäßt hat, wirkt wie ein Schock, und sie springt auf. Sie neigt sich zum Wasser hinunter, um einen Schuh zu erhaschen, den sie knapp außer Reichweite auf den Wellen schaukeln sieht, aber da trifft sie ein weiterer eisiger Guß, und Schuhe und Strümpfe sind verloren. Sie weicht zurück und richtet sich auf, um gerade noch zu sehen, wie sie langsam von den Steinen aus davonschwimmen, und einer der Schuhe versinkt. Zitternd vor Kälte, im Rücken naß bis auf die Haut, macht sie kehrt. Sie überquert den Rasen, der schwarz und feucht glitzernd in der Dunkelheit liegt, und hofft inbrünstig, daß niemand sie hört, wenn sie sich durch die Fliegengittertür ins Haus schleicht.

Auf halbem Weg über den Rasen macht sie im Schatten der Veranda vage Umrisse einer Gestalt aus, und der Schreck fährt ihr in die Glieder. Das kann nur ihr Vater sein, der unruhig auf sie gewartet hat und jetzt ungehalten sein wird, weil er so lange wach bleiben mußte. Aber ein paar Schritte weiter erkennt sie an Haltung und Größe der Gestalt, daß es nicht ihr Vater ist. Die Bangigkeit weicht Erleichterung, der jedoch schnell ängstliche Ahnung folgt.

Sie bleibt einen Moment stehen. Sie ist gesehen worden und kann jetzt nicht mehr umkehren, ohne entweder unhöflich oder furchtsam zu erscheinen, was sie auf keinen Fall will. Mit gekünstelter Unbefangenheit setzt sie ihren Weg fort. John Haskell steht auf und kommt zur Verandatreppe. Er reicht ihr die Hand, die sie flüchtig ergreift.

»Sie haben Ihre Schuhe vergessen«, sagt er.

»Die hat das Meer mir gestohlen«, antwortet sie.

»Und es wird sie nicht zurückgeben, fürchte ich.«

Sie läßt sich von ihm auf die Veranda führen.

»Ich habe Ihrem Vater gesagt, Sie seien zu Bett gegangen«, bemerkt er, »aber ich sehe, daß ich mich getäuscht habe. Es ist sehr spät. Sie sollten nach oben gehen.«

»Ja«, sagt sie.

»Sie sehen blaß aus«, stellt er fest. »Lassen Sie mich Ihnen etwas heißen Tee bringen.«

»Nein.« Sie winkt ab. »Ich möchte mich nur einen Moment setzen und Atem holen.«

An ihrem Ellbogen spürt sie seine Hand, und er geleitet sie zu einem Sessel.

»Sie sind ja völlig durchnäßt.«

Er hat ihren nassen Rock bemerkt.

Er reicht ihr eine Tasse. »Es ist meine. Bitte tun Sie mir den Gefallen und trinken Sie einen Schluck.«

Sie umschließt die Tasse mit beiden Händen und führt sie zum Mund. Der Tee rinnt heiß die Kehle hinunter, und eine prickelnde Wärme breitet sich in ihren Gliedern aus. Sie trinkt noch einen Schluck und gibt ihm die Tasse zurück.

Haskell hat seinen Kragen geöffnet. Sein Jackett hängt über der Rückenlehne des Schaukelstuhls, auf dem er Platz genommen hat. Sie ist sich ihrer nackten Füße und Fesseln peinlich bewußt und versucht, sie zu verstecken, indem sie sich sehr gerade setzt und die Füße weit nach hinten unter ihren Sessel schiebt.

John Haskell stellt seine Tasse zur Seite und lehnt sich im Schaukelstuhl zurück. Er sitzt so nahe bei ihr, daß sie nur die Hand auszustrecken brauchte, um sein Knie zu berühren. Ihre Schultern beginnen zu zittern.

»Sie sind zu lange an der Mauer geblieben«, sagt er.

»Es ist eine besondere Nacht. Sommersonnenwende«, sagt sie, als wäre das Erklärung genug.

»Ja, richtig. Ihre Bemerkungen über mein Buch waren sehr liebenswürdig.«

Also doch, denkt sie. Freundlich abgetan. Aber sie irrt sich.

»Sie wären meine ideale Leserin«, fügt er hinzu.

»Nicht doch«, entgegnet sie hastig. »Jeder Leser wird Ihre Absicht erkennen.«

»Ja, wenn ich nur Leser hätte«, erwidert er. »Ich fürchte, ich habe einen Fehler begangen, indem ich ein Buch geschrieben habe, das höchstens eine Handvoll Interessenten finden wird. Ich hätte eine kurze, kritische Abhandlung herausgeben sollen, wie ich ursprünglich vorhatte. Aber leider hat mein Hochmut gesiegt.«

»Sie haben den Wunsch, ein großes Publikum zu erreichen?« fragt sie.

»Ich muß! Die Verhältnisse sind erschreckend. Aufgeklärtes Denken ist in einem Sumpf von Mißachtung und Gleichgültigkeit versunken.«

»Ich verstehe«, sagt sie. Sie weiß, daß sie nach oben gehen und sich umziehen sollte, aber ihr fehlt der Wille, jetzt die Veranda zu verlassen. »Und Sie wollen versuchen, wenigstens einen Teil des verlorenen Bodens zurückzugewinnen?« fragt sie.

Er schüttelt den Kopf. »Nichts so Großartiges«, erklärt er. »Ich muß mich in erster Linie um das leibliche Wohl der Fabrikarbeiter kümmern. Um ihre persönliche Gesundheit, die hygienischen Verhältnisse, in denen sie leben, um die medizinische Versorgung. Das alles liegt völlig im argen, glauben Sie mir.«

»Und deshalb werden Sie an der Klinik arbeiten?«

»Ja, ich habe bereits damit begonnen.«

Ein kurzes Schweigen breitet sich zwischen ihnen aus.

»Es war sehr freundlich von Ihnen, mich nach den Photographien zu fragen«, sagt er schließlich.

»Ich möchte sie wirklich gern sehen«, versichert sie.

»Nun, dann lasse ich sie kommen.«

»Ich möchte nicht, daß Sie sich irgendwelche Umstände machen«, sagt sie.

»Keineswegs.«

»Ich muß jetzt gehen.« Abrupt steht sie auf. Bei der Bewegung löst sich aus ihrem Haar, das sich bei ihrem Lauf über den Rasen (vielleicht auch beim erschrockenen Zurückzucken, als das eiskalte Meerwasser sie getroffen hat) gelockert hat, ein Kamm und fällt klappernd zu Boden. John Haskell, der sich mit ihr erhoben hat, bückt sich, um ihn aufzuheben.

»Danke.« Sie behält den Kamm in der Hand.

»Was für eine Kontenance Sie besitzen«, sagt er unvermittelt und neigt den Kopf zur Seite, als wolle er sie aus einem anderen Blickwinkel betrachten. »Welche Selbstbeherrschung. Außergewöhnlich bei einer jungen Frau Ihres Alters. Ich vermute, das ist das Ergebnis Ihrer besonderen Erziehung.«

Sie öffnet den Mund, aber sie weiß nicht, wie sie darauf antworten soll.

»Ich war gestern da«, sagt er. »Am Strand. Ich habe Sie am Strand gesehen.«

Sie schüttelt wortlos den Kopf und wendet sich, seine Einschätzung ihrer Person prompt widerlegend, hastig von ihm ab.

# 4

Nach der Begegnung mit John Haskell eilt Olympia in heftiger Erregung zu ihrem Zimmer hinauf. Sie öffnet das Fenster, stützt die Hände auf das Fensterbrett und senkt den Kopf. Feine Feuchtigkeit setzt sich auf ihr Gesicht, ihr Haar und ihren Hals.

Sie schlüpft in ein weißes Leinennachthemd, das sie seit dem vergangenen Sommer nicht mehr getragen hat. Der dünne Stoff ist ihr angenehm, auch wenn die Ärmel, wie sie bemerkt, ein ganzes Stück zu kurz geworden sind, so stark ist sie im Winter gewachsen. Die Manschetten sind mit Frivolitätenspitze geziert, von ihrer Mutter gefertigt, deren zarter Gesundheit diese feine Handarbeit angemessen ist, die sie auch ihre Tochter lehren wollte, jedoch ohne Erfolg.

Olympia setzt sich auf das Bett und flicht wie jeden Abend ihr Haar. Die hölzernen Bodendielen unter ihren nackten Füßen sind ein wenig feucht, aber sie hat sich längst an die anhaltende Feuchtigkeit gewöhnt; es macht ihr nichts aus, abends zwischen klamme Laken zu kriechen oder ein Kleid aus dem Schrank zu nehmen, das durch die Seeluft alle Frische verloren hat.

Nachdem sie ihr Haar gemacht hat, schlüpft sie in ihr Bett und fällt in einen unruhigen Schlaf. Die Träume, die sie aufsuchen, sind anders als alle früheren, anders in Gehalt und an Gefühl. Sie sind ein wenig befremdlich, aber nicht beängstigend, da sie die geheimsten und wonnigsten Sinnesempfindungen mit sich bringen, die sie in ihrem kurzen Leben erfahren hat. Sie erwacht in einem Durcheinander zerwühlter Laken, mit dem Gefühl, soeben noch mit John Haskell gesprochen zu haben. Und sie fragt sich flüchtig, ob ihr vielleicht etwas fehlt, ob sie gar Wahnvorstellungen hat, ob sie Gefahr läuft, doch noch die Tochter ihrer Mutter zu werden. Aber dann verwirft sie diese Überlegungen; die Träume und die Empfindungen, die sie ihr gebracht haben, sind trotz der Fremdheit wohltuend wie ein warmes Bad. Und wenn sie auch nicht unbedingt *fromm* sind, so doch aufwühlend und echt. Und es tut ihr, um die Wahrheit zu sagen, leid zu sehen, wie sie sich mit der Morgensonne verwässern und auflösen.

An diesem Morgen, da Philbrick und Cote und natürlich die Haskells im Haus zu Gast sind, widmen sich alle der Photographie, ein Unternehmen, das Olympia als Beobachterin und als Mitwirkende gleichermaßen fasziniert. Die Sitzungen beginnen kurz nach dem Frühstück, wobei Haskell umsichtigerweise zuerst die Kinder posieren läßt, damit sie möglichst bald zum Spiel entlassen werden können. Der Photoapparat ist ein englisches Fabrikat, mit Mahagonigehäuse und Messingbeschlägen ein ansehnliches Instrument. Im Inneren des Apparates befindet sich, wie Haskell erklärt, ein mit schwarzem Samt gefütterter Metallzylinder, in den das Filmmaterial hineingehört. Sobald es belichtet ist, wird es von der anderen Seite herausgezogen. Der Apparat enthalte Filmmaterial für vierzig Aufnahmen, fügt er hinzu, das erlaubte ihm, von jedem von ihnen mehrere Bilder zu machen. Olympia sieht mit Erleichterung, daß es sich um einen Handapparat handelt, daß folglich, auch wenn sie sich einige Sekunden lang nicht bewegen dürfen, nicht die qualvolle Prozedur zu erwarten ist, bei der das unglückliche Modell völlig erstarrt auf einem Stuhl ausharren muß, während die auf ein Stativ montierte Kamera in einem endlosen Prozeß gewissenhaft das unbewegte Gesicht aufnimmt, wobei jedes Lächeln, jede kleinste Regung das Ergebnis ruinieren würde.

Um im besten Licht arbeiten zu können, und an Licht mangelt es an diesem Morgen nicht, bestimmt Haskell die Treppe vor dem Haus zum Schauplatz der Aktion. Während einer von ihnen photographiert wird, kommen und gehen die anderen auf der Veranda, beschäftigen sich mit Lesen und Gesprächen oder begnügen sich damit, einfach aufs Meer hinauszuschauen, ein verführerischer Zeitvertreib, der viele Stunden des Tages ausfüllen kann. Olympia setzt sich in der Nähe des Photographen auf einen Stuhl und beobachtet Haskell bei der Arbeit. Während sie ihm zusieht, wird ihr klar, daß ein Traum eine Intimität schaffen kann, die in Wahrheit nicht existiert, die man aber während des auf den Traum folgenden Tages empfindet, ganz als wären gewisse Worte gesprochen, gewisse Handlungen vollzogen worden, so daß der Gegenstand des Traumes vertraut erscheint, obwohl in Wahrheit keinerlei Vertrautheit besteht.

Haskell, in einem weißen Leinenanzug mit Halstuch und Strohhut, den er ablegt, als er ernsthaft zu arbeiten beginnt, gibt seinen Modellen von Zeit zu Zeit Anregungen zu bestimmten Posen, ob es die Neigung des Kopfes oder die Haltung eines Armes betrifft, und legt gelegentlich selbst letzte Hand an, um eine Schulter genau so zu drehen, wie er sie sehen möchte. Die Kinder sind, wie nicht anders zu erwarten, voll Ungeduld, kaum zum Stillsitzen zu bewegen. Um so mehr bewundert Olympia die Ruhe, mit der Haskell, ohne jedes Aufbrausen, seine beiden Jüngsten, Randall und May, bändigt und einen Moment abwartet, in dem die beiden nicht weit vor der Küste einen Fischkutter entdeckt haben und in gespannter Aufmerksamkeit mit großen Augen und leicht geöffneten Lippen diesen neuen Anblick in sich aufnehmen. Später, als Aufnahmen und Photoapparat aus Rochester an Haskell zurückgesandt worden sind, wird Olympia die Photographien sehen und beeindruckt sein von ihrer Klarheit, einer scharfen Präzision von Kontur und Ausdruck, wie man sie in der Realität selten beobachten kann, da das Gesicht vielleicht im Schatten ist oder der Blick aus höflicher Notwendigkeit von kurzer Dauer.

Martha, wie sie da auf der Verandatreppe sitzt, sieht aus wie ein junges Mädchen, das sehnlichst danach verlangt, ernst genommen zu werden; Clementine wie ein Kind, dem es schwerfällt, den Blick zum Auge der Kamera zu heben. Beide tragen gepunktete weiße Trägerkleider mit blaßblauen Unterröcken, beide haben Schleifen im Haar.

Catherine Haskell setzt sich auf die Bitte ihres Mannes seitlich, so daß Figur und Gesicht sich im Profil zeigen und unter den schrägfallenden Röcken die Spitze eines zierlichen Stiefels mit Perlknöpfen hervorlugt. Catherine Haskell hat ein wohlgeformtes Profil, das Kinn weder stumpf noch spitz, die Wangenknochen ausgeprägt, der Hals lang. Ihre Haltung, die völlig entspannt wirkt, ist tadellos. Der Strohhut mit breitem Band und üppigem Blumenschmuck sitzt gerade auf dem Kopf, das volle Haar darunter ist in Rollen gefaßt. Das weiße Kostüm aus feinstem Leinen, in der Taille eng zusammengenommen, so daß das Schößchen der Jacke sich gefällig um ihre Hüften schmiegt, vervollständigt ein Bild lässiger Eleganz und verrät, daß diese Frau für Firlefanz keinen Sinn hat. Während Haskell seine Frau photographiert, unterhält er sich mit ihr in einer Sprache lockerer Gesten, die Ungezwungenheit und ein gewisses Maß an Vertraulichkeit verraten.

Philbrick, der sich für den Bau und den Mechanismus des Photoapparates interessiert, ein Luzo, wie Haskell erklärt, trägt das gestreifte Jackett vom vergangenen Abend. Er kann keinen Moment stillsitzen, sondern springt immer wieder auf, um in den Sucher zu spähen, zu fragen, warum das Bild auf dem Kopf steht, und sich staunend darüber zu wundern, daß Haskell jeden Gesichtszug genau erkennen kann. Cote steckt wieder in einem zerdrückten Tweedanzug, in dessen Revers er, wie es scheint, am liebsten seine untere Gesichtshälfte verbergen würde. Ihr Vater läßt sich, keineswegs überraschend, in stehender Haltung photographieren, komplett ausstaffiert mit Hut, Weste und Taschenuhr, da man seiner Ansicht nach der Nachlässigkeit selbst in der Sommerfrische keinen allzu großen Vorschub leisten sollte. Sogar Olympias Mutter läßt sich schließlich erweichen und willigt ein, sich photographieren zu lassen, wenn auch hinter einem Schleier, die Augen gesenkt und bei jedem Auslösen des Verschlusses zusammenzuckend, als sollte sie erschossen werden.

Als sich das Unternehmen seinem Ende nähert, wendet sich Haskell an Olympia. »Sie haben so genau zugesehen«, sagt er, »daß ich glaube, Sie können jetzt selbst die Aufnahmen machen.«

»Es ist aber auch faszinierend«, antwortet sie. Ihren Eindruck, daß man aus der Beobachtung der einzelnen Personen beim Posieren mindestens ebensoviel über ihr Wesen erfahren kann wie aus der fertigen Photographie, behält sie lieber für sich.

»Nun, dann wollen wir doch einmal sehen, wie wir Sie ins Bild bringen können«, sagt er, und ihr fällt auf, daß er, wie am Abend zuvor seine Frau, den Ton eines wohlwollenden Verwandten anschlägt. »Bitte. Setzen Sie sich hier auf die Treppe«, fordert er sie mit einer Handbewegung auf.

Sie kommt der Bitte nach, glättet ihre Röcke und dreht die Knie, die ihren Schoß überragen, zur Seite. Sie möchte auf keinen Fall Schwierigkeiten machen, aber irgendwie empfindet sie ihre Haltung als wenig anmutig. Und Haskells aufmerksamsten Interesses gewahr, fürchtet sie, daß auch er die Pose linkisch findet. Sie hat das Gefühl, daß in diesem Moment jeder Makel ihres Gesichts und ihrer Gestalt offenkundig sein muß; und der Gedanke schießt ihr durch den Kopf, daß Haskells Vorliebe für die Photographie vielleicht gar nicht so ungewöhnlich ist. Denn verlangt nicht die Photographie genau wie die Medizin strenge Beobachtung des Menschen?

Der weite Rock ihres Hemdblusenkleides aus weißem Batist bläht sich unter der dunkelblauen breiten Schärpe, die sie so eng zusammengezogen hat, daß ihr der Atem knapp wird. Um ihre Schultern liegt ein dunkelblaues Tuch, und auf ihrem Kopf sitzt ein breitkrempiger weißer Hut, dem, wie sie meint, ein Zweiglein Sandrosen oder auch eine einzige Hortensienblüte gutstünde, wäre sie nur früher auf die Idee gekommen. Etwas unschlüssig geht Haskell auf sie zu, dann wieder von ihr weg, bewegt sich nach links, nach rechts, blickt vom Sucher auf, um eingehend ihr Gesicht zu betrachten.

»Olympia, heben Sie die Schulter ein wenig…«, sagt er. »Ja, gut so. Und jetzt drehen Sie den Kopf zu mir. Langsam. Ja. Halt jetzt. Gut. Bleiben Sie so.«

Sie gehorcht.

Er drückt den Verschluß und blickt gleichzeitig auf.

»Nein«, sagt er enttäuscht, ebenso zu sich selbst wie zu einem der Umstehenden.

»Sie sieht doch sehr gut aus«, bemerkt Philbrick, der jetzt, da er seine Sitzung hinter sich und den Photograph in allen Details studiert hat, möglichst schnell zur Familienbadezeit zwischen zwölf und eins zum Strand kommen will, um das Picknick zu genießen, das dort vorbereitet wird.

»Sehr schön, diese Pose«, bemerkt Catherine, von ihrem Strickzeug aufblickend.

»Sie sollte aufrechter sitzen«, sagt Olympias Mutter. »Sie sitzt oft mit krummem Rücken.«

»Lockern Sie Ihren Arm«, schlägt Haskell vor, »und halten Sie den Kopf so.«

Er zeigt es ihr.

Leicht gereizt über all die Instruktionen, hebt Olympia beide Arme und zieht die Nadel aus ihrem Hut, die ihn auf ihrem Haar festhält. Sie nimmt den Hut mit einer schnellen Bewegung ab und wirft ihn auf die Treppe. Sie faltet ihre Hände im Schoß. Sie glaubt, ihre Mutter, die nahe am Geländer sitzt, »O nein« sagen zu hören, denn keine der Frauen, auch keines der Mädchen, hat sich ohne Hut photographieren lassen.

Haskell bleibt einen Moment ruhig stehen. Dann tritt er zu ihr. Sie glaubt, er möchte ihr etwas sagen. Statt dessen hebt er mit den Fingerspitzen ihr Kinn an, drückt es sachte höher und noch höher, bis sie ihm direkt in die Augen sehen muß. Sie in dieser Pose haltend, betrachtet er forschend ihr Gesicht, und dann läßt er seine Hand, die, dessen ist sie sicher, den Blicken der anderen entzogen ist, vom Kinn bis zum Hals hinabgleiten. Die Berührung ist so kurz und so leicht, es könnte ein Haar sein, das da über ihre Haut geweht ist.

Dieser flüchtige Strich seiner Finger, die erste intime Berührung, die sie je von einem Mann empfangen hat, weckt die Erinnerung an ein Bild aus den Träumen der vergangenen Nacht. Ihr Blick verliert den Halt und beginnt zu schwimmen, Hitze schießt ihr ins Gesicht. Auf ihren Wangen, denkt sie, muß die hektische Röte der Verwirrung brennen. Und sie fürchtet, daß sie in den Sekunden, da sie stillhalten muß, den Inhalt der Szenen und Bilder verraten wird, die vor ihrem inneren Auge vorübertreiben.

Sie wartet auf Bestätigung in irgendeiner Form, daß die anderen Haskells Berührung beobachtet haben. Aber am ungeduldigen Ton und an den gelangweilten Mienen erkennt sie, daß niemand den Moment bemerkt hat, und fragt sich: Ist es wirklich geschehen, oder habe ich es mir eingebildet?

Später, wenn sie zum erstenmal die Photographie sieht, wird sie überrascht sein, wie ruhig ihr Gesicht wirkt – wie fest ihr Blick ist, wie gerade ihre Haltung. Auf dem Bild werden ihre Augen halb geschlossen sein, und auf ihrem Hals wird ein Schatten liegen. Das Tuch wird sich um ihre Schultern falten, und ihre Hände werden in ihrem Schoß ruhen. Auf dieser trügerischen Photographie wird sie aussehen wie eine junge Frau, die nichts weiß von innerer Erregung oder Verlegenheit, sondern nur eine gewisse Ernsthaftigkeit ausstrahlt. Und sie wird sich fragen, ob nicht die Photographie in ihrem Vermögen zu täuschen, dem Meer ähnlich ist, das dem Betrachter ein mildes Gesicht zeigt, während es in seinen Tiefen gefährliche Strudel und Strömungen birgt.

»Sehr gut«, sagt Philbrick und steht auf. »Ich jedenfalls bin schon auf dem Weg zum Strand.«

Wie vereinbart unternehmen sie mittags den Ausflug zum Strand. Nur ihre Mutter, und Catherine, die es vorzieht, ihrer Gastgeberin Gesellschaft zu leisten, bleiben zurück. Josiah hat einen Korb, so groß und schwer, daß zwei Jungen ihn tragen müssen, mit einem Picknick mit allen Finessen gepackt. Der Tag bleibt freundlich, wenn es auch ein wenig windig ist, und obwohl die Brandung kräftig heranrollt, stürzen sich alle außer Olympia und Haskell ins Wasser. Olympia hat sich nicht zum Schwimmen umgezogen, da sie sich in dieser Gesellschaft so leicht bekleidet nicht wohl fühlen würde. Haskell hat keine Zeit gehabt, seine Kleidung zu wechseln, er hat bis zur letzten Minute mit seinem Photoapparat zu tun gehabt. Ja, er hat ihn sogar jetzt bei sich.

Der Tag und die Stunde scheinen beinahe die gesamte Einwohnerschaft von Fortune's Rocks an den Strand gelockt zu haben. Olympia sieht viele Kinder unter den wachsamen Augen von Gouvernanten. Eine Frau, deren Obhut acht Babys anvertraut sind, hat ihre Schützlinge in Wäschekörbe gebettet. Olympia und Haskell können von ihrem Platz aus nur kleine Köpfe und Gesichtchen sehen, die sich immer wieder einmal in die Höhe strecken, um über den Rand der Körbe zu spähen, ein durchaus drolliger Anblick. Dann wieder gibt es Gruppen, in denen sich Frauen befinden, die sich mit schwarzen Taftkleidern, riesigen Hüten, Handschuhen, Stiefeln und rüschenbesetzten Sonnenschirmen ausstaffiert haben, als hätten sie Angst, auch nur ein Sandkörnchen oder einen Sonnenstrahl an ihren Körper zu lassen. Olympia fragt sich, wie es möglich ist, daß sie so dick vermummt nicht in der Hitze schmelzen. Und überall stehen Männer in Schwimmanzügen herum, die sie aller Würde berauben: Die Badekostüme wirken so armselig wie langbeinige Hemdhosen und hängen in nassem Zustand auf höchst unglückselige Weise am Körper. Aber am Strand, denkt sie, ist ja wohl eine gewisse Freizügigkeit der Kleidung und Gepflogenheiten gestattet.

Nachdem das Picknick auf der Decke ausgebreitet ist, begleiten Philbrick, Cote und ihr Vater (widerwillig) Martha und die anderen Kinder, in Matrosenanzügen und dunklen Strümpfen, zum etwa fünfzehn Meter entfernten Ufer. Haskell und Olympia bleiben zurück. Olympia weiß, daß das nicht mit Vorbedacht geschah, aber sie ist sich, wie wohl auch er, der etwas peinlichen Situation bewußt, die entsteht, als die anderen fort sind. Haskell legt sein Jackett und seine Schuhe ab, ebenso Halstuch und Socken, und er krempelt die weiße Flanellhose bis unter die Knie hoch. Auf die Ellbogen gestützt, lehnt er sich auf der Decke zurück und blickt der kleinen Badegesellschaft auf dem Weg zum Ozean nach.

Um sich zu beschäftigen, richtet Olympia einen Teller mit gekochtem Ei, Zunge, Brot und Butter und reicht ihn Haskell. Sie bereitet einen zweiten Teller für sich selbst, und sie essen Seite an Seite, Olympia auf einem kleinen Klapphocker, den man zu diesem Anlaß mitgenommen hat. Eine ganze Weile schweigen sie. Gelegentlich zwingt ein plötzlicher Windstoß einen von ihnen zu schneller Bewegung, um einen Zipfel der Decke festzuhalten oder die Hand auf einen Hut zu legen, der davonzuflattern droht. Sie schenkt Limonade ein und reicht ihm ein Glas.

»Was tun Sie in der Klinik?« fragt sie und hat den Eindruck, daß ihre Stimme angestrengt klingt.

»Ach, so ziemlich alles«, antwortet er. »Gebrochene Knochen schienen, zerquetschte Finger amputieren, die vielen Kranken behandeln, die mit Diphtherie, Lungenentzündung, Ruhr, Influenza und Syphilis zu uns kommen…« Er hält inne. »Aber das ist wirklich kein geeignetes Thema für eine junge Dame«, bemerkt er und wischt sich den Mund mit seiner Serviette. Seine Augen sind von der Krempe seines Strohhutes beschattet.

»Warum nicht?«

»Waren Sie schon in Ely Falls?«

»Nur einmal«, bekennt sie. »Mit meinem Vater im letzten Sommer. Aber ich habe nicht viel zu sehen bekommen. Ich mußte im Wagen warten, während mein Vater seinen Geschäften nachging.«

»Eben. Es ist ein schrecklicher Ort, Olympia. Übervölkert, schmutzig, von Krankheiten verseucht.«

Der Wind hebt ihren Rock. Sie hält ihn fest und glättet ihn über den Knien. Der Glanz der Sonne auf dem Wasser ist so hell, daß sie trotz ihres breitkrempigen Hutes die Lider zusammenkneifen muß.

»Glauben Sie«, fragt sie, »daß ich Sie irgendwann einmal in die Klinik begleiten könnte? Sie sprechen von schrecklichen Zuständen, und ich würde es gern mit eigenen Augen sehen. Vielleicht könnte ich in irgendeiner Weise helfen…«

»Die Armut ist grausam, Olympia. Und häßlich. Die Menschen sind nicht schlecht – das will ich damit sicherlich nicht sagen –, aber die Klinik ist einfach kein passender Ort für eine junge Dame.«

»Dann sagen Sie mir wenigstens eines…«, sie fühlt sich herausgefordert und ist nicht bereit, so schnell nachzugeben. »Ist es wahr, daß in den Fabriken fünfzehnjährige Mädchen arbeiten?«

Sie weiß sehr wohl, daß es so ist.

»Ja«, antwortet er widerstrebend. »Aber das heißt nicht, daß es in Ordnung ist.«

»Und ist es fünfzehnjährigen Mädchen erlaubt, die Klinik aufzusuchen?«

Er zögert. »Manchmal«, antwortet er, »wenn sie als Patientinnen kommen, gewiß. Oder um ihre Mütter zu betreuen.«

»Also dann ...«

»Ich halte wirklich nichts von dieser Idee«, beharrt er. »Im übrigen müßte ich auf jeden Fall Ihren Vater um Erlaubnis bitten, und ich bezweifle, daß er sie erteilen würde.«

»Vielleicht nicht«, sagt sie, »aber vielleicht wird er Sie auch überraschen. Er hat unkonventionelle Ansichten in bezug auf meine Erziehung.«

Haskell nimmt Sand in die Hand und läßt ihn zwischen den Fingern hindurchrinnen. Er legt den Hut ab, streckt sich auf der Decke aus und schließt die Augen.

Weiß er, daß sie ihn beobachtet? Er wirkt friedsam, als träume oder schliefe er. Sein Gesicht ist schmal, die Linienführung entspricht der seines Körpers, am Halsansatz hat er eine kleine Mulde. Seine Beine sind nackt bis zu den Knien, und ihr fällt auf, wie glatt seine Haut ist, wie seidig unter den dunklen Haaren.

Sie blickt kurz zum Wasser und wendet sich wieder Haskell zu. Gleich werden die anderen wieder hier sein, naß und fröstelnd, in Badetücher gehüllt, mit sandverkrusteten Füßen, und, sich nach der Ertüchtigung im Wasser sowohl heldenhaft als auch herzhaft belebt fühlend, nach Essen und Trinken verlangen. Sie hat Haskell im Lauf des Morgens lange genug mit dem Photoapparat hantieren sehen, um zu wissen, wie der Apparat funktioniert. Leise, um ihn nicht zu stören, hebt sie das Gerät aus der Tasche und blickt durch den Sucher.

Jenseits von Haskell, im Hintergrund, ist eine Fischerhütte, davor eine Gruppe Badegäste, eine große Familie vielleicht, und Olympia bemerkt, daß sie beobachtet wird. Die Leute müssen aus Ely Falls sein, das Mittagsmahl, das sie sich mitgebracht haben, ist kärglich. Sie drängen sich alle, elf oder zwölf, auf einer einzigen Decke zusammen, so daß die am Rand Kauernden halb im Sand sitzen und sich weit nach innen neigen müssen, um von der Mahlzeit etwas abzubekommen. Sie waren offensichtlich alle im Wasser, auch die Frauen, ihr Haar ist naß und strähnig aus den Gesichtern gestrichen. Sie starren auf befremdlich unhöfliche Art herüber. Mindestens zwei der Kinder wirken unterernährt, ihre Brustkörbe sind eingefallen.

Sie betätigt den Auslöser.

Aufgeschreckt öffnet Haskell die Augen. Sie stellt den Apparat in die Tasche zurück.

»Olympia«, sagt er und setzt sich auf.

Sie klappt die Tasche zu und läßt den Verschluß einschnappen.

Beide sehen Olympias Vater aus dem Wasser kommen und in einen Bademantel schlüpfen, den er im Sand bereitgelegt hat, um sich der Öffentlichkeit nicht zu lange in seinem nassen Schwimmanzug zeigen zu müssen. Während sie ihren Vater beobachtet, der langsam vom Wasser zu ihrem Platz kommt, fragt sie sich, ob er gesehen hat, wie sie Haskell photographiert hat. Sie meint, als er sie erreicht, er könne gar nicht umhin, die Spannung zwischen ihr und Haskell zu bemerken, die sie beide sogleich mit übermäßigem Bemühen um ihn zu überspielen suchen; Haskell, indem er mit einem Badetuch bereitsteht, Olympia, indem sie Leckerbissen auf einen Teller häuft. Aber ihr Vater fragt nicht, wie sie sich die Zeit vertrieben haben, weder jetzt noch später.

Die anderen folgen bald. Cote ist eine reichlich komische Figur in seiner langen Hemdhose, diesem fatalen Kleidungsstück, das gewisse Zonen des Körpers ungünstig hervorhebt. Philbrick, der weder an übertriebener Schamhaftigkeit noch mangelnder Selbstsicherheit leidet, marschiert flott zur Decke, setzt sich nieder und beginnt, mit Appetit sein Mittagessen zu verzehren. Von Ruhelosigkeit getrieben, steht Olympia auf und läuft mit Badetüchern den Mädchen entgegen, die sich in das trockene Frottee einwickeln, als wollten sie sich verpuppen. Sogar Martha, der irgendwie Sand in den Anzug geraten ist und klumpige Gewichte bildet, freut sich, sie zu sehen.

Sie gehen gemeinsam zur Decke, Olympia voran, als wäre sie die Gouvernante der kleinen Wasserratten. Als sie einmal aufblickt, sieht sie, daß Haskell gegangen ist.

Er kommt an diesem Abend auch nicht zum Essen. Als Olympia sich nach seinem Verbleib erkundigt, teilt Catherine ihr mit, er sei in die Klinik gerufen worden. Olympia quält sich mit geringem Appetit durch die lange Mahlzeit. Haskells Abwesenheit macht ihr weit mehr zu schaffen, als sie ahnen konnte. Es ist der erste Abend, und viele werden folgen, an dem sie das Gefühl hat, daß ihrem Leben, das noch gestern vollkommen schien, etwas Wesentliches fehlt.

Ihrem Wunsch nach Alleinsein nachgebend, steht sie vom Tisch auf und schiebt ihren Stuhl zurück. Ein Donnerschlag erschüttert das Haus, Olympia spürt das Beben durch die Bodendielen. Ein Blitz durchzuckt den Himmel vor dem Fenster des Speisezimmers.

»Ein Gewitter«, sagt Catherine.

»Ja, es war angesagt«, antwortet Olympias Mutter.

»Ich muß nach oben, um mein Fenster zu schließen.« Olympia ist froh, eine Entschuldigung zu haben, das Zimmer zu verlassen.

»Wußten Sie«, wendet sich Olympias Vater an die kleine Gesellschaft, »daß durch einen so heftigen Donnerschlag viele Hummer in den Gewässern hier mindestens eine ihrer Scheren verlieren?«

»Interessant«, sagt Catherine.

Dann beginnt es zu regnen, in dichten Strömen, die schräg unter den Dachvorsprung peitschen und an die Fenster schlagen, als verlangten sie Einlaß.

Olympia geht in ihr Zimmer hinauf und legt sich in einem Zustand auf ihrem Bett nieder, der sie völlig unvorbereitet getroffen hat und über den sie nicht sprechen kann – nicht einmal mit Lisette, die vielleicht mit praktischem Rat helfen

könnte. Denn wie soll Olympia irgendeinem Menschen eingestehen, daß sie außergewöhnliche und unangemessene Gefühle
für einen Mann hegt, den sie kaum kennt? Für einen Mann,
der beinahe dreimal so alt ist wie sie. Für einen Mann, der
glücklich verheiratet scheint mit einer Frau, für die Olympia
Bewunderung empfindet.

Schließlich setzt sie sich auf und greift nach dem Buch, das
noch auf ihrem Nachttisch liegt. Noch einmal beginnt sie, Haskells Aufsätze zu lesen. Sie liest, bis ihr die Buchstaben vor den
Augen verschwimmen und sie mit Gleichmut an ihre Vorbereitungen für die Nacht denken kann.

Später wird sie hören, daß Haskell an jenem Abend nicht zur
Klinik gefahren ist, sondern voll aufwühlender Gefühle am
Strand entlanggegangen ist, bis ihn das Gewitter überraschte
und er, binnen Sekunden durchnäßt, den langen Weg zum
Haus zurücklaufen mußte, um ins Trockene zu gelangen.

Kurz vor Tagesanbruch wird Olympia von einem rauhen
Schrei geweckt. Im ersten Moment glaubt sie, er gehöre zu
einem Traum, aus dem sie sich nicht lösen kann, dann aber erkennt sie, daß das Geschrei von draußen kommt. Noch während sie aus dem Bett springt, werden die Stimmen lauter, es
sind die mehrerer Männer, wie sie jetzt ausmachen kann.

Die Morgenluft ist kühl. Olympia greift nach dem Tuch auf
dem Sessel. Ein Blick aus dem Fenster zeigt ihr, daß am Strand
von Fortune's Rocks dicht an dicht Feuer entzündet worden
sind, die jetzt hell lodern. Die Bedeutung dieser Feuer wird ihr
erst klar, als sie die Männer in Rettungsausrüstung und Kork-
gürteln bemerkt, die bei dem Feuer, das dem Haus am nächsten ist, zusammenstehen. Andere Männer, unter ihnen Rufus
Philbrick, ihr Vater und John Haskell, die meisten in Morgen-
röcken, haben sich am Rand dieser Gruppe zusammengeschart.
Und die erregte Aufmerksamkeit aller ist aufs Meer gerichtet.
Neugierig zu sehen, was die Männer so sehr in Aufregung ver-

setzt, späht auch Olympia zum Meer und gewahrt mit Schrecken eine große Barke ohne Masten, die keine hundert Meter von der Küste entfernt im weißen Schaum der Brecher herumgeworfen wird. Der Bug des Segelschiffs ist zertrümmert, das Holz gesplittert. Das führerlose Schiff rollt und schlingert und schlägt, noch während sie hinsieht, gegen die Felsen, an denen schon früher Schiffe zerschellt sind.

Das Tor der Rettungsstation Ely, die erst im letzten Jahr erbaut wurde, fliegt auf. Ein halbes Dutzend Männer in Ölzeug und hüfthohen Gummistiefeln schiebt das lange, schlanke Rettungsboot, das für solche Notfälle stets einsatzbereit gehalten wird, zum brodelnden Wasser. Eine Menschenmenge hat sich mittlerweile versammelt, und es hält Olympia nicht länger in ihrem Zimmer. Sie wirft sich das Tuch um die Schultern und läuft zum Strand hinunter.

In Kälte und Dämmerlicht, knapp außerhalb des verräterischen Scheins der Feuer, bleibt sie stehen. Der Sturm reißt an ihrem geflochtenen Haar und bläst Funkenfontänen in die Luft. Die Signallichter in den roten Kugellaternen drohen zu erlöschen. Draußen in den schäumenden Wogen ist das manövrierunfähige Schiff in eine unnatürliche Schräglage geraten, und Olympia meint, Menschen zu erkennen, die sich an der Reling festklammern.

Eine Hand berührt ihren Arm, und sie fährt erschrocken herum.

»Olympia«, sagt Catherine Haskell und hält einen Mantel auf, den sie Olympia um die Schultern legt. »Ich habe Sie von der Veranda aus gesehen. Sie sollten nicht hier draußen sein.«

Olympia nimmt den Mantel dankbar an und zieht ihn fest um sich. Fragend sieht sie Catherine an.

»Ach Kind, es ist grauenhaft. Eine Tragödie. Ich hoffe nur, daß die Rettungsmannschaften sie noch rechtzeitig erreichen.«

»Was ist es für ein Schiff?« fragt Olympia.

»Rufus sagt, es sei ein englisches Schiff aus Liverpool. Es war

78

auf der Fahrt nach Gloucester, aber im Sturm kam es vom Kurs ab.«

Der tobende Wind macht die Verständigung schwierig. Er bläst Catherine die Haare ins Gesicht und schlägt Olympia den Stoff ihres Nachthemdes um die Beine. Gemeinsam beobachten sie, wie aus dem Wachhaus ein Wagen mit einer kleinen Kanone herausgeschoben und das Geschütz auf das Schiff gerichtet wird.

»Was machen sie jetzt?« fragt Olympia.

»Das ist für die Hosenboje«, erklärt Catherine.

Eine Leuchtkugel taucht das angeschlagene Schiff in gleißendes Licht. Ein Mensch stürzt vom Wrack ins Meer, und am Strand hört man einen Schrei. Catherine wendet sich Olympia zu und zieht sie an sich, als wolle sie sie vor dem Anblick schützen. Aber Olympia ist größer als Catherine, die Umarmung ist ungeschickt und hat etwas Peinliches. Sie lassen einander los und sehen, wie ein Mann von einer Woge fortgerissen wird.

»Mein Gott«, sagt Catherine.

Und Olympia, die in ihrem behüteten Leben dem Tod noch nicht begegnet ist, schaudert. Beim Krachen des Geschützes zuckt sie zusammen. Eine Kugel, die ein Seil mitzieht, fliegt über die Wellen und landet hinter dem Schiff. Augenblicklich strafft sich das Seil zwischen dem sinkenden Schiff und der Küste. Einer der Rettungsleute steigt in die Hosenboje, ein Gerät, das aussieht wie eine übergroße Männerhose an einer Wäscheleine. Während die Männer am Strand das Seil über einen Flaschenzug ziehen, bewegt sich der Mann in der Hosenboje langsam auf das Schiff zu, wobei seine Beine fast die Wasseroberfläche berühren.

John Haskell und Olympias Vater packen am Heck des Rettungsbootes mit an und schieben es ins Wasser. Das Gesicht ihres Vaters ist tiefernst und konzentriert. Der Gürtel seines Morgenrocks hat sich gelöst, und Olympia sieht erstaunt seine dünnen weißen Beine. Aber auch wenn sie den Anblick seines Körpers als peinlich empfindet, ist sie doch stolz auf die Tatkraft ihres Vaters in dieser Situation. Er scheint, genau wie Haskell, der Widrigkeiten von Sturm und Wellen so wenig zu achten wie der körperlichen Anstrengung, die es kostet, Hand in Hand mit den anderen Männern das Seil mit der Hosenboje über den Flaschenzug zu bewegen.

Später werden Olympia und Catherine erfahren, daß das Schiff mit dem Namen *Mary Dexter* norwegische Einwanderer an Bord hatte und bereits an den Docks in Quebec zu Schaden gekommen war; der Kapitän jedoch, der die Reise schnell beenden wollte, stach wieder in See, ehe der Schaden repariert werden konnte.

Catherine und Olympia beobachten, wie die Hosenboje am Seil hängend zurückkehrt, nicht mit dem Retter, den sie vor Minuten zum Schiff getragen hat, sondern mit einer Frau, die, entkräftet im Rettungsgerät hängend, ein Kind in den Armen hält.

»Sie wird das Kind nicht halten können!« ruft Catherine.

Die Männer am Strand hegen offenbar die gleiche Befürchtung, Haskell nämlich wirft seinen Morgenrock ab und watet im Nachthemd in die Brandung, um die Beine der Frau zu fassen. Mit sicherem Griff geleitet er sie dann auf trockenen Boden und hilft ihr, gemeinsam mit Rufus Philbrick, aus der Hosenboje. Ein Mann von der Rettungstruppe nimmt ihren Platz ein und macht sich auf die Seilfahrt zum sinkenden Schiff.

»Ich muß zu ihm«, sagt Catherine. »Kann ich Sie hier allein lassen?«

»Aber ja. Ja, natürlich«, versichert Olympia. »Keine Sorge.«

Sie blickt Catherine Haskell nach, die, in den Wind gebeugt, zu ihrem Mann läuft. Während Olympias Vater sich um die gerettete Frau kümmert, sie in eine Wolldecke hüllt, die Josiah gebracht hat, legt John Haskell das Kind auf eine Decke und beginnt, es zu beatmen. Olympia beobachtet, wie Catherine

ihrem Mann die Hand auf die Schulter legt, und er zu ihr auf-
sieht. Er ruft ihr etwas zu, eine Anweisung vielleicht, unverzüglich nämlich läuft sie weiter zu der Frau, um die Olympias
Vater sich bemüht hat. Haskell, dem es offenbar gelungen ist,
das Kind, ein kleines Mädchen, wieder zum Atmen zu bringen, nimmt es in die Arme und läuft schnellen Schrittes mit
ihm zum Haus. Olympia meint, ihr Herzschlag müsse aussetzt-
zen. Um zum Haus zu gelangen, kommt er genau an der Stelle
vorbei, an der sie steht, im Schatten außerhalb der allgemeinen
Rettungsarbeiten.

Der Wind peitscht ihr das Haar ins Gesicht, sie muß es festhalten, um ihn sehen zu können. Er hält das Kind dicht an seinem Körper, flach liegt es auf seinen Armen, die unter den
schmalen Rücken geschoben sind. Er macht nicht halt, aber er
sieht Olympia an, als er vorübereilt. Vielleicht sagt sie seinen
Namen, nicht »John«, sondern »Haskell«, wie sie ihn für sich zu
nennen pflegt.

Sie steht gebannt, fühlt sich wie ausgehöhlt.

Sie hört ihren Vater rufen. Sie winkt ihm zu. Sie möchte hel-
fen; ja, natürlich möchte sie helfen. Sie versucht zu laufen, aber
ihre Beine gehorchen ihr nicht, es ist, als wäre ihr Körper außer
Kraft gesetzt. Ihr Vater winkt ihr ungeduldig, sie sieht, daß er
sie dringend braucht. Aber der Sand hängt schwer an ihren
Füßen, und sie kommt kaum voran, wie es im Traum sein kann.
Als sie dennoch zu laufen versucht, tritt sie auf den Saum ihres
Nachthemdes und stürzt.

Hastig blickt sie auf und sieht ihren Vater auf sich zukommen. Er ruft ihren Namen. Sie schüttelt den Kopf; er soll sie so
nicht sehen. Er beugt sich zu ihr und legt ihr die Hand auf die
Schulter. Seine Berührung ist fremd und seltsam, sie umarmen
einander nie. Die unvertraute Berührung bringt sie zur Besinnung. Mit dem Ärmel ihres Nachthemds reibt sie sich die
Augen.

»Olympia?« sagt er fragend.

Ungeschickt steht sie auf. Es ist jetzt beinahe Tag, und sie erkennt das sinkende Schiff und die dramatischen Szenen, die sich dort abspielen, deutlicher als zuvor.

»Es ist nichts, Vater«, sagt sie. »Ich bin nur über mein Nachthemd gestolpert.« Sie schiebt ihre Arme in den Mantel, den Catherine ihr umgelegt hat.

»Sag mir, was ich tun soll«, bittet sie. »Ich möchte helfen.«

In den frühen Morgenstunden des dreiundzwanzigsten Juni 1899 ertrinken vierundsiebzig Passagiere und ein Offizier der *Mary Dexter;* achtundfünfzig Passagiere und vier Schiffsoffiziere können gerettet werden. Einer der Männer des Rettungstrupps, ein Mann aus Ely, kommt bei dem Einsatz ums Leben. Das Rettungsboot, mit beinahe einem Dutzend Freiwilliger bemannt, legt vom Unglücksschiff ab, kurz bevor dieses mit dem Bug voraus in steilem Winkel ins Meer taucht und an den Felsen zerschellt.

Trotz der Schwere des Unglücks können sich die Bürger von Fortune's Rocks einen gewissen Stolz über den erfolgreichen Einsatz der Hosenboje, die hier bisher noch nicht erprobt wurde, nicht versagen.

Dank der ungewöhnlichen Anlage des Hauses, das früher ein Kloster war, gibt es im ersten Stockwerk auch jetzt noch viele mit Betten und Kommoden ausgestattete zellenähnliche Räume, von denen nur einige von den Hausangestellten bewohnt werden. Eine Art Feldlazarett wird eingerichtet, in dem Familie Biddeford mit ihren Gästen und Dienstboten als Stab arbeitet: Olympias Vater, der pensionierte General, für diesen Notfall wieder in Dienst gestellt; John Haskell mit medizinischer und persönlicher Verantwortung, die eine solche Position mit sich bringt, der leitende Stabsarzt; Catherine Haskell in ihrem schlichten grauen Morgenmantel mit der weißen Schürze darüber, die sie in der Küche gefunden hat, die Pflegerin; Josiah, der altgediente Feldwebel, zuverlässig in der Krise, der Organisator erster Ordnung; Philbrick, der die Aufgabe übernimmt, Nahrungsmittel für den nicht mehr überschaubaren Haushalt zu beschaffen, der Quartiermeister; Cote eine Art Deserteur, der über die gesamte Dauer der Rettungsbemühungen tiefen Schlaf vortäuscht und zu glauben scheint, er täte mehr als genug, wenn er Olympias verstörter Mutter in ihren Räumen Gesellschaft leistet; und Olympia, die in Ermangelung anderer Hilfskräfte in die Gesellschaft der Erwachsenen aufgenommen wird, die unerfahrene kleine Sanitäterin.

Da keiner der norwegischen Einwanderer auch nur ein Wort Englisch spricht, die Amerikaner wiederum des Norwegischen nicht mächtig sind, bleibt Olympia nichts anderes übrig, als Fragen und Bitten allein aufgrund von Gesten und Mimik zu interpretieren und sich bei der Beantwortung mit den gleichen Mitteln zu behelfen. Viele der norwegischen Männer sind auf See geblieben, und ihre Frauen sind außer sich vor Schmerz. Eine dieser Frauen, mit kastanienbraunem Haar und hellen grauen Augen, hat fünf Kinder unter elf Jahren in ihrer Obhut. Ihr Gesicht, als sie ins Haus geführt wird, ist das einer Wahnsinnigen, als kämpfe sie noch im Netz der Todesangst. Sie ist zunächst nicht fähig, sich um ihre Kinder zu kümmern, die von Olympia und Catherine gebadet und frisch gekleidet werden. Es quält Olympia, daß sie dieser Frau nicht einmal das ungeschickteste Wort der Teilnahme sagen kann, sondern sich auf die Hoffnung beschränken muß, daß ihre Gesten und der Ton ihrer Stimme etwas von dem ausdrücken, was sie bewegt. Ihr fällt auf, daß die Frau, genau wie die meisten Flüchtlinge im Haus, selbst wenn man die Schrecken berücksichtigt, die sie durchlebt haben, in elender körperlicher Verfassung ist, und sie fragt sich, was für Zustände auf diesem Einwandererschiff geherrscht haben, noch bevor es in Seenot geriet.

Das Haus ist von Tumult erfüllt – Kinder weinen, Frauen reden erregt in fremder Sprache miteinander, Josiah und die anderen Helfer eilen gehetzt von Zimmer zu Zimmer. In der Küche wird ein Kupferzuber aufgestellt, und in aller Eile wird ein provisorischer Paravent errichtet. Olympias Aufgabe ist es, die Kinder zu baden, Jungen wie Mädchen ohne Unterschied; und so stellt sie fest, daß selbst die strengsten Sitten, die in Normalzeiten unerbittlich eingehalten werden, zu Krisenzeiten ohne weiteres aufgegeben werden.

Gegen Mitte des Vormittags ist es gelungen, eine gewisse Ordnung herzustellen. Olympia ist dabei, ein kleines Mädchen mit hellblonden Locken zu baden – vielleicht ist sein Name Anna. Obwohl sie sich mit Worten nicht mit dem Kind verständigen kann, gelingt es den beiden, einander eine Menge mitzuteilen, indem sie sich eines erfinderisch aus Seife geformten Miniatursegelschiffes bedienen, das eine Weile im Zuber umherschwimmt und dann im trüben Wasser untergeht. Das Mädchen scheint sich nach der Art kleiner Kinder von dem tödlichen Schrecken der vergangenen Stunden erholt zu haben und im Augenblick einfach das Bad zu genießen. Als Olympia, vor der Wanne kniend, dem Kind trotz seiner unwilligen Proteste das Haar wäscht, hört sie ein Geräusch und dreht sich um. John Haskell ist in die Küche gekommen.

»Lassen Sie sich von mir nicht stören.« Er greift sich mit Daumen und Zeigefinger an den Nasenrücken und lehnt sich an den Küchentisch aus Kiefernholz. Er wirkt müde, kein Wunder, denkt sie. Schon vor Stunden hat er sich trockene Kleider angezogen, sein Haar allerdings ist wirr.

Das Gesicht des Kindes mit der Hand schützend, gießt Olympia noch einen Krug Wasser über den blonden Kopf. Das kleine Mädchen kreischt und strampelt, Anlaß genug für Olympia, ihre Arbeit rasch zu vollenden. Durch ein offenes Fenster fällt ihr Blick auf das gesplitterte Spantenwerk des Unglücksschiffes, das an das Gerippe eines gestrandeten Wals erinnert. Wie merkwürdig, das Haus der Küstenwache, vor Stunden noch Schauplatz hektischer Aktivität, jetzt beschaulich, beinahe malerisch im Sonnenschein stehen zu sehen. Es ist ein hübscher Bau mit vielen breiten Fenstern und einem hohen, von einer offenen Plattform gekrönten Turm.

Kunstvolle Schnitzereien zieren das Gesims des roten Daches, das steil zu einem spitzen Giebel aufsteigt. Was für ein sauberes und gefälliges Bild, denkt sie. Und wie reuelos die Natur in ihrer Gleichgültigkeit.

»Es war ein tapferer Versuch«, sagt Haskell.

»Ja.«

»Fünfundsechzig Menschenleben gerettet, und nur ein Retter verloren. Das sind…« Er rechnet kurz. »Etwas weniger als fünfzig Prozent der Passagiere und der Besatzung und nur acht Prozent der Rettungsmannschaft.«

Sie denkt über seine Berechnungen nach.

»Wäre ich die Frau des Mannes, der sein Leben verloren hat«, sagt sie, »so würde ich das als schlechten Lohn für das Risiko betrachten, denn für mich und meine Kinder betrüge der Verlust ja hundert Prozent.«

Er mustert sie einen Moment. »Sie sind weit über Ihre Jahre verständig«, sagt er.

Sie errötet geschmeichelt, später allerdings wird sie sich fragen, ob diese Feststellung nicht mehr von Hoffnung als von zutreffender Beobachtung diktiert war.

»Was ist mit den anderen?« fragt sie rasch.

»Wir haben mehrere Fälle von Knochenbrüchen und einen Mann mit einer schweren Halswirbelverletzung, die möglicherweise zur Lähmung führen wird. Philbrick bemüht sich im Augenblick um den Transport der Kranken und Verletzten ins Hospital von Rye, aber Mason hat das Haus unter Quarantäne gestellt und angeordnet, daß niemand es verlassen darf.«

Haskell spricht vom zuständigen Beamten der Gesundheitsbehörde von Ely Falls, der in den frühen Morgenstunden eingetroffen ist.

Er tritt zur Wanne, hebt das kleine Mädchen heraus, kümmert sich nicht um die Schaumhäufchen auf seinem Hemd, und wickelt es in das Badetuch, das Olympia ihm reicht. Er legt es auf den Küchentisch und schickt sich an, es zu untersuchen, behutsam und vorsichtig trotz der ungeheuren nächtlichen Strapazen und der hektischen Atmosphäre im Haus. Olympia bleibt an seiner Seite stehen, nicht sicher, ob sie gehen oder bleiben soll, und am Ende hält die Unschlüssigkeit sie fest.

Nachdem Haskell die Kleine untersucht hat, nimmt er aus seinem Korb, den Josiah gebracht hat, ein trockenes Tuch und wickelt das Kind darin ein. Er hält es – so klein und zart in seinem sicheren Griff – in der Beuge seines Armes und spricht leise zu ihm, mit tröstenden Worten, die dem Kind unverständlich sind, deren besänftigende Wirkung sich jedoch darin zeigt, daß der Blick der Kleinen zusehends schläfriger wird.

»Hat Mr. Mason etwas davon gesagt, wie lange die Quarantäne dauern soll?« fragt Olympia in Gedanken daran, wie lästig es sein wird, nicht aus dem Haus gehen zu dürfen.

»Nein, er ist wie alle kleinen Beamten zufrieden, endlich einmal das bißchen Macht spielen lassen zu können, das er besitzt. Er ist nicht bereit, sich festzulegen, was für mich etwas unangenehm ist, da Catherine und die Kinder eigentlich morgen nach York abreisen sollten.«

Olympia sammelt die feuchten Tücher vom Küchenboden auf.

»Wo werden Ihre Frau und die Kinder in York denn wohnen?« fragt sie.

»Meine Schwiegermutter hat dort ein Haus. Die Wochenenden werden Catherine und die Kinder natürlich hier verbringen, und im August, wenn unser neues Haus fertig ist, wie ich hoffe, werden sie auf Dauer bleiben.«

Olympia wirft die Tücher in einen anderen Korb in der Ecke der Küche und geht auf Haskell zu.

»Ich nehme sie«, sagt sie und hebt das kleine Mädchen aus seinen Armen.

Es scheint eine beinahe elementare Geste – ein Kind aus den Armen eines Mannes zu nehmen.

## 5

Am dritten Tag nach dem Schiffbruch der *Mary Dexter* wird die Quarantäne aufgehoben, die Bewohner und die Geretteten dürfen das Haus verlassen. Olympia fragt sich, was aus den Schiffbrüchigen werden wird. Da sie ihre gesamte Habe verloren haben und darauf angewiesen sind, Geld zu verdienen, landen viele in den Textilfabriken in Ely Falls; was aus den kleinen Kindern wie Anna wird, erfährt sie nie.

Catherine und die Kinder reisen nach York ab. Haskell übersiedelt wieder ins Highland Hotel. Während der nächsten Tage sieht Olympia ihn nicht, da er von morgens bis abends in der Klinik in Ely Falls beschäftigt ist und sich keine zufällige Gelegenheit zu einer Begegnung ergibt.

Nach außen scheint es, als verbringe Olympia ihre Tage wie immer. Sie liest die Bücher, die ihr Vater ihr für den Sommer ans Herz gelegt hat. Später wird sie sich im besonderen an *Das Tal der Entscheidung, Die Geschichte zweier Städte* und *Der scharlachrote Buchstabe* erinnern, Werke, deren Handlung in einem anderen Jahrhundert als dem der Entstehung angesiedelt ist, ein Kunstgriff, über dessen Sinn und Zweck sie mit ihrem Vater ausgiebig diskutiert (wobei ihr Vater die Ansicht vertritt, daß die gesellschaftlichen Sitten einer vergangenen Epoche gewisse moralische Notstände der eigenen Zeit unter Umständen klarer beleuchten können; während Olympia meint, daß Edith Wharton, Charles Dickens und Nathaniel Hawthorne sich vielleicht einfach zur barocken Sprache und farbigeren Landschaft einer früheren Ära hingezogen fühlten).

Da Olympias Zeichenkünste zu wünschen übriglassen, bekommt sie nun Unterricht von dem französischen Maler Claude Legny, der den Sommer über auf den Isles of Shoals Quartier bezogen hat und sich bereit erklärt, Freitag morgens zum Festland überzusetzen, um ihr Stunden zu geben. Olympia besitzt vielfältige Begabungen, aber ein Talent zum Zeichnen gehört nicht dazu, und sie weiß, daß sie den Mann enttäuschen wird. Sie ist durchaus fähig, genau zu beobachten, sie kann das Gesehene auch recht gut in Worte fassen, aber sie kann es nicht im Bild festhalten. So verlaufen die Stunden so unbefriedigend, als ob ein Erwachsener ein Kind unterrichtet und nur magere Ergebnisse erntet, denen selbst ein gewisser kindlicher Reiz fehlt.

Beim Reiten und Tennis ist sie erfolgreicher. Das Reiten allerdings, das sie auf der Hull Farm in Ely ausübt, hat sie schon früher erlernt und kann es nicht als Errungenschaft dieses Sommers verbuchen. Das Tennisspiel jedoch ist neu für sie und gehört zu den wenigen Beschäftigungen, die ihre ganze Konzentration verlangen und sie für kurze Zeit aus ihrem Sinnen und Träumen reißen.

Denn sie scheint sich in diesen verstreichenden Tagen in einem Schwebezustand zu befinden, der Ähnlichkeit hat mit einer verlängerten Pause in einem bewegenden Musikstück – der Zäsur nach einem Vorspiel. Manchmal gelingt es ihr nur mit größter Mühe, sich überhaupt auf eine Tätigkeit oder Aufgabe zu konzentrieren. Sie ist häufig wie benommen, geistig abwesend, nicht fähig, sich von bohrenden Gedanken zu befreien, so daß sie sich fragt, ob sie nicht besessen ist: Jeder Moment des Zusammenseins mit Haskell wird geprüft und abermals geprüft; jedes Wort, das gesprochen wurde, wird abgehört und abermals abgehört; jeder Blick, jede Bewegung und Nuance wird interpretiert und abermals interpretiert. Wenn sie am Eßtisch sitzt oder auf der Veranda Briefe schreibt oder ihrer Mutter vorliest, erfindet Olympia Zwiegespräche und Diskussionen mit Haskell und spinnt Anekdoten, die ihn erheitern müssen, um die banalsten Ereignisse ihres täglichen Lebens. Tatsächlich scheint ihr gewohntes Tun jetzt nur noch dem Zweck der Selbstenthüllung zu dienen, nur noch dazu, sich einem Mann zu offenbaren, den sie kaum kennt. Und obwohl sie dieselben Szenen wieder und wieder vor sich ablaufen läßt, erschöpfen sie sich nie. Es ist, als trinke sie aus einem Glas, das sich ständig wieder auffüllt, dessen letzter kühler Tropfen ihr so notwendig ist wie sein erster, weil ihr Durst unstillbar ist. Manchmal ist ihr die unermüdliche Beschau der kurzen Zeitspanne, die sie in Haskells Gesellschaft verbracht hat, eine Qual, da sie weder ein harmonisches Ende des Begonnenen sehen kann noch einen Weg, der weiterführt. Sie ist noch keine Sechzehn, und Haskell ist ein Mann im Alter ihres Vaters. Er hat Frau und Kinder. Sie steht noch unter der Obhut ihres Vaters, ist ja selbst noch ein Kind, vielleicht sogar ein in seinem Geiste krankes und starrsinniges Kind, auf einen Wahn fixiert, der in wenigen kurzen Episoden wurzelt, die sie, wer weiß es denn, vielleicht völlig falsch interpretiert. Dennoch martert sie sich weiter mit ihren endlosen Einbildungen, und es gibt keine Stunde, in der nicht Haskell ihr Denken beherrscht. Und das veranlaßt sie, sich schließlich zu fragen, ob nicht ihrem selbst herbeigeführten Leiden neben der Qual ein zutiefst lustvolles Element innewohnt.

Obwohl sie der Welt, in der ihr physisches Selbst sich bewegt, kaum gewahr wird, sind diese Tage lebendiger und ereignisreicher als alle, die sie je erlebt hat. Farben sind glühender; Musik, die zuvor nur angenehm oder schwierig war, vermag jetzt, sie aufzuwühlen; das Meer, das immer eine starke Anziehungskraft auf sie ausgeübt hat, gewinnt eine epische Erhabenheit und einen Zauber, der niemals nachläßt – so daß sie häufig mit gereizter Ungeduld auf Forderungen reagiert, die sie daran hindern, einfach zum Wasser hinauszublicken und ihre Gedanken auf den Wellen treiben zu lassen.

Volkstümlich geht es immer zu am Strand von Fortune's Rocks, besonders aber am vierten Juli, wenn sich die Bevölkerung nicht nur der umliegenden Sommerhäuser, sondern auch der beiden Orte Ely und Ely Falls zum traditionellen Sommerfest mit großem Muschelessen versammelt. Dann wimmelt es auf dem breiten Sandstreifen, der sich von der Kaimauer zum Wasser erstreckt, von festlich gestimmten Menschen – unter die Sommerfrischler mischen sich Geschäftsleute mit ihren Familien und viele Frankoamerikaner und Iren aus den Textilfabriken. Ein riesiges Feuer wird entzündet und mit nassem Seetang bedeckt, so daß der aufsteigende Qualm aus dem Sand zu kommen scheint. Und rund um dieses Feuer stehen Männer jeglicher Klasse, reiche wie arme, die einen im Gesellschaftsanzug, die anderen in zwangloser Kleidung, und beinahe alle sprechen dem starken Gebräu in den Steingutkrügen, die man in den Sand eingegraben hat, kräftig zu. Immer wieder werden große Mengen Muscheln in Gitterkörben zum Feuer geschleppt und neben Kartoffeln auf den Seetang gehäuft. Wenn ein Schwung ordentlich durchgezogen ist, werden die Blechschüsseln ergriffen und mit dem fertigen Mahl gefüllt.

Die Frauen, einige mit Sonnenschirmen, sitzen auf Hokkern, während die Kinder sich auf Decken und Badetüchern balgen. Da mit diesem festlichen Ereignis eine gewisse Ungezwungenheit einhergeht, tummeln sich viele Männer und Frauen auch in Schwimmkostümen im Wasser. Gelegentlich wird ein Badelustiger von einem Dienstboten zur Brandung getragen und vorsichtig ins Wasser hinuntergelassen, um ihm den schlimmsten Kälteschock zu ersparen. Die Wassertemperatur steigt selten über achtzehn Grad Celsius; die Zahl wird täglich zur Mittagsstunde vom Highland Hotel aus in dröhnenden Signaltönen bekanntgegeben.

Nicht weit von den Badenden veranstaltet der Ely Club Wettläufe auf dem flachen Sandboden, den die Ebbe freigegeben hat und der so hart ist, daß man darauf Tennis spielen könnte. An einem Teil der Mauer sind Pferdewagen abgestellt, hin und wieder auch Automobile, neuartige Gefährte, um die sich Kinder scharen, ohne jedoch zu wagen, sie zu berühren, aus Furcht, so ein Ding könne sich unversehens in Bewegung setzen und durchgehen. (Seltsame Vorahnung eines Zwischenfalls, der sich im folgenden Sommer zutragen sollte. Da wird tatsächlich eines der Automobile versehentlich von einem Knaben in Gang gesetzt, schießt über die Kaimauer hinweg und gräbt sich, zum Glück ohne das Kind, im weichen Sand am oberen Teil des Strandes ein, wo es jahrelang liegenbleibt.)

Olympia hat für diesen Tag ein Ensemble gewählt, das sie besonders mag: eine graue Hemdbluse aus dünnem Stoff, die sie, in der Taille gegürtet, über einem einfachen dunkelblauen Leinenrock trägt. Aus irgendeinem Grund, den sie nicht benennen kann, der aber wohl mit der Atmosphäre der Ungezwungenheit zu tun hat, die den Tag kennzeichnet, trägt sie keinen Hut. Aber sie hat ein dunkelblaues Tuch um die Schultern gelegt, um sich vor dem erwarteten kühlen Meereswind zu schützen, der allerdings nicht kommt; im Gegenteil, es ist an diesem Tag so warm, daß sie das Tuch bald ablegt, die Manschetten ihrer Bluse aufknöpft und die Ärmel über den Unterarmen hochkrempelt. Vermutlich, sagt sie sich, trägt sie diese Zusammenstellung deshalb so gern, weil sie ihr reichlich Bewegungsfreiheit läßt und ganz unauffällig ist. Denn wichtiger als alles andere ist ihr, die Menschen um sich herum beobachten zu können, ohne selbst bemerkt zu werden. Was die allgemeine Atmosphäre der Ungezwungenheit angeht, so hat sie gehört, daß sich an diesem Tag mehr Liebeleien anspinnen, mehr Heiratsanträge ausgesprochen und alte Ehen wieder jung werden als an jedem anderen Tag des Jahres, eine Behauptung, die durch die außergewöhnlich hohe Zahl von Geburten in der ersten Aprilwoche des folgenden Jahres bestätigt wird.

Rosamund Biddeford, die öffentlichen Veranstaltungen jedweder Art wenig oder nichts abgewinnen kann, verweilt nur kurze Zeit an der Seite ihrer Tochter, verspeist genau eine Muschel, die ihr infolge des gemeinschaftlichen Kochvergnügens irgendwie verleidet scheint, klagt milde über Kopfschmerzen von der Sonne und zitiert Josiah herbei, um sich von ihm ins Haus begleiten zu lassen. Da das alles nicht unerwartet kommt, ist es Olympia durchaus zufrieden, allein auf ihrem Leinwandstuhl sitzen zu bleiben, gesättigt von einer Schale gedünsteter Muscheln und einer Handvoll Salzbiskuits, und das Kommen und Gehen der Leute in ihren vielgestaltigen Aufmachungen zu beobachten. Dabei behält sie ihren Vater im Auge, der sich mit einer Gruppe von Männern am Feuer unterhält und Unmengen von Whiskey zu trinken scheint. Ab und zu sprechen Nachbarn Olympia an und fordern sie auf, sich zu ihnen zu gesellen; doch sie lehnt mit der unwahren Begründung ab, daß sie die Rückkehr ihrer Mutter erwarte.

Dennoch verspürt sie nach einiger Zeit Ruhelosigkeit, und ihr vergeht die Freude daran, an einem so herrlichen Tag still auf ihrem Stuhl zu sitzen. Sie verläßt ihren Beobachtungsposten und wandert am Strand entlang, zwischen Familien und Freundesgruppen hindurch, von denen manche sich äußerst aufwendig mit Segeltuchpavillons, Eisbehältern, feiner Tischwäsche und Besteck ausgestattet haben. Andere begnügen sich bescheidener mit den Blechschüsseln und Trinkbechern, die an die Allgemeinheit ausgegeben wurden. Eine Familie bemerkt sie, deren Angehörige, selbst die Kinder, wie zum Kirchgang gekleidet sind und so steif und förmlich dasitzen, wie das auf einer Decke am Strand nur möglich ist. Und nicht weit von ihnen ist eine frankoamerikanische Gruppe, Arbeiter und Arbeiterinnen aus der Fabrik mit ihren Kindern, ebenfalls im Sonntagsstaat, aber dank einigen Flaschen Wein, die sie mitgebracht und offensichtlich geleert haben, weit weniger steif. Sie wirken fröhlich, beinahe ausgelassen.

Überall in den Sommerhäusern am Strand wird gefeiert, wie das am vierten Juli Brauch ist. Olympia und ihre Eltern sind zu einigen dieser Feste eingeladen worden. Da Olympia in diesem Jahr erstmals die Erlaubnis erteilt wurde, auch ohne Begleitung Freunde aufzusuchen, hat sie ursprünglich daran gedacht, den Farraguts, mit deren Tochter Victoria sie sich ein wenig angefreundet hat, einen Besuch abzustatten. Aber als sie jetzt durch den Sand stapft, spürt sie, daß ihr gar nicht nach Gesprächen zumute ist, und so geht sie am Haus der Farraguts vorbei, auf deren Veranda heitere Geselligkeit herrscht, und wendet den Kopf ab. Sie möchte nicht erkannt und angerufen werden.

Nach einiger Zeit zieht sie ihre Stiefel aus und wandert, von frohgelaunten Fremden, an denen sie vorübergekommen ist, dazu ermuntert, barfuß weiter. Da sie die Absicht hat, die Stiefel wieder überzuziehen, bevor sie zum Feuer zurückkehrt, sorgt sie sich nicht darum, von ihrem Vater gesehen zu werden, der solche Formlosigkeit mißbilligen würde. Übermut erfaßt sie, und sie treibt ein kokettes Spiel mit den Wellen, rafft ihre Röcke gerade so hoch, daß das Wasser ihre Füße überspülen kann, und springt schnell aufs Trockene, wenn eine kräftigere Welle heranrollt.

Doch als sie sich dem Highland Hotel nähert, wird ihr Schritt zaghafter. Das Hotel ist nicht imposanter als die vielen anderen seiner Art, die an diesem Teil der Küste stehen; aber es ist, meint sie, weit ansprechender mit seinen übermäßig tiefen Veranden, den leuchtendweißen Geländern und den schwarzen Korbschaukelstühlen, die wie Wachposten aufgereiht sind. Von festlicher Stimmung beschwingte Männer und Frauen eilen an ihr vorüber, entweder aus dem Hotel kommend oder auf dem Weg dorthin. Sie beobachtet eine Gruppe Hotelangestellter, die sich auf der Veranda photographieren lassen; sie scheinen, sehr zur Bestürzung des unglücklichen Photographen, unfähig, ihrer kichernden Erheiterung Herr zu werden. Hinter ihnen werden große Platten mit Austern unter den Hotelgästen herumgereicht, die zum Teil prachtvoll herausgeputzt sind: die Frauen mit wagenradgroßen Hüten, so überreichlich mit Blumen geschmückt, daß sie wie üppige Päonien wirken, unter denen die schlanken Stengel zu knicken drohen. Eine kleine Gesellschaft von Männern und Frauen mit Rackets in den Händen, weniger förmlich gekleidet, steht am anderen Ende der Veranda, offenbar den Beginn einer Tennispartie erwartend.

Olympias Blick schweift über die Veranda und bleibt an einer Gestalt in einem der Schaukelstühle hängen. Ohne Hut und Jackett sitzt er da und liest in einer Broschüre. Sie bleibt abrupt stehen. Dies plötzliche Stehenbleiben scheint dem Mann aufgefallen zu sein, denn er wirft einen Blick in ihre Richtung.

Sie macht hastig kehrt und läuft, die Stiefel in der Hand, am Strand zurück. Sie hört nichts als das Branden ihrer Torheit in ihrem Kopf: Was hat sie sich nur dabei gedacht, sich solche Freiheit herauszunehmen? Schnurstracks zum Hotel zu marschieren, obwohl sie wußte, daß sie dort Haskell begegnen könnte; obwohl sie wußte, wie unschicklich solche Zudringlichkeit ist? Gesenkten Kopfes läuft sie weiter, entschlossen, so schnell wie möglich das andere Ende des Strandes zu erreichen. Und so hört sie seinen Ruf zunächst nicht. Erst als sie seine Hand an ihrem Arm spürt, macht sie halt und dreht sich herum.

»Olympia«, sagt Haskell, atemlos von seinem Bemühen, sie einzuholen. »Ich habe Sie von der Veranda aus gesehen.«

Sie läßt ihre Röcke herabfallen.

Er beugt sich ein wenig vor, um Atem zu schöpfen. »Ich bedaure, daß ich keine Gelegenheit hatte, Sie und Ihren Vater zu besuchen«, sagt er, »da mir doch der kurze Aufenthalt in Ihrer Familie so angenehm war.«

»Ganz unsererseits«, antwortet sie höflich.

Er richtet sich auf. »Und wie geht es Ihren Eltern?« erkundigt er sich. »Sie sind wohlauf, hoffe ich.«

»O ja, danke«, antwortet sie. »Und Ihre Frau und die Kinder? Verbringen sie diesen Feiertag mit Ihnen?«

»Nein. Ich muß in einer Stunde in der Klinik sein. Ich hielt es für sinnlos, Catherine um ihr Kommen zu bitten, da ich doch nicht mit ihr zusammen an den Festlichkeiten hätte teilnehmen können. Aber ich werde ja morgen bei ihr in York sein.«

Olympia hebt den Arm über die Stirn, um ihre Augen gegen das grelle Licht abzuschirmen. Sie muß beim Sprechen zu Haskell aufblicken.

»Und wie entwickelt sich die Arbeit in der Klinik?« erkundigt sie sich.

»Es ist alles etwas schwierig«, antwortet er ohne Zögern. »Ich habe noch nicht die Zeit gefunden, das Personal einzuweisen, was unbedingt geschehen muß, und ich warte noch auf Geräte und Medikamente aus Boston, deren Lieferung sich unverzeihlich verzögert hat.«

»Das tut mir leid«, sagt sie.

»Ach, ich denke, das alles wird sich regeln, wenn mir auch heute nachmittag kaum Personal zur Verfügung steht, da ich fast allen Mitarbeitern freigegeben habe.« Er schiebt seine Hände in die Hosentaschen, inzwischen wieder zu Atem gekommen. »Darf ich Sie ein Stück begleiten?« fragt er. »Ich würde mich freuen, Ihren Vater begrüßen zu können, wenn er mit Ihnen hier ist.«

Er sieht ihr forschend ins Gesicht.

Sie macht kehrt, und gemeinsam schlagen sie den Weg zum Feuer ein. Am steil abfallenden Hang des Strandes ist sie beinahe so groß wie er. Sie hat das Gefühl, daß ihre Bewegungen steif und unnatürlich sind, so befangen fühlt sie sich in seiner Gegenwart. Haskell scheint weit entspannter und bückt sich ab und zu, um eine Muschel aufzuheben oder einen flachen Stein über die Wellen springen zu lassen. Nach einer Weile bittet er sie, einen Moment zu warten, da seine Stiefel voller Sand seien. Er stellt die Stiefel einfach in den Sand oberhalb der Wasserlinie und erklärt, daß er sie später wieder mitnehmen werde, was von mehr Vertrauen in die menschliche Natur zeugt, als ihrer Meinung nach klug ist. Dann gehen sie zusammen weiter, und obwohl sie ihm tausend Fragen stellen möchte, schweigt sie. In ihren Phantasien so wortgewandt, ist sie in seiner Anwesenheit sprachlos.

Das Meer leuchtet an diesem Tag wie Aquamarin, eine Färbung, die an der Küste New Hampshires, wo der Ozean sich meist in einem tiefen Blau oder einem metallischen Grau zeigt, selten zu beobachten ist. Wasser, Himmel und Licht vereinigen sich zu so reicher Schönheit, daß Olympia der Gedanke in den Sinn kommt, die Natur in ihrer Gebefreudigkeit müsse an diesem einhundertdreiundzwanzigsten Geburtstag der Unabhängigkeit des Landes selbst in Feiertagsstimmung sein.

»Haben Sie schon gegessen?« fragt sie.

»Ich sage es nicht gern, aber das Essen im Highland ist ausgesprochen schlecht, trotz der vorzüglichen Bedienung. Ich glaube, man bräuchte dort einen anderen Koch.«

»Dann haben Sie heute Glück. Beim Sommerfest gibt es frischgedünstete Muscheln für jedermann. Haben Sie von dieser Tradition schon gehört?«

»Zum erstenmal heute morgen beim Frühstück. Und ich habe am Vormittag beobachtet, wie die Angestellten sich im Sonntagsstaat davongemacht haben. Ich nehme gern einen Teller Muscheln an, denn der Speisesaal des Hotels ist sicher wie ausgestorben. – Ihr Gesicht hat eine Menge Sonne abbekommen«, bemerkt er. »Sie hätten vielleicht einen Hut tragen sollen.«

Seite an Seite stapfen sie durch den Sand, der das Vorwärtskommen beschwerlich macht. Manchmal stolpert einer von beiden, und ein Ärmel streift einen Ärmel oder eine Schulter eine Schulter. Die heiße Luft steht flirrend über dem Sandstrand und verzerrt alle Gegenstände. Wellen überraschen sie, und einmal springt Haskell mit einem kurzen Überraschungsschrei zurück, da die Kälte auf die zarte Haut von Füßen und

Knöcheln wie ein Schock wirkt, ganz gleich, wie vertraut man mit diesem Teil der Küste Neu-Englands ist.

Schon aus der Ferne sieht Olympia, daß die festliche Stimmung während ihrer Abwesenheit ordentlich in Schwung gekommen ist. Männer und Knaben schlagen mit Racketts Bälle über provisorisch errichtete Netze. Näher am Wasser, wo der Sand fester ist, haben mehrere Paare Krockettore aufgestellt und schwingen munter die Schläger, obwohl es ein hoffnungsloses Unterfangen ist, da alle Kugeln natürlich zum Wasser hinunterrollen. Hinter der Kaimauer und den Fischbuden preisen Straßenhändler mit lautem Geschrei ihre Waren an; eiskalte Erfrischungsgetränke, indianische Körbe, Eiscreme in der Tüte, Süßigkeiten aller Art.

Sie bleibt abrupt stehen, abgeschreckt von der Menge der Menschen. Haskell geht ein paar Schritte weiter, ehe er merkt, daß sie zurückgeblieben ist. Dann kehrt er um.

»Was ist?« fragt er. »Ist etwas nicht in Ordnung?«

Ihr Blick fliegt über seine Schultern. Sie schwitzt unter dem Kragen ihrer Bluse und wünscht, sie könnte ihn öffnen. Hinter Haskell sieht sie einen blau und orange gestreiften Ballon aufsteigen.

Der Ballon hebt sich langsam in die feuchtwarme Luft, ein bombastisches Ding, grell und majestätisch. Er gewinnt an Höhe und schwebt in ihre Richtung. Zwei Männer stehen auf den parallel angebrachten Holmen. Sie winken der Menschenmenge unten zu. Olympia stellt sich vor, was für einen Blick die Männer auf Fortune's Rocks haben müssen, und einen Moment beneidet sie sie und wünscht, mit ihnen dort oben fliegen zu können.

»Olympia, fühlen Sie sich nicht wohl?« fragt Haskell nochmals.

Er steht so dicht vor ihr, daß sie die Poren seiner Haut erkennt, seinen Geruch wahrnimmt, in den sich der Geruch seines gestärkten Hemdes mischt. Unter seinen Armen sind

Schweißringe. Sie möchte sich niederlegen. Sie beobachtet den Ballon, der jetzt schneller steigt und über sie hinweggleitet. Und plötzlich lösen sich die beiden Luftfahrer von den Holmen und schweben an Fallschirmen zur Erde hinab, so sachte, daß sie kaum in Bewegung zu sein scheinen. In der Ferne hört sie den gedämpften Jubel der Menge.

Langsam und wie selbstverständlich ergreift Olympia Haskells Hand und führt sie zu ihrem Hals. Sie öffnet seine Finger und preßt sie an ihre Haut.

Einen Moment schweigen beide.

»Olympia«, sagt Haskell leise, ihr seine Hand entziehend. »Ich muß mit Ihnen sprechen. Jetzt. Denn gleich werden wir am Feuer und bei Ihrem Vater sein, dann wird sich keine Gelegenheit mehr bieten.«

Sie kann kaum atmen.

»Ich habe mir tausend Vorwürfe gemacht seit dem Tag in Ihrem Haus, als ich mir Ihnen gegenüber Freiheiten herausgenommen habe, die ich mir nicht hätte erlauben dürfen«, sagt er. »Beim Photographieren. Ich hatte damals das Gefühl, nicht anders zu können, aber es ist reine Feigheit, sich jetzt hinter der Entschuldigung der Machtlosigkeit zu verstecken.«

Sie schüttelt ein wenig den Kopf.

»Es ist unverzeihlich. Unverzeihlich«, erklärt er erregt. »Und ich bitte Sie aufrichtig um Vergebung, bitte Sie inständig, sie mir zu gewähren, da ich kaum noch arbeiten kann, weil ich ständig an diesen Vorfall denken muß und an den Schaden, den ich Ihnen zugefügt habe.«

Die Luftflieger landen im Sand. Der Ballon schwebt am Himmel weiter.

Überall um sie herum jagen kreischende Kinder, nichts ahnend von dem dramatischen Moment. Möwen, die immer auf einen weggeworfenen Happen hoffen, stoßen gefährlich tief zu ihren Köpfen hinab.

»Ich gehe jetzt«, sagt er. »Wenn Ihr Vater uns bereits zusammen gesehen hat, richten Sie ihm bitte aus, daß ich keine Zeit mehr erübrigen konnte. Und das ist ja auch wahr. Ich fahre jetzt in die Klinik. Ich werde Sie nicht wieder besuchen. Das verstehen Sie wohl. Und ich werde auch Ihre Familie nicht aufsuchen, selbst wenn das eine peinliche Situation schaffen wird.«

In der Annahme, daß er wirklich vorhat, sie jetzt für immer zu verlassen, greift sie rasch nach seinem Arm; und obwohl sie nur einen kleinen Zipfel seines Hemdsärmels erhascht, ist das genug.

»Ich komme mit Ihnen«, erklärt sie ruhig. Sie fühlt sich nicht verwegen. Sie ist sich ihrer Entscheidung sicher, ist sich im klaren über die Tragweite ihrer Worte. »Sie haben selbst gesagt, daß es Ihnen heute nachmittag an Personal fehlt.«

»Die Klinik ist kein Ort für...« beginnt er und bricht ab. Darüber haben sie schon einmal gesprochen.

»Ich bin sicher, daß ich so gut wie jeder andere kleine Hilfsdienste leisten kann. Wie in der Nacht des Schiffsunglücks.«

»Olympia, Sie werden es bereuen«, sagt er ernst.

Ihr Blick schweift zum Horizont, wo der Ballon nur noch ein kleiner Punkt ist, und sie fragt sich, wo er landen wird.

»Dann lassen Sie es mich wenigstens tun, bevor ich es bereue«, entgegnet sie leise.

Er öffnet den Mund, als wolle er etwas sagen, zögert dann jedoch. »Nein, ich kann das nicht gestatten«, sagt er schließlich und geht davon.

Sie blickt ihm nach, bis er nur noch eine verschwommene Gestalt am Strand ist. Als er schon beinahe außer Sicht ist, macht sie sich auf, um ihm zu folgen. Eine Zeitlang geht sie in normalem Tempo, dann beginnt sie zu laufen.

# 6

Sie wartet, wie sie es vereinbart haben, hinter dem Highland Hotel, während er einen Wagen aus der Remise holt. Mit Sand in den Stiefeln und ohne Hut steht sie da und hofft inständig, daß ihr niemand begegnet, der sie oder ihren Vater kennt, denn sie weiß, daß es nicht leicht wäre zu erklären, warum sie hier an der Straße steht oder, wenn nachher Haskell kommen wird, was sie veranlaßt, zu ihm in den Wagen zu steigen und ihn zu begleiten. Sie verläßt sich darauf, daß ihr Vater genug getrunken hat, um wie immer auf der Höhe des festlichen Treibens am vierten Juli in kameradschaftlichem Einklang mit all den anderen bezechten Männern im Sand beim Feuer sein Nickerchen zu halten.

Haskell kommt in einem leichten Einspänner, dessen Verdeck auf der durchfurchten Straße wild schwankt, um die Ecke gefahren. Der Wagen ist flaschengrün mit gelben Rädern. An der Seite steht in Lettern von vornehmer Schlichtheit: »Highland Hotel«. Aus seinem Zimmer hat er seinen Arztkoffer, Jackett und Hut geholt und bietet ihrem Auge einen so gepflegten Anblick, daß sie trotz all ihrer Nervosität, trotz zitternder Bedenken, die sie jetzt angesichts ihrer Tollkühnheit überfallen, eine tiefe Freude verspürt bei dem Gedanken, gleich an seiner Seite zu sitzen. Er steigt aus dem Wagen und hilft ihr hinauf.

Sie fahren auf der gewundenen Straße zwischen der Bucht und dem Ozean, vorüber an vielen Sommerhäusern und steinernen Mauern und Fahrzeugen, die genau wie sie auf der Straße dahinrumpeln. Männer auf Fahrrädern sausen mit Glockengebimmel an ihnen vorüber und lüften die Hüte, und eine mit Blechschalen ausgerüstete bettelnde Zigeunerfamilie versucht, ihren Wagen aufzuhalten. Dieser Teil des Landes ist flach, die einzigen Erhebungen sind Steinmauern, Holzschin-

delhäuser, einige Bäume und niedrigwachsende Krüppelkie-
fern. Sie kommen an einer großen Festgesellschaft auf einem
Heuwagen vorüber, und als sie die Kurve am Ende der Küstenstraße umrunden, sieht sie wieder die Rettungsstation. Sie
überlegt flüchtig, ob es der Mannschaft gestattet ist, an den
Festlichkeiten teilzunehmen, und hält es für unwahrscheinlich,
denn die launische Natur kennt keinen Feiertag. Auf jeden
Fall, sagt sie sich, werden die Männer auf die Badenden achten
müssen, um sie davor zu bewahren, abgetrieben zu werden und
in die tödlichen Brecher vor den Felsen zu geraten.

Hinter der Rettungsstation bricht sich das Sonnenlicht mit
solch funkelndem Glanz auf dem Wasser, daß sie das Haus ihres
Vaters auf den Felsen am Ende des Strandes nicht erkennen
kann, was ihr nur recht ist, da sie gerade jetzt nicht daran erinnert werden möchte. Sie wendet ihren Blick der Bucht zu, die
mit ihrer Flotte vor Anker liegender Schaluppen und Kutter ein
ruhigeres Bild bietet. Sie sieht den beigebraunen Turm der Kirche der Kongregationalisten, das verwitterte Gebäude der Fi-
schereigenossenschaft und den langen Steg, der Handels- und
Vergnügungsschiffe gleichermaßen anzieht. Weiter draußen
auf dem Wasser der Bucht tummeln sich zahlreiche größere
und kleinere Boote, an den Rudern die Herren, in steifer Haltung im Heck sitzend die Damen, die unter gerüschten Sonnenschirmen den Ausflug genießen.

Nach kurzer Zeit lassen sie Fortune's Rocks hinter sich und
gelangen ins Sumpfgebiet, ein Labyrinth kleiner Wasserläufe
und Tümpel, mit hohem Schilf und pastellfarbenen Seerosen,
wo seltene Vögel zu Hause sind. Am liebsten durchstreift sie dieses Gebiet in einem Nachen, in der halben Stunde vor Sonnenuntergang, wenn das rostrote Licht der späten Sonne die Gräser entzündet und das Wasser in ein metallisches Rosa färbt.
Manchmal fährt sie auf diesen einsamen Ausflügen absichtlich
kreuz und quer auf den seichten Wasserwegen, ohne darauf zu
achten, wohin sie führen, eine Art stillen Abenteuers in der Ge-

borgenheit des ingwerbraunen Schilfs. Die Herausforderung besteht dann darin, aus dem Irrgarten wieder herauszufinden, und sie kann sich nur an eine einzige Gelegenheit erinnern, bei der sie in eine Sackgasse geriet, und einen Jungen um Hilfe bitten mußte, der auf dem festeren Boden der Küste angelte.

Schweigend fahren sie durch das Dorf Ely mit seinen schlichten Holzhäusern, ein Jahrhundert zuvor von Männern erbaut, die allem Schnörkel abhold waren. In der Dorfmitte gibt es eine Fleischerei, vor der ein Lieferwagen steht, eine Schmiede, eine Drogerie, den Dorfbrunnen. Wegen des Feiertags ist kaum ein Mensch auf der Straße. Die Stille ist beinahe unheimlich, als hätte eine Seuche die Bevölkerung hinweggerafft, aber es ist, wie Olympia wohl weiß, nur das Festtagsfieber, das die Bewohner ergriffen und aus dem Dorf getrieben hat.

Sie folgen der Route der elektrischen Straßenbahn nach Ely Falls hinein, wo die Häuser vom Ruß der Fabriken geschwärzt sind. Sie sprechen wenig, tauschen höchstens einmal eine Höflichkeit aus, die fremd in den Ohren klingt. Sie versucht, auf die Welt um sich herum zu achten, aber ihre Gedanken schweifen ab. Die Schönheit des Sumpflandes scheint, ebenso wie die Geschäftigkeit der kleinen Stadt, lediglich Kulisse der eigentlichen Handlung, die sich zwischen ihr und Haskell abspielt.

Die Hauptstraße bietet eine Parade von Geschäften, alle zur Feier des Tages mit Fahnen und Wimpeln geschmückt: Drogerien, Konditoreien, Bars, Putzwarengeschäfte, Uhrmacherwerkstätten. Sie fahren an einem Fischlokal vorüber, dann an einer Schuhfabrik. Auf den Fassaden über den Geschäften stehen irische und französische Namen: Lettre, Dudley, Croteau, Harrigan, LaBrecque. Um die Ecke stoßen sie auf einen Festzug – Männer in napoleonischen Uniformen, Blechkapellen, ein Trupp Feuerwehrleute auf Fahrrädern. Der Zug löst sich vor einem großen doppelspitzigen Zelt auf, das wohl die Hälfte der Stadtbewohner angelockt hat.

Massige Fabrikbauten beherrschen die Stadt. Meist sind es

langgezogene Backsteinkästen mit großen Fenstern an beiden Ufern des Ely River. Hinter den Fabriken liegen die Arbeitersiedlungen, endlose Reihen trister, kahler Häuser. Vielleicht haben sie früher einmal frisch und ansprechend gewirkt, jetzt aber sieht man, daß sie, die Fenster ohne Läden, die Mauern ohne Tünche, dem Verfall preisgegeben sind, daß kaum ein Versuch unternommen wird, sie zu retten.

Sie halten vor einem unfreundlichen Backsteinhaus, einem von vielen in einer langen Reihe. Haskell hilft ihr aus dem Wagen und ergreift mit Schwung seinen Koffer, den er auf dem Boden abgelegt hat. Sie geht hinter ihm her zur Haustür, als er zögert und innehält. Er scheint etwas sagen zu wollen.

Sie schüttelt den Kopf. »Machen Sie sich meinetwegen keine Gedanken«, sagt sie schnell. »Was wir tun, ist ganz in Ordnung.«

Aber sie wissen natürlich beide, daß es nicht in Ordnung ist. Ganz und gar nicht.

Als erstes fällt Olympia der Lärm auf. In einem großen Raum, einem Wartezimmer, vermutet sie, jagt kreischend und quietschend eine Horde kleiner Kinder durch die Gänge zwischen den Bänken. Eine Frau, ganz in sich zusammengesunken, schluchzt und schimpft abwechselnd vor sich hin. Männer sitzen da, einige von ihnen nur halb bekleidet, und husten so gräßlich, als wollten sie ihr Innerstes nach außen kehren, und eine Mutter schreit mit schriller Stimme eine kleine Bande von Jungen an, die versuchen, sich alle gleichzeitig auf eine Waage zu drängen. In dieses Getöse mischt sich das ungeduldige Murren von Patienten, die offensichtlich Schmerzen haben: das Weinen einer alten Frau, das beinahe tierische Heulen einer jüngeren, deren Wehen eingesetzt haben. Alle diese Menschen sitzen oder liegen auf gezimmerten Bänken, die angeordnet sind wie das Gestühl in einer Kirche, und auf Olympia wirkt die Versammlung wie eine absonderliche Gemeinde, die auf ihren Hirten wartet.

Und wirklich kehrt bei Haskells Erscheinen sogleich eine gewisse Ruhe ein, als verschaffe allein sein Anblick den Patienten Erleichterung. Haskell spricht mit einer Schwester, die zwar ein gestärktes weißes Musselinhäubchen trägt, deren blaues Sergekleid jedoch mit Blut und anderen Substanzen verschmiert ist. Die Schwester hält in einer Hand ein Bündel Papiere und in der anderen eine Uhr, die mit einer Kette an ihrem Gürtel befestigt ist. So, wie sie da steht, sieht sie aus, als schelte sie Haskell wegen seines verspäteten Kommens.

»Zahllose Betrunkene, die sich im Rausch verletzt haben – es ist schlimmer als an einem Samstagabend«, sagt die Schwester im breiten Dialekt der Einheimischen. »Sieben Lebensmittelvergiftungen, die Leute haben alle verdorbenes Dosenfleisch gegessen, und drei junge Burschen, die direkt unterhalb des Wasserfalls in den Fluß gestürzt und in die Strudel geraten sind. Warum sie ausgerechnet an der Stelle über den Fluß wollten, ist mir unerklärlich; sie sind übel zugerichtet. Und dann noch der Personalmangel heute – kein Wunder, daß es hier so zugeht. Ach, und ein Kind, der kleine Verdennes, ist vor knapp einer Stunde mit Kehlkopfdiphtherie gebracht worden. Wir konnten nichts mehr für ihn tun, Sir, er ist gestorben.«

(In der halben Stunde, die ich Haskell am Strand aufgehalten habe, denkt Olympia mit einer kleinen Erschütterung, die an diesem Nachmittag nicht die einzige bleiben wird.)

Haskell scheint bekümmert, aber nicht über die Maßen. Vielleicht weiß er, daß auch er das Kind nicht mehr hätte retten können.

»Das ist Miss Biddeford«, sagt er, sich ihr zuwendend. »Olympia, das ist Schwester Graham.«

Schwester Graham, die vielleicht Mitte Zwanzig ist, wirft mit zusammengekniffenen Augen einen Blick auf Olympia, aber die Musterung fällt flüchtig aus. Sie hat dringendere Angelegenheiten im Kopf.

»Ich habe meinen Eltern versprochen, daß ich um zwei Uhr fertig bin, Sir«, bemerkt sie.

»Natürlich«, beeilt Haskell sich zu antworten. »Ist jemand hinten?«

»Yvonne Paquet, Sir. Und Malcolm.«

»Gut, dann amüsieren Sie sich gut.« Er richtet seine Aufmerksamkeit auf die Schar seiner Patienten; die meisten von ihnen sitzen nun stumm da und beobachten ihn mit großem Interesse. »Fangen wir an«, sagt er zu Olympia.

Die Klink, im Erdgeschoß eines ehemaligen Lagerhauses einer Textilfabrik, besteht aus mehreren Räumen, von denen Olympia einen an diesem Nachmittag genauer kennenlernen wird, da Haskell dort sein Sprechzimmer eingerichtet hat. Darin stehen ein Schreibtisch, ein Feldbett und eine Reihe von Glasschränken mit Medikamenten, mit denen sie Haskell im Laufe des Nachmittags auf seine Anweisungen hin bedienen wird: Chinin, Akonit, Alkohol, Quecksilber, Strychnin, Colonel und Arsen. Es gibt eine Sehtesttafel und eine Waage mit vielen Gewichten, einen Zerstäuber, einen Meßbecher und lange Metallplatten voller Instrumente – Messer, chirurgische Nadeln und Scheren. Auf einem Tisch stehen eine große Vakuumglocke und ein Mikroskop, und auf einem Herd dampfen mehrere Töpfe mit kochendem Wasser.

Schwester Paquet, ein blasses, mürrisches junges Mädchen, nicht viel älter als Olympia, befragt die Patienten, während Olympia als Hilfsschwester fungiert, Verbände und Medikamente herbeiholt, Instrumente reinigt und ins kochende Wasser stellt, ein- oder zweimal einem Kind die Hand hält, während Haskell seine Arbeit tut. Der erste Patient, den er an diesem Tag behandelt, ist ein Mann, der einige Wochen zuvor mit dem Arm in eine Spinnmaschine geraten ist und dabei so schwere Verletzungen erlitten hat, daß das Glied amputiert werden mußte. Mit äußerster Vorsicht geht Hasekell daran, den

Verband zu entfernen, wobei er sich in beruhigendem Ton mit dem Mann unterhält, sich bemüht, ihn mit Fragen und kleinen Bemerkungen abzulenken. Olympia erkennt, daß es bei einer Behandlung zunächst vor allem darauf ankommt, sich das Vertrauen und die Mitwirkung des Patienten zu sichern. Haskell ist, wie sie an diesem Nachmittag beobachtet, ein behutsamer, geradezu zärtlicher Arzt.

»Olympia, ich brauche frisches Verbandszeug«, sagt er. »Da, im Metallschrank.«

Sie bringt Gaze und Binden.

»Entgegen der vorherrschenden medizinischen Meinung ist an Eiter nichts Gesundes«, bemerkt er, während er die schmutzigen Verbände löst, und deutet auf die Absonderung des bläulich angelaufenen Armstumpfs, die einen so durchdringend fauligen Gestank abgibt, daß sie unwillkürlich die Hand auf ihre Nase drückt und einen Schritt zurückweicht. »Eiter sagt uns nichts weiter, als daß der Patient leidet und daß die Wunde entzündet ist«, fährt Haskell fort. »Ich habe Anweisung gegeben, jeden, der mit einem übelriechenden Verband die Klinik betritt, sofort zu versorgen, aber manchmal ist es nicht ganz einfach, Leute zu überzeugen, die es anders gelernt haben.«

Olympia wirft einen Blick auf Schwester Paquet, deren mürrische Miene sich nicht verändert.

Haskell nimmt einige Instrumente aus den Töpfen mit kochendem Wasser und beginnt, nachdem er die Wunde gründlich mit Karbol gereinigt hat, den Eiterherd auszuschaben, wobei der Patient trotz der beruhigenden Worte und der vorsichtigen und geschickten Handhabung der Instrumente immer wieder laut aufschreit vor Schmerz. Zu Olympias Erleichterung hält Haskell schließlich, als die Schmerzen unerträglich zu werden scheinen, in seiner Arbeit inne und verabreicht mit einem Teelöffel Laudanum, das das Leiden des Patienten lindern soll – was es wunderbarerweise auch tut. Der Mann hört auf zu zittern und zu schreien und liegt ganz still, während Haskell seine Arbeit beendet und die Wunde wieder verbindet.

An diesem Nachmittag schient Haskell ein gebrochenes Bein, verabreicht zahlreiche Spritzen, schließt einen jungen Mann im letzten Stadium der Staublunge an ein Beatmungsgerät an, behandelt einen Mann, der über eine trockene Zunge, nächtliches Fieber und Schmerzen um die Brustwarzen klagt. Er diagnostiziert aufgrund einer verräterischen aschgrauen Stelle am Gaumen einen Fall von Scharlach, öffnet und reinigt einen Abszeß, untersucht ein Kind mit Verdacht auf Brustfellentzündung. Einer der jungen Burschen, die in den Fluß gestürzt sind, erliegt noch am Nachmittag seinen Verletzungen, und die Frau, die im Wartezimmer so entsetzlich geheult hat, wird von einem gesunden Mädchen entbunden (allerdings nicht von Haskell persönlich).

Olympia verfolgt das Geschehen mit einer Aufmerksamkeit, als würde sie mit einer fremden Sprache bekannt gemacht, deren Erlernen höchste Konzentration verlangt. Mehrmals droht Übelkeit sie zu übermannen, aber sie ist entschlossen, keine Schwäche zu zeigen. Hin und wieder, wenn er einen Patienten mit hochinfektiöser Krankheit behandelt, hält Haskell sie dazu an, eine Maske anzulegen, und er ermahnt sie, sich immer wieder die Hände zu waschen, so daß sie sie bis zum Ende der Sprechstunde beinahe wundgescheuert hat. Obwohl sie sich bemüht, Fassung zu bewahren, gelingt es ihr nicht immer, angesichts der Schicksale der Menschen, die Haskell hier behandelt, die Tränen zurückzuhalten.

Gegen Ende des Nachmittags kommen eine Frau und ein kleiner Junge in die Sprechstunde und klagen über Juckreiz zwischen den Fingern, der so heftig zu sein scheint, daß sie sich bereits blutig gekratzt haben. Haskell stellt Krätze fest. Aber die wahre Krankheit, das erkennt Olympia sofort, ist die Armut; eine Armut, wie sie ihr nie zuvor begegnet ist. Die Frau ist betrunken, und Olympia hat den Eindruck, daß auch der Junge unter Alkoholeinfluß steht, obwohl er nicht älter als zehn sein kann. Die Frau trägt eine verwaschene Bluse und einen schmalen schwarzen Wollschal. Ihr Haar hängt in verfilzten Strähnen unter einem zerrissenen Strohhut hervor. Die Kleider des Jungen – Baumwollhemd, Hose und Weste, schäbig und abgetragen – sind viel zu groß, so daß die Hose von Trägern gehalten werden muß und Hemdsärmel und Hosenbeine mehrmals umgeschlagen sind. Die schwarzen Stiefel der Mutter sind rissig, der Junge ist barfuß.

Als Olympias Blick auf diese dünnen Füße fällt, die nicht von Sand, sondern von Schmutz überkrustet sind, schämt sie sich. Daß sie sich nur Stunden zuvor daran erfreut hat, mit nackten Füßen durch den Sand zu laufen, empfindet sie jetzt als herzlos. Wie kann sie etwas, was so wenige besitzen, so geringschätzen? Sie bemerkt, daß Haskell sie ansieht, und fürchtet, sehr blaß zu sein.

Und er sieht sie oft an im Laufe dieses Nachmittags. Sehr oft. Er sucht ihren Blick, und obwohl kein Wort zwischen ihnen fällt – obwohl Haskells Miene unverändert bleibt und sein Gespräch mit dem Patienten weiterfließt –, scheint Olympia jeder Blick absichtsvoll zu sein. Sie sind auf eine merkwürdige Art aufwühlend und tröstlich zugleich. Mehrmals geschieht es, daß sie unter seinem forschenden Blick das Gefühl überkommt, gleich werde sie zu Boden sinken oder sich völlig auflösen. Aber dann nimmt sie sich zusammen; all die Kranken und Verwundeten brauchen wenigstens die ungeteilte Aufmerksamkeit eines anderen.

Es ist sonderbar, aber keiner der Patienten wundert sich über ihre Anwesenheit. Vielleicht wirkt sie in der schlichten grauen Bluse mit dem dunkelblauen Rock wie eine Lern- oder Hilfsschwester; sie haben jedenfalls nichts dagegen, daß sie bei der Behandlung im Raum bleibt. Sie wissen natürlich nicht – Olympia kann es sich ja selbst kaum eingestehen –, daß sie nicht nur die Arbeit des Arztes studiert, sondern vor allem den

Arzt selbst. O ja, sie lernt, aber nicht, wie die Patienten meinen, die Krankenpflege.

Und wenn sie an diesem Tag endlich die Klinik verläßt, wird sie nicht mehr die sein, als die sie sie betreten hat. In der kurzen Zeitspanne von fünf Stunden wird sie an menschlichem Schmerz und Leid und an Erleichterung mehr gesehen haben als in ihrem bisherigen Leben. Gewiß, ihr Vater kann ihr von der Welt erzählen, sie kann in Büchern davon lesen oder bei Tisch höfliche Gespräche darüber führen, aber stets aus sicherem Abstand. Im Laufe dieses Nachmittags zeigt Haskell ihr zumindest einen Ausschnitt der Realität. Er reißt die Schleier zur Seite und zwingt sie zum Hinsehen. Er gibt ihr eine Einführungsstunde, aber nicht so, wie er oder sie sich das vorgestellt hätten: Es ist eine jähe und schonungslose Initiation in das Wirken des Körpers, eine flüchtige Vorschau auf das, was möglich ist, ein Vorgeschmack zukünftiger Intimität.

Gegen Abend wird es in der Klinik ruhiger, die meisten Patienten sind versorgt und nun entweder auf dem Heimweg oder in einem der provisorischen Krankensäle untergebracht. Nachdem Haskell noch ein kleines Kind mit Masern behandelt hat, wendet er sich an Malcolm, der hier das Faktotum zu sein scheint, sich aber mit den ärztlichen Instrumenten und den Medikamenten bestens auskennt: »Ich fahre jetzt Miss Biddeford nach Hause, esse etwas zu Abend und komme dann wieder. Bis zu meiner Rückkehr vertritt mich Schwester Paquet.«

»In Ordnung, Sir«, antwortet Malcolm, »aber bevor Sie fahren – Mrs. Bonneau läßt fragen, ob Sie zu einer jungen Frau kommen können, die in den Wehen liegt und furchtbare Schmerzen hat. Sie hat gesagt, Sie möchten das Laudanum mitbringen, es ist nämlich eine Steißgeburt, da wird die Mutter ganz schön zu leiden haben.«

Haskell sieht Olympia an.

»Ich habe es nicht eilig«, versichert sie rasch. »Mein Vater wird mich nicht vermissen, er glaubt, ich wäre bei den Farraguts. Und die Farraguts erwarten mich jetzt bestimmt nicht mehr, sie werden annehmen, ich wäre zu Hause bei meinen Eltern. Ich befinde mich also in einer Art Niemandsland der Freiheit.«

So ganz stimmt das nicht, wie sie wohl weiß; es ist gut möglich, daß ihr Vater, inzwischen aus seinem Feiertagsschläfchen erwacht, gerade in diesem Augenblick nach ihr sucht. Aber sie weiß auch, daß dieser besondere Tag einen gewissen Spielraum gewährt, der ihr sonst nicht gegeben ist; und daß es ihr, wenn sie klug ist und ihr Vater genug getrunken hat, wahrscheinlich gelingen wird, eine Ausrede für ihre Abwesenheit zu nennen, die ihn befriedigt.

Haskell wäscht sich die Hände und trocknet sie an einem Tuch, das Malcolm bereithält. Er rollt langsam seine Hemdsärmel herunter und befestigt die Manschettenknöpfe, die er in der Hosentasche aufbewahrt hat. Er zieht seinen Kittel aus und wirft ihn zusammengeknüllt in einen Wäschekorb in der Ecke. Auf seinem Hemd ist in Schulterhöhe ein kleiner Blutfleck, und sein Gesicht ist blaß vor Müdigkeit. Erst später wird sie verstehen, daß er sich so zögernd verhält, um über die Konsequenzen nachzudenken, die es haben wird, wenn sie ihn in das Haus begleitet, in dem Mrs. Bonneau und ihr Schützling warten; er weiß im Gegensatz zu ihr, daß sie etwas erleben wird, wofür es keine angemessene Vorbereitung gibt und das, einmal erfahren, nicht wieder aus dem Gedächtnis gelöscht werden kann.

Er nimmt seinen Rock vom Haken an der Tür. »Im Schrank im Zimmer nebenan liegt eine Tasche mit ausgekochten Laken, Olympia«, sagt er. »Sie ist nicht schwer. Wenn Sie sie mitnehmen würden, können wir gehen.«

Das Licht ist milder geworden, die Straßen liegen im Schatten. Eine kühle Brise von Osten her streicht durch die schmalen Gassen und erfrischt die Gehenden. Der wolkenlose Himmel leuchtet in einem lebhaften Blau. Es wird ein herrlicher Abend, denkt Olympia, etwas kühl, aber mild; selbst hier, in diesen häßlichen Straßen, verzaubert das Licht den verrußten Backstein auf wundersame Weise, verwandelt Fensterglas in flüssiges Silber, überzieht die Blätter der Bäume mit einem flimmernden rosigen Glanz.

Sie gehen Seite an Seite, ohne viel zu sprechen, ohne auf den Schmutz auf ihrem Weg zu achten, die Spuren der feiernden Scharen dieses besonderen Tages: Flaschenscherben, Erbrochenes, vergessene Kleidungsstücke, Pfützen von Spülwasser, das aus oberen Fenstern gekippt worden ist, zerknüllte Papiertüten und Einwickelpapier mit Essensresten, nach Bier stinkende Becher. Mehr als einmal fürchtet Olympia für ihren Kopf und wünscht, sie hätte einen Hut aufgesetzt. Aber sie erreichen das Haus, in dem sie erwartet werden, ohne Zwischenfall und steigen die Treppe zur Wohnung der Gebärenden hinauf. Haskell öffnet die Tür und tritt ohne anzuklopfen ein.

Der Raum ist nicht größer als Olympias Zimmer in Fortune's Rocks, eine Kammer mit nur einem Fenster. Keine drei Meter entfernt ist eine Mauer. Obwohl es draußen noch hell ist, hat der Raum kaum Licht, und Olympia braucht einen Moment, um überhaupt etwas zu erkennen. Im Bett liegt eine Frau, die sich, von heftigen Schmerzen gequält, stöhnend hin und her wirft und immer wieder Worte in einem Französisch ausstößt, das so verzerrt ist, daß Olympia nichts versteht. Ihr Rock ist über den Oberschenkeln hochgeschoben, und selbst von der Tür aus kann Olympia das Blut auf ihrer Haut und auf den schmutzigen Laken sehen. Die nackten, krampfhaft zuckenden Beine mit der fahlen Haut sind ein erschreckender Anblick, wie Lebewesen, denkt Olympia, die nie das Tageslicht gespürt haben und auf die man unversehens stoßen kann, wenn man einen Stein hochhebt.

Olympia atmet flach. Sie kämpft gegen den aufsteigenden Würgereiz und den Impuls, kurzerhand davonzulaufen.

Haskell hat bereits sein Jackett abgelegt. Ein Blick durch den Raum zeigt ihm, daß es kein Wasser gibt, und so verzichtet er darauf, sich die Hände zu waschen, da die Zeit drängt. Er setzt sich auf die Bettkante und schiebt seine Finger unter den Saum des hochgeschobenen Rocks, der das Intimste dieser Frau verbirgt. Ihr Name ist, wie Olympia hört, Marie Rivard. Haskell fühlt und tastet einen Moment und scheint bestätigt zu finden, was man ihm gesagt hat. Er spricht in Französisch mit Mrs. Bonneau, einer älteren, nervös wirkenden Frau, die ihm berichtet, daß eines der Kinder Marie Rivards sie geholt hat, weil es um das Leben seiner Mutter fürchtete. Und daß sie bei ihrer Ankunft hier die Nachbarin in dem Zustand angetroffen hat, in dem sie sich jetzt noch befindet. Mit viel Ausdruck und Empörung fügt sie hinzu, daß die junge frankokanadische Frau erst kürzlich ins Land gekommen sei; daß sie verheiratet sei, der Mann aber Frau und Kinder vor einigen Monaten verlassen habe. Marie Rivard – Ende Zwanzig vielleicht, denkt Olympia, obwohl es beinahe unmöglich ist, dem zuckenden Bündel Mensch auf dem Bett ein Alter zuzuordnen – hat wegen ihrer Schwangerschaft trotz allen Bemühens nirgends Arbeit gefunden.

Erst jetzt bemerkt Olympia die Kinder, die mit im Zimmer sind; drei sind es, alle keine zehn Jahre alt, stumm hocken sie auf dem Boden an der Wand. Alle drei sind barfuß, ihre Kleider aus fadenscheinigem Stoff, so schmutzig wie sie selbst. Der Gestank in der kleinen stickigen Kammer ist kaum zu ertragen.

Die kahlen Wände des Zimmers sind dunkel und fettig von den Kochdünsten von Jahren. Es gibt keinen Schrank und keine Truhe, lediglich eine kleine Nische, die zu Olympias Überraschung fast leer ist, nicht etwa vollgestopft mit den Besitztümern der Familie. An einem Haken hängt zwar eine Männerjacke, sonst aber deutet nichts darauf hin, daß ein Mann hier lebt. Eine Ecke des Zimmers ist dort, wo Wand und Boden zusammenstoßen, rußschwarz, als hätte es einen Brand gegeben. Über dem schmutzverkrusteten Herd hängen ein paar Küchengeräte: ein Sieb, ein Messer, ein Kochtopf; an Nägeln in der Wand sieht sie einige Kleidungsstücke, aber nirgends ein Spielzeug. In der Fensternische jedoch liegt lose auf braunem Packpapier ein Stapel säuberlich gefalteter Kleidungsstücke, daneben steht die in Silber gerahmte Photographie eines Mannes und einer Frau an ihrem Hochzeitstag. Die Braut trägt ein langes weißen Satinkleid mit einer zarten Mantilla. Der Mann im schweren Wollanzug hält sich stramm wie ein Soldat. Olympia blickt von der Frau auf dem Photo zu der Frau im Bett. Kann es dieselbe Person sein? Und wie kommt es, daß diese erstaunliche Photographie und der Rahmen davor bewahrt blieben, verkauft zu werden wie, nach der kärglichen Einrichtung dieses Zimmers zu urteilen, wahrscheinlich alles andere, was die Familie ihr eigen nannte?

Ohne weitere Umschweife gibt Haskell der leidenden Frau auf dem Bett mit einem Teelöffel, den er mitgebracht hat, Laudanum ein, wobei er darauf achtet, keinen Tropfen zu verschütten. Die krampfhaften Bewegungen der Frau lassen nach, die Schreie verebben zu leisem Stöhnen.

»Olympia, geben Sie mir bitte die Tasche.«

Sie reicht ihm die Tasche mit der ausgekochten Wäsche und beobachtet, wie Haskell ein Laken herausnimmt, es auf einer Seite über das Bett breitet und strafft, es dann so schnell und geschickt, daß sie nicht genau sehen kann, wie es geschieht, unter der Frau hindurchschiebt und rasch auf der anderen Seite feststeckt. Nachdem er den Unterkörper der Frau mit einem weißen Tuch bedeckt hat, streift er mit Mrs. Bonneaus Hilfe die verschmutzten Kleider ab.

»Olympia, würden Sie nachsehen, ob Sie irgendwo eine Wasserpumpe finden können?« fragt er so ruhig, als bäte er um einen Bleistift, um in einem Artikel eine Korrektur anzubringen. »Nehmen Sie den Topf dort mit und füllen Sie ihn. Ich brauche dringend Wasser.«

Olympia nimmt den Kochtopf vom Haken über dem Herd und geht auf die Suche nach der Wasserpumpe ins Stiegenhaus. Sie vermutet, daß die Pumpe irgendwo hinter dem Haus ist, aber sie hat keine Ahnung, wie sie nach hinten gelangen soll, ohne außen um den Häuserblock herumzugehen. Schließlich entdeckt sie jedoch im Keller eine Tür, die ins Freie führt, und gelangt über eine kurze Treppe in einen verdorrten kleinen Hintergarten hinauf, in dessen Mitte die Pumpe steht, verrostet und unwillig, Wasser zu spenden. Erst nach mehreren Fehlversuchen gelingt es Olympia, das Wasser zum Fließen zu bringen. Der Gestank aus dem nahen Aborthäuschen ist überwältigend, es ist, nimmt sie an, viel zu lange nicht mehr entleert worden. Nur ganz flach atmend, läßt sie den Topf vollaufen, eilt auf dem Weg, den sie gekommen ist, zurück und steigt die beiden Treppen hinauf zum Zimmer der Familie Rivard.

Die Tür ist jetzt geschlossen, und die drei Kinder warten draußen im Korridor. Die dünnen bleichen Beinchen vor sich ausgestreckt, sitzen sie auf dem Boden und entfernen mit kleinen Messern die Knöpfe von Kleidungsstücken, die Olympia auf dem braunen Packpapier auf dem Fensterbrett gesehen hat. Sie achten sorgfältig darauf, daß der Stoff nicht den Fußboden berührt. Geschickt schnippeln sie mit ihren kleinen Messern, fangen die abspringenden Knöpfe auf und werfen sie in eine Dose, die vor ihnen steht. Wäre die Wahrheit nicht so traurig, das Bild dieser Kinder, deren Finger beinahe flinker hantieren, als das Auge folgen kann, wäre vielleicht sogar erheiternd. Doch da ihre Fingerfertigkeit von den Hunderten von Stunden spricht, die sie damit zugebracht haben müssen, sich in dieser Kunst zu üben, bleiben dem Beobachter nur Mitleid und Bestürzung.

Aus dem Zimmer vernimmt Olympia einen heiseren Schrei. Die Kinder rühren sich nicht. Nur das kleinste, kaum älter als drei Jahre, hält einen Moment inne und schiebt sich den Daumen in den Mund, was ihm sofort einen ärgerlichen Klaps von der ältesten Schwester einträgt.

Hilflos, den Wassertopf in den Armen, steht Olympia da und weiß nicht, was sie für die Kinder tun könnte. Sie klopft einmal kurz an die Tür, und Mrs. Bonneau öffnet. Sie nimmt Olympia den Topf ab und stellt ihn auf den Herd. Olympia, die sich umdreht, um nach der Frau auf dem Bett zu sehen, begegnet einem Anblick, der sie schaudern macht. Marie Rivard liegt jetzt auf Ellbogen und Knie gestützt auf dem Bett, und hinter ihr kniet Haskell, die Arme zwischen ihren Oberschenkeln, die Hände tief in ihrem Leib. Olympias Magen zieht sich zusammen in hilflosem Entsetzen, aber sie kann sich dennoch nicht abwenden.

Vom Vorgang der Geburt hat Olympia nur äußerst verschwommene Vorstellungen, von der Anatomie des menschlichen Körpers höchst unzureichende Kenntnisse. Die Geburt ist ein Wunder, gewiß, aber sie ist ein Thema, über das in Olympias Kreisen mit jungen Mädchen nicht gesprochen wird. Sogar Lisette, die sie über einige Dinge aufgeklärt hat, beschränkte sich bei diesen belehrenden Gesprächen auf Einzelheiten, die die Reifung des jungen Mädchens zur Frau betreffen. Olympia ist entsetzt und fasziniert zugleich vom Anblick des geöffneten weiblichen Schoßes, dem, wund und rot, nicht nur von den Händen des Arztes Gewalt angetan wird, sondern auch von dem ungestümen neuen Leben, das mit erbarmungslosen Stößen hervordrängt. Wenn Olympia in diesen wenigen Augenblicken überhaupt ein bewußter Gedanke durch den Kopf geht, dann die ungläubige Frage, wie Gott so grausam sein kann, die Geburt eines Kindes, sein wunderbarstes Geschenk an die Menschheit, mit soviel Gewalt, Schmerz und Leiden zu verbinden.

Unter ihrem gebannten Blick scheint Haskell mit dem ungeborenen Kind einen erbitterten Kampf auszufechten. Die Frau schreit trotz des Laudanums. Blut fließt in Strömen auf das weiße Bettlaken. Aber Haskell scheint mit dem Verlauf der Dinge zufrieden. Er zieht eine Hand zurück und preßt sie mit aller Kraft gegen den Bauch der Frau, um mit Drücken und Kneten das lebendige Geschöpf unter seinen Händen weiterzubefördern. Binnen Sekunden, so scheint es, richtet er sich plötzlich auf und dreht die Frau behutsam auf den Rücken. Er wölbt seine Hände zu einer Schale, und das glitschige kleine Geschöpf mit dem bläulich angelaufenen Körper gleitet sanft ins Leben hinaus.

Haskell greift nach einem frischen Tuch und reinigt Augen, Nase und Mund des Neugeborenen. Er hält es an den Beinen. Olympia sieht, daß es ein Mädchen ist. Es stößt seinen ersten Schrei aus, und schon nach wenigen Atemzügen verliert die Haut den bläulichen Schimmer und färbt sich rosig. Olympia beginn zu weinen, ob vor Erleichterung und Freude oder unter Schock stehend – wie soll sie es wissen.

Haskell untersucht die Gliedmaßen und die Körperöffnungen des Kindes und wäscht es mit dem gewärmten Wasser. Dann kümmert er sich wieder um die Mutter, die, nachdem er die Nachgeburt entfernt hat, erschöpft von der schweren Arbeit, die sie geleistet hat, in einen bleiernen Schlaf fällt. Er erteilt Mrs. Bonneau Anweisungen, und die Frau legt daraufhin der Mutter das Neugeborene auf die Brust. Haskell lauscht den Atemzügen Marie Rivards und wendet sich erneut an die ältere Frau. Zum erstenmal an diesem Tag hört Olympia Gereiztheit in seiner Stimme und vermutet, daß Erschöpfung die Ursache ist, vielleicht auch seine zornige Niedergeschlagenheit wegen der entsetzlichen Verhältnisse, in denen diese Familie lebt.

Er wäscht sich mit einem Stück dunkelgrauer Seife und dem bißchen Wasser, das übrig ist, Hände und Unterarme. Beim Anblick des blutigen grauen Schaums muß Olympia sich abwenden. Haskell erklärt Mrs. Bonneau, daß er Malcolm mit sauberem Verbandszeug und frischer Gaze zur Stillung der

Blutungen vorbeischicken werde. Er greift in seine Rock-tasche, entnimmt ihr zwei Dollarscheine und reicht sie Mrs. Bonneau mit dem Auftrag, Orangen, Milch und Weizenbrot für die Kinder zu kaufen; keinesfalls, fügt er hinzu, dürfe sie das Geld einem männlichen Verwandten überlassen oder für Alkohol ausgeben. Ohne Zweifel dankbar dafür, daß er das Leben des Kindes und wahrscheinlich auch das der Mutter gerettet hat, verspricht Mrs. Bonneau, sich genau an seine Anweisungen zu halten. Aber Olympia sieht sehr wohl den bitter-spöttischen Ausdruck in Haskells Gesicht – er scheint wenig Vertrauen in Mrs. Bonneaus Zusicherungen zu haben.

Nachdem Haskell seine Sachen gepackt hat, winkt er Olympia zu, und sie verlassen das Zimmer. Im Korridor sitzen immer noch brav in Reih und Glied die drei Kinder der Frau, die eben entbunden hat, und trennen Knöpfe ab. Wenn sie wissen, daß sie jetzt noch eine Schwester haben, so ist ihnen nichts davon anzumerken. Haskell kauert vor dem kleinsten der drei nieder, hält den Kopf des Kindes mit einer Hand und zieht mit der anderen das Lid über dem rechten Auge hoch. Er mustert die Kleine prüfend und fragt dann in Französisch: »Warum seid ihr denn heute, am Feiertag, nicht draußen beim Spielen?«

Die Kleine zuckt mit den Achseln.

Haskell greift in seine Hemdtasche und zieht eine Handvoll in Wachspapier gewickelter Karamelbonbons heraus, die er unter den drei Kindern verteilt. Dann richtet er sich auf und öffnet noch einmal die Tür zum Zimmer Marie Rivards.

Olympia hört ihn mit Mrs. Bonneau sprechen, gleich darauf das mehrmalige »oui, oui« der Frau.

Sie gehen zur Klinik zurück, wo der Wagen steht. Haskell hilft Olympia hinein, steigt dann selbst auf und ergreift die Zügel. Die Sonne ist beinahe untergegangen, und der Himmel wirkt wie aus indigoblauem Staub. Wieder der Straßenbahnlinie folgend, fahren sie aus der Stadt in Richtung Ely und Fortune's

Rocks, eine Strecke von vielleicht dreizehn Kilometern. Immer wieder überkommt Olympia ein Zittern, wenn sie an die Ereignisse des Nachmittags und des Abends denkt, und sie fragt sich, woher Haskell die Kraft nimmt, unter der Belastung seiner täglichen Begegnungen mit Krankheit und tödlicher Verletzung nicht zusammenzubrechen. Aber ein Arzt, sagt sie sich dann, der vertraut ist mit den Erschütterungen, die Geburt und Tod dem Körper zumuten, der sich daran gewöhnt hat, wird vielleicht die Geschehnisse des Nachmittags als etwas Alltägliches empfinden, auch wenn sie selbst sich nicht vorstellen kann, wie man sich jemals an den Anblick eines äußersten Schmerz erleidenden Menschen gewöhnen soll. Die Ärmel seines Hemdes sind mit Blut befleckt, und es umgibt ihn ein herber Geruch – nicht unangenehm, nur Zeugnis seiner mühevollen Arbeit.

Schließlich beginnt er zu sprechen. »Sie dürfen sich vor der Geburt nicht fürchten«, sagt er. »Was Sie soeben miterlebt haben, ist weder unnatürlich noch ungewöhnlich. Schwierig vielleicht, aber nicht über die Maßen schwierig. Sehen Sie, manchmal kommt das Leben gewaltig wie ein Sturm und geht mit leisem Wimmern, aber es kann auch anders sein, glauben Sie mir. Ich fürchte, Sie sind tief verletzt in Ihrem Feingefühl.«

»Nein, ich fühle mich nicht verletzt«, entgegnet sie. »Eher überwältigt. Ich bin nicht so empfindlich, wie Sie vielleicht glauben. Im Gegenteil, ich bin Ihnen dankbar, daß Sie mir erlaubt haben, der Geburt beizuwohnen. Es war ein unglaubliches Wunder. Und ist es nicht besser, über eine Sache die Wahrheit zu wissen?«

»Ich bin mir da nicht so sicher«, antwortet er nachdenklich.

»Aber was hilft es denn einer Frau, wenn sie sich vor der Realität ihres eigenen Körpers versteckt? Das macht die Angst doch nur noch größer. Ich frage mich, wie ich bei dem übermäßig behüteten Leben, das ich führe, je Einblick in solche Dinge bekommen hätte.«

»Seien Sie froh«, sagt Haskell, »in der schützenden Obhut Ihres Vaters konnten Sie auf eine gesunde und angemessene Weise heranwachsen und sich entfalten. Wenn die Alternative zu einem behüteten Leben darin besteht, zehn Stunden am Tag unter menschenunwürdigen Verhältnissen Knöpfe abzuschneiden, dann bin ich für das behütete Leben, auch wenn es erstickend sein mag.« Er reißt an den Zügeln, und der Wagen bewegt sich schneller voran. »Die Kinder sollten in ein Waisenhaus gegeben werden«, schließt er hitzig.

»Sie würden die Kinder von der Mutter trennen?« fragt sie.

»Warum nicht? Wie soll denn eine Frau, die so bettelarm ist, eine gute Mutter sein? In einem Waisenhaus, unter der Fürsorge der Nonnen, bekämen die Kinder wenigstens jede Woche ein Bad, regelmäßige Mahlzeiten, saubere Kleidung, frische Luft und eine grundlegende Erziehung. In meinen Augen war das, was wir eben miterlebt haben, keine Geburt, sondern eher eine Art Kindsmord.«

»Aber man kann doch der Mutter nicht allein die Schuld an dieser Armut geben«, wendet Olympia ein. »Es gehört doch wohl ein Mann dazu, der sich offensichtlich davongemacht hat.«

»Ich wäre eher geneigt, Ihnen recht zu geben, hätte ich nicht einige dieser jungen Einwandererfrauen – Irinnen genauso wie Frankokanadierinnen – schon so häufig betrunken gesehen, daß ich gar nicht daran denken mag. Andere, ebenso unglückliche und verzweifelte Frauen sind wenigstens so einsichtig, Hilfe zu suchen und darum zu bitten, ihre Kinder in ein Waisenhaus zu vermitteln, wenn sich ein Platz finden läßt.«

»Ich kann mir nicht vorstellen, daß man es übers Herz bringt, ein Kind wegzugeben«, sagt Olympia verwirrt.

Sie hat mit eigenen Augen gesehen, daß die Kinder der Marie Rivard verwahrlost sind, dennoch fällt es ihr schwerer als Haskell, die Mutter zu verurteilen. Von einer Frau vom Stand ihrer eigenen Mutter würde zweifellos kein Mensch erwarten, daß sie ihr Kind aufgäbe, selbst wenn sie, vom Ehemann verlassen, in tiefste Not geriete, selbst wenn sie dann und wann übermäßig tränke. Sollte einer Frau, die in Elend und Armut um den verlorenen Ehemann trauerte, durch gesellschaftliches Dekret alle Freude, alle Erleichterung verwehrt werden? Olympia sieht natürlich auch den Verrat, der darin liegt, das Geld, das für die Versorgung der Kinder bestimmt ist, für Alkohol auszugeben. Und sie ahnt, wie hoffnungslos unlösbar das Problem ist.

Die plötzlich einfallende Dunkelheit bringt Olympia zu Bewußtsein, daß sie unverzeihlich lange von zu Hause ferngeblieben ist. Eine längere Abwesenheit bei Tag läßt sich entschuldigen, aber mit dem Einbruch der Dunkelheit wird ihr Vater unruhig werden.

»Um noch einmal auf Ihre Bemerkung zurückzukommen«, sagt Haskell unvermittelt, »so halte ich in Wahrheit natürlich nichts davon, eine junge Frau, die vielleicht bald heiraten und Kinder bekommen wird, vor der Realität dessen, was sie in rein körperlicher Hinsicht erwartet, abzuschirmen. Es gibt Ereignisse, und dazu gehört auch die Geburt eines Kindes, bei denen Unwissenheit tödlich sein kann. Ich habe in meiner Praxis nicht selten mit jungen Frauen zu tun gehabt, die schon in den Wehen lagen und immer noch keine Ahnung hatten, daß sie im Begriff waren, ein Kind zur Welt zu bringen.«

Olympia fragt sich, wie so etwas möglich ist. Soviel Naivität, meint sie, verlange schon beinahe Nichtwissen*wollen*.

Das kleine Dorf Ely ist, wie sie bei der Durchfahrt feststellen, wieder zum Leben erwacht. In den Fenstern brennen Lichter, und auf der Straße bewegen sich schattenhafte Gestalten, vermutlich auf dem Heimweg von der Straßenbahn. Sie vernehmen Gesang und das Grölen einiger Betrunkener, aber sonst ist es still im Dorf, die Leute sind des Feierns müde. Ganz plötzlich, wie es Erkenntnissen eigen ist, die selbstverständlich sind, überfällt sie die Vorstellung, daß all die Menschen hier auf der Straße auf ähnliche Weise ins Leben getreten sind wie das kleine Geschöpf, dessen Geburt sie heute nachmittag miterlebt hat. Und das Unglaublichste, denkt sie, ist nicht, daß sie jetzt bei einer Geburt zugegen war, sondern vielmehr, daß sie fünfzehn Jahre alt werden konnte, ohne die geringste Vorstellung davon zu haben.

»Haben Sie der Geburt Ihrer eigenen Kinder beigewohnt?« fragt sie Haskell.

Die Frage scheint ihn zu überraschen, und er schweigt einen Moment. Über dem Sumpfgebiet ist der Mond aufgegangen, und der milchweiße zitternde Glanz auf der Wasseroberfläche erleuchtet die gewundenen Wege des brackigen Labyrinths, so daß die Landschaft eine magische Schönheit gewinnt, wie die unterirdische Behausung eines Gottes vielleicht, wie eine Fährstraße zum Reich einer kühlen Königin. Der Geruch von Meersalz würzt die Luft und mischt sich mit dem dumpfen, aber nicht unangenehmen Geruch von Morast und Meeresschlamm.

»Bei der Geburt meiner beiden ersten Kinder konnte ich nicht dabeisein«, antwortet Haskell, »aber die anderen drei Geburten habe ich miterlebt.«

»Ich dachte, Sie hätten nur vier Kinder«, sagt Olympia, ohne zu überlegen.

»Das letzte wurde tot geboren«, antwortet er. »Im vergangenen März.«

»Oh, das tut mir leid ...«

»Auch das gehört zum Wirken der Natur«, unterbricht er sie. »Das Kind war mißgestaltet.«

Erschreckende Bilder springen Olympia bei seinen Worten an. Sie sieht ihn zwischen den geöffneten Beinen seiner Frau knien, ein Anblick, der in grellem Kontrast zum höflich gesitteten Umgang des Paares in der Öffentlichkeit steht; und sie sieht das Neugeborene, ganz anders als jenes vom heutigen Nachmittag, mit mißgebildeten Gliedern, nach zähem Kampf um sein Leben nur zur Welt gekommen, um sogleich zu sterben. Fröstelnd schlingt sie beide Arme um ihren Oberkörper.

Unversehens muß sie an die Photographie auf dem Fensterbrett in Marie Rivards kleinem Zimmer denken, das Bild im Rahmen aus Silberfiligran. Da waren zwei Menschen in Jugend und Schönheit, stolz an ihrem Hochzeitstag, und die Pose erscheint ihr unvereinbar mit dem rohen Schauspiel der Geburt in der elenden Kammer. Gewiß wären Braut und Bräutigam, hätten sie voraussehen können, in was für einer Umgebung es einmal enden würde, voll schaudernden Entsetzens vor dem Altar geflohen.

Haskell hält den Wagen an.

»Das war alles zuviel für Sie«, sagt er, sich ihr zuwendend.

»Nein«, widerspricht sie. »Ich ...«

Sie atmet die salzige Luft ein, als wäre sie ihr Laudanum. Sie legt den Kopf in den Nacken und spürt, auch wenn sie unsichtbar bleiben, die Fledermäuse, die auf sie zuschießen und wieder davonjagen.

»Olympia, ich möchte Ihnen etwas sagen, und ich würde Sie, wenn es möglich wäre, vorher um Erlaubnis bitten.«

Sie hebt den Kopf und sieht ihn an. »Sie brauchen mich nicht um Erlaubnis bitten«, erwidert sie leise.

»Das Verhältnis, das zwischen uns besteht, ist nicht normal, obwohl ich es als etwas so Natürliches empfinde wie das Atmen.« Er spricht dies letzte mit einer ruhigen Gewißheit.

»Wenn wir anfangen, von der Unnatürlichkeit des Verhältnisses zwischen uns zu sprechen«, erwidert sie ebenso ruhig, »zerstören wir alles.«

Er hebt die Hand und dreht ihren Kopf, so daß sie ihm direkt ins Gesicht blicken muß. Sie überläßt sich ohne Widerstand seiner Führung.

»Ich tue Ihnen das Schlimmste an, was ein Mann in meiner Stellung einer jungen Frau antun kann«, fährt er fort, »indem ich Ihnen von unnennbaren Gefühlen spreche.«

Sie hebt leicht den Kopf.

»Diese Woche war unendlich lang«, fügt er hinzu, so nahe, daß sie den Hauch seines Atems spürt. Sie möchte sich an ihn lehnen, ihren Kopf an seine Brust drücken.

»Mr. Haskell«, sagt sie schließlich, »ich ... «

Er zieht sich ein wenig zurück. »Bin ich für Sie nicht wenigstens in Gedanken John?« fragt er leise.

»Wenn ich an Sie denke, was ich unablässig tue, sind Sie immer Haskell«, erwidert sie ohne einen Moment des Zögerns.

Und dieses Eingeständnis der Wahrheit bedeutet für Olympia eine tiefe Freude und eine ungeheure innere Befreiung.

»Das kann nicht sein«, sagt er erschrocken. »Ich kann das nicht heraufbeschworen haben.«

»Das haben Sie auch nicht«, sagt sie.

»Wir dürfen nie mehr davon sprechen.«

»Nein.«

»Das ist alles«, sagt er. »Alles, was je zwischen uns sein kann. Das verstehen Sie doch?«

»Ja«, antwortet sie.

»Ich habe kein Recht, so mit Ihnen zu sprechen, und ich habe schon jetzt Ihre Güte weit über jedes verzeihliche Maß hinaus in Anspruch genommen. Ja, eben jetzt, indem ich hier angehalten habe, nutze ich Ihre Liebenswürdigkeit und Ihre Jugend schamlos aus, mit der schlimmsten Art von Opportunismus, deren ein Mann meines Alters und meiner Stellung sich schuldig machen kann. Ich würde Ihnen nichts als Unglück bringen.«

»Nein, keinen Moment lang sehe ich Sie als Opportunisten«, entgegnet sie wahrheitsgemäß.

»Sie haben keine Angst?« fragt er.

»Nein.«

Er legt seine Hände auf ihre Unterarme und schiebt sie langsam bis zu ihren Ellbogen hinauf. Er spricht ihren Namen und drückt die Hände in ihr Fleisch, als wolle er ihr sein Innerstes durch die Haut mitteilen. Dann nimmt er seine Hände von ihren Armen und schiebt einen Finger unter den Kragen ihrer Bluse, öffnet dabei den obersten Knopf. Er neigt sich zu ihr und bettet seinen Mund in die Mulde an ihrem Hals, jene Stelle, zu der sie selbst einmal seine Hand geführt hat.

Olympia fühlt, zum erstenmal, wie ihr Körper sich verwandelt, wie er schmilzt, wie er sich öffnet und nichts sehnlicher wünscht als mehr. Es ist ein langer Kuß, wenn eine solche Berührung Kuß genannt werden kann, obwohl Olympia ihn als etwas anderes erlebt: Die Erinnerung an die Frau mit den geöffneten Schenkeln, an das ungestüme Leben, das aus ihr herausdrängt, überfällt Olympia und hat jetzt nichts Beängstigendes mehr, ist vielmehr ein sinnliches Empfinden, das ausgekostet werden will; es ist, als begreife sie wenigstens zum Teil, was eines Tages auf sie zukommen wird. Sie berührt Haskells Nacken und spürt die feinen Härchen, die sich dort in einem Wirbel ringeln. Er löst seine Lippen von ihrem Hals und drückt seine Stirn an die ihre, mit einem Aufseufzen, als könne allein diese Berührung ihm Frieden bringen.

So verharren sie schweigend, während der halbrunde Mond höher steigt und die Grillen ihr ewiggleiches Lied zirpen. Aus der Ferne hören sie einen anderen Wagen kommen.

»Es ist spät, und ich muß gehen«, sagt sie. »Bringen Sie mich bis zur Kaimauer in der Nähe von unserem Haus. Von dort aus kann ich zu Fuß gehen.«

Der andere Wagen kommt in Sicht, und sie trennen sich widerstrebend. Der Kutscher fährt mit einem Gruß an ihnen vorbei. Haskell ergreift die Zügel, und sie setzen sich wieder in Bewegung. Als sie die Kaimauer erreicht haben und er ihr aus dem Wagen hilft, hält er einen Moment ihre Hand und wünscht ihr dann so förmlich gute Nacht, als wolle er alle Nähe, die sie Minuten zuvor gespürt haben, ungeschehen machen.

Ihr Vater sitzt auf der Veranda. Er raucht – eine dunkle Gestalt in einem Sessel, nur die Glut seiner Zigarre deutlich sichtbar.

»Bist du es, Olympia?« ruft er.

»Ja, Vater«, antwortet sie, die Treppe hinaufsteigend. Sie tritt in sein Blickfeld. Er zündet eine Kerze an und hält sie hoch. Er mustert ihr Gesicht und ihre Kleidung.

»Wir haben uns Sorgen gemacht«, sagt er. »Es ist nach zehn.«

»Ich habe einen langen Strandspaziergang gemacht und Julia Fields getroffen. Ich habe dann bei ihr gegessen«, erklärt sie, da ihr sogleich klar ist, daß die naheliegende Lüge, sie wäre beim Fest der Farraguts gewesen, zur Entdeckung führen würde.

»Ich kann mich nicht erinnern, Julia Fields kennengelernt zu haben«, bemerkt er etwas verwundert. »Als du gegen Abend immer noch nicht da warst, bin ich zu den Farraguts hinübergelaufen, um dich abzuholen«, bestätigt er prompt ihre Überlegungen.

»Ich war kurz bei ihnen«, schwindelt sie, »aber schon auf der Veranda habe ich Zachariah Cote gesehen, und da ich mich auf ein längeres Gespräch mit ihm nun wirklich nicht einlassen wollte, ging ich lieber allein weiter.«

Eine schlaue Lüge, da es ihrem Vater nicht schwerfallen wird, ihr die Abneigung gegen ein Gespräch mit einem Mann, der sich devot und langweilig gezeigt hat, nachzufühlen. Ihr Vater lächelt sogar flüchtig; aber als Olympia ihm die Kerze abnimmt, bemerkt sie, daß sein Blick auf ihren Kragen gerichtet ist, den zuzuknöpfen sie vergessen hat. Das Lächeln verschwindet und macht einem Ausdruck schwacher Beunruhigung Platz.

»Ich bin todmüde, Vater«, erklärt sie rasch und geht an ihm vorüber. »Ich lege mich zu Bett. Laß mich dir eine gute Nacht wünschen.«

Sie gibt ihm keinen Kuß wie sonst, denn sie weiß, daß der charakteristische Geruch von John Haskell an ihr haftet, als hätte sie über die Poren ihrer Haut die Aura des Mannes in sich aufgenommen, eine fremdartige Aura, in die sie sich wohlig einhüllt, auch wenn sie die Konsequenzen fürchtet.

## 7

Die Tage fließen ineinander, und die Küste liegt unter bleiernen Schleiern, die fast eine Woche lang nicht aufreißen, sich aber auch nicht zu einem richtigen Unwetter zusammenziehen. Es regnet, es regnet beinahe unablässig in dünnen grauen Schnüren, so daß Unternehmungen im Freien kaum möglich sind. Ihr Gefühl der Isolation verstärkt sich mit dem schlechten Wetter; es ist, als lebte sie in einem warmen und undurchdringlichen Kokon, in einer feuchten und belanglosen Welt.

Sie mag allein auf der Veranda umhergehen, Strandwanderungen unternehmen, von denen sie durchnäßt heimkehrt, bei Tisch ihre Mahlzeiten verzehren, sich, obgleich zerstreut, mit ihrem Vater unterhalten, John Greenleaf Whittier lesen oder mit ihrer Mutter Backgammon spielen – jeder Moment ihres Daseins ist John Haskell gewidmet, nein, wird von ihm mit Beschlag belegt, jeder bewußte und unbewußte Gedanke dreht sich um ihn.

Ihre Zerstreutheit bleibt nicht unbemerkt, auch wenn niemand in ihrer Umgebung den Ursprung kennt. Mit dem Verstreichen der Tage ist sie immer weniger fähig (oder willens), sich zu verstellen und ihre Gefühle zu verbergen; mehrmals ist sie gefährlich nahe daran, den wahren Grund ihrer inneren Bewegung zu enthüllen. Des öfteren bringt sie im Gespräch mit ihrem Vater die Rede auf Haskell, indem sie auf das Buch verweist, das er geschrieben hat, oder von der Arbeit spricht, die er in Ely Falls leistet. Und auf einer Abendgesellschaft, bei der sowohl Rufus Philbrick als auch Zachariah Cote anwesend sind, versteht sie es, das Gespräch so zu lenken, daß es zu einer Diskussion über die Fabriken und progressive Reformen führt; denn allein schon das Aussprechen der Wörter »Fabrik« und »progressiv« ist eine Lust und heimlich erregend. Sie hat allerdings den Eindruck, daß Mr. Cote sie bei diesem Gespräch mit einem merkwürdigen Blick mustert, so als ginge ihm etwas durch den Sinn, und als diesem Blick ein schwaches Lächeln folgt, fragt sie sich, ob sie so durchsichtig ist, daß man ihr ihre wahren Gedanken vom Gesicht ablesen kann.

Auch andere betrachten sie mit forschender Verwunderung, die sich, je nach dem, was sie aus ihrem Verhalten schließen, in einem Lächeln oder einem Stirnrunzeln niederschlägt. Ihr Vater ist vorsichtig ihr gegenüber: Er kann ihr kaum etwas vorwerfen, wofür er keine Beweise hat. Olympia hat den Eindruck, daß ihre Mutter wachsamer ist als sonst, aber da sie selten ihre Räume verläßt, gibt es für sie nicht viel zu beobachten. Wenn ihre Eltern sich überhaupt über ihre Zerstreutheit Gedanken machen, so werden sie diese, vermutet Olympia, der Launenhaftigkeit zuschreiben, die bei jungen Frauen ihres Alters so häufig auftritt. Oder aber sie denken an eine harmlose Schwärmerei für einen Jungen, den sie kürzlich kennengelernt hat, oder an einen ebenso harmlosen Flirt, dem sie in ihrer Naivität viel zuviel Bedeutung beimißt.

In dieser Zeit, ob sie nun Gäste haben, ob sie Josiah bei seiner Arbeit beobachtet oder ihren Vater beim Lesen, fallen ihr erstmals gewisse männliche Merkmale auf, die sie früher nicht beobachtet – oder jedenfalls nicht bewußt zur Kenntnis genommen hat: der Streifen Haut, der sich zwischen der Manschette und dem Knöchel am Handgelenk zeigt, wenn ein Mann nach etwas greift; die lockere Körperhaltung, wenn ein Mann mit nachlässig in die Hosentaschen geschobenen Händen dasteht. Sie weiß, daß sie solche männlichen Eigenheiten schon früher wahrgenommen haben muß – zumindest flüchtig mit dem Auge –, aber nie zuvor haben sie Gedanken wachgerufen, wie sie das jetzt, während dieser Folge regnerischer Tage, im Übermaß tun.

Am Nachmittag des sechsten Tages sitzt Olympia strickend in ihrem Zimmer und fällt dabei immer tiefer in einen Zustand dumpfer Schläfrigkeit, bis sie beschließt, sich eine Tasse Tee zu machen. Auf dem Weg die teppichbespannte Treppe hinunter hört sie aus dem Arbeitszimmer ihres Vaters Männerstimmen. Einen Schuhabsatz an die unterste Stufe gelehnt, bleibt sie stehen und lauscht aufmerksam, bemüht, die Stimmen der Sprechenden zu erkennen. Die eine Stimme ist natürlich die ihres Vaters, die andere ist unverkennbar. Die Männer unterhalten sich über irgendwelche Photos.

Bewußt ruhig atmend, setzt sie ihren Weg fort und öffnet mit gespielter Unbefangenheit die Tür zum Arbeitszimmer ihres Vaters, als wollte sie nur sehen, wer bei ihm zu Gast ist. Ihr Vater blickt auf und unterbricht sich mitten im Satz. Haskell, der mit dem Rücken zu ihr sitzt, dreht den Kopf. Nach einem Herzschlag des Zögerns steht er auf, geht höflich auf sie zu und bietet ihr die Hand. »Miss Biddeford«, sagt er, »was für ein Vergnügen, Sie wiederzusehen.«

»Ich denke doch, daß Sie meine Tochter gut genug kennen, um sie Olympia zu nennen«, bemerkt ihr Vater heiter und ohne zu ahnen, wie ironisch seine Worte Olympia und Haskell in den Ohren klingen.

»Gut, dann Olympia«, sagt Haskell freundlich.

Er hat seinen Hut in der Hand. Auf seinem Überzieher perlen kleine Wassertröpfchen. Seine schwarzen Stiefel haben einen feuchten Rand um die Kuppen. Sein Haar ist vom Hut etwas flachgedrückt, und sein Gesicht wirkt erhitzt, als wäre er schnell gelaufen. Im Arm hält er ein Buch, vielleicht der Vorwand für seinen Besuch.

Wie durchtrieben, wie fähig der Lüge erweisen sie sich in diesen wenigen Minuten, da sie die höflichen Sätze langgeübten Rituals sprechen, genau im richtigen Moment ihre Hände senken und sich Olympias Vater zuwenden, um ihn in ihren Austausch einzubeziehen, Ihr Vater, der hocherfreut scheint, Haskell zu sehen, da er dessen Gesellschaft schätzt und seine Arbeit bewundert, lädt ihn ein, zum Tee zu bleiben.

»Ich wollte gerade in die Küche, um mir Tee zu machen«, sagt Olympia.

»Ausgezeichnet«, meint ihr Vater. »Sie haben den Augenblick gut gewählt, Haskell. Olympia, bring doch den Tee ins Wohnzimmer. Hier ist es zu eng, und auf der Veranda ist es mir offen gestanden zu kalt.«

Olympia verläßt die beiden Männer und geht, mit Anstrengung Haltung bewahrend, durch das Speisezimmer und die Anrichte in die Küche. Sobald die Schwingtür hinter ihr zugefallen ist, stützt sie sich mit beiden Händen schwer auf die Kante des breiten Arbeitstisches und läßt den Kopf sinken. Sie ist erschüttert über ihre Falschheit, entsetzt darüber, wie leicht ihr das falsche Spiel gefallen ist.

Nach einiger Zeit richtet sie sich auf, nimmt den Kessel, füllt ihn mit Wasser und stellt ihn auf den Herd, der vom Zubereiten des Mittagessens noch warm ist. Mrs. Lock, die erst am Spätnachmittag, wenn es Zeit ist, für das Abendessen zu sorgen, wieder ins Haus kommen wird, hat einen Teller mit Blaubeertörtchen auf das Buffet gestellt. Aus der Speisekammer holt Olympia Brötchen, Butter und Konfitüre und stellt alles auf ein mit Intarsien verziertes Tablett aus der Anrichte. Dann setzt sie sich auf einen Küchenstuhl und wartet, bis das Wasser kocht.

Die Küche ist ein großer Raum mit blaßgrünen Wänden, die weiß abgesetzt sind. Durch eine Reihe von Fenstern blickt man auf ein Spalier und den Garten hinter dem Haus. In die Wand gegenüber eingelassen ist ein gemauerter Backsteinkamin, so hoch, daß ein Kind wie Martha aufrecht darin stehen könnte; der Fußboden besteht aus blankgescheuerten Fichtendielen. Mrs. Lock scheint eine ausnehmend gründliche Haushälterin zu sein, nicht ein Krümelchen ist auf dem Boden zu finden, nicht ein Stäubchen in den Ritzen zwischen den Dielen. Hinter den Glasfronten der Küchenschränke stehen die Lebensmittel und das Geschirr, und in einer Ecke ist eine Eistruhe aus poliertem Eichenholz.

Olympia starrt auf ihre im Schoß gefalteten Hände und registriert plötzlich mit Schrecken, daß sie ihr braunes Kattunkleid anhat, so fade, daß man sich allenfalls vor der Familie darin sehen lassen kann. Sie hat es heute nur angezogen, weil kein Besuch erwartet wurde. Sie knüllt den schmutzfarbenen Stoff in ihrer Hand zusammen und überlegt krampfhaft, wie sie das triste Ding gegen etwas Anmutigeres tauschen könnte. Aber es ist natürlich ausgeschlossen. Zwar könnte sie sich leicht über die Hintertreppe zu ihrem Zimmer hinaufschleichen, aber es wäre allzu auffällig, würde sie sich plötzlich in einem anderen Kleid zeigen. Und ihr Haar, stellt sie mit neuerlichem Schrecken fest, als sie die hastig gedrehten Rollen in ihrem Nacken berührt, muß geradezu unordentlich wirken.

Sie spürt einen Luftzug von der Schwingtür und dreht sich auf ihrem Stuhl herum.

»Olympia«, sagt Haskell, und sie springt auf.

Im ersten Moment ist sein Gesicht unergründlich. Im hellen Licht der Küche sieht sie die dunklen Schatten unter seinen Augen.

»Ich konnte nicht fernbleiben«, sagt er.

Sie stützt sich mit einer Hand auf die Stuhllehne. Haskell geht zu ihr.

»Ihr Vater sucht in seinem Arbeitszimmer ein Buch heraus«, bemerkt er, in der Stimme den Verschwörerton des heimlichen Liebhabers. »Ich sagte, ich würde Ihnen mit dem Tee helfen. Wir haben nur eine, höchstens zwei Minuten.«

Sie legt ihre Hand auf seine Brust. Der Stoff seines Mantels ist feucht vom Regen.

Haskell nimmt sie in den Arm und zieht sie mit heftiger Bewegung an sich. Unter einem Eindruck von Kraft und Männlichkeit meint sie, die sich sonst nicht klein fühlt, in seiner Umarmung zu versinken. Sie befreit einen Arm, hebt ihre Hand zu seinem Hinterkopf und zieht ihn näher an sich, und es geschieht alles ganz instinktiv, beinahe ohne ihr Zutun. Sie erschrickt, als er zum Kuß seinen Mund öffnet, denn einen solchen Kuß hat sie noch nie empfangen. Sie schmeckt seine Zunge, die weichen Innenwände seiner Lippen. Ihr Kopf ist schräg nach hinten geneigt, ihr Hals wölbt sich weiß und blaß. Sie spürt die bedächtige Liebkosung seiner Lippen auf ihrer Haut und lehnt sich zitternd an ihn.

Und dann ist es vorbei. Mehr Zeit haben sie nicht.

Er tritt zurück, die leeren Hände erhoben, den Mund halb geöffnet, als wollte er ein Wort formen. Seine Krawatte hat sich gelockert, und da sie nicht in der Lage ist zu sprechen, deutet sie auf ihren eigenen Kragen, um es ihn wissen zu lassen. Ihr schweres Haar will sich aus den Nadeln lösen, und sie versucht, es fester zu stecken. Haskells Gesicht ist von einer unnatürlichen Röte überzogen, und ihr Mund ist wie wund.

Ihr Vater tritt durch die Schwingtür.

»Ah, Sie haben sie also gefunden«, meint er liebenswürdig und sieht beide an, ohne sie wirklich zu sehen. »Das ist der Band, den ich Ihnen zeigen wollte, Haskell. Die Aufnahmen sind erstaunlich.«

Er blickt von Haskell zu Olympia und scheint verwundert über die Starrheit seiner Tochter.

»Kann ich etwas helfen?« fragt er.


# 8


Nach ihrer Begegnung mit Haskell in der Küche sitzen sie nun doch auf der Veranda unter dem grauen Brokat einer tiefhängenden Wolkendecke. Haskell unterhält sich höflich mit ihrem

Vater, und sie kann nicht verstehen, wie er das zuwege bringt. Es erscheint ihr grotesk – irrsinnig –, hier zu sitzen und nach dem, was nur Augenblicke zuvor zwischen ihr und Haskell geschehen ist, bei Tee und Blaubeertörtchen über Photographie und das neue Jahrhundert zu plaudern. Und wie ihr das in diesem Sommer noch häufig widerfahren wird, erfaßt sie unversehens ein Gefühl tiefen Erstaunens, daß solche Dinge sich in ihrem Leben ereignen können. Sie braucht nur an den Kuß in der Küche zu denken, und schon verspürt sie ein erregtes Flattern tief in ihrem Leib, und heiße Röte steigt ihr ins Gesicht. Wieder und wieder durchlebt sie den Moment in einer Folge kurzer Erschütterungen von Leib und Seele. Wie haben sie und Haskell so etwas tun können? Wie konnten sie, denen jedes Recht dazu fehlt, sich so vergessen? Aber so, wie es jedem ergeht, der zwischen zwei gegensätzlichen Gedanken oder Theorien hin und her gerissen ist, ist sie im nächsten Moment überzeugt, daß sie gar nicht die Wahl haben, anders zu handeln, daß das, was sie zu Haskell hinzieht und ihn zu ihr, etwas so Naturgegebenes ist wie der Lauf der Gestirne.

Am nächsten Morgen ist das Meer ölig grün, ein blinder Spiegel, der kein Licht reflektiert. Sie hat eine ruhelose Nacht verbracht und fragt sich, ob ihre Wahrnehmung des Meeres wirklich realistisch ist oder vielmehr Ausdruck einer vom Schlafmangel getrübten Gemütsverfassung.

Es ist Sonntag, und da Olympias Vater es für ungebührlich hält, den Besuch des sonntäglichen Gottesdienstes wegen sommerlicher Vergnügungen ausfallen zu lassen, werden sie heute zur Kirche gehen. Wie benommen kleidet Olympia sich an, so beschäftigt mit ihren Gedanken, daß sie beinahe doppelt soviel Zeit wie sonst für ihre Toilette benötigt. In fliegender Eile hastet sie schließlich die Treppe hinunter und nimmt von Josiah Hut und Umhang entgegen. Er meint, daß wahrscheinlich gegen Mittag die Sonne durchkommen wird, und fügt hinzu, er werde die Familie zur Kirche begleiten.

»Ihre Eltern sind schon im Wagen«, sagt er und wirft ihr einen forschenden Blick zu. »Fühlen Sie sich nicht wohl?«

»Doch, doch, Josiah, keine Sorge«, antwortet sie, ihr Haar unter den Hut schiebend und froh, daß die breite Krempe ihr verwirrtes Gesicht verbergen wird. An der Tür bietet er ihr den Arm, und sie ist dankbar, sich in diesem Moment auf einen Menschen stützen zu können.

Es ist eine bescheidene Kirche, braune Holzschindeln, ockergelbe Tür- und Fensterrahmen. Der hohe hölzerne Turm, der über dem Giebel zum Himmel ragt und dessen Spitze ein schmuckloses Kreuz krönt, ist überall in Fortune's Rocks zu sehen. Mit ihren fünfzehn Jahren hat Olympia noch keine Glaubenskrisen durchgemacht, wie sie sie später quälen werden, aber man kann sie auch nicht fromm nennen. Gottes Gebote, wie sie von den Menschen ausgelegt werden, sind für sie in erster Linie Verpflichtungen, die Eltern und Gesellschaft betreffen. Manchmal, wenn sie in der Kirche sitzt, genießt sie die andächtige Stille, die sich über der Gemeinde ausbreitet, und erfreut sich an der Musik. Aber häufiger fühlt sie sich in diesem düsteren Gotteshaus von Rastlosigkeit erfaßt und wünscht sich ins Freie hinaus.

Die Straßen sind durchweicht, die Fahrt geht langsam voran. Von den Seiten dringt Kälte ein, und sie sitzen mit gesenkten Köpfen, die Schultern in Abwehr zusammengezogen gegen die unzeitgemäße Witterung. Sie treten in die Kirche und begeben sich zu ihrem gewohnten Platz, begleitet vom Geruch feuchten Wollstoffes und den Geräuschen klopfender Hände, die die Nässe aus Capes und Mänteln schlagen. Die in Blei gefaßten Scheiben der Bogenfenster sind aus dunkelfarbigem Glas, ein tiefes Rot und ein ins Bräunliche spielendes Gelb. Das dämmrige Licht, das hereinfällt, wird nur durch die Kerzen in den Haltern an den Wänden ein wenig unterstützt. Es ist, als wäre es in der Kirche schon Nacht, und zunächst sind Gesichter und Gestalten der Kirchgänger nur schattenhaft zu erkennen. Die Kanzel aus geschnitztem Kirschholz hängt an einer Kette von der gewölbten Decke herab. Immer wieder hat Olympia sich als Kind vorgestellt, die Glieder der Kette würden brechen, und die Kanzel mit dem Geistlichen würde zur Erde heruntersausen, wobei diese unfreundlichen Phantasien eher Ausdruck kindlicher Ungeduld waren als Kommentar zur Qualität der Predigten.

Still sitzen sie nebeneinander, keiner spricht, jeder hängt seinen Gedanken nach. Olympia hält weder ihren Vater noch ihre Mutter für besonders fromm, aber wer kann schon etwas über den Glauben eines anderen sagen, denkt sie, da der Glaube doch zu den intimsten und am sorgfältigsten bewahrten persönlichen Gütern gehört.

Erst als der Chor die Prozessionshymne anstimmt, wirft Olympia an der gleichmütigen Gestalt ihres Vaters vorbei einen Blick nach rechts und sieht, wer in der Kirchenbank auf der anderen Seite des Ganges sitzt. Vielleicht entfährt ihr ein schwacher Laut und durchdringt die Gelassenheit ihres Vaters, denn er dreht plötzlich den Kopf und sieht sie an. Doch die Notwendigkeit, zum Gesang der Hymne aufzustehen, bewahrt sie vor einer Frage.

Es war nur ein flüchtiger Eindruck: ein Hut, der beinahe die Wolke silberblonden Haars verbirgt; ein Glacéhandschuh mit einem Perlknöpfchen; ein gestiefelter Kinderfuß, der auf und ab wippt; der gespannte Stoff einer blauen Baumwollbluse über einer zur Seite gedrehten Schulter; der Aufschlag eines Hosenbeins mit feuchtem Saum; und ein ebenmäßiges männliches Profil ohne Bart oder Schnurrbart. Ihr erster Gedanke ist, daß er sie gesehen haben, daß er wissen muß, daß sie hier ist. Es ist also Catherine gewesen, die sich ahnungslos vom Kirchendiener zum Platz auf der anderen Seite von Olympias Vater führen ließ. Und zweifellos hat sie die Absicht, ihn zu begrüßen, sobald der Gottesdienst vorüber ist.

Olympia sitzt wie versteinert, um sich nur ja nicht zu verraten. Aber gerade die Starrheit ihrer Haltung ist offenbar verdächtig, denn wieder und wieder fliegt der Blick ihres Vaters zu ihr. Doch er sagt nichts, in der Kirche spricht man nicht.

Noch nie hat Olympia die Anwesenheit eines anderen Menschen im selben Raum, seine körperliche Präsenz so intensiv empfunden wie an diesem Morgen inmitten von über hundert anderen Menschen, in diesen anderthalb Stunden, in denen sie hätte beten, göttlichen Rat erflehen, geloben können, Haskell für immer aus ihren Gedanken zu verbannen. Sie macht tatsächlich den Versuch, zu Gott zu sprechen, aber es gelingt ihr nicht – das Rauschen in ihrem Kopf, die Weigerung ihrer Seele, aufzugeben, was sie gerade erst gewonnen hat, machen es unmöglich. Und obwohl es sie nach einem Blick auf sein Gesicht verlangt, genügt ihr, was sie aus dem Augenwinkel sehen kann: die Bewegung seines Fußes.

Später wird Olympia davon überzeugt sein, daß ihr in diesen anderthalb Stunden in der düsteren braunen Kirche im Kreis ihrer beider Familien und einer Gemeinde von Zeugen klar wurde, daß sie und Haskell eines Tages eine gemeinsame Zukunft haben würden. Und daß sie deren Entfaltung keinerlei Widerstand entgegensetzen würde.


Catherine lädt sie zum Lunch im Highland Hotel ein und bringt die Einladung mit so viel Herzlichkeit vor, daß selbst Olympias Mutter sich erfreut zeigt von der Aussicht auf ein wenig Abwechslung nach den Tagen der vom Wetter erzwungenen Häuslichkeit. Und sie brauchten, sagt Catherine Haskell aufmunternd (sie hat sich ihre Worte mit Sicherheit während des Gottesdienstes zurechtgelegt), gar nicht erst nach Hause zurückzufahren; sie könnten den Haskells direkt ins Hotel folgen.

Während all dies im Mittelgang der Kirche ausgehandelt wird, starrt Olympia stumm auf eine finstere Darstellung des Letzten Abendmahls. Es wäre unschicklich, wenn Haskell sie

jetzt anspräche, und so unterläßt er es; genau wie sie es unterläßt, das Wort an ihn zu richten. Aber einmal, beim Hinausgehen, fängt sie einen Blick von ihm auf, der so intim ist, so wissend, daß sie errötet, was ihm ganz sicher nicht entgeht.

Olympia faßt es als gutes Omen auf, daß der Himmel sich
inzwischen aufgehellt hat und der Westwind frischer geworden
ist. In einer dunklen Front ziehen die letzten Wolken rasch zum
Horizont. Der unablässige Regen der letzten Tage hat eine glitzernde Welt hinterlassen, jedes Blatt, jeder Grashalm, jede
Strandrose ist eine funkelnde Pracht. Der Glanz auf den Felsen
ist so blendend, daß Olympia kaum hinsehen kann.

Im Highland Hotel treten sie durch die verglaste Flügeltür in
eine imposante Halle mit einem zehn Meter langen Empfangstisch, und von dort aus gelangen sie in den Speisesaal, der so
groß ist, daß man den Eindruck hat, er könnte tausend Gästen
Platz bieten. Mit gestärkten Tischdecken und Servietten, blit-
zendem Silber und weißem Porzellan zum sonntäglichen Mahl
gedeckt, wirkt er wie eine Oase des Willkommens, weit entfernt von der Düsternis der Kirche, die sie soeben verlassen
haben. Olympia fragt sich, ob es wohl auch Gotteshäuser gibt,
deren Architekten die wohltuende Wirkung des Lichts in ihre
Entwürfe mit einbezogen haben.

Catherine, die Gastgeberin, läßt Olympia zwischen ihrer
Mutter und Martha Platz nehmen, als wäre Olympia weder
Frau noch Mädchen, sondern Bewohnerin einer unbestimm-
ten Zwischenwelt. Man benimmt sich förmlich und ein wenig
steif, wie sich das bei einem Sonntagsmahl schickt, aber während des Essens breiten sich doch eine gewisse Wärme und
Heiterkeit aus; und vielleicht wird auch die Spannung, die zwischen Olympia und Haskell besteht (er sitzt am oberen Ende
des Tisches), teilweise durch die anderen abgeleitet. Catherine
lädt auch Josiah ein, mit der Gesellschaft zu speisen, aber der
entschuldigt sich mit der Begründung, er habe den Wunsch,
einen langen Strandspaziergang zu machen und die frische Luft

zu genießen, wozu sich in den letzten Tagen kaum Gelegenheit bot. Wäre da nicht Haskell, Olympia hätte große Lust, sich ihm anzuschließen.

*Catherine, Sie sehen gut aus.*

*Ja, jetzt, wo die Sonne wieder da ist, geht es mir gut.*

*Ist Josiah schon fort?*

*Mutter, muß ich neben Randall sitzen?*

*Sie sagen also, daß Sie die bestellten Medikamente immer noch nicht erhalten haben?*

*Die Perlen sind wunderschön.*

*Ich fand die Predigt ausgezeichnet.*

*Und wer war der Solist?*

*Ich habe gehört, daß das Lamm hier vorzüglich ist.*

*Also, wirklich!*

Olympia lauscht dem Geplänkel, das munter dahinplätschert, während man es sich am Tisch bequem macht. Haskell scheint mehr ein attraktiver Fremder als ein Mann, dem sie so nahe war wie nie zuvor einem Menschen, und sie findet es in diesem Moment erstaunlich, wie bereitwillig man sein Herz – ja, seine Seele – einem Menschen überlassen kann, den man kaum kennt.

Es entgeht ihr nicht, daß manch einer, der den Speisesaal betritt, sich nach Haskell und seiner Frau umsieht, dieser auffallenden Paarung von Dunkel und Hell, zumal Catherine ihr schönes Gesicht und ihr silberglänzendes Haar jetzt nicht unter einem Hut versteckt. Während Olympia das Paar beiläufig beobachtet, neigt Catherine sich ihrem Mann zu und streicht eine Haarsträhne hinter sein Ohr zurück, eine Geste ehelicher Vertrautheit, bei deren Anblick Olympia sich abwenden muß. Haskell, denkt sie, muß die Ironie einer solchen Zärtlichkeit in ihrer Gegenwart bewußt sein.

Sie sind umgeben von vielerlei Geräuschen, dem dezenten Klirren silbernen Bestecks an dünnem Porzellan, dem Klimpern von Eiswürfeln in Gläsern, dem gedämpften Gemurmel angeregter Stimmen. Durch die blanken Fenster ist die stets gegenwärtige Brandung zu hören – ein gleichmäßig an- und abschwellendes Rauschen, über das sich gelegentlich das heisere Kreischen der Möwen erhebt.

Ihr Vater nimmt Haskells Aufmerksamkeit ganz für sich in Anspruch, eine Erleichterung für Olympia und, wie sie glaubt, auch für Haskell. Catherine, beschwingt von Lebenslust oder vielleicht einfach von der Freude über den Sonnenschein nach so vielen düsteren Tagen, hält ein lebhaftes Gespräch mit Rosamund Biddeford aufrecht – keine leichte Aufgabe, obwohl sogar Rosamund von der allgemeinen Geselligkeit angesteckt zu sein scheint.

Es fällt Olympia schwer, ihre Aufmerksamkeit von den Gesprächen der Erwachsenen loszureißen und auf Martha einzugehen, die neben ihr sitzt und mit ungeschickt hingeworfenen, gelegentlich recht kuriosen Bemerkungen Beachtung verlangt. Immerhin gelingt es dem Mädchen von Zeit zu Zeit, in Olympias Gedanken einzudringen und ihr bewußt zu machen, wie grob sie sie vernachlässigt. Eben darum fühlt Olympia sich verpflichtet, Martha gefällig zu sein, als das Kind nach dem Dessert fragt, ob sie nicht Lust hätte, mit ihr nach oben zu kommen und sich ihr Zimmer anzusehen. Offensichtlich erfreut über ihre Zusage, zupft Martha sie voll Ungeduld am Ärmel, sobald sie beide aufstehen und sich entschuldigen.

»Der Pudding war ja scheußlich«, bemerkt sie, als sie durch den Speisesaal zur Halle geht. »Ich hasse Himbeeren, du nicht auch? Sie bleiben einem immer zwischen den Zähnen hängen.«

»Ja, das stimmt«, bestätigt Olympia zerstreut.

»Ich war heute morgen schon ganz früh auf, noch vor meinen Eltern, und hab draußen Muscheln gesammelt. Es sind einige ganz seltene darunter. Wahrscheinlich sind sie bei dem schlechten Wetter am Strand angespült worden. Du mußt mir sagen, wie sie heißen.«

»Vielleicht weiß ich es gar nicht«, erwidert Olympia.

Sie steigen die Treppe in die dritte Etage hinauf, wo die Haskells mehrere Räume mit Blick auf den Ozean gemietet haben. Auf dem Weg durch den Korridor bemerkt Olympia beifällig die blaßblauen Wände unter den weißgetünchten hohen Decken. Durch offene Türen fällt ihr Blick in fremde Zimmer und auf den Ozean, der hinter den Fensterscheiben zu schweben scheint. Das Blau und Weiß der Korridore erinnert sie an Himmel und Schönwetterwolken, ein geniales Dekor ihrer Meinung nach.

Martha führt sie in einen großzügigen Raum, an den sich zu beiden Seiten Zimmer anschließen – Schlafzimmer, vermutet Olympia, da sie sich offensichtlich in einem Salon befinden. Die schönen Fenster sind vernünftigerweise nicht von schweren Vorhängen verhüllt, sondern mit leichtem Musselin umrahmt. Der Raum ist dank der zarten Stoffe von einem sanften Licht durchflutet, das beruhigend auf das Gemüt wirken könnte, aber Olympia befindet sich in einem Zustand fiebriger Wachheit, die nichts beruhigen kann; ängstlich und neugierig wie eine Frau vor den geheimen Briefen des Geliebten harrt sie dessen, was sie erwartet. Während Martha munter schwatzend ihre Muscheln ausbreitet, schweift Olympias Blick auf der Suche nach Spuren Haskells und seines Lebens in diesen Räumen über jeden Tisch und Stuhl.

Auf dem Schreibtisch in der Ecke liegen mehrere Bücher und ein aufgeschlagenes großes Heft, ein Wirtschaftsbuch, wie es scheint, dessen Seiten mit schräger Schrift in dunkelblauer Tinte bedeckt sind. Daneben bemerkt sie eine Brille, und das überrascht sie, da sie Haskell nie mit Augengläsern gesehen hat. Auf dem blaßlila Sofa hat jemand eine weiße Häkeldecke zurückgelassen, lose hingeworfen, wie eben von den Füßen gestreift. Auf dem Boden neben dem Sofa liegt ein Buch, *Gleanings from the Sea* von Joseph W. Smith, mit einem Seidenband als Buchzeichen.

Martha stellt Fragen über Fragen. Olympia gibt sich alle Mühe, die Muscheln, die dem Mädchen so wichtig sind, zu benennen, aber es sind einige darunter, die ihr unbekannt sind – eine davon mit so zartem opalisierendem Glanz, daß man befürchtet, sie schon bei vorsichtiger Berührung zu beschädigen.

»Das Schönste, was ich gefunden habe, ist nicht dabei«, stellt Martha mit nörgelndem Ton fest. »Das hat mir bestimmt Randall weggenommen. Warte mal einen Moment. Ich weiß schon, wo er es versteckt hat.«

Und Martha eilt davon, in eines der Nachbarzimmer. Olympia sieht zum Meer hinaus. Der Strand ist von flanierenden Menschen belebt, die das strahlende Wetter nach dieser langen trüben Woche ins Freie gelockt hat.

Ohne selbst recht zu wissen, was sie tut und was sie beabsichtigt, geht Olympia langsam durch den Salon zur offenen Tür des Nebenzimmers. Vielleicht treibt sie nur der Wunsch, etwas darüber zu erfahren, wie Haskell lebt. Lautlos tritt sie über die Schwelle in das Schlafzimmer. Es ist unverkennbar das Zimmer eines Mannes, auch Catherines Koffer, der geöffnet auf der dafür vorgesehenen Ablage steht, vermag an diesem Eindruck nichts zu ändern. Auf dem Toilettentisch mit Spiegel liegt eine Bürstengarnitur aus Schildpatt. Das Bett ist gemacht, aber ein wenig zerdrückt, als hätte dort kürzlich ein Mann gesessen und seine Socken übergezogen. Auf dem Marmortisch vor dem Fenster befinden sich eine Waschgarnitur aus Porzellan und Rasierzeug, Pinsel, Becher und Rasiermesser. Neben dem Tisch steht ein stummer Diener, über dessen Holzschultern ein Gehrock hängt.

Ermutigt von Marthas langem Ausbleiben, tritt Olympia tiefer ins Zimmer, und ihr Blick fällt auf eine breite Eichentruhe, auf der Photographien liegen. Aus der Entfernung kann sie nur wenig erkennen: ein Profil, den Rand eines Hutes, ein Geländer, vielleicht das einer Veranda. Als sie sich näher wagt, sieht sie, daß es die Aufnahmen sind, die Haskell an jenem Wochenende, als er seinen Photoapparat mitgebracht hatte, auf der Treppe vor dem Haus ihrer Eltern gemacht hat.

Die Bilder sind fächerförmig ausgebreitet. Am Rand einer Aufnahme, die unter andere geschoben ist, bemerkt sie ein Hosenbein. Sie zieht die Photographie heraus und erkennt das Bild, das sie mittags beim Picknick von Haskell aufgenommen hat: ein Gesicht in Ruhe; locker die Gliedmaßen umspielende Kleidung, unter aufgekrempelten Hosen entblößte Beine mit Spuren von dunklen Haaren und Sand; im Hintergrund eine Familie. Sie schließt einen Moment die Augen. Als sie sie wieder öffnet, entdeckt sie den weißen Rand einer Photographie unter der von Haskell. Mit dem Zeigefinger zieht sie das Photo heraus. Es ist das Bild, das Haskell von ihr gemacht hat. Aber nicht die Aufnahme selbst fasziniert sie, sondern der Wirrwarr verwischter Fingerabdrücke, die ihr Konterfei überlagern.

In diesem Augenblick tritt Martha ins Zimmer. Olympia läßt das Photo fallen und heuchelt Langeweile und Gleichgültigkeit. »Ich war auf der Suche nach einer Toilette, um mir die Hände zu waschen«, erklärt sie.

»Die ist nicht hier«, erwidert Martha leicht erstaunt, mit gerunzelter Stirn.

»Oh, du hast deine Muschel gefunden«, bemerkt Olympia, ihr entgegengehend.

»Es ist keine Muschel.« Martha mustert Olympia mit forschem Blick. »Es ist Glas.«

»Darf ich es mir ansehen?« fragt Olympia, Marthas Blick ruhig erwidernd.

»Wir sollten nicht hier im Schlafzimmer sein.«

»Nein, natürlich nicht. Komm, wir gehen ans Fenster im Salon, da kann ich mir das Glas besser ansehen.«

Als sie aus John Haskells Schlafzimmer zu den Fenstern treten und Martha Olympia widerstrebend ihr schönstes Stück in die Hand gibt – eine blaßgrüne Glasscherbe, von Monaten oder Jahren des Umhergeworfenwerdens zwischen Felsen und Sand milchig geschliffen –, fällt Olympia zu spät ein, daß sie es versäumt hat, die Photographien wieder so zu legen, wie sie waren, und daß Haskell das natürlich sofort bemerken wird.

Olympias Eltern stehen mit den Haskells in der Hotelhalle, als die beiden Mädchen wieder herunterkommen. Olympia sieht Haskell nicht an, erwidert auch Catherines Blick nicht. Sie fürchtet, Martha könnte, aus welchem Grund auch immer, mit ihrem Wissen über Olympias Besuch in Haskells Schlafzimmer aufwarten. Aber Martha hält sich im Hintergrund und schweigt, immer noch verwundert, vermutet Olympia, über etwas, was sie ahnt, aber nicht verstehen kann.

Olympias Vater, der zum Essen mehr Wein getrunken hat, als vielleicht vernünftig ist, lädt Catherine und John Haskell ein, am kommenden Dienstag bei ihnen zu speisen. Catherine bedankt sich herzlich, muß aber die Einladung ausschlagen, da sie schon an diesem Nachmittag mit den Kindern nach York zurückkehren wird. Sie macht eine Bemerkung darüber, daß sie ihren Mann nun wieder allein lassen muß, und ergreift Haskells Hand. Olympia sieht genau im Augenblick dieser Berührung zufällig auf und hebt wie unter Zwang den Kopf noch ein Stück höher, so daß sie Haskell ins Gesicht blickt. Und vielleicht kann nur sie die Mischung aus Schmerz und Reue erkennen, die sich auf seinen Zügen spiegelt: Schmerz, der seiner Frau gilt, aber auch Olympia und ihm selbst; Reue, die sich auf Handlungen bezieht, die noch nicht vollzogen wurden, die er und Olympia jedoch eines Tages verantworten müssen.

Olympia wartet. Sie wartet den endlosen langen Nachmittag und die Nacht hindurch bis zum Tagesanbruch – bis zu der Stunde, in der es langsam hell wird, die Sonne aber noch nicht aufgegangen ist; in der für einen Moment die Welt in Stille gehüllt scheint, als wollte sie sich in Schweigen sammeln. Leise wäscht sie sich in ihrem Zimmer und kleidet sich an, lauscht angestrengt, um zu hören, ob sich irgendwo im Haus etwas regt, ob Josiah oder Lisette vielleicht früher wach sind als sonst. In der Hoffnung, niemanden zu wecken, schleicht sie aus ihrem Zimmer, huscht durch das Haus und tritt ins Freie hinaus.

Das Meer hat sich in graue Ferne zurückgezogen und eine weite Fläche aus Sand und Schlamm zurückgelassen. Lange Strähnen Seegras hängen von den Felsen herab wie Walroß-bärte. Am Strand sind schon Muschelsucher unterwegs, und weiter draußen zieht ein Segelboot parallel zur Küstenlinie seine Bahn. Anfangs schreitet Olympia nur zielstrebig aus, ihre Stiefel in der einen Hand, mit der anderen ihre Röcke ge-schürzt. Dann aber schlägt sie alle Vorsicht in den Wind und beginnt zu laufen. All die schweren Entscheidungen hat sie ge-stern getroffen. Der Kampf, halbherzig von Anfang an, ist schon erstickt und entschieden.

Tollkühn wie nie zuvor in ihrem kurzen Leben setzt sie sich auf die Hoteltreppe, schlüpft in Strümpfe und Stiefel und tritt in die Halle, wo sie sich der ernüchternden Realität in Gestalt des Nachtportiers gegenübersieht, der pfeiferauchend hinter dem Empfangstisch sitzt und eine Rennzeitung studiert. Bei ihrem Eintreten hebt er den Kopf und zeigt offen seine Ver-wunderung, um diese Stunde eine junge Frau hier zu sehen.

»Ich soll Dr. Haskell abholen«, erklärt Olympia hastig, im Sprechen einen Notfall erfindend. »Er wird in der Klinik ge-braucht, Mrs. Rivard liegt in den Wehen und...«

Der Nachtportier ist sofort voller Aufmerksamkeit. »Natür-lich, Miss«, sagt er, nicht interessiert an weiteren Erläuterungen der Sachlage. »Ich gehe hinauf. Warten Sie inzwischen hier.«

Olympia nickt. Nun doch etwas nervös, wandert sie in der Halle umher, mustert die Roßhaarsofas, die Ölgemälde an den Wänden, die geschnitzten Holzpfeiler, um die herum man samtbezogene Bänke für die Gäste angeordnet hat. Aber sie hat nicht die Ruhe, sich zu setzen. Der Nachtportier kommt und kommt nicht zurück, und allmählich beginnt sie, an der Klugheit ihres Handelns zu zweifeln. Was, wenn Catherine und die Kinder gestern nachmittag nicht abgefahren sind wie vorgesehen? Was, wenn Haskell ihr diese List übelnimmt und ärgerlich wird? O ja, er wird ärgerlich sein. Sie kennt ihn ja kaum. Er wird sie zweifellos für töricht halten, wenn nicht sogar für völlig übergeschnappt.

In plötzlicher Panik sieht sie sich um. Sie hat dem Nachtportier nicht ihren Namen genannt. Haskell wird erraten, wer die Besucherin ist, aber sie braucht ja nicht länger hier herumzustehen und zu warten. Hastig läuft sie zur Tür. Aber noch bevor sie sie erreicht hat, hört sie die Stimme des Nachtportiers.

»Da ist sie, Sir. Bitte sehr.«

Seinen Mantel in der einen Hand, seinen Koffer in der anderen, geht Haskell gemessenen Schrittes durch die lange Halle auf sie zu. Sie ist unfähig, sich von der Stelle zu rühren.

»Es geht also um Mrs. Rivard?« fragt er ruhig, als er sie erreicht hat.

Olympia kann nur nicken.

»Gut, besprechen wir das weitere draußen vor der Veranda.«

Gehorsam geht sie zur Tür hinaus auf die Veranda und, seiner Führung folgend, die Treppe hinunter. Schweigend nehmen sie den Weg am Hotel vorbei nach hinten. Als sie um die Ecke biegen, stolpert sie über ein herumliegendes Rohr, und er ergreift ihren Arm.

»Olympia, bitte sehen Sie mich an.«

Sie dreht den Kopf und hebt den Blick.

»Ich wünschte von ganzem Herzen«, sagt er, »ich könnte derjenige sein, der zu Ihnen kommt. Das wissen Sie doch?«

Sie nickt, denn sie glaubt ihm.


Er wird zuerst hinaufgehen, sagt er, um das Zimmer aufzuschließen. Sie soll etwas später nachkommen.

Die Sonne ist aufgegangen, das Licht, das durch die Fenster

in die Korridore fällt, ist grell, und Olympia fühlt sich wie eine Blinde auf ihrem Weg durch den beständigen Wechsel von Helligkeit und Schatten. Noch scheint im Hotel kaum jemand wach zu sein, wenn sie auch irgendwo Wasser rauschen und einmal kurz Schritte hinter sich hört. Durch die Fenster sieht sie Wäsche auf einer Leine und eine Gruppe Zimmermädchen, die mit Teetassen in den Händen auf der Hintertreppe sitzen.

Als sie ins Zimmer tritt, steht Haskell am Fenster, die Arme über der Brust gekreuzt, eine dunkle Silhouette vor dem lichtdurchströmten Mull der Gardinen. Sie nimmt ihren Hut ab und legt ihn auf ein Tischchen.

Er neigt ein wenig den Kopf zur Seite und betrachtet sie lange, als wollte er ihr Porträt malen, als sähe er Linien und Flächen und nicht ein Gesicht.

Doch es liegt auch Erwartung in seiner Miene. »Olympia«, sagt er.

Er öffnet die Arme und geht auf sie zu. Er umfaßt mit seinen Händen leicht ihren Nacken und biegt ihren Kopf zu seiner Brust hinunter, wo sie ihn mit dem Gefühl ungeheurer Erleichterung dankbar ruhen läßt.

»Wenn ich Sie wahrhaft liebte«, sagt er, »würde ich Sie dies nicht tun lassen.«

»Sie lieben mich«, entgegnet sie.

Er streicht mit ihren Fingern über ihre Schultern. Ein wenig zaghaft schlingt sie ihre Arme um ihn. Sie hat nie zuvor einen Mann in den Armen gehalten, nie zuvor den breiten Rücken eines Mannes, seine Muskeln unter ihren Händen gefühlt. Sie hat keine Angst mehr, aber sie verspürt auch noch nicht das hitzige Begehren, das sie später kennenlernen wird. Was sie in diesem Moment empfindet, ist eine Art Dahinschmelzen, ein Versinken in einen anderen Menschen, als wäre ihr Körper in einen ätherischen Zustand übergegangen. Sie hebt die Hände und drückt sie gegen seine Brust.

»Das wird alles sehr fremd für dich sein«, sagt er, ein Versuch, sie zu warnen.

»Dann soll es fremd sein«, erwidert sie. »Ich will es fremd.«

Er versucht, den Kragen ihrer Bluse aufzuknöpfen, kommt aber mit den winzigen Perlmuttknöpfen nicht zurecht. Sie tritt einen Moment von ihm zurück und öffnet mit eigener Hand den Kragen, voll Ungeduld, wieder in diese schwerelose Welt einzutauchen, die nicht Vorspiel, nicht Nachspiel, nicht Ablenkung ist, sondern ein allumfassendes Universum.

Sein Atem geht jetzt schneller, vielleicht auch ihrer. Sie umarmen sich ungeschickt. Sie stößt mit dem Rücken gegen eine Ecke der Sofalehne und erstarrt. Ihre Kleider scheinen ihr unpraktisch, überall Knöpfe und Haken. Er schlüpft mit einer einzigen geschmeidigen Bewegung aus seiner Jacke. Ihre Bluse ist offen bis zum Schlüsselbein.

»Ich möchte mich niederlegen«, sagt sie.

Wenn das alles niemals gelehrt wird, woher weiß der Körper dann, wie er sich zu bewegen, welche Haltung er einzunehmen hat? Es muß etwas wie Instinkt sein – ja, natürlich, es ist Instinkt –, ein Gefühl des Körpers für das Praktische. Nie hat jemand Olympia den Liebesakt erklärt, sie hat keine Bilder gesehen und keine Beschreibungen gelesen. Selbst das ungebildetste Bauernmädchen hätte mehr darüber gewußt.

Sie geht allein ins Schlafzimmer, in den Raum, in dem Haskell und seine Frau vor kurzem noch beieinander gelegen haben. Das Bett, das in Eile verlassen wurde, ist zerwühlt. Es gibt jetzt keine Spuren mehr von Catherine, auch nicht von den Photographien, die auf der Truhe gelegen haben. Olympia zieht ihr Kleid und ihre Strümpfe aus, ihr Korsett und ihren Unterrock. Nur noch in Schlüpfer und Hemd legt sie sich nieder und deckt sich zu.

Haskell kommt ins Zimmer und bleibt am Fußende des Bettes stehen. »Wenn du wüßtest, was für ein Anblick du für mich warst«, sagt er.

Sie sieht ihm zu, wie er den Kragen abnimmt und sein Hemd aufknöpft. Sie sieht zum erstenmal in ihrem Leben einem Mann beim Auskleiden zu. Sie bemerkt, wie er mit seinen Manschettenknöpfen kämpft, mit welcher Erleichterung er sein Hemd ablegt, als befreite er sich von einem Joch. Sie fühlt sich seltsam, und sie fröstelt unter der Satindecke, bang bei der Vorstellung, einen Mann nackt zu sehen. Doch dazu kommt es an diesem Tag nicht. Haskell legt sich in seiner Unterkleidung zu ihr.

Sie wendet sich ihm zu und schmiegt ihren Kopf in seine Ellbogenbeuge. Sie drückt eine Hand an sein Unterhemd. Eine Zeitlang schweigen sie, beklommen und erwartungsvoll. Es ist nichts Ungestümes in ihren Bewegungen. Obwohl Ungestüm sich bald genug einstellen wird, ist es so, als müßte jede Hinwendung zum anderen mit Überlegung unternommen werden, mit einem klaren Wissen um das, was sie tun.

Er dreht seinen Körper und löst sie aus seinem Arm, so daß sie beinahe unter ihm liegt. »Ich habe dich an dem Tag am Strand gesehen. Du hast mich nicht bemerkt.«

»Ich bin mir nicht sicher.«

»Ich glaube, ich habe dich in diesem Moment schon geliebt. Ja, es muß so sein.«

»Wie ist das möglich?«

»Ich weiß es nicht«, antwortet er, »aber ich bin sicher. Und als ich dich in der Sonnenwendnacht auf der Veranda sah, da hatte ich das Gefühl…« Er sucht nach Worten. »Als hätte ich dich immer schon gekannt. Ich wußte, daß ich dich eines Tages kennen werde.«

»Ja«, sagt sie, denn sie hat es auch empfunden.

»Du kannst nicht ahnen, wie kostbar das ist«, fährt er fort. »Du wirst glauben, daß es immer so ist. Aber das stimmt nicht.«

Er stützt sich auf seine Unterarme. Er küßt sie bedächtig auf den Hals. Als hätten sie unendlich viel Zeit.

»Ich beneide dich«, sagt er. »Ich beneide dich darum, nichts anderes gekannt zu haben.«

Sie spürt den Druck seines Körpers, ein Gewicht, das sich auf sie senkt, während er gleichzeitig ihre Unterkleidung abstreift. Spürt sie Schmerz? Nicht direkt. Keine schrecklichen Schmerzen. Es ist mehr ein Gefühl von Druck und Gewicht, als brande etwas gegen sie an, aber sie wehrt sich nicht dagegen. Sie will ihn in sich aufnehmen.

»Tue ich dir weh?« fragt er einmal.

»Nein«, antwortet sie, um Atem ringend. »Nein.«

Sie ist voll gespannter Erregung. Die Sonne rückt weiter und wirft ein Rechteck heißen Lichts auf die topasfarbene Satindecke, die eher in ein Boudoir wie das ihrer Mutter gehörte als in das Schlafzimmer eines Mannes. Sie sind eingehüllt in die weiche Baumwolle häufig gewaschener Laken – beinahe seidig, beinahe weiß –, und jenseits der Hüllen umgeben von den strengen Mahagonimöbeln: Schrank, Bett, Beistelltische. Die Kleidungsstücke eines Mannes liegen hastig hingeworfen auf einem Sessel und auf dem Boden, dessen Belag ein Teppichmuster hat. Sie blickt hinauf zur salbeigrünen Zimmerdecke.

Erst kurz vor dem Ende, erst am Ende nimmt sie in sich ein Aufwallen wahr, einen ersten Anflug von Lust, einen Vorgeschmack dessen, was sie eines Tages erfahren wird. Seltsamerweise versteht sie diese Prophezeiung im selben Moment, in dem sie zum erstenmal die Stille des Innehaltens wahrnimmt, das rasche Ausstoßen des Atems, und weiß, daß es vorüber ist.

Sein Körper, der drückend auf ihr gelegen hat, wird noch schwerer. Sie hat den Eindruck, er wisse nicht, daß er sie erdrücken wird. Sie verlagert ein wenig ihren Körper, und er gleitet zur Seite. Aber er nimmt sie mit sich, hüllt sie in die Krümmung seines Körpers, wie man das vielleicht mit einem Kind tut, wie er das vielleicht mit seinen Kindern getan hat.

Eine Zeitlang lauscht sie seinen Atemzügen, während er zwischen Wachen und Schlafen dahintreibt, umfangen von einer besonderen Form des Schlafes, die ihr kostbar werden, die beobachten zu dürfen sie als Geschenk empfinden wird.

Mit einem Ruck fährt er in die Höhe.

»Olympia.«

»Ich bin hier.«

»Mein Gott. Es ist unglaublich.«

»Ja«, sagt sie.

»Ich werde nicht sagen, daß es mir leid tut.«

»Nein, das dürfen wir nicht sagen.«

Sie hebt den Kopf, um sein Gesicht sehen zu können. »Ich fühle mich jetzt anders«, sagt sie.

»Wirklich? Es ist nicht nur ...?«

»Nein.« Als könnte sie nie wieder zu dem Mädchen zurückkehren, das sie gewesen ist. »Ich habe nicht einmal genug über das gewußt, um mir Gedanken darüber zu machen«, erklärt sie. »Ich hatte keine Ahnung. Überhaupt keine.«

»Erschreckt es dich?«

»Nein. Es erscheint mir wie ein Wunder. Eins zu werden. Auf diese Weise.«

»Es ist ein Wunder mit dir«, sagt er. »Ja, mit dir ist es ein Wunder.«

»Ich sollte gehen«, meint sie. »Bevor das Zimmermädchen kommt.«

Es scheint ihn traurig zu machen, daß sie so schnell die Kunst der Täuschung erlernt hat. »Noch nicht.«

Sie bleiben liegen, bis sie Schritte im Korridor hören. Widerstrebend steht Haskell auf und läßt dabei seine Hand an ihrem Arm heruntergleiten, als könnte er es nicht ertragen, sich von ihr zu trennen. Er kleidet sich sehr langsam an und wendet keinen Blick von ihr. Erst als sie draußen Stimmen hören – einheimischen Dialekt, die Zimmermädchen –, reißt er sich aus seiner Saumseligkeit und beendet seine Toilette zügiger. Er geht aus dem Zimmer und kehrt mit einem Handtuch zurück, das er Olympia reicht. Sie wird sich plötzlich des Unangemessenen ihrer Situation bewußt – Haskell voll bekleidet, sie nackt im Bett.

»Du wirst das brauchen«, sagt er und neigt sich über sie, um sie zu küssen.

Er zieht sich in den Salon zurück und schließt die Tür, damit sie sich in Ruhe ankleiden kann. Als sie aus dem Bett steigt, sieht sie an ihren Beinen und auf den Laken, wozu das Handtuch gedacht ist. Das viele Blut erschreckt sie. Auch das hat sie nicht gewußt. Aber er hat es gewußt. Natürlich. Er weiß alles, was man über solche Dinge wissen kann.

Er kommt wieder ins Zimmer, als sie ihre Stiefel zuknöpft. Sie richtet sich auf und sieht ihn über das Bett hinweg an, bemerkt im selben Moment, daß sie den Fleck auf dem Laken nicht bedeckt hat. Er öffnet den Mund, um etwas zu sagen, aber sie bedeutet ihm mit einer Handbewegung zu schweigen. Der Moment verlangt Haltung, obwohl sie nicht weiß, wie diese Haltung aussehen soll. Sie ist nicht eigentlich verlegen, aber sie möchte nicht darüber sprechen. Nein, sie möchte ganz gewiß nicht darüber sprechen. Ohne Hast beugt sie sich über das Bett und zieht die topasfarbene Seidendecke bis zu den Kopfkissen hinauf. Sie ist sicher, daß sie beide in diesem Moment an die Geburt denken, der sie beigewohnt haben.

Zusammen gehen sie zur Tür. Es hat etwas Beschämendes, denkt sie, daß er zurückbleiben muß, während sie geht. Es ist kaum möglich, etwas zu sagen. Sie ist froh, daß er es nicht für nötig hält, Pläne für ein Wiedersehen zu machen. Ihr ist klar, daß es ganz von selbst dazu kommen wird, denn eine Trennung ist jetzt nicht mehr möglich.

An der Tür küßt er sie. Sie tritt aus dem Zimmer in den Korridor hinaus. Von allen Seiten sind Stimmen zu hören, als wäre die Welt ringsum nun wach geworden: das schrille Organ einer Frau, scharf und insistierend; das gedämpfte, abfällige Lachen eines Mannes. Die Luft hat sich verändert, trägt jetzt einen Geruch nach Orangen mit sich. Hinter sich hört sie Haskell die Tür schließen.

Auf schwachen Beinen geht sie die Treppe hinunter. Sie

überlegt flüchtig, was Haskell mit dem blutigen Handtuch tun wird. Sie sieht sich im Vorbeigehen in einem Spiegel im Korridor und bemerkt erstaunt, daß ihr Mund verwischt und konturlos ist. Nicht bereit, sich zur Hintertür hinauszuschleichen wie eine Diebin, beschließt sie, der Welt mutig zu begegnen und durch die Halle zu gehen, aber sie spürt, daß ein Dutzend Augenpaare sie mustern. Sie vermutet, daß der Mann am Empfang sich über ihr Erscheinen wundern wird, da sie doch Dr. Haskell in die Klinik hätte begleiten sollen. Hotelgäste, die zum Frühstück heruntergekommen sind und an der Tür zum Speisesaal auf Familienmitglieder oder Freunde warten, sehen sie an, als sie vorübergeht. Hotelangestellte, beladen mit frischer Wäsche, eilen durch die Halle und werfen Blicke auf sie. Sie erreicht endlich die Veranda, wo sie einen Moment neben einem Korbsessel stehenbleibt, um Kraft zu sammeln, bevor sie sich die steile Treppe hinunterwagt. Die Sonne steht noch hoch, aber das Licht ist gedämpft. In der Ferne erkennt sie Hummerfischer in ihren Booten, damit beschäftigt, ihre Bojen zu überprüfen.

»Miss Biddeford?«

Erschrocken fährt sie herum, und der Schrecken muß ihr im Gesicht stehen, denn Zachariah Cote legt ihr sogleich die Hand auf den Arm, als wollte er sie stützen.

»Es war nicht meine Absicht, Sie zu erschrecken«, sagt er.

Cote, in einer gewürfelten Weste, mit eingefallener Brust, die ihm etwas Duckmäuserisches verleiht, ist wie eine Erscheinung aus einer Welt, die sie hinter sich gelassen hat und nicht wieder betreten möchte.

»Tja, man begegnet sich an den seltsamsten Orten«, bemerkt er liebenswürdig.

»Wie meinen Sie das?« Sie tritt einen Schritt zurück.

Er aber kommt sogleich wieder näher. »Nun, ich bin sicher, daß ich Sie am Abend des vierten Juli in einem Wagen am Straßenrand gesehen habe. Draußen im Sumpfgelände.«

Er schiebt eine Hand unter einen Ellbogen und stützt das Kinn auf die gekrümmten Finger der anderen Hand, betrachtet sie mit einer Dreistigkeit, die bewirkt, daß sie sich plötzlich nackt fühlt, entblößt auf ganz andere Art als vor wenigen Augenblicken mit Haskell. Sein Blick ist so frech, sein Lächeln so durchtrieben, daß sie ihm am liebsten ins Gesicht schlagen würde.

»Nein, das ist ganz ausgeschlossen«, entgegnet sie.

»Dann habe ich mich getäuscht«, sagt er, ohne im geringsten reuig zu wirken. »Aber was in aller Welt haben Sie hier zu tun?« Er wirft demonstrativ einen Blick auf seine Uhr. »Zu dieser frühen Stunde! Ich wollte gerade zum Frühstück hineingehen. Ich habe einen Spaziergang gemacht. Wollen Sie mir nicht Gesellschaft leisten?«

»Nein, das kann ich nicht«, sagt sie kurz.

Er hebt eine Augenbraue. Sie läßt ihn einfach stehen, geht die Treppe hinunter und weiter zum Meer, das sich unter einer dichter werdenden Wolkendecke taubengrau zu färben beginnt.

# 9

Olympias Vater frühstückt im allgemeinen allein oder, wenn andere zugegen sind, in ein Buch vertieft, das neben seinem Teller liegt. Am Morgen nach Olympias Besuch bei Haskell jedoch blickt er auf, als sie ins Frühstückszimmer tritt, und beobachtet sie aufmerksam, während sie sich an ihren Platz setzt und die Serviette auf ihrem Schoß ausbreitet. Am liebsten würde sie ihm sagen, er möge aufhören, sie so anzustarren, aber das hieße dem Ungewöhnlichen Anerkennung verleihen und sich ungehörige Freiheiten herausnehmen. So wünscht sie ihm statt dessen einen guten Morgen und schenkt sich eine Tasse

Tee ein. Als sie es schließlich wagt, den Kopf zu heben und ihn anzusehen, erkennt sie, daß sein Blick nicht Ärger ausdrückt, sondern etwas wie eine leichte Verwirrung, als müßte er sich vergewissern, daß das junge Mädchen vor ihm keine Betrügerin ist, wie man denken könnte.

»Olympia, du siehst blaß aus«, bemerkt er, »fühlst du dich auch wohl? Du machst mir manchmal Sorgen. Ich war vor allem gestern abend beunruhigt, als du zum Essen nicht heruntergekommen bist.«

»Es geht mir gut«, versichert sie, den Blick auf ihren gefüllten Teller gesenkt. Ein Heißhunger hat sie jetzt überfallen, und der Himbeerkuchen sieht besonders verlockend aus. »Du machst dir zu viele Gedanken. Wirklich, Vater, ich fühle mich ganz wohl. Wenn es mir nicht gutginge, würde ich es sagen.«

Er trinkt einen Schluck Tee.

»Nun, du warst immer ein verständiges Kind«, meint er. »Das ist ein hübsches Kleid.«

»Danke«, sagt sie.

»Ach, übrigens, ich habe vor, ein Fest zu geben, auch zur Feier deines sechzehnten Geburtstags.«

»Ein Fest? Hier?«

»Deine Mutter und ich sind sehr stolz auf dich, Olympia, und ich mache mir für deine Zukunft die schönsten Hoffnungen.«

Das Wort »Zukunft« trifft sie wie ein Mißton, der Unbehagen auslöst, dennoch nickt sie. »Ich danke dir«, sagt sie.

»Ich habe zudem einen Brief von Reverend Hale bekommen, Edward Everett Hale, der schreibt, daß er voraussichtlich um diese Zeit besuchsweise in unsere Gegend kommt. Ich denke an ein Abendessen mit Tanz. Vielleicht am zehnten August. Hundertzwanzig Gäste, was meinst du? Viele Bostoner natürlich, die den Sommer hier verbringen, dazu Philbrick und Legny. Ja, das wäre doch eine hübsche Abwechslung. Aber das heißt natürlich, daß du Hales Essays bis dahin gelesen haben mußt. *Der Mann ohne Land* kennst du doch sicher schon?«

»Ja, Vater.«

»Und ich werde auch die Haskells einladen, da ich weiß, daß John sehr gern Hales Bekanntschaft machen würde. Haskells Haus soll ja um diese Zeit fertig werden, soviel ich weiß. Ich kann mir vorstellen, daß er froh sein wird, nicht mehr tagtäglich im Hotel essen zu müssen.«

»Der zehnte ist schon in drei Wochen«, wirft Olympia ein.

»Ja, da bleibt nicht mehr viel Zeit. Die Einladungen müssen spätestens übermorgen abgeschickt werden. Wir beide stellen heute nachmittag eine Gästeliste zusammen. Und deine Mutter wird uns beim Schreiben der Einladungen sicherlich behilflich sein.«

»Ja, natürlich«, sagt Olympia.

Die Pläne ihres Vaters erfüllen sie mit Beklommenheit und freudiger Erregung zugleich: Beklommenheit, weil es quälend und schwierig sein wird, Haskell zu sehen und doch nicht mit ihm zusammensein zu können. Freudige Erregung, weil jede Gelegenheit, ihn zu treffen, wenn auch im Kreis vieler Menschen, ein Geschenk für sie ist.

»Wenn du Freunde hast, die du gern einladen würdest...«, meint ihr Vater und blickt ihr wieder prüfend ins Gesicht.

»Nein, da gibt es niemanden«, sagt sie.

Er nickt. »Ich werde gleich einen Brief schreiben. Josiah soll ihn Haskell bringen, denn ich muß wissen, ob ihm und Catherine der Termin paßt. John würde mir wahrscheinlich nie verzeihen, wenn ich Hale zu Gast in meinem Haus hätte, und er die Gelegenheit, ihn kennenzulernen, nicht wahrnehmen könnte. John und Hale interessieren sich, soviel ich weiß, beide außerordentlich für Automobile.«

»Laß mich hinübergehen«, schlägt Olympia impulsiv vor. »Ich habe Lust auf einen Spaziergang.«

Beide wenden sich zum Fenster, um nach dem Wetter zu sehen, das nicht besonders einladend wirkt. Aber sie weiß, daß ihr Vater ihrem Vorschlag zustimmen wird, da ihm ihre Leibeserziehung beinahe so sehr am Herzen liegt wie ihre geistige Bildung.

»Gut«, sagt er dann auch. »Ein Spaziergang ist nach einem ausgiebigen Frühstück genau das richtige. Aber gib den Brief am Empfang ab. Es wäre mir nicht recht, wenn Haskell den Eindruck gewänne, ich müßte meine Besorgungen von meiner Tochter erledigen lassen.«

»Natürlich«, versichert sie und nimmt sich ein zweites Stück Himbeerkuchen. Ihr Appetit ist kaum zu stillen.

»Ein bemerkenswerter Mann, findest du nicht auch?« fragt ihr Vater.

»Er ist mir sehr sympathisch.«

»Ich meinte Hale«, sagt er.

Unter der gleichmäßigen Wolkendecke gibt es keine Schatten, so daß die Landschaft konturlos erscheint, von einer farblosen Monotonie. Noch gestern war das Wasser leuchtend dunkelblau, die Strandrosen sattrote Tupfer. Heute ist dasselbe Stück Land wie ausgeblutet, das Meer grau, das Rot der Rosen blaß.

Sie trägt den Brief ihres Vaters in der Tasche, ihre Stiefel in der Hand. Sie stellt sich vor, wie erfreut Haskell sein wird, wenn sie ihm den Brief auf sein Zimmer bringt. Aber dann kommt ihr ein anderer Gedanke: Er könnte befremdet sein oder anderweitig beschäftigt. Sie weiß nichts über seine beruflichen Verpflichtungen, kennt nicht seine täglichen Gewohnheiten.

Auf der Hotelveranda sind nur wenige Gäste, eine strickende Frau, die Olympia einen freundlichen Blick schenkt, als sie die Treppe heraufkommt, und eine Gouvernante mit einem kleinen Kind. Olympia tritt durch die Flügeltür in die Halle, zieht den Brief aus der Tasche und reicht ihn dem Angestellten hinter dem Empfangstisch, zum Glück ein anderer als der, den sie in der Frühe getroffen hat.

»Ah, für Dr. Haskell«, bemerkt der Mann mit einem Blick auf

den Umschlag. »Er ist im Speisesaal beim Frühstück, Miss…
Ich werde ihm den Brief sofort bringen lassen.«

Er winkt dem Hoteldiener und übergibt ihm den Brief.

»Vielen Dank«, sagt Olympia.

Sie geht auf die Veranda hinaus und bleibt an das Geländer gelehnt stehen. Sie richtet ihren Blick auf den Ozean, aber sie sieht nichts. Sie hört Haskells Schritte hinter sich, noch ehe dieser etwas sagt.

»Das ist mehr, als ich zu hoffen gewagt hätte«, sagt er leise. Er trägt ein blaues Hemd und dazu eine graue Leinenweste. Sein Haar ist feucht, noch von den Linien durchzogen, die die Bürste hinterlassen hat.

Olympia dreht sich zu ihm. Unwillkürlich tritt Haskell einen Schritt auf sie zu und hebt die Hand, als wollte er sie berühren. Im letzten Moment hält er inne. Dennoch verrät er sich gleich darauf durch seinen Blick hinüber zu der strickenden Frau.

»Olympia«, sagt er.

Sie kann ihn nicht bei dem Namen nennen, den sie in so liebevollem Ton aus dem Mund seiner Frau vernommen hat.

»Du wolltest wohl gehen«, bemerkt sie mit einem Blick auf seinen Mantel und den Koffer.

»Ja, ich muß in die Klinik.« Er tritt noch etwas näher. »Ich habe so sehr an dich denken müssen«, sagt er so leise, daß nur sie ihn hören kann. »Es ist eine Qual, aber es ist eine Qual, die ich ersehnt habe. Das kann ich nicht leugnen.«

Sie möchte ihm so vieles sagen, aber sie kann es nicht in Worte fassen.

Er mißversteht ihr langes Schweigen. »Du verabscheust mich«, sagt er. »Du bist gekommen, um mir das zu sagen.«

»Nein«, antwortet sie klar. »Ich verabscheue dich nicht. Ich bin unglaublich froh.«

Wieder wirft er einen Blick zu der Strickenden, die jetzt dabei ist, ihr Werk wieder aufzutrennen. Er faßt Olympia am Ellbogen und geleitet sie die Treppe hinunter. Sie überläßt sich bereitwillig seiner Führung. Sie gehen um das Hotel herum zu einem kleinen eingezäunten Garten. Hier steht eine Bank, an der ein Fahrrad lehnt. Sie sind allein, allerdings vom Hotel aus noch zu sehen. Sie setzen sich auf die Bank. Er streicht mit der Hand über ihren Rock, vom Knie zur Hüfte hinauf, und läßt sie in ihrem Schoß liegen. Sie drückt ihre Hand auf die seine. Ein Zimmermädchen geht an dem kleinen Garten vorbei.

»Das ist Wahnsinn«, sagt er und zieht widerstrebend seine Hand zurück.

Eine Zeitlang schweigen sie. Dann fällt ihm der Brief von ihrem Vater ein.

»Diese Einladung«, sagt er, das Schreiben aus der Tasche ziehend. »Was ist das für ein Fest? Ist das dein Geburtstag?«

»Nicht genau an dem Tag«, antwortet sie.

Er liest den Brief noch einmal und steckt ihn wieder ein. Sie hat den Eindruck, daß er gerade in diesem Moment nicht an ihr Alter erinnert werden möchte.

»Du kannst natürlich nicht −«, beginnt Olympia.

»Aber ich muß Catherine von dieser Einladung unterrichten, denn sie wird auf jeden Fall davon hören«, sagt er. »Sie wird kommen wollen. Es wird vielleicht noch häufig geschehen ...«

»Es ist noch so weit weg«, sagt Olympia. »Ich kann jetzt nicht daran denken. Mein Vater sagt, daß euer Haus bis dahin fertig sein wird.«

Er nickt.

»Ich würde gern einmal sehen, wie es vorangeht.«

Er sieht sie seltsam an. »Ich kann nicht über Alltägliches mit dir sprechen, Olympia. Es ist so, als hätte ich über Nacht alle Gewohnheit des Alltäglichen verloren. Das einzige, worüber ich nachdenken und sprechen möchte, bist du. Warum sollten wir an dieses Haus denken, in dem ich ohne dich werde leben müssen?«

»Weil es die Wirklichkeit ist«, erwidert sie. »Weil das Haus eines Tages fertig sein wird.«

Er scheint überrascht, daß sie schon daran denkt. »Wenn ich nur einen Funken Ehre im Leib hätte, würde ich dich wegschicken. Wenn deine Ehre mir wichtig wäre.«

Seine Worte bringen sie aus der Fassung. »Was spielt Ehre hier für eine Rolle?« fragt sie.

Er schüttelt den Kopf. »Keine, keine«, antwortet er. »Überhaupt keine. Du erstaunst mich immer wieder, Olympia.«

Sie wendet sich ab. Nebel wälzt sich vom Meer her über den Rasen.

»Ich habe einen Brief geschrieben«, sagt Haskell. »Ich habe ihn für mich selbst geschrieben. Er war nicht für dich bestimmt. Er ist auch noch nicht fertig, es ist alles nur Gekritzel. Ich habe nie daran gedacht, ihn dir zu geben, aber jetzt möchte ich es, ganz gleich, wie unvollkommen das ist, was ich geschrieben habe.«

Er greift in seinen Koffer und entnimmt ihm ein Kuvert. Einen Moment hält er es in der Hand, dann übergibt er es ihr. »Ich muß jetzt gehen«, sagt er mit einem Blick auf die Uhr. »Ich werde in der Klinik erwartet.«

Ein Junge kommt in den kleinen Garten und stellt schüchtern sein Fahrrad ab. Wahrscheinlich ein Page, denkt Olympia, oder ein Stallbursche. Vielleicht ist dies der Garten für die Angestellten.

Haskell steht abrupt auf. »Ich wünschte, es wäre nicht so, wie es ist, Olympia«, sagt er erregt. »Ich wünschte, ich wäre es, der zu dir kommen kann.«

Olympia erhebt sich ebenfalls. »Es lohnt sich nicht, etwas zu wünschen, was nicht sein kann«, sagt sie.


Absichtlich langsam geht Olympia am Wasser entlang durch den dichter werdenden Nebel nach Hause. Leise stiehlt sie sich in ihr Zimmer hinauf. Aber sobald sie die Tür hinter ich geschlossen hat, reißt sie das Kuvert auf. In späteren Jahren wird sie sich dieses Moments als einer einigermaßen komischen Szene erinnern: wie sie da auf ihrem Bett hockt, ein Häufchen

Ungeduld, den Hut noch auf dem Kopf, und hastig den Brief-
umschlag aufreißt.

Sie liest:

*14. Juli 1899*

   *Meine liebste Olympia,*

   *wenn je ein Mensch gefühlt hat, wie seine Seele sich auflöste und
mit der eines anderen verschmolz, so ist mir das heute mit Dir widerfahren. Warum das so ist, kann ich nicht sagen. Diese Liebesbeziehung,
in die wir uns hineinbegeben haben, ist aus unendlich vielen Gründen,
die ich gar nicht alle aufzählen mag, ein Unheil. Du bist so jung, und
ich bin es längst nicht mehr. Du hast noch Dein ganzes Leben vor Dir,
und ich habe diesem Leben nicht wiedergutzumachenden Schaden zugefügt. Vergib mir, Olympia. Nein, tu es nicht. Man kann nicht für
etwas, was man nicht bereut, um Vergebung bitten; und ich kann nicht,
weder als Mann noch als Liebhaber, die kostbaren Momente bereuen,
die ich mit Dir verbringen durfte.*

   *Ich war immer der Überzeugung, nicht der Mensch zu sein, dem eine
große Leidenschaft widerfahren kann, ich dachte, solche Zustände
wären Fiktionen, von Leuten erfunden, die aus einem natürlichen körperlichen Vorgang unbedingt mehr machen wollen als nötig oder auch
ratsam. In der Tat habe ich mich oft zu meiner Ausgeglichenheit in diesen Dingen beglückwünscht, ebenso wie zu meiner Verbindung mit
Catherine, die niemals eine Neigung zu starker Leidenschaftlichkeit
gezeigt hat. Es tut mir leid, wenn ich Dich beleidige, indem ich Dir so
freimütig schreibe. Gott weiß, daß ich, wenn es möglich wäre, auch Catherine um Vergebung bitten würde, da ich sie auf diese Weise bloßstelle.
Aber so sicher, wie ich weiß, daß sie über meinen Verrat fassungslos
wäre, so sicher weiß ich auch, daß sie keine Bitte um Vergebung gelten
lassen würde.*

   *Geliebte Olympia, mein Leben ist auf den Kopf gestellt, seit ich
Dich an jenem Tag am Strand gesehen habe. Du hast mich nicht be-
merkt, aber ich habe Dich bemerkt: eine junge Frau in einem rosa
Kleid, die vor Leben sprühte. Du gingst barfuß durch den Sand, und*

*jeder Mann auf diesem Stück Strand beobachtete und begehrte Dich. Später, auf der Veranda, als wir einander das erstemal begegneten, verspürte ich bei Deinem Anblick eine tiefe Erschütterung, als wären wir seit langem miteinander vertraut.*

*Bisher war mein Leben erfüllt von Selbstzufriedenheit und Stolz auf meine Arbeit, vom Dienst an der Gemeinschaft und von der Freude an meiner Familie; aber das alles hat jetzt an Wert verloren. Es ist nicht genug. Nein. Es wird nie wieder genug sein. Wie soll ich mir das selbst, geschweige denn Dir erklären? Dir, die Du noch so jung bist und Deine Reise kaum begonnen hast?*

*Ich habe mir stets geschmeichelt, ein instinktives Verständnis für all jene Dinge zu besitzen, die den Körper angehen, tatsächlich jedoch habe ich gar nichts verstanden, nicht das geringste. Ich glaubte, mich gut zu kennen – mein Leben war von Gewohnheit geregelt –, aber heute muß ich mir eingestehen, daß ich mir selbst ein Fremder bin, ein völlig Unbekannter. Wie selbstgefällig ich war, wie selbstgerecht…*

*Und wie ungewöhnlich alles an Dir für mich ist. Du besitzt schon jetzt in hohem Grade die Fähigkeit, dem anderen, und ich denke, auch Dir selbst, Genuß zu schenken, etwas, was man von Catherine nicht sagen kann. Trotz ihrer Liebe zu mir und trotz ihres Wunsches, anderen gefällig zu sein, versteht sie es nicht, sich selbst gefällig zu sein. Ich glaube allerdings, daß diese Tatsache Catherine keinen großen Kummer bereitet. Wenn so etwas eine Gegebenheit ist, weiß man nicht, was einem fehlt… aber ich glaube, ich habe erst heute erkannt, wie ungeheuer wichtig die Lust der Frau für die des Mannes ist (und daß es umgekehrt natürlich genauso sein muß).*

*Bereue nicht, was Du getan hast, Olympia. Schäme Dich nicht. Was sage ich? Ich weiß ja schon – und das gehört zu den Dingen, die mich an Dir so erstaunen –, daß Du es nicht tust und nicht tun wirst. Jedenfalls nicht, was dies betrifft. Anderes mag Dich vielleicht mit Reue und Scham erfüllen, aber dies nicht. Oder sollte das wiederum Selbsttäuschung von mir sein, Wunschdenken? Nein, das glaube ich nicht. Ich glaube vielmehr, daß Du Dir im klaren bist über das, was Du tust. Oder bin ich so sehr in einem Wahn befangen, daß ich nur sehe, was ich zu sehen wünsche? Daß ich wünsche, und daher glaube, Du wärst über Deine Jahre reif und verfügtest über eine Kenntnis Deines Körpers, die viele Frauen ihr Leben lang nicht erwerben?*

*(Es ist nicht meine Absicht, zu behaupten, daß Du heute an Deinen eigenen Genuß gedacht hast oder daß unsere Vereinigung Dir Lust bereitet hat, aber eines Tages wirst Du diese Sinnenlust erfahren, dessen bin ich gewiß.)*

*Verzeih mir, Olympia. Verzeih mir, daß ich von Dir annehme, was mir nicht gebührt.*

*Wie unbesonnen das alles ist. Wie gefährlich.*

*Ich lernte Catherine im zweiten Jahr meiner ärztlichen Tätigkeit kennen und war tief beeindruckt von ihrer inneren Ruhe und ihrer Empfindsamkeit. Ihr Vater ist methodistischer Geistlicher, und ein Mann von bescheidenem Auskommen, aber ein gelehrter und liebenswürdiger Mann, dessen Wertschätzung mir etwas bedeutete. Wie sehr würde dieser Mann mich heute verachten, wenn er die Wahrheit wüßte! Es besteht nämlich unter Männern, zwischen Vater und Bräutigam, ein stillschweigendes Einverständnis über gewisse Aspekte im Leben eines Mannes, über die nicht offen gesprochen wird, schon gar nicht in Gegenwart der Frau; darum muß es ein Vertrauen von Mann zu Mann geben, der Vater muß sich darauf verlassen können, daß die Tochter, die zukünftige Ehefrau, nicht verletzt werden wird. Dieses Vertrauen ist etwas Heiliges. Catherines Vater hat es mir entgegengebracht, und ich empfand es als meine Pflicht, es zu rechtfertigen. Daher bereitet es mir nun die schlimmsten Qualen, dieses Vertrauen verraten zu haben.*

*Ich kann darüber nicht schreiben.*

*Ich hatte die Absicht, Dir, der ich alles sagen möchte, zu erklären, wie meine Liebe zu Catherine, mein Wunsch, sie zur Frau zu nehmen, sich entwickelte. Ich hatte häufig Gelegenheit, sie in ihrer Rolle als Betreuerin ihrer Nichten, deren Mutter, Gertrude, sehr jung an Tuberkulose gestorben ist, zu beobachten. Ich bewunderte ihre Art, mit den Kindern umzugehen, und sah in ihr die ideale Mutter. Du wirst das opportunistisch finden, und das war es wohl auch; aber auch sie muß gewisse sachliche Erwartungen an meine Person geknüpft haben,* denn ich glaube nicht, daß sie von Liebe zu mir überwältigt war, als wir heirateten – was sie für mich empfand, war eher frohgemute Zuneigung, keine schlechte Voraussetzung für eine gute Ehe.

(Jetzt aber werde ich wünschen, sie wäre Du. Jede Minute. Aus diesem Grund, und ebenso wegen des Geheimnisses, das ich in meinem Herzen trage, bangt mir vor ihrer Rückkehr am Freitagabend.)

Warum, frage ich mich, muß Leidenschaft, wenn sie außerhalb der Ehe erlebt wird, so ganz und gar unrecht sein? Das ist die Frage, die mich quält. Wie kann etwas, was so wahr, so aufrichtig und so rein ist, denn nur so kann ich mein Gefühl für Dich beschreiben, und ich behaupte, daß es Liebe ist, die ich nach so kurzer Zeit nie für möglich gehalten hätte (ach, wie sehr habe ich mich hier wieder getäuscht) – wie kann ein solches Gefühl so schändlich sein, solche Seelenpein bereiten? Und, schlimmere Pein, nicht zu einem glücklichen Ausgang führen? Niemals… niemals…

Ich kann nicht leugnen, daß ich mit Catherine alle Vertrautheit gepflegt habe, die zwischen Ehegatten möglich ist, und daß sie stets generös war. Warum also – warum – war mir das nicht genug? Ich suche nach einer vernünftigen Antwort, wo Vernunft nicht zählt. Ich suche nach einer wissenschaftlichen Erklärung, wo Wissenschaft nichts ausrichten kann.

Oder ist es möglich, daß eine Beziehung, wie ich sie jetzt mit Dir begonnen habe, ihren Ursprung in einer Wissenschaft eigener Art hat? In eigenen physikalischen Gesetzen und Formeln? Werden wir vielleicht eines Tages dieses uns verblendende Gefühl namens Leidenschaft definieren und quantifizieren und uns so vor dieser ausweglosen Qual bewahren können?

Aber könnte ich das denn wünschen? Könnte ich wirklich wünschen, daß diese Verzückung, dieses Mysterium quantifiziert und also gezähmt wird?

Ich muß aufhören, denn dies sind Wahnvorstellungen, gefährliche Wahnvorstellungen, die mich erschöpfen.

Ich bin kein Schriftsteller, sondern Arzt, ein Arzt, der von einer so umstürzlerischen Krankheit befallen ist, daß der Patient keine Heilung wünscht.

Olympia läßt die beschriebenen Blätter zu Boden fallen. Sie bedeckt ihr Gesicht mit dem Rock ihres Kleides und verweilt lange Zeit in dieser Haltung.

Noch nie hat sie einen solchen Brief gelesen. Und doch versteht sie jeden Gedanken darin so genau, daß sie das Gefühl hat, sie könnte ihn, bis auf die eingefügte persönliche Geschichte, selbst geschrieben haben.

Sie läßt ihren Rock herabfallen. Mit einer ungeduldigen Geste zieht sie die Bänder ihres Hutes auf.

Mein Gott, denkt sie. Was haben wir getan?

Es gibt jetzt keinen Zweifel mehr daran, daß sie eine Entwicklung in Gang gesetzt hat, die nicht mehr rückgängig zu machen ist; daß sie in unverzeihlicher Weise diesen Mann und seine Familie verletzt, das Vertrauen ihres Vaters und die Güte einer Frau mißbraucht hat. Sie kann nur noch das Schlimmste verhindern, indem sie dafür sorgt, daß Haskell sie vergißt, damit dieser Wahnsinn ein Ende hat. Dieser Wahnsinn, von dem sie selbst erfaßt ist und für den sie jetzt die Verantwortung tragen muß.

Sie gelobt sich, Haskell nie wiederzusehen, ihm nicht zu gestatten, ihre Nähe zu suchen. Und wenn er ins Haus kommt, sagt sie sich, werde ich mich zurückziehen.

Wie rücksichtslos sie gewesen ist, wie egoistisch, einzig um ihr eigenes Glück besorgt, ohne auch nur einen Gedanken an die Konsequenzen zu verschwenden. Sie weiß, daß sie ihren Vater für immer verlieren würde, daß er ihr nie wieder trauen würde, sollte er ihr heimliches Treiben entdecken.

Sie legt sich auf ihrem Bett zurück und drückt die Handballen auf ihre Augen. Lange liegt sie so und schläft schließlich erschöpft ein.

Jäh fährt sie aus dem Schlaf und setzt sich auf. Sie geht zum Tisch, auf dem Waschschüssel und Wasserkrug stehen. Sie gießt sich das Wasser über Kopf und Gesicht, trocknet sich ab, mustert sich im Spiegel.

Und so rasch wie ein trockener Holzspan sich entzündet, flammt ihr Begehren wieder auf. Sie vergißt ihren eben gefaßten Vorsatz. Ihre Sehnsucht nach Haskell ist so überwältigend, daß sie hart gegen den Impuls angehen muß, sich zu krümmen wie unter einem Schlag, der sie im Innersten getroffen hat.

Wenigstens, sagt sie sich, sollten sie und Haskell über die in seinem Brief aufgeworfenen Fragen und dargelegten Gefühle sprechen. Sind sie sich das nicht schuldig? Und wenn ein Gespräch von Angesicht zu Angesicht zu gefährlich ist, sollte sie ihm dann nicht wenigstens schreiben? Ja, ja, das sollte sie. Das wird sie jetzt tun, auf der Stelle.

Und später wird sie denken, wie geschickt man sich doch selbst zu täuschen versteht. Denn das Bedürfnis zu antworten hört ja niemals auf. Er ihr und sie ihm, und immer weiter so.

Sie weiß nicht, wie spät es ist. Sie hat keine Uhr in ihrem Zimmer, möchte sich aber gerade jetzt nicht unten sehen lassen. Sie blickt zum Meer hinaus, um an der Farbe von Wasser und Himmel die Stunde zu erkennen, aber über allem liegt noch das gleiche glanzlose Licht wie am Morgen. Ist es Nachmittag? Hat sie das Mittagessen versäumt? Warum hat man sie dann nicht gerufen? Sie schickt sich an, ihr Haar so gut wie möglich zu trocknen, bürstet es aus, steckt es wieder hoch. Dann holt sie Papier und Feder aus der Schublade und setzt sich an den Schreibtisch.

*Mein Herr,*

*und schon verstumme ich, bin sprachlos (was ist das Äquivalent von Sprachlosigkeit, wenn Papier und Feder die Vermittler sind und nicht die Zunge?), denn ich kann Dich nicht Herr nennen und auch nicht John, wie Du von anderen (und ich denke hier an Catherine) genannt wirst. In meinen Gedanken bist Du stets Haskell, laß mich also die Anrede dieses Briefes ändern. Der Gebrauch Deines Nachnamens mag förmlich wirken, aber glaube mir, in meinen Gedanken, die unablässig bei Dir sind, haftet ihm keinerlei Förmlichkeit an.*

*Mein liebster Haskell,*

*was für einen weiten Weg wir in nur wenigen Stunden zurückgelegt haben. Stunden, die wir nicht einmal miteinander verbracht haben, sondern jeder für sich, allein mit seinen eigenen Gedanken und Worten, wie unzulänglich auch immer sie sein mögen. Nachdem ich Deinen Brief gelesen hatte, der mir gerade wegen seiner Spontaneität und seiner Ungeschliffenheit ans Herz rührte, wollte ich eigentlich darauf bestehen, daß wir einander nicht wiedersehen, nicht schriftlich miteinander verkehren und uns auch Begegnungen gesellschaftlicher Art nicht gestatten. Ich hatte mir vorgenommen, Deinen Brief unbeantwortet zu lassen und so alle Bande, die uns verknüpfen, mit einem einzigen grausamen Schlag zu durchtrennen. Aber ich kann es nicht. Im Gegenteil, ich wünsche mir nichts sehnlicher, als bei Dir zu sein.*

*Ich war, das muß ich gestehen, zunächst entsetzt über Deinen Brief, zutiefst erschrocken, daß es so weit mit uns kommen konnte, und ich meine damit nicht nur das körperliche Verlangen, das uns überwältigt hat, ich meine vor allem das weit verzehrendere seelische Verlangen, das uns ergriffen zu haben scheint und nicht mehr loslassen will. Ich möchte Dir sagen, daß ich für das, was geschehen ist, mindestens ebenso große Verantwortung trage wie Du. Niemals, ganz gleich, was zwischen uns geschieht oder was für einen schrecklichen Ausgang die Dinge nehmen – denn wie sollte ein glücklicher Ausgang möglich sein, frage ich wie Du –, werde ich mich als die Verführte betrachten. Ich habe noch kein Alter, gewiß, aber ich habe einen eigenen Willen und Verstand, und obwohl das alles neu für mich war, habe ich es angenommen und hätte es jederzeit abbrechen können. Selbst jetzt kann ich in aller Aufrichtigkeit schreiben, daß ich mit Lust in die Erinnerungen eintauche, und wenn sie auch nur ein schwaches Echo der Wirklichkeit sind, so sind sie mir doch so kostbar, daß ich sie niemals freiwillig aufgeben würde. Dein Bild hat in meiner Seele einen Abdruck hinterlassen wie Licht auf photographischem Papier. Ich weiß schon jetzt, daß niemals ein anderer Mensch mir so teuer sein wird.*

*(Ja, ich war es, die die Photographien auf Deiner Truhe durcheinandergebracht hat. Aber das hast Du ja gleich gewußt, nicht wahr?)*

*Deine Qual ist die größere, denn Du bist mit einer guten Frau ver-*
*heiratet. Und wenn ich auch die Qual teile, wann immer ich an Dich*
*denke, weiß ich doch, daß Du die schwerere Last zu tragen hast, denn*
*ich kann ja nicht wissen, was Du weißt, was Dich über all die Jahre*
*mit ihr verbunden hat. (Die eigentliche Sünde besteht doch in unserem*
*Wissen darum, daß wir ihr großes Leid zufügen, nicht wahr? Nicht*
*einfach darin, daß wir das Bett miteinander geteilt haben, sondern*
*darin, daß wir ihr, allein mit der Niederschrift dieser Worte, wissentlich*
*unermeßliches Leid zufügen.)*

*Ich hege eine tiefe Bewunderung für Deine Arbeit. Ich könnte nie-*
*mals Ärztin werden, denn obgleich mich alles interessiert, was den*
*menschlichen Körper betrifft, besitze ich nicht den Mut, der täglichen*
*Bedrohung von Krankheit und Tod ins Auge zu sehen. Und vor den*
*Seelenärzten habe ich keine große Achtung, da ich der Meinung bin,*
*daß die Seele etwas so Intimes ist, daß sie das Eindringen Fremder*
*nicht gestattet. Ich denke manchmal, ich würde gern Geschichten*
*schreiben oder Gedichte, obwohl meine Fähigkeiten wohl kaum aus-*
*reichen und ich nicht recht weiß, wozu solch ein Unternehmen gut sein*
*sollte. Denn ich bin noch nicht überzeugt davon, daß die Kunst zu*
*Recht als die menschliche Leistung verherrlicht wird, die alle anderen*
*übertrifft. Hat nicht ein einfach gebauter Stuhl mehr Gutes und daher*
*mehr Wert? Oder ein sorgfältig geschneiderter Mantel? Ganz sicher*
*würde die arme Mrs. Rivard so denken. Ich bewundere Dich als*
*Schriftsteller, aber mehr bewundere ich Dich als Arzt, von dessen Kön-*
*nen und von dessen menschlicher Güte ich überzeugt bin.*

*Ja, komm zum Fest meines Vaters. Komm. Teile ihm mit, daß Du*
*kommen wirst. (Und besiegle ich nicht soeben mein Schicksal mit die-*
*ser schwersten Sünde, indem ich die Fortführung dessen, was wir be-*
*gonnen haben, auch noch in Anwesenheit Catherines und meines Va-*
*ters plane?) Aber ich kann nicht aufrichtigen Herzens schreiben, daß*
*ich wünsche, Du kämst nicht. Ich werde nur die Worte mit Dir wech-*
*seln, die der gute Ton verlangt, ich werde Deiner Frau kein Ungemach*
*bereiten. Ich werde zufrieden damit sein, Dich aus der Ferne zu be-*
*trachten und zu wissen, daß wir einander einmal auf die intimste Weise*

*gekannt haben. Schon jetzt ist mir wohl bei dem Gedanken an die*
*stummen Worte, die wir tauschen werden.*

*Immer die Deine,*
*Olympia Biddeford*


Sie liest den Brief mehrmals durch und zwingt den ungezügelten Fluß ihrer Gedanken mit Punkten und Kommas und klarer Handschrift in eine geordnete Form. Nachdem sie das Schreiben in einem Umschlag verschlossen hat, überlegt sie, wie sie es Haskell zukommen lassen kann, und hat schnell einen Plan gefaßt. Sie wird es von Josiah befördern lassen, und wenn Josiah ihrem Vater gegenüber den Auftrag erwähnen sollte, wird sie behaupten, sie habe sich nicht wohl genug gefühlt, den früheren Brief selbst ins Hotel zu bringen, und habe deshalb Josiah gesandt.

Sie verläßt ihr Zimmer, um sich auf die Suche nach dem Diener ihres Vaters zu machen. Am Fuß der Treppe bleibt sie stehen und lauscht in der Hoffnung, an den Geräuschen im Haus die Stunde zu erkennen. Entweder, denkt sie, hat ihr Vater sich hingelegt oder er ist in seinem Arbeitszimmer, und sie geht weiter durch den Flur zur Küche, wo Josiah sein müßte, hoffentlich nicht mit so wichtiger Arbeit befaßt, daß man ihn nicht dazu überreden kann, den Brief zu befördern. Leise tritt sie durch die Schwingtür und sieht vor sich eine erstaunliche Szene.

In der ersten entscheidenden Sekunde – dem Moment, da sie sich noch unbemerkt hätte zurückziehen können – begreift sie nicht, worauf sie unversehens gestoßen ist. Sie erblickt ein groteskes Geschöpf, halb stehend, halb sitzend, Gliedmaßen akrobatisch um einen Leib geschlungen, ein Gestöber derangierter Kleider, zwei Kugeln milchweißen Fleisches, einen zurückgeworfenen Kopf, ein Gesicht, das in krampfartig verzerrtem Lächeln erstarrt ist. Und im nächsten Moment, als sie schon die Schwelle übertreten hat, erkennt sie, daß die stehende Gestalt mit dem ihr zugekehrten Rücken – die aber jetzt ihr Gesicht zu ihr hinwendet, während der Körper nicht aufhören kann, in Stößen zu zucken – Josiah ist und daß die Gliedmaßen, die ihn umklammern, Lisettes Beine sind; das krampfartige Lächeln in Lisettes Gesicht spiegelt die Anstrengung höchster Lust.

Der Liebesakt, wie Olympia ihn mit Haskell erlebt hat, war etwas Fließendes, schien ihr eine geschmeidige Wellenbewegung des Fleisches zu sein. Jetzt aber, aus dem Blickwinkel des unvorbereiteten Zuschauers, wirkt der Akt bestenfalls komisch und schlimmstenfalls brutal. Keine Spur von Liebe oder Zärtlichkeit teilt sich da mit, nur Roheit wie bei der Paarung zweier Tiere. Und Olympia muß sofort an die Roheit des Geburtsvorganges denken, der ebenfalls das Wunder und die Schönheit, die ihm innewohnen, verleugnet.

Olympia eilt aus der Küche. Sie weiß, daß die beiden sie gesehen haben. Voll der Scham, ungewollt zur Voyeurin geworden zu sein, voll der Bestürzung darüber, einen Akt solcher Intimität gestört zu haben, lehnt sie sich in der Anrichte an die Wand. Aber Schreck oder Entsetzen empfindet sie nicht. Und sie ist dankbar dafür, daß sie ihr Wissen um diese Vorgänge aus dem Zusammensein mit Haskell gewonnen hat und nicht aus dem Anblick dieses grotesk häßlichen Zwittergeschöpfes in der Küche. Denn dann hätte ihr die Vorstellung körperlicher Liebe vielleicht für immer nur Abscheu eingeflößt.

Sie schiebt den Brief, den sie immer noch in der Hand hält, in ihren Ärmel und geht auf die Veranda hinaus, um frische Luft zu schöpfen. Ihr Vater ist wahrscheinlich nicht im Haus, sonst hätte Josiah sich solche Freiheit nie genommen. Und plötzlich stürmt, alles andere verdrängend, die Realität des Körpers auf sie ein. Während sie zum Ozean hinausblickt, begreift sie in holperndem gedanklichem Galopp, daß auch ihre Mutter und ihr Vater ein körperliches Leben geteilt haben und immer noch teilen; daß die Räume ihrer Mutter eine so aufdringliche Feminität und Sinnlichkeit ausstrahlen, weil es ihrem Vater so gefällt. Sie denkt an das seidene Nachthemd ihrer Mutter, das jeden Abend auf dem Bett ausgebreitet wird, an die glyzinienblaue Satinbettwäsche, die Kerzen auf dem Nachttisch, die Gefäße mit Räucherwerk, die in Vasen verteilten Blumen, die kunstvollen Frisuren und raffinierten Garderoben, mit denen ihre Mutter sich abends zu schmücken pflegt, die langen Abwesenheiten ihres Vaters, wenn er ihre Mutter nach dem Abendessen in ihre Zimmer hinaufbegleitet. Wenn Haskell und Josiah sexuelle Wesen sind, dann sind es natürlich auch ihr Vater und ihre Mutter.

Nicht bereit, sich weiteren Phantasien über etwas hinzugeben, worüber eine Tochter nicht nachdenken sollte, flieht Olympia vor diesen Vorstellungen und bemerkt im selben Moment eine Gruppe Jungen, die am Strand Ball spielt. Einem plötzlichen Einfall folgend, läuft sie in ihr Zimmer hinauf, nimmt ein paar Münzen aus ihrer Börse und geht hinunter zur Kaimauer. Sie ruft den größten der Ballspieler an, einen Jungen in kurzer Hose, dessen von Salzwasser durchtränktes Haar in der Meeresbrise zu komischen kleinen Skulpturen getrocknet ist.

»Kannst du mir einen Brief befördern?« fragt sie. »Er ist für Dr. Haskell im Highland Hotel. Das kennst du doch?«

»Ja, Miss.«

»Hier ist etwas Geld für deine Mühe. Ich möchte, daß du den Brief gleich hinbringst.«

»Ja, Miss. Danke, Miss.«

Sie reicht dem Jungen Brief und Münzen und sieht ihm nach, wie er, einem Füllen ähnlich, über den harten feuchten Sand nah am Wasser stiebt, so beschwingt wie Merkur persönlich.

## 10

»Ein schrecklicher Brand gestern abend in Rye. Hast du davon gehört?«

»Ein Brand?« fragt Olympia, die auf der Veranda auf dem Boden hockt und versucht, das Schloß des Mahagonikastens mit dem Teleskop zu öffnen, das ihr Vater zu ihrem sechzehnten Geburtstag aus New York hat kommen lassen. Das Instrument soll aufgestellt werden, damit sie Gelegenheit bekommt, das Meer und die Vogelwelt in aufschlußreicher Weise in Augenschein zu nehmen; insgeheim hat Olympia allerdings den Verdacht, daß ihr Vater und seine Gäste sich des Fernrohrs weit häufiger als sie bedienen werden und dabei das Okular vorzugsweise auf die Sommerhäuser richten werden, die, einen flachen Bogen bildend, Fortune's Rocks sprenkeln.

Aber sie kommt mit dem Schloß nicht zurecht.

»Warte, laß es mich einmal versuchen«, sagt ihr Vater und geht neben ihr in die Hocke, ohne darauf zu achten, daß seine Rockschöße über die gestrichenen Dielen schleifen.

»Ein Brand, hast du gesagt?« Sie ist nur mit halber Aufmerksamkeit bei ihrem Bemühen mit dem Schloß und bei den Worten ihres Vaters.

»Ja, ein vernichtender Brand. Im Centennial Hotel, ein uralter Kasten, der seine besten Tage längst hinter sich hat. Wie ich gehört habe, konnte man dort kein Fenster öffnen, ohne Angst haben zu müssen, daß einem die Scheiben entgegenfallen. Die Pagen mußten regelmäßig mit dem Hammer gegen die Rohre klopfen, um die Gäste glauben zu machen, der Heizungsdampf steige auf. – So, da haben wir es.«

Sie entnimmt dem Kasten vorsichtig das Fernrohr aus Holz und Messing, zu dem auch ein Stativ und Zubehör geliefert wurden. Ihr Vater, der sich für materielle Besitztümer nur selten begeistern kann, benimmt sich wie ein Kind, das zu Weihnachten ein neues Spielzeug bekommen hat. Sofort springt er auf und schickt sich an, das Gerät aufzubauen.

Aber wie seine Tochter hat er keine Geduld für Gebrauchsanleitungen und beachtet sie nicht. Die Folge ist, daß er zum Aufbau des aufregenden neuen Geräts doppelt soviel Zeit braucht, als wenn er sich das Beiblatt angesehen hätte.

»Es ist innerhalb einer Stunde niedergebrannt«, berichtet er. »Explodiert wie ein Pulverfaß. Es ist immer wieder das gleiche. Die Gäste rauchen im Bett und schlafen ein, oder das Feuer bricht im Heizungskeller aus. Es ist in diesem Jahr der vierte Hotelbrand.«

»Es hat doch hoffentlich nicht Mr. Philbrick betroffen«, sagt Olympia.

»Nein, Rufus hat bisher Glück gehabt. – Olympia, nun hilf mir doch hier mal. Warum sitzt du einfach da und starrst ins Blaue?«

Kann sein, daß sie seufzt oder sich zu einer Äußerung der Gereiztheit hinreißen läßt.

»Wirklich, Olympia«, sagt ihr Vater, »ich verstehe nicht, was mit dir los ist. Du bist in letzter Zeit so – so – ich weiß auch nicht. Völlig konfus. Ich kann nur hoffen, daß dieser Zustand nicht anhält.«

»Du wirst einen Schraubenschlüssel brauchen«, bemerkt sie und läßt ihren Vater einen Moment allein, um das Werkzeug aus dem Kasten zu holen, der im hinteren Flur steht.

Es ist wahr, sie ist zerstreut und verwirrt. Nicht nur, daß sie auf ihren Brief an Haskell vom Tag zuvor keine Antwort erhalten hat, sie hat auch keine Möglichkeit, in Erfahrung zu bringen, ob er ihn überhaupt bekommen hat. Sie hält es durchaus für möglich, daß der Junge, dem sie das Schreiben anvertraut hat, es einfach ins Meer geworfen und das Geld eingesteckt hat.

»Vater, ich finde, wir sollten hier ein Telephon installieren lassen«, bemerkt sie, als sie mit dem Schraubenschlüssel auf die Veranda zurückkehrt.

»Wozu denn das um alles in der Welt?« fragt er. »Wozu reist man in den Urlaub, wenn nicht, um all dieser teuflischen Erfindungen einmal ledig zu sein?«

»Aber es könnte ein Notfall eintreten. Wie das ja erst vor kurzem geschehen ist. Wir hätten telephonieren und um Hilfe bitten können.«

»Wenn ich mich recht erinnere, hatten wir reichlich Hilfe, und abgesehen von den Verlusten an Menschenleben, die wir nun wirklich nicht verhindern konnten, haben wir unter den gegebenen Umständen sehr ordentliche Arbeit geleistet.«

Olympia läßt sich halb liegend in der Hängematte nieder und sieht ihrem technisch nicht sonderlich begabten Vater beim Aufbau des Teleskops zu. Sie hält es für besser, selbst die Finger davon zu lassen, da ihr technisches Verständnis noch geringer ist als das ihres Vaters. Als das Fernrohr endlich aufgestellt ist, legt er sein Auge an das Okular und dreht an einigen Knöpfen.

»Olympia, komm, das mußt du sehen!« ruft er begeistert.

Sie folgt seiner Aufforderung und drückt ihr Auge an das Glas. Aber sie kann zunächst gar nicht zuordnen, was sie da sieht. Sie tritt kurz zurück und stellt fest, daß das Fernrohr auf den Geländerpfosten der Veranda gerichtet ist. Sich erneut zum Okular hinunterbeugend, hebt sie das Rohr mit einem leichten Schwenk ein wenig an und beobachtet, nachdem sie einen der Knöpfe eingestellt hat, wie aus blau wogenden Massen das Meer wird, aus einem verwischten weißen Farbfleck eine Möwe, aus einem roten Klecks ein auf den Wellen schaukelndes Fischerboot. Der Blick, den das Fernrohr bietet, ist ihrem Auge fremd: Sie kann nur detaillierte Ausschnitte sehen, aus der Wirklichkeit herausgerissen, und es fällt ihr nicht leicht, das große Ganze im Kopf zu behalten. Ihr wird ein wenig taumelig vom Zittern des Bildes, das ständig zwischen scharf und unscharf wechselt, und sie vermutet, daß da noch Justierungen vorgenommen werden müssen. Aber als sie das Teleskop in

Richtung zum Strand schwenkt, wird sie durch einen klaren Blick auf das Sommerhaus der Farraguts belohnt. Die verwitterten Holzschindeln, die ausgesessenen Korbschaukelstühle, das gazefeine Muster der Fliegengitter vor den Fenstern – alles kann sie genau erkennen. Sie erkennt sogar Victorias Mutter, die in einer Ecke der Veranda sitzt; ein offenes Fenster, in dem zwei weiße Stores im Küstenwind flattern; und seitlich vom Haus eine Wäscheleine, an der sich blaßblaue Laken und Kissenbezüge blähen und gleich wieder in sich zusammenfallen.

Sie verabschiedet sich vom Haus der Familie Farragut und schiebt das Auge des Teleskops langsam weiter die Küste entlang, nimmt sich Zeit, um jedes einzelne Haus zu mustern, vermerkt gewisse Besonderheiten, die ihr vorher nicht aufgefallen sind – die Form eines Daches, die Anzahl der Giebelchen –, bis ihr Blick auf der Fassade des Highland Hotels zur Ruhe kommt. Eine Zeitlang betrachtet sie die Veranda, die lange Rasenfläche davor, die Fenster gewisser Zimmer, an denen sie ein Interesse hat. Allenthalben sind Menschen zu sehen, aber die Gestalt, die sie sucht, ist nicht unter ihnen; Haskell, sagt sie sich, muß in der Klinik oder noch in seiner Suite sein. Darum ist sie doppelt verblüfft, als sie hinter sich ihren Vater mit Überraschung und Freude ausrufen hört: »Na, so was! Hallo, John!«

In einem weizenfarbenen Anzug, den Strohhut in der Hand, steht Haskell an der Tür. Einen Moment lang glaubt Olympia entsetzt, er sei gekommen, um ihrem Vater von ihrer heimlichen Affäre Mitteilung zu machen und ihm als Beweis den Brief zu zeigen, den sie ihm geschrieben hat. Aber sobald sie Haskells Augen sieht, die besondere Mischung aus Pein und Hoffnung in seinem Blick, weicht die Furcht.

Er geht auf sie zu und reicht ihr die Hand. »Olympia«, sagt er, »es ist mir ein Vergnügen, Sie wiederzusehen.«

»Ich freue mich auch, Sie zu sehen«, erwidert sie.

Nur widerstrebend läßt er ihre Hand los. »Ihr Vater sorgt dafür, daß Sie Beschäftigung haben.«

»Ich sagte eben zu Olympia, daß sie in diesem Sommer außerordentlich zerstreut auf mich wirkt«, bemerkt ihr Vater.

Haskell sieht ihr forschend ins Gesicht. »In so herrlicher Umgebung«, meint er, »würde ich mich auch ablenken lassen.«

Wohlerzogen richtet Haskell seinen Blick auf das Teleskop, um ihm gebührende Aufmerksamkeit zu zollen. »Was haben Sie denn hier, Biddeford?«

»Es ist heute gekommen«, erklärt ihr Vater mit einigem Stolz.

»Ein sehr schönes Gerät«, stellt Haskell fest. »Darf ich hindurchsehen?«

Er beugt sich zum Okular hinunter und stellt, während er durch den Sucher blickt, die angemessene Schärfe ein.

»Es hat eine hervorragende Auflösung, Biddeford«, bemerkt er und schwenkt das Teleskop ein wenig. »Darf ich Ihnen etwas zeigen? Kommen Sie, Olympia, schauen Sie.«

Sie tritt neben Haskell und blickt durch das Glas. Sie spürt ihn seitlich hinter sich und braucht einen Moment, um die Schärfe richtig einzustellen, aber als es gelungen ist, sieht sie zum Greifen nahe das hölzerne Gerippe eines Strandhauses. Es thront auf der Höhe der Dünen inmitten von Sand und Strandhafer. Es wird ein geräumiges Haus werden, mit tiefen Veranden. In der bereits fertiggestellten breiten Giebelseite ist in der Mitte ein großes rundes Fenster mit vielen kleinen Scheiben. Wer wird dieses Zimmer eines Tages bewohnen? Martha? Haskell und seine Frau?

Sie hebt den Kopf und tritt zur Seite, so daß ihr Vater ihren Platz einnehmen und sich das Haus ansehen kann. »Sehr schön geplant, Haskell«, ruft er aus. »Wahrhaftig. Bleibt es bei der Fertigstellung am ersten August?«

»Nein, man hat mir gesagt, daß wir mit einer Woche Verspätung rechnen müssen«, antwortet Haskell. Er dreht den Strohhut in den Händen. »Kommen Sie doch mit und sehen Sie sich das Haus an, Biddeford. Wenn Sie jetzt Zeit haben. Ich habe einige Fragen, bei denen ich guten Rat nötig hätte.«

Offensichtlich geschmeichelt und erfreut, läßt Olympias Vater im nächsten Moment Enttäuschung erkennen. »Wie schade«, sagt er mit unverhohlenem Bedauern. »Ich würde Sie liebend gern begleiten, John, aber ich habe mich beim Zahnarzt angemeldet. So etwas Dummes! Wenn ich ihn irgendwie erreichen könnte…«

»Wenn wir ein Telephon hätten, Vater…«, wirft Olympia mit einem Lächeln ein.

Ihr Vater räuspert sich. »Meine Tochter ist der Meinung, wir sollten hier draußen in Fortune's Rocks ein Telephon installieren lassen. Ich habe ihr zu erklären versucht, daß man Urlaub macht, um von solchen Neuerungen nicht belästigt zu werden.« Er schüttelt den Kopf. »Nein, ich kann Sie nicht begleiten.«

»Nun, dann ein andermal«, meint Haskell höflich.

»Aber Olympia würde mit Vergnügen mitkommen«, sagt ihr Vater plötzlich zu Haskell, als wäre sie selbst nicht anwesend. »Ja, es wäre eine vorzügliche kleine Abwechslung für sie. Sie ist ja in letzter Zeit so zerstreut, ein Ausflug kann ihr nur guttun.«

Haskell wirft Olympia einen Blick zu. »Es wäre mir eine Ehre, ihr das Haus zu zeigen«, erklärt er. »Wenn es sie nicht langweilt.«

»Ich kann mir nicht vorstellen, daß es mich langweilen würde«, sagt Olympia ruhig.

»Gut, abgemacht«, sagt ihr Vater, immer noch leicht bekümmert. »Und ich hoffe, Sie sind gekommen, um mir mitzuteilen, daß Sie und Catherine uns bei dem kleinen Fest, das wir geben wollen, das Vergnügen machen werden, John. Habe ich Ihnen geschrieben, daß es zur Feier von Olympias sechzehntem Geburtstag stattfindet?«

Bei der Erwähnung von Olympias Alter tritt ein Moment zitternder Spannung ein, den offenbar auch Olympias Vater wahrnimmt, denn er sieht zuerst Haskell an und dann seine Tochter.

»Das ist natürlich ein wichtiger Meilenstein«, sagt Haskell. »Aber ich muß erst mit Catherine sprechen, ehe ich fest zusagen kann.«

»Hale kommt auch«, verkündet ihr Vater stolz.

»Hale?« wiederholt Haskell, als könnte er sich nicht an den Namen erinnern. »Ach, natürlich, Hale«, sagt er dann, und es folgt eine kleine Pause. »Olympia, wollen wir fahren?«

Er hilft ihr in den flaschengrünen Wagen.

»Ich konnte nicht länger fernbleiben.« Er setzt sich neben sie. »Ich habe deinen Brief getrunken. Ich wollte, du würdest mir jeden Tag schreiben.«

»Dann *werde* ich dir jeden Tag schreiben«, sagt Olympia. »Aber versprich mir, daß du die Briefe vernichtest.«

»Ich weiß nicht, ob ich das über mich bringen werde.«

»Dann werde ich nicht schreiben. Auf keinen Fall möchte ich riskieren, daß Catherine meine Briefe entdeckt.«

»Dann verspreche ich dir, sie zu vernichten, und halte mein Versprechen einfach nicht«, entgegnet er.

Und natürlich muß sie lächeln.

Haskell kutschiert sie nicht die Küstenstraße entlang, wie er Olympias Vater glauben gemacht hat, sondern biegt sogleich auf die Straße nach Ely ab. Es ist Ebbe, und das Sumpfland ist von Rinnen und Gräben durchzogen, so weit Olympia blicken kann. Der Schlamm bildet kleine Gebirge und Schluchten, eine eigene Landschaft in der größeren Landschaft des morastigen Labyrinths.

Sobald sie vom Haus aus nicht mehr zu sehen sind, fährt Haskell an den Straßenrand und zügelt das Pferd. »Ich habe etwas für dich«, sagt er, nimmt ein kleines samtüberzogenes Kästchen aus seiner Tasche und öffnet es.

Sie ist nicht auf ein Geschenk vorbereitet; es ist ein feingearbeitetes goldenes Medaillon von ovaler Form, in das ihre Initialen eingraviert sind.

»Das kann ich nicht annehmen«, sagt sie.

»Doch, Olympia, du kannst. Ich wünsche mir, daß du es annimmst.«

Das Gold glänzt warm in der Sonne.

»Ich kann dir so wenig geben«, sagt er. »Bitte, nimm es. Bereite mir die Freude, es zu tragen.«

Er dreht ihre Schulter zur Seite, um ihr das Kettchen um den Hals legen und es schließen zu können.

»Ich werde es niemals ablegen.«

»Ich weiß, daß niemand es sehen darf«, sagt er. »Aber du kannst es ja so tragen.« Und er schiebt das Medaillon unter den Kragen ihres Kleides.

Sie spürt den Anhänger zwischen ihren Brüsten. Haskell drückt einen Finger auf die Stelle, wo jetzt unter ihrem Kleid das Medaillon ruht. Und vielleicht ist es diese Geste, diese eine intime Geste, die sie zum Weinen bringt.

»Ich wollte dir eine Freude machen.« Er zieht sie an sich. »Ach, Olympia, es ist alles so schlimm für dich, nicht wahr?«

Sie löst sich von ihm, trocknet sich die Augen. »Es ist völlig ohne Belang, ob das, was wir tun, für mich schlimm ist«, entgegnet sie, nicht geneigt, von sich zu weisen, was sie vor so kurzer Zeit erst gewonnen haben. »Natürlich ist es schlimm für mich. Und noch schlimmer für dich. Es ist überhaupt schlimm. Es ist unrecht. Aber ich dachte, wir wollten uns das Glück nicht mit Selbstvorwürfen vergällen.«

Der Hut rutscht ihr vom Kopf und fällt ins Gras. Er schiebt seine Finger in ihren Haarknoten und zieht sachte ihren Kopf nach hinten, bis sie ihm ihren bloßen Hals bietet. Sie sitzt in unbequemer Haltung, und ihr Rock ist bis zu den Knien hochgeschoben. Ihre Umarmung ist mühsam, sie können sich nicht entspannen. Er springt von der Holzbank des Wagens, nimmt sie bei der Hand und führt sie in die Sumpfwiesen.

Gemeinsam sinken sie auf die Knie. Das hohe Gras biegt sich unter ihnen, das brackige Wasser berührt kalt Olympias Beine.

Er zieht sie tiefer, bis sie seitlich nebeneinander liegen, von Angesicht zu Angesicht. Er schlüpft mit Mühe aus seiner Jacke und streift die Hosenträger ab. Er öffnet das Mieder ihres Kleides, während sie sein Hemd aus der Hose zieht. Der Stoff bläht sich wie ein Fallschirm. Sie schiebt ihre Hand seine Brust hinauf, und es scheint die kühnste Geste ihres Lebens.

In der Nähe vernimmt sie den gedämpften Flügelschlag eines Vogels auf dem Wasser. Etwas Spitzes bohrt sich in ihre Seite. Die Sonne ist so grell, daß sie sein Gesicht, das sich über ihrem befindet, ein wenig drehen muß, um ihre Augen abzuschirmen. Sie möchte das Wort »Geliebter« sagen. Sie zögert, tut es dann – einmal, zweimal, dreimal – in Stößen; als würde mit Fäusten auf sie eingetrommelt, so quillt das Wort aus ihrem Inneren.

»Olympia«, flüstert Haskell an ihrem Haar.

Er umschließt mit seinen Lippen ihr Ohrläppchen und preßt seinen Handballen durch den Stoff ihres Kleides. Ein Erwachen durchzuckt ihren Körper. Instinktiv hebt sie sich ihm entgegen. Woher hat der Körper sein Wissen? Sie streckt die Beine aus und drängt sich heftig an ihn. Die neuen Empfindungen, die von ihrem Körper Besitz ergriffen haben, sind von brennender Schärfe. Ihre Schultern sinken ins Gras, sie wölbt den Rücken. Haskell hält sie fest, sein Gesicht an ihren Hals gedrückt.

Sie liegen in den Sumpfwiesen beieinander. Die Nässe dringt durch die Gräser.

»Nie hätte ich mir das vorstellen können«, sagt sie.

Sie möchte noch mehr über dieses bisher Unbekannte sagen, das wie ein Sturm über sie hinweggefahren ist und eine heiße Spur bleibenden Begehrens hinterlassen hat. Sie ersehnt die Vereinigung wie an dem frühen Morgen in seinem Zimmer. Sie weiß nicht, wie sie ihm das sagen soll, und so hebt sie nur ihre Röcke.

Wie unerhört mutig ich geworden bin, denkt sie.

»Ist es das?« fragt sie ihn. »Ist dies das Geheimnis, das alle Männer und Frauen teilen?«

»Manche erleben es so«, antwortet er. »Aber nicht alle. Die meisten Männer, ja. Aber es gibt Frauen, die es nie so erfahren, die nicht fähig sind, sich diese Erfahrung zu gestatten.«

Und Catherine, denkt Olympia augenblicklich, wie ist es bei Catherine?

Das brackige Wasser sickert durch ihre Kleider.

»Wir können hier nicht bleiben«, sagt er.

Sie helfen einander auf, und er küßt sie. »Ich fahre jetzt mit dir zum Haus«, sagt er. »Dort setzen wir uns in die Sonne und lassen unsere Sachen trocknen.«

Ihre Beine sind wacklig, und sie muß sich mit beiden Händen in den Wagen hinaufziehen. Ihr Kleid ist auf einer Seite völlig durchnäßt.

Haskell ergreift die Zügel, wendet den Wagen und schlägt den Weg zum neuen Haus ein. Er umfaßt ihre Hand und hält sie, in den Falten ihres Rockes verborgen.

»Du kokettierst mit der Gefahr«, sagt sie.

»Das ist eigentlich nicht meine Art.« Er drückt seine Hand an ihr Bein. »Manchmal sage ich mir, daß wir uns nie wiedersehen dürfen, und dann bin ich fest entschlossen...«

Ihr Herz zieht sich zusammen bei diesen Worten.

»... aber Sekunden später wird mir klar, daß solche Beherrschung niemals möglich sein wird.«

Sie fahren auf der Küstenstraße. Olympia hofft inständig, daß sie niemandem begegnen werden, den sie kennt. Nach einer Weile lenkt Haskell den Wagen zum Neubau hinauf. Olympia sieht sogleich, daß man von hier einen herrlichen Ausblick haben wird, direkt auf den Atlantik. Er hilft ihr aus dem Wagen und nimmt ihren Arm. Das Haus ist an vielen Stellen noch unverkleidet, dem Blick aufs Wasser geöffnet. Olympia stellt sich vor, wie es wäre, so ein Haus ganz aus Glas zu bauen – überall Licht zu haben, sich von Sand und Meer umgeben zu fühlen.

»Ich glaube, ich habe noch nie gesehen, wie ein Haus entsteht«, bemerkt sie.

Gemeinsam treten sie ein und gehen langsam durch Zimmer, die bis jetzt nur in der Phantasie bestehen, rechteckige, längliche Räume mit Balkenwerk aus Fichte und Eiche, in denen eines Tages eine Familie leben wird. Sie macht sich Gedanken darüber, wie man ein solches Bauwerk errichtet, woher man weiß, wo genau ein Pfeiler oder ein Tragebalken stehen muß, wie ein Fenster konstruiert wird.

Von Zeit zu Zeit murmelt Haskell neben ihr: »Das wird die Küche« oder: »Das wird der Wintergarten«, aber sie achtet nicht auf seine Worte. Sie zieht es vor, dieses Haus als etwas Unwirkliches zu sehen.

»Das ist das Eßzimmer«, sagt er, als sie einen besonders großen Raum betreten.

Unwillkürlich muß sie an die vielen Gäste denken, die Haskell und Catherine eines Tages bewirten werden. Vielleicht wird sogar sie selbst, Olympia, zu einem solchen Abendessen eingeladen werden und genau dort sitzen, wo sie jetzt steht. Sie schüttelt hastig den Kopf und wendet sich ab.

»Was ist?« fragt er.

»Das hier ...«, sagt sie. »Es ist unwichtig.«

»Ich hätte dich nicht herbringen sollen.«

»Wie alt ist Catherine?« fragt sie.

»Vierunddreißig«, antwortet Haskell widerstrebend.

»Und wie alt bist du?«

»Einundvierzig.«

»Hast du Familie? Ich meine, Geschwister? Leben deine Eltern noch?«

»Meine Mutter lebt noch, ja. Mein Vater ist tot. Meine Mutter lebt mit meiner Schwester zusammen in Cambridge. Ich habe noch einen Bruder, der Geistlicher in Milton ist.«

Eine Beklemmung, als werde ihr Brustkorb eingedrückt, überkommt sie. Warum, fragt sie sich, wie sie sich das später noch häufig fragen wird, muß Liebe so quälend sein? Warum folgen den Momenten höchster Wonne unverzüglich Bilder, die nur Schmerz hervorrufen: Bilder, die ihr Haskell mit einer anderen zeigen, in so vertrauter Gemeinschaft, daß sie die Vorstellung kaum ertragen kann? Warum, fragt sie sich, während sie in diesem fast fertigen Eßzimmer steht, muß sie sich in allen Einzelheiten die Mahlzeiten vorstellen, die Haskell mit seiner Frau teilen wird und nicht mit ihr? In seinem Brief hat er geschrieben, daß er mit Catherine »alle Vertrautheit gepflegt hat, die zwischen Ehegatten möglich ist«. Diese Worte verfolgen und peinigen sie. Selbst als er sie bei der Hand nimmt, drängt sich ihr sofort ein Gegenbild auf – wie er Catherine bei der Hand nimmt. Und obwohl seine Berührung Olympia allmählich aus ihren Phantasien herausführt, bleibt eine Bitterkeit, die ihrem Glück den Glanz rauben und ihre Lust stumpf machen wird, wenn sie sie zuläßt.

Diesmal nehmen sie sich kaum Zeit, als fürchteten sie, jeden Moment könnte ihr Vater erscheinen oder ein Arbeiter hereinmarschieren. Es gibt keinen Platz, sich niederzulegen. Sie lieben sich im Stehen, an eine Wand gelehnt. Sie hätte nicht geglaubt, daß der Körper nach so wenigen Stunden wiederbegehren kann. Sie fühlt sich doppelt schuldig – ob des Verrats, den sie begehen, und ob der Umarmung im Haus, das eines Tages Haskell und seine Frau bewohnen werden. Doch in das Schuldgefühl mischt sich eine seltsame stille Verzückung, ein Verharren im Hier und Jetzt, ohne einen Gedanken an das, was kommen wird; und dazu das klare Gefühl, etwas zu besitzen, was ihr nicht genommen werden kann. Das Haus gehört nicht ihr, aber dieser Moment gehört ihr.

Kurz bevor sie abfahren, schiebt sie einen Finger unter das Goldkettchen und zieht das Medaillon aus ihrem Kleid hervor. »Ich danke dir«, sagt sie und küßt ihn.

»Es ist nur ein Medaillon«, sagt er.

»Nein«, widerspricht sie. »Das stimmt nicht.«

## 11

Später wird sie sich an jeden einzelnen Tag erinnern, der ihr und Haskell gegönnt war. Sie wird sich erinnern, was sie am ersten Tag getragen hat und was am zweiten; was sie bei ihrem gemeinsamen Lunch im Hotel gegessen haben, wie förmlich sie einander in der Öffentlichkeit begrüßt und miteinander gesprochen haben, welche Worte gefallen sind. Lebhaft hat sie den Spätnachmittag im Gedächtnis, an dem sie mit dem Boot in die Sümpfe hinausgefahren sind und sich den verschlungenen Pfaden dieses Labyrinths überlassen haben; und die Nacht, in der sie, vom Fieber getrieben, aus ihrem Schlafzimmer floh, ohne sich um eine mögliche Entdeckung zu scheren, dann barfuß durch die wohltuende Dunkelheit den Strand entlanglief, bis sie die erleuchteten Fenster des Hotels sah, Schutz und Zuflucht, und vor Freude weinte. Sie erinnert sich an jedes zärtliche Wort und an jede Äußerung der Liebe so klar wie an die Einzelheiten einer tränenreichen Auseinandersetzung, zu der es zwischen ihr und Haskell kam, als er sich heftige Vorwürfe darüber machte, sie verführt zu haben, und es ihr bei aller Sprachgewandtheit nicht gelang, ihn davon zu überzeugen, daß sie für das, was zwischen ihnen geschehen war, mindestens, *mindestens* die gleiche Verantwortung trug wie er.

Doch in den kommenden Jahren wird es nur Eindrücke geben, verschwommene Eindrücke, ein Gefühl davon, wie es war: ein leicht zur Seite gedrehtes Gesicht, der Geruch feuchter Haut, den sie an sich wahrnahm, wenn sie ihn verließ; eine cremeweiße Crêpebluse, die sie häufig trug, weil er sie mochte; ein Bild ihrer selbst, wie sie über seinen Anblick im Schwimmkostüm lachend im Sand kniet; seine Hand, die von der Sohle ihres Fußes über ihre Wade zu ihrem Schenkel hinaufstreicht; eine Schüssel mit Austern, die er auf sein Zimmer kommen ließ und die sie im Bett verschlangen; die wehmütige Neigung seines Kopfes, wenn er auf der Schwelle seines Zimmers stand und ihr Lebewohl winkte...

Manchmal will es Olympia scheinen, als nähmen sie und Haskell immer nur Abschied. An den Tagen, an denen er in der Klinik arbeitet, erfindet sie alle möglichen Gründe, um sich in den kurzen Stunden seiner Muße von zu Hause entfernen zu können, und manchmal bedarf es ihres ganzen Einfallsreichtums, um plausible Entschuldigungen für ihre Abwesenheit vorzubringen. Um der Neugier ihrer Eltern über ihr plötzlich so unruhiges Leben zu begegnen, hat sie einen Kreis imaginärer Freunde und Bekannter geschaffen, zu dem auch Julia Fields zählt. Sie hat ferner, so macht sie ihre Eltern glauben, mit großem Eifer das Golfspiel aufgenommen. Diesen Sport hat sie gewählt, weil ihr Vater ihn nicht betreibt und sie daher nicht fürchten muß, eines Tages zu einer Partie aufgefordert zu werden, was eine Katastrophe wäre, da sie nicht einmal weiß, wie man den Schläger richtig hält. Ein- oder zweimal wird sie bei ihren Lügen beinahe ertappt, und mehr als einmal schämt sie sich zutiefst darüber, wie schnell sie sich zur skrupellosen Lügnerin entwickelt hat.

Sie weiß, daß ihr Vater sich über ihr ungewohntes Verhalten Gedanken macht und sie mit Beunruhigung beobachtet, da keins seiner früheren Urteile über sie mehr zuzutreffen scheint. Er sieht in ihr nicht mehr das junge Mädchen, sondern eine rätselhafte Fremde, die ständig mit ihren Gedanken woanders ist. Über Nacht ist sie eine nachlässige Schülerin geworden, die Mühe hat, seinen Belehrungen Aufmerksamkeit zu schenken. Sie stellt seine Geduld auf eine harte Probe; statt ihn mit Stolz zu erfüllen, stürzt sie ihn in Bekümmerung und Verwirrung.

Ihre Mutter, davon ist Olympia überzeugt, hegt den Verdacht, ihre Tochter habe einen Verehrer. Ihre gelegentlichen Fragen zielen unverkennbar darauf ab, sich das Vertrauen ihrer Tochter zu erschmeicheln, ihr den Namen eines Jungen zu entlocken. Und manchmal, wenn ihre Mutter sie betrachtet, kann Olympia ihr vom Gesicht ablesen, daß sie in Gedanken die Söhne aller Familien Revue passieren läßt, die in der Gegend ihren Sommerurlaub verbringen.

Aber abgesehen von diesen heiklen Momenten kommt es Olympia zugute, daß ihre Eltern ihrem Lebensstil gemäß gedanklich häufig mit anderen Dingen als dem Kommen und Gehen ihrer Tochter beschäftigt sind: ihr Vater mit seinen intellektuellen Interessen, ihre Mutter mit ihren Fluchten aus der Realität.

Hin und wieder sieht Olympia sich vor die Herausforderung gestellt, zu improvisieren; zum Beispiel wenn Haskell wider Erwarten vor der Zeit von der Klinik abkömmlich ist und es irgendwie zuwege bringt, ihr Nachricht zu geben; dann kann sie nur versuchen, ihre außerplanmäßige Abwesenheit so gut wie möglich zu begründen. Insgesamt zeichnet sich ihre Affäre durch bedenkenlosen Leichtsinn aus, wobei sie allerdings weiterhin daran festhalten, sich niemals zu treffen, wenn an den Wochenenden Catherine und die Kinder da sind. Auch unterläßt Haskell alle Besuche bei den Biddefords.

Sie sind inzwischen mehrmals zu Haskells neuem Haus hinausgefahren, das sie mit dem Voranschreiten der Bauarbeiten jedesmal sicherer umschließt. Sie fahren frühmorgens, wenn die Arbeiter noch nicht da sind, oder abends, wenn sie gegangen sind. Sie lieben sich in dem Raum, der einmal das Eßzimmer sein wird, unter den schrägen Wänden einer künftigen Dienstbotenkammer, auf dem harten Boden der Küche. Bei dieser Gelegenheit bringt Haskell aufgeschnittenes Brot und dünne Scheiben Schinkenspeck mit, die er sich in der Hotelküche hat einpacken lassen; sie rösten beides im offenen Kamin, und nach dem Mahl meint Olympia, nie in ihrem Leben etwas so Köstliches gegessen zu haben. Die Liebe weckt einen wahren Heißhunger in ihr, darum sorgen sie meistens dafür, daß etwas zu essen da ist, und gelegentlich gibt es sogar Champagner. Die Folge ist, daß Olympias Körper runder wird und an Busen, Bauch und Oberschenkeln weibliche Fülle bekommt – als wollte ihre äußere Erscheinung zu ihrer inneren Entwicklung aufschließen.

Mit Interesse sieht Olympia zu, wie das Haus Gestalt annimmt – Fenster werden eingesetzt; das gähnende Loch in der vorderen Hauswand wird durch eine zweiflügelige Tür aus massivem Holz geschlossen; Dielen werden gelegt, geschliffen, poliert; die Zimmer werden mit Täfelung versehen; das Dach nimmt die Sicht auf die Sterne. Es ist, als würden sie und Haskell im Verlauf der Tage in zunehmendem Maß der Umwelt entrückt, um desto intensiver die Erforschung der eigenen Sinne und Gefühle betreiben zu können.

Das Haus ist wunderschön, mit Türmchen und breiten Veranden und feinem Schnitzwerk rund um das Dachsims versehen. Die oberen Scheiben der Fenster haben rautenförmige Einsätze aus lavendelblauem Glas, und in den Gesellschaftsräumen sind die Wände bis auf halbe Höhe mit warmem Kirschenholz getäfelt. Auf einer Strandhöhe errichtet, bietet es einen einzigartigen Blick auf Sand und Meer. Es ist ein Haus, in dem Erinnerungen gedeihen werden, ein Haus, das von Vater an Tochter an Sohn weitergegeben werden wird, das Haus, in dem Haskell mit seiner Frau leben wird.

Sie liegen in einem Gewirr von Decken und Kleidungsstücken auf dem Boden, der Stoff, den sie anstelle von Servietten zusammengeknüllt an die Brust gedrückt halten, vom Pfirsichsaft befleckt, der ihnen vom Kinn herabgeflossen ist. Olympia trägt nichts als das Medaillon. Ein Teller mit Käse, Mango-Chutney und braunem Brot steht unsicher auf ihrem Oberschenkel.

»Ollie ist ein Jungenname«, protestiert sie. »Von Oliver.«

»Nicht unbedingt. Es könnte auch von Olivia abgeleitet sein«, widerspricht er.

»Oder von Olaf«, entgegnet sie, wieder einen Männernamen nennend.

»Olive«, sagt er.

»Olney.«

»Olinda.«

Sie überlegt einen Moment. »Olin.«

»Nein. Das kann ich nicht akzeptieren.«

»Dann...«, sie denkt angestrengt nach, »Ole.«

»Gut, das lasse ich gelten«, sagt er, dennoch nicht bereit, sich geschlagen zu geben. »Olwen.«

»Das ist eindeutig ein Männername«, protestiert Olympia.

»Nein, ist es nicht.«

Sie kneift die Augen zusammen. »Oleksandr!« ruft sie triumphierend und fragt sich, wo aus ihrem Gedächtnis sie diesen Namen ausgegraben hat.

Er überlegt ein Weilchen und neigt den Kopf. Dann küßt er sie. »Ich glaube, du hast gewonnen«, erklärt er lachend.

»Danke, Dr. Haskell«, erwidert sie und schmiegt sich an ihn. Dann fragt sie unvermittelt: »Glaubst du eigentlich, daß deine Liebe zu mir von der gleichen Art ist wie meine zu dir?«

»Wie meinst du das?«

»Nun, die Bilder und Erinnerungen, die du hast, betreffen doch sicher weniger dich selbst als mich, während ich wiederum nur dich sehe und wahrnehme. Glaubst du nicht, daß du allein deshalb, weil du ein Mann mit den Gefühlen und dem Körper eines Mannes bist, anders empfindest als ich und daher auch andere Erinnerungen hast?«

»Alle Liebenden suchen die Illusion des Einsseins«, antwortet er. »Aber du hast recht. Eine Liebesbeziehung spielt sich größtenteils im Kopf ab.«

»Wirklich?«

»Natürlich sind da immer die Zeiten, in denen wir zusammen sind«, sagt er. »Wo wir unserer Liebe zueinander Ausdruck geben. Aber ist es nicht so, daß diese Episoden nur dem wahren, unersättlichen Liebenden in uns, dem Geist nämlich, der ein eigenständiges Geschöpf ist, zur Nahrung dienen? So daß also die Liebe nicht einfach die Summe zärtlicher Begrüßungen und schmerzhafter Abschiede, von Küssen und Umarmungen ist, sondern zum größeren Teil das Produkt der *Erinnerung* an das, was war, und der *Vorstellung* von dem, was sein wird.«

»Aber wenn das zuträfe«, gibt sie zu bedenken, »dann wäre ja die körperliche Nähe gar nicht nötig. Dann könnten wir sie uns einfach in unserer Phantasie ausmalen und fertig. Und brauchten uns nicht darum zu sorgen, ertappt zu werden oder anderen weh zu tun.«

»Hm«, meint er, »die Phantasie braucht Nahrung. Sie braucht einen Boden für ihre Bilder und Erinnerungen. Weißt du, anfangs habe ich mich jedesmal, wenn wir uns trafen, darüber gewundert, daß wir nicht genau dort wieder begonnen haben, wo wir aufgehört hatten, sondern immer schon eine Stufe weiter zu sein schienen. Der Geist ist unglaublich ungeduldig. Er kann sich in einem *Augenblick* alle Einzelheiten einer Liebesbeziehung vorstellen.«

»War es bei dir so?« fragt sie dann. »Hast du dir alle Einzelheiten vorgestellt?«

»Ja«, antwortet er. »Und du hast es auch getan.«

Sie steht auf und geht zum Fenster. Längst hat sie alle Scham in seinem Beisein abgelegt. »Das Haus wird am Wochenende fertig, nicht wahr?«

»Ja.«

»Dann werden Catherine und die Kinder bleiben«, sagt sie, das aussprechend, was sie von Anfang an gewußt hat und was sie seit Wochen quält.

»Ja.« Er steht von ihrem provisorischen Lager auf und tritt neben sie ans Fenster.

Fragend sieht er sie an, obwohl er weiß, was sie bewegt.

Die Zukunft umgibt sie wie eine dichter werdende erstickende Wolke. Beiden graut vor Catherines Kommen; denn dann wird ihnen nicht nur dieses Haus, *ihr* Haus, das sie eingeweiht, in dem sie sich geliebt haben, genommen werden, sondern dann wird Haskell auch aus dem Highland Hotel ausziehen müssen. Es wird keinen Ort mehr für sie geben. Der zehnte August steht Olympia nicht als ein Tag froher Festlichkeit vor Augen, sondern als der Tag, an dem die Verbannung beginnt.

»Uns bleibt keine Zeit mehr«, sagt sie.

»Wenn wir uns dem Schmerz überlassen«, versetzt er, »ist all unsere Freude schon vertan. Du selbst hast mich das gelehrt.«

»Das Fest meines Vaters wird eine Farce werden. Ich werde Krankheit vorschützen.«

Aber sie wissen beide, daß sie das nicht tun kann.

Durch die salzverkrusteten Fenster sehen sie die Badelustigen, die sich zur Mittagszeit am Strand eingefunden haben. Sie beobachten einen Mann mit schwarzer Melone, der sich damit abmüht, aus Holzpfählen und Leinwand ein kunstvolles Zelt über der unbeweglichen Gestalt einer Frau zu errichten. Stocksteif thront sie auf einem hölzernen Klapphocker und starrt zum Wasser hinaus. Es ist ein heißer Tag, über der Küste liegt ein gelblicher Hitzeschleier, und die Frau sitzt kerzengerade da in einem Kostüm aus schwarzem Taft. Und obwohl sie einen Hut trägt und ihr Mann mit rührendem Eifer an der Errichtung des Sonnenzelts für sie arbeitet, hält sie einen schwarzen Sonnenschirm über ihren Kopf. Der Kontrast zwischen der hochmütig abweisenden Haltung der Frau und der dienstbeflissenen Geschäftigkeit des Mannes läßt vermuten, daß in dieser Ehe, wenn es denn eine Ehe ist, die Gewichte ungleich verteilt sind, oder aber, daß der Mann bestrebt ist, für irgendein Vergehen von seiner Seite Wiedergutmachung zu leisten.

Olympia wünscht plötzlich, sie könnte jetzt zusammen mit Haskell im Meer baden.

Sie legt ihren Kopf auf seine Schulter. So vieles an ihm ist ihr jetzt vertraut: die feinen Härchen zwischen seinen Handknöcheln; die starken Sehnen seiner Beine; der Moment tiefer Stille, als hielte die ganze Welt den Atem an, dem der rasch ausgestoßene Aufschrei der Lust folgt. Aber zuweilen schleichen sich Zweifel in ihre Gedanken, und sie fragt sich, ob nicht Catherine Dinge von Haskell weiß, die kennenzulernen sie gar nicht die Zeit hatte.

»Was für eine alberne Person«, bemerkt Haskell, mit seiner Aufmerksamkeit immer noch bei der Posse, die das seltsame Paar draußen am Wasser zum besten gibt.

Er tritt hinter Olympia und umfängt sie mit beiden Armen. »Die beiden da scheinen mehr Spaß zu haben«, sagt er und deutet auf ein Paar mit einem kleinen Kind, das auf einer Decke dicht am Wasser sitzt.

Die Frau trägt ein loses weißes Trägerkleid, dessen Rock bis zu den Knien hochgeschoben ist. Sie wirkt entspannt, doch Olympia sieht, daß sie den Blick keinen Moment von dem Kind wendet, das vor ihr im Wasser planscht. Der Mann hat offensichtlich eben gebadet, sein Schwimmanzug läßt darauf schließen. Er sitzt neben seiner Frau und streicht mit den Fingern ihren Rücken hinauf und hinunter. Neid und Trauer durchzucken Olympia. Sie und Haskell werden niemals haben, was dieses junge Paar hat und vielleicht, da es ihm so selbstverständlich ist, gar nicht angemessen würdigen kann: ein Kind, eine Ehe, die Möglichkeit, in aller Öffentlichkeit am Strand zu sitzen und einander zu berühren.

Hastig wendet sie sich Haskell zu. Sie legt ihren Kopf an seine Brust. Wie in Spiegelung des Mannes und der Frau draußen am Wasser streichelt Haskell ihren Rücken.

»Wir haben nur noch vier Tage«, sagt sie.

»Aber in unserer Phantasie«, entgegnet er, »haben wir ein ganzes Leben.«

Sie kommt später heim, als sie angekündigt hat, und auf dem Weg zum Haus denkt sie sich Entschuldigungen aus: *Victorias Mutter hat mich noch zum Tee eingeladen. Sie haben im Hotel ein Krockett-Turnier organisiert. Julia und ich haben Klavier gespielt, vierhändig, und da habe ich die Zeit ganz aus den Augen verloren. Der*

Sand ist hart, und ihr Kleid ist zerknittert. Sie blickt zum Haus hinauf und möchte am liebsten davonlaufen. Und als sie näher kommt, sieht sie mit Schrecken Catherine Haskell, die mit ihrer Mutter und Zachariah Cote auf der Veranda sitzt.

Aber Catherine ist doch noch in York, denkt sie verwirrt.

Instinktiv bückt sie sich, als wäre ihr etwas in den Sand gefallen.

Mein Gott, denkt sie. Man hat uns entdeckt.

Langsam richtet sie sich wieder auf und versucht, ihre Röcke zu glätten. Sie greift an die Knöpfe ihres Kragens, um sich zu vergewissern, daß sie geschlossen sind. Sie tastet nach dem Medaillon, ja, es ist unter dem Kleid verborgen. Schon winkt ihre Mutter, bedeutet ihr, sich zu der kleinen Gesellschaft auf der Veranda zu gesellen. Olympia geht die Treppe hinauf.

»Olympia«, ruft Catherine. »Ich freue mich so, Sie zu sehen. Wie überleben Sie in dieser abscheulichen Hitze?«

»Olympia scheint ein geheimes Leben zu führen«, antwortet ihre Mutter für sie.

»Ach«, sagt Cote und läßt sein Lächeln blitzen.

»Weihen Sie mich ein«, bittet Catherine lachend. »Sie haben einen Verehrer.«

»Nein, nein«, stammelt Olympia.

»So setz dich doch, Olympia«, befiehlt ihre Mutter.

»Ich habe nur diesen Sommer hier eine ganze Menge Freunde gefunden und viel mit ihnen unternommen«, erklärt Olympia und hört selbst, wie gepreßt vor innerer Anspannung ihre Stimme klingt. Zweifellos werden auch Catherine und Cote das bemerken.

»Olympia hat angefangen, Tennis zu spielen«, bemerkt ihre Mutter.

Olympia spürt Cotes forschenden Blick.

»Das macht sicher großen Spaß«, meint Catherine.

»Catherine ist einen Tag früher gekommen«, erklärt Rosamund Biddeford ihrer Tochter. »Sie möchte John überraschen.«

»Aber plötzlich bekam ich große Lust, Ihre Mutter zu besuchen«, fügt Catherine hinzu. Sie neigt sich Olympia entgegen und legt ihr leicht eine Hand aufs Knie. »Um mit ihr über dieses aufregende Fest zu sprechen, das am Samstag abend zu Ihren Ehren hier stattfinden soll. Ihre Mutter hat mir Ihr Kleid schon ausführlich beschrieben.«

»Ja, und ich habe mich auch vorzeitig auf den Weg gemacht«, wirft Cote ein. »Ich wollte nicht mit diesem entsetzlichen Freitagszug reisen, und ich habe vor, eine Weile in Fortune's Rocks zu bleiben.« Er macht eine Pause und sieht sich erwartungsvoll um. »Ich bin überzeugt, daß die Muse mich hier küssen wird«, fügt er dann hinzu und schenkt Olympia wieder sein blitzendes Lächeln. Er nimmt einen zweiten Becher Zitronenwasser von Olympias Mutter entgegen und lehnt sich in seinem Sessel zurück.

»Ich habe früher auch Tennis gespielt«, bemerkt Olympias Mutter unvermittelt.

Olympia wagt kaum, ihrer Mutter oder Catherine ins Gesicht zu sehen.

»Und ich habe recht gut gespielt«, fügt Rosamund Biddeford scheu hinzu. »Ich hatte damals einen Freund, der Tennisspieler war. Vor Philip, meine ich.«

Olympia hat größte Mühe, ihrer Mutter zuzuhören. Sie überlegt, ob sie Haskell irgendwie warnen, ihn von Catherines Ankunft unterrichten soll. Sie versucht, sich zu erinnern, ob sie irgend etwas im Haus liegengelassen haben.

»Er war der Sohn eines Wagenbauers in Rowley«, bemerkt Rosamund, sich für ihr Thema erwärmend.

»Oh, das müssen Sie uns erzählen, Rosamund«, sagt Cote.

»Ach, da gibt es nicht viel zu erzählen.«

»Doch, Sie müssen, Rosamund«, insistiert Catherine.

Olympias Mutter blickt einen Moment zu ihren im Schoß gefalteten Händen hinunter.

»Ich bin ihm eines Tages begegnet, als mein Vater mich bat,

ihn zu seinem Wagenbauer zu begleiten, bei dem er etwas zu erledigen hatte«, berichtet sie dann. »Ich war noch sehr jung, siebzehn vielleicht, und wir reisten erst seit etwa sechs Jahren zur Sommerfrische nach Norden. Mein Vater ging in die Werkstatt, aber ich mußte draußen im Wagen warten. Ich erinnere mich, daß ich darüber sehr ärgerlich war, denn es war heiß, und ich war durstig, und er schien außerordentlich lange auszubleiben. Aber während ich da saß und wartete, kam ein junger Mann zum Wagen.« Sie hebt eine Hand, um sich über das Haar zu streichen, und scheint sich erst jetzt bewußt zu werden, daß sie nun die Geschichte zu Ende erzählen muß.

»Wie sah er aus?« will Catherine wissen.

»Er hatte hellblonde Augenbrauen und lange blonde Wimpern«, antwortet Olympias Mutter.

»Und wie hieß er?« fragt Cote.

»Gerald. Er sagte, seine Familie käme aus Schottland, aber mein Vater behauptete später immer, er wäre Ire gewesen. Ich hatte ihn sehr gern. Wir haben uns an diesem Tag ziemlich lange miteinander unterhalten. Und als mein Vater schließlich zurückkam, hatten wir uns schon zu einer Partie Tennis am folgenden Morgen im Club verabredet.« Sie hält einen Moment inne. »Danach haben wir uns häufig getroffen, meist an den Wochenenden. Er lieh sich einen Wagen aus der Werkstatt seines Vaters, um mich abzuholen. Ich verließ unter irgendeinem Vorwand das Haus und ging ihm bis zur verabredeten Stelle entgegen. Ich weiß nicht, warum, aber an dem Morgen, als wir uns das letztemal sahen, hatte ich beschlossen, ihm zu sagen, daß ich ihn gern hatte, denn ich spürte, daß er mein Gefühl erwiderte.«

Sie versinkt eine Weile in Nachdenken, als hoffte sie, wenn sie nur lange genug wartete, würde ihr die Gnade gewährt, der Geschichte eine andere Wendung zu geben. »Wir hatten geplant, an diesem Tag zu einem Picknick am Strand nach Hampton zu fahren. Und als wir aus dem Wagen stiegen, neigte er sich zu mir und sagte etwas, was ich seither immer wieder zu rekonstruieren versucht habe, weil ich es nicht richtig gehört hatte. Bevor er nämlich seine Worte wiederholen konnte, erschien plötzlich ein Mann hinter ihm, den mein Vater beauftragt hatte, uns zu folgen, und nahm ihn mit.«

»Rosamund, nein«, ruft Catherine.

»Den Rest des Sommers habe ich praktisch nur in meinem Zimmer gesessen. Eingesperrt.«

»Das ist ja entsetzlich«, sagt Cote.

»Ich habe nie wieder von Gerald gehört«, fügt Olympias Mutter hinzu. »Ich hatte keine Möglichkeit, mit ihm Verbindung aufzunehmen, ich wußte niemanden, der mit ihm bekannt war. Ich hatte nicht einmal eine Adresse, an die ich ihm hätte schreiben können. Aber gegen Ende des Sommers durfte ich ausnahmsweise einmal das Haus verlassen, um zu einem Tennisturnier in Exeter zu fahren. Meine Eltern hielten das vermutlich für harmlos, weil sie mich begleiteten. In einer Pause ging ich ins Clubhaus, um mir ein Glas Wasser zu holen, und da entdeckte ich im Foyer eine Glasvitrine mit Siegerpokalen, Urkunden und Photographien der siegreichen Mannschaften. Auf einer der Photographien war Gerald abgebildet. Ich schob das Glas auf und nahm das Bild heraus. Ich versteckte es unter meinem Kleid. Sobald ich zu Hause war, nahm ich die Schere aus meinem Nähkasten und schnitt sein Bild aus. Ich habe es heute noch.«

»Das müssen Sie uns unbedingt zeigen«, sagt Cote.

»Ja, vielleicht«, antwortet sie, ihr Glas zum Mund führend, und Olympia sieht plötzlich eine ganz andere Frau. Ihre Mutter scheint körperlich verändert, als hätte man einem Bild ein anderes Gesicht gegeben. Und vielleicht, sagt sich Olympia, wird sie noch mit vielen Menschen ihrer Bekanntschaft eine ähnliche Erfahrung machen. Bei der ersten Begegnung mit einem anderen bildet sich ein skizzenhafter Eindruck, und mit dem Weiterleben der Beziehung entsteht allmählich ein Porträt, in Öl oder Pastell, in Tusche oder Wasserfarben, das erst mit dem Tod der betreffenden Person als vollendet betrachtet werden kann. Aber vielleicht selbst dann noch nicht.

»Das ist eine sehr romantische Geschichte«, bemerkt Catherine, obwohl Olympia nichts Romantisches darin sehen kann, sich von anderen eine Liebe zerstören zu lassen.

»Ich weiß bis heute nicht, was er damals zu mir gesagt hat«, fügt Olympias Mutter versonnen hinzu. »Wie oft habe ich gewünscht, ich könnte zu dem Moment zurückkehren und seine Worte hören.«

Catherine drückt ihr flüchtig die Hand.

»Und Sie vermissen zweifellos *Ihren* gutaussehenden Mann«, sagt Cote zu Catherine, das Thema allzurasch wechselnd.

»Ja, er fehlt mir schrecklich«, bestätigt Catherine. »Natürlich. Ich kann den Tag, an dem das Haus fertig wird, kaum erwarten. Ich fahre jetzt gleich einmal hinüber.«

Olympia spürt, wie ihr der Schweiß den Rücken hinunterrinnt.

»Und wo *ist* der ehrenwerte Doktor heute nachmittag?« erkundigt sich Cote.

»Ich denke, er arbeitet in der Klinik«, antwortet Catherine. »Er hat keine Ahnung, daß ich hier bin. Ich möchte ihn überraschen.«

»Oh, er wird gewiß *sehr* überrascht sein«, meint Cote und wendet sich ab, um über das Geländer zu blicken. »Mein Gott, was für eine prachtvolle Aussicht. Und wenn ich mich nicht täusche, verspüre ich sogar ein kleines Lüftchen. Wie herrlich, hier auf der Veranda sitzen zu können und sich nicht in Ely Falls aufhalten zu müssen.«

»Waren Sie denn in Ely Falls?« fragt Olympias Mutter.

»Ja, ich brauchte einen Schneider. Um ein paar letzte Änderungen vornehmen zu lassen. Für das große Fest.«

»Ah, ja.«

»Ich muß sagen, ich kann diese Frankos nicht ausstehen«, erklärt Cote.

»Tatsächlich?« fragt Olympias Mutter und wirft einen Blick auf ihre Tochter.

»Dieser Schneider, ein so impertinenter Bursche mit seinem geschniegelten Bärtchen und seinen Allüren. Die man übrigens bei allen Frankos antrifft. Sie halten sich alle für etwas Besseres.«

»Olympia, Kind, weißt du, wie spät es ist?« fragt Olympias Mutter.

»Es ist ja allgemein bekannt, daß sie alle völlig sittenlos und bis ins Innerste verdorben sind. Ganz zu schweigen von ihrem Hang zum Alkohol und ihrer Dummheit.«

»Zachariah«, sagt Olympias Mutter nun doch im Ton milden Tadels, um ihn an Olympias Anwesenheit zu erinnern.

»Verzeihen Sie, Rosamund. Ich habe mich hinreißen lassen. Aber ich muß doch sagen, daß sie für unsere Städte eine Pest sind. Und ich fürchte, daß die Krankheit auch auf Ely und Fortune's Rocks übergreift. An manchen Tagen wimmelt es ja am Strand nur so von diesen Leuten.«

Eine seltsame Bemerkung, denkt Olympia, für jemanden, der selbst nicht in Fortune's Rocks ansässig ist. Und dann kommt ihr ein neuer Gedanke, der boshaft zum nächsten führt und zu einer Versuchung, der sie nicht widerstehen kann. »Ihre Abneigung gegen die Frankoamerikaner erstaunt mich, Mr. Coté«, sagt sie, seinen Namen französisch aussprechend. »Zumal ich mich gerade gefragt habe, ob der Name Coté nicht französischer Herkunft ist.«

Bei dieser scharfsinnigen, wenngleich unverzeihlich frechen Bemerkung macht Cote ein Gesicht, als hätte er eine Ohrfeige bekommen, und richtet sich kerzengerade auf. Er kneift die Lippen zu einem schmalen Lächeln zusammen. »Aber nein, es ist ein alter englischer Name«, entgegnet er, und Olympia ist sicher, daß er lügt.

In dem peinlichen Schweigen, das dem Austausch folgt, spürt Olympia den kalten Blick ihrer Mutter auf sich.

»Schade, daß John nicht hier ist, Catherine«, sagt schließlich Cote, »denn ich weiß, daß er Olympia, und natürlich auch Rosamund, besondere Wertschätzung entgegenbringt, nicht wahr?«

Ein kleiner Schrecken durchzuckt Olympia bei diesen Worten.

Catherine scheint nichts dabei zu finden, daß Cote die Namen ihres Mannes und Olympias gewissermaßen in einem Atemzug genannt hat, obwohl die anzügliche Art, wie er Olympias Namen noch vor den ihrer Mutter gesetzt hat, seltsam, wenn nicht gar herausfordernd ist.

»Er – äh, natürlich – ja, er schätzt Rosamund – und Olympia … Aber gewiß doch, ja«, schließt Catherine ungewöhnlich verwirrt.

»Ist Hale schon angekommen?« erkundigt sich Cote bei Olympias Mutter und verrät damit, um einiges zu früh, denkt Olympia, den Grund seines Besuchs.

»Nein. Philip hat mir gesagt, daß er erst am Sonntag eintrifft.«

Ein Schatten der Enttäuschung fliegt über das Gesicht des Dichters. »Kommt er aus Newburyport oder aus Boston?« fragt er.

»Aus Boston. Kennen Sie die Familie?«

»Ja, allerdings«, antwortet Cote. »Den Teil jedenfalls, der in Newburyport zu Hause ist. Hales Bruder hat doch eine Brown geheiratet, nicht wahr?«

»Lavinia. Ja.«

»Sie ist eine angeheiratete Nichte meiner Tante«, sagt Cote, vielleicht um seine Verbindung zu Angloamerikanern zu betonen. »Meine Verwandten betrachten Hale allerdings als eine Art schwarzes Schaf. Ein Schriftsteller in der Familie – das schickt sich doch nicht«, bemerkt er, sich in Ironie versuchend, die aber bei seinen Zuhörern offensichtlich nicht ankommt. Er nimmt einen Schluck von seinem Zitronenwasser und wendet sich Olympia zu. »Wir haben es bedauert, Sie am vierten nicht zu sehen. Ich glaube, die Farraguts rechneten fest mit Ihrem Kommen zu ihrem Fest.«

Es kann nicht ohne Absicht sein, denkt Olympia sofort, daß Cote so schnell hintereinander zuerst Haskell und dann den Feiertag erwähnt. Sie bemüht sich, ihre Beunruhigung zu verbergen, denn sie spürt, daß Cote den Instinkt eines Raubtieres besitzt und jeden Anflug von Furcht sofort wittern würde.

»Ich hatte etwas anderes vor«, antwortet Olympia.

»Oh, daran zweifle ich nicht«, sagt Cote. »Aber immerhin hatte ich das Vergnügen, Olympia in diesem Sommer an allen möglichen unerwarteten Orten zu begegnen«, setzt er zu den beiden Frauen gewandt hinzu.

»Ach?« Olympias Mutter sieht ihre Tochter an. »Und wo mag das gewesen sein? Ich würde es wirklich sehr gern wissen. Olympia ist mir nämlich seit einigen Wochen ein Rätsel.«

»In der Tat?« Er deutet auf die belegten Brötchen. »Darf ich?«

»Aber bitte«, antwortet Olympias Mutter. »Olympia, möchtest du auch ein Brötchen?«

»Nein danke, ich bin nicht hungrig«, erklärt sie hastig. »Außerdem muß ich gehen. Ich habe Julia versprochen, mit ihr auszureiten.«

»Bei dieser Hitze?« wirft Cote ein. »Das kann nicht Ihr Ernst sein. Die armen Pferde.«

Olympia ist empört über die Unverschämtheit des Mannes.

»Tja, und nun dürfen wir uns auf das große Fest zu Olympias Ehren freuen«, fährt Cote fort, als bemerkte er Olympias Unbehagen nicht, und tupft sich mit pedantischer Gebärde etwas Mayonnaise aus dem Mundwinkel. »Wie alt werden Sie eigentlich?«

»Sechzehn«, antwortet sie.

»Ach, ein herrliches Alter, finden Sie nicht auch, Catherine?«

»Doch, ja«, erwidert Catherine. »Ein herrliches Alter. Ich sagte es zu Rosamund, kurz bevor Sie kamen.«

Cote betrachtet Olympia mit unverhohlener Erheiterung.

»Warum so trübe, Kind?« fragt er und beißt in sein Brötchen. »Lächeln Sie! So schwer kann das Leben doch nicht sein.«

Olympia, die sich von niemandem gern Verhaltensregeln erteilen läßt, am allerwenigsten von Zachariah Cote, und plötzlich genug hat von anzüglichen Bemerkungen, von Heuchelei und einem beinahe unerträglichen inneren Unbehagen, steht aus ihrem Sessel auf und entschuldigt sich. Sie geht durch das Haus und zur Hintertür hinaus und läuft hinunter zur Kaimauer, wo sie Stiefel und Strümpfe ablegt und so schnell wie nie auf dem wassergehärteten Sand den Strand entlangläuft.

12

Am Morgen des zehnten sitzt Olympia in ihrem Zimmer und starrt zum Fenster hinaus, versteinert, unfähig, zu lesen oder zu denken. Trotz heftiger Bemühungen kann sie sich den Gedanken nicht aus dem Kopf schlagen, daß eben jetzt, zu dieser Stunde, Catherine und die Kinder im neuen Haus Einzug halten; und sie kann sich nicht wappnen gegen die bittere Ironie der Vorstellung, wie Catherine Haskell dieses Haus in Besitz nimmt, ohne etwas von seinen früheren Besuchern zu ahnen, und es ihr eigen nennt, was es ja jetzt auch ist. In ihrer Phantasie, die geschärft ist von der Vertrautheit mit Haskell und dem Haus, versucht sie sich ein Bild davon zu machen, wie er mit dieser schmerzlichen Situation umgehen wird. Ganz sicher wird er die Freude seiner Frau nicht teilen können. Aber wird er es fertigbringen, Interesse vorzutäuschen? Oder befindet er sich wie sie in einem Zustand fühlloser Erstarrung? Wenn ja, wird Catherine es bemerken und ihre Verwunderung darüber zum Ausdruck bringen?

Erst gestern haben sich Haskell und Olympia getrennt, und in stillschweigendem Einverständnis haben sie mit keinem

Wort ihre verzweifelte Lage berührt, denn Worte hätten den Schmerz nur lebendiger gemacht, ohne ihn zu lindern oder zu einer Lösung führen zu können. Und so standen sie stumm an der Tür seiner Suite, sahen einander sehnsuchtsvoll an und wandten sich dann voneinander ab, wobei Olympia das schwerere Los zufiel zu gehen.

Ihre Schritte hallten im Treppenhaus wider. Es wunderte sie, daß ihre Beine sie trugen, als sie die lange Treppe im Erdgeschoß hinunterstieg. Am Fuß der Treppe mußte sie sich einen Moment an den Pfosten lehnen, ehe sie den Weg zur großen Glastür einschlagen konnte. Es war ein gewaltsames Sichlosreißen, nicht nur von Haskell, dem Mann und Menschen, sondern auch von der Idylle, die dieser Sommer für sie gewesen war. Denn sie wußte, daß es, selbst wenn sie und Haskell Mittel und Wege fänden, sich wiederzusehen, niemals wieder so wäre wie in diesem Sommer.

Mitunter hat sie sich in den letzten Wochen ein gemeinsames Leben mit Haskell ausgemalt, hat sich vorgestellt, daß er Catherine und die Kinder verlassen und mit ihr zusammen in einem Haus oder in einer Wohnung in Ely Falls oder Cambridge leben würde. Vielleicht würde sie – Olympia – ihm in der Klinik helfen, vielleicht würde sie Lehrerin werden. Sie würden einen Hausstand gründen und zusammen Kinder bekommen, eine Familie werden. Aber schon nach wenigen Augenblicken werden solche Wunschträume zu Asche, denn immer geht mit ihnen das Bewußtsein einher, daß ein solches Leben nur auf Kosten Catherines und der Kinder zu verwirklichen wäre; und Olympia weiß, daß kein Mensch sein persönliches Glück auf solchem Unrecht aufbauen und erhalten könnte. Selbst wenn es Haskell gelänge, Catherines Schmerz zu ertragen, niemals könnte er Martha, Clementine, Randall und May verlieren, ohne selbst unheilbaren Schaden zu nehmen. Erschreckender als alles andere ist die Vorstellung, daß sie und Haskell sich eines Tages an einem Tisch gegenübersitzen und nicht fähig sein werden, einander in die Augen zu sehen. Besser, sich in Sehnsucht verzehren, denkt sie, als einander verachten.

Aus dem Erdgeschoß des Hauses dringt das Rumoren reger Geschäftigkeit zu ihr herauf: Dienstboten eilen hin und her, Lieferwagen fahren vor, laute Stimmen schallen durch das Haus, Möbel werden gerückt, ein Heer von Leuten scheint tätig, alles für das große Fest zu richten. Ihr Vater hat aus Boston das beste Porzellan, das feinste Silber und das edelste Kristall der Familie kommen lassen, und infolgedessen kann man die Veranda jetzt nicht mehr betreten, ohne über Kisten zu stolpern oder durch Berge von Holzwolle zu waten. Ihre Eltern erwarten hundertvierzig Gäste und haben auf dem Rasen ein großes weißes Festzelt aufstellen lassen. Dort werden die Gäste um Mitternacht mit Hummer, Austern, Blaubeeren und Champagner bewirtet werden. Blaue Hortensienblüten umkränzen das Geländer der Veranda. Der Rasen, frisch gemäht, sieht so gepflegt aus wie ein Golfplatz.

Normalerweise hätte sich Olympia mit großem Vergnügen an all diesen Vorbereitungen beteiligt, hätte besonders jene Stunde vor dem Eintreffen der Gäste genossen, da das festlich geschmückte Haus noch im Dornröschenschlaf gelegen hätte und sie ungestört von Zimmer zu Zimmer hätte wandern und den flüchtigen Augenblick der Vollkommenheit hätte auskosten können.

Sie steht vom Bett auf und tritt zu dem schmalen Schrank, an dessen Tür ihr Kleid für den Abend hängt, weiß, wie alle Roben an diesem Abend sein werden. Sie streicht über das Satinunterkleid mit dem perlenbestickten Mieder und zupft an dem Überkleid aus weißem Chiffon, leicht und duftig wie eine Wolke. Es ist ein Kleid von traumhafter Schönheit, ein Modell, das ihre Mutter eigens aus Paris hat kommen lassen, ein Kleid, wie man es vielleicht zu einem großen Sommerball oder sogar zur eigenen Verlobungsfeier tragen würde. Da ihre Mutter ihr geraten hat, Perlen anzulegen, sucht Olympia in ihrem

Schmuckkasten nach passenden Ohrringen, als es an der Zimmertür klopft.

Auf ihre Aufforderung tritt Josiah mit einem Tablett ein. Olympia hat zwar keinen Appetit, aber seine Aufmerksamkeit rührt sie.

Seit dem Tag, an dem sie ihn mit Lisette in der Küche überrascht hat, sind sie einander auf ihren Wegen durch das Haus viele Male begegnet. Anfangs schien Josiah bei jedem Zusammentreffen nervös und unruhig, aber als offenkundig wurde, daß sie nicht weitergeben würde, was sie gesehen hatte, wich die Nervosität stummer Dankbarkeit. Sie hätte ihm gern gesagt, daß er sich keine Sorgen zu machen brauche, ja, daß sie sich für ihn freue, aber da es peinlich gewesen wäre, hat sie es unterlassen. Dennoch kann sie seither nicht umhin, Josiah mit anderen Augen zu sehen, und sie spürt, daß er sich dessen zumindest teilweise bewußt ist. Manchmal würde sie ihm am liebsten sagen, daß auch sie liebt, daß sie aus eigener Erfahrung weiß, wie es ist, wenn man sich die Momente des Zusammenseins stehlen muß.

»Vielen Dank, Josiah«, sagt sie, ihm das Tablett abnehmend.

Er bleibt zögernd an der Tür stehen. Sie stellt das Tablett auf die Frisierkommode, und im selben Moment fährt ein Windstoß, der die Vorhänge bis zur Decke hinaufpeitscht, durch das geöffnete Zimmerfenster und fegt alle Briefe von ihrem Schreibtisch.

»Man hat das Gefühl, das ganze Haus sei in Aufruhr«, bemerkt sie, während sie sich gleichzeitig mit Josiah bückt, um die Briefe vom Boden aufzuheben. Sie fragt sich, ob er die Handschrift auf den Kuverts erkennt. »Sie haben sicher unendlich viel zu tun«, fügt sie hinzu.

»Wir sind seit vier Uhr auf den Beinen, Miss. Und wir werden sicherlich nicht vor morgen früh um vier ins Bett kommen. Aber es ist ja ein besonderer Anlaß, und Ihr Herr Vater ist in bester Stimmung.«

Wortlos blickt sie Josiah an und denkt dabei, daß sie sich zum erstenmal – zum erstenmal überhaupt – wirklich ansehen.

»Es geht Ihnen nicht gut«, sagt er.

»Nein«, antwortet sie ehrlich.

»Das tut mir leid.«

Er reicht ihr die Briefe, die er aufgesammelt hat, und steht wie angewurzelt, die Beine leicht gespreizt, die Hände auf dem Rücken.

»Danke«, sagt sie.

Seine Weste hat dunkle Flecken, vermutlich von der Silberpolitur. »Lisette und ich«, sagt er, »wir wollen heiraten. Wir haben uns vorgenommen, morgen, wenn es hier wieder ruhig geworden ist, mit Ihrem Herrn Vater zu sprechen.«

»Er wird sich freuen«, sagt sie rasch.

»Ich möchte nicht, daß Sie den Eindruck haben ...«

»Keineswegs«, versichert sie.

»Soll ich Ihre Frau Mutter rufen? Oder Lisette?«

»Nein, nein«, entgegnet Olympia. »Ich komme schon zurecht. Und bis zum Abend geht es mir sicher wieder gut. Es ist nur die Grippe.«

Die Lüge ist offensichtlich, aber er akzeptiert sie.

»Stellen Sie das Tablett einfach vor die Tür, Miss, wenn Sie nicht gestört werden wollen.«

»Danke. Das werde ich tun.«

»Und ich hoffe, es wird trotz allem ein schöner Abend für Sie.«

»Danke, Josiah.«


Sie ist an allen Gliedern von einer schweren Lethargie befallen, die es ihr schwermacht, die Arme zum Kopf zu heben, um ihr Haar aufzustecken. Sie weiß nicht, wie sie diesen Abend durchstehen soll, wenn ihre Energie nicht zurückkehrt. Lisette hat sich erboten, zu ihr zu kommen und sie zu frisieren, sobald sie von Olympias Mutter nicht mehr gebraucht wird, aber

Olympia weiß, daß sie es gerade jetzt nicht fertigbrächte, mit einer jungen Frau, die im Gegensatz zu ihr alle Aussicht hat, ihr Glück zu finden, scheinbar leichten Sinns über den bevorstehenden Abend zu schwatzen.

Sie kleidet sich also allein an, auch wenn es einige Mühe kostet, und stellt sich schließlich vor den Spiegel, um das Ergebnis einer kritischen Musterung zu unterziehen. Sie sieht eine junge Frau, die gereift wirkt, älter als noch im Juni, deren Gesicht und Körper erblüht sind in diesen letzten zwei Monaten. Auf ihrem Haar, das sie so bedenkenlos der Sonne ausgesetzt hat, liegen helle Glanzlichter, und ihr Dekolleté ist von Sommersprossen gesprenkelt, die sich auch mit Puder nicht verbergen lassen. Sie hat das Haar zu einem doppelten Knoten geschlungen und mit Perlenkämmen aufgesteckt. Der Satin des Kleides schmiegt sich um ihren Körper, enthüllender als alles, was sie bisher getragen hat.

Insgesamt findet Olympia ihr Bild im Spiegel zufriedenstellend, aber keineswegs schön: Es fehlt ein Lächeln, ein gewisser Glanz in den Augen. Olympia weiß, wie eine Frau aussieht, wenn sie glücklich ist, wenn ihre Schönheit körperlichem und seelischem Wohlgefühl entspringt oder dem Wissen, geliebt zu werden. Selbst eine Frau ohne besondere körperliche Reize zieht den Blick auf sich, wenn sie glücklich ist, während selbst die schönste Frau, wenn sie unglücklich ist, nur dekorativ wirkt.

Sie läßt sich auf ihr Bett fallen, kämpft gegen die Tränen und verliert. Wenn sie nur mit Haskell sprechen könnte. Wenn sie nur einen Moment lang sich an ihn lehnen könnte, dann wäre alles gut. Er wüßte, was zu sagen ist. Er würde für sie Sorge tragen. Aber ihr ist schon im nächsten Moment bewußt, daß das nicht stimmt. Er kann nicht für sie Sorge tragen. Er muß für eine andere Sorge tragen.

Mit einem Streich die geduldigen Bemühungen der letzten Stunde zunichte machend, reißt sie sich die Kämme aus dem

Haar und läßt es lang und wirr herabfallen. Es spielt ja keine Rolle mehr. Sie wird nicht hinuntergehen. Sie wird in ihrem Zimmer bleiben, und niemand wird sie zwingen können, es zu verlassen. So weit immerhin hat sie ihr eigenes Leben in der Hand, oder nicht? Niemand kann sie zwingen, an dem Fest teilzunehmen, nichts und niemand kann sie veranlassen, heute abend mit John Haskell und seiner Frau höflich Konversation zu pflegen.

Aber allmählich versiegen die Tränen, und sie hebt den Kopf, streicht sich das wirre Haar aus dem Gesicht. Doch, sie wird hinuntergehen müssen. Auf jeden Fall. Sie würde ihren Vater bis ins Innerste verletzen, täte sie es nicht. Wie selbstsüchtig von ihr, an Flucht auch nur zu denken. Ist sie denn so schwach, so hoffnungslos kindisch, daß sie es nicht aushalten kann, ein paar Stunden im Beisein anderer in der Gesellschaft John Haskells und seiner Frau zu verbringen? Sie denkt an die Leiden, die andere täglich ertragen müssen – die arme Marie Rivard und ihre Kinder, zum Beispiel –, und schämt sich ihrer Wehleidigkeit. Man verlangt so wenig von ihr. Kann sie nicht einmal das geben? Haskell hat einmal gesagt, daß es in Zukunft viele solcher Gelegenheiten geben wird. Wird sie jedesmal die Flucht ergreifen?

Sie braucht so lange, um ihr Haar wieder in Ordnung zu bringen, daß bereits die ersten Gäste eintreffen, als sie endlich fertig ist. Sobald sie ihre Zimmertür öffnet, vernimmt sie das erste Geplätscher freundlich grüßenden Austauschs, dem im Laufe des Abends eine stetig anschwellende Flut von Stimmen folgen wird. Auf dem oberen Treppenabsatz stehend, sieht sie, daß sich im Vestibül vielleicht zwanzig oder dreißig der Gäste versammelt haben, an die die Einladungen auf blau umrandetem Büttenpapier ergangen sind, die Frauen in großen Roben aus Seide, Satin, Chiffon, Moiré und Voile; die Männer in der eleganten Uniform des weißen Smokings. Am Fuß der Treppe stehen zum Empfang der Gäste ihre Eltern, ein schön anzusehendes Paar. Ihre Mutter, das Haar auf raffinierte Weise zu losen Knoten geschlungen und von feinen Perlenschnüren durchwirkt, hält sich sehr gerade, im Gesicht ein Lächeln, von dem nur Olympia und ihr Vater wissen, daß es falsch ist, ein Lächeln, das Glück und Willkommen ausstrahlt. Sie gibt eine glänzende Vorstellung, und Olympia ist einen Moment lang so gefesselt vom Anblick ihrer Eltern, daß sie auf ihrem Beobachtungsposten oben an der Treppe verharrt.

Es ist bekannt, daß ihre Mutter an so einem Abend den Namen jedes einzelnen Gastes im Kopf hat und in der Lage ist, ihn mit persönlichen Worten zu begrüßen; daß sie sich ebenso der Namen der Kinder und der nächsten Freunde ihrer Gäste erinnert. Wie sie das zuwege bringt, da sie sich doch selten in Gesellschaft begibt, ist Olympia ein Rätsel. Manchmal stellt sie sich vor, ihre Mutter säße stundenlang in ihrem Zimmer über den Gästelisten und paukte sich die Namen ein wie ein Schulmädchen, das sich auf eine Prüfung vorbereitet.

Ihr Vater, der ebenso vorbildliche Kontenance zeigt wie seine Frau, verfügt über jenes Auftreten, das bei einem Gastgeber so wünschenswert und so selten ist; eine Kombination aus selbstsicherer Gelassenheit und Herzlichkeit. Im Gegensatz zu seiner Frau kennt er alle seine Gäste persönlich, er selbst hat schließlich die Liste zusammengestellt. Und im Gegensatz zu seiner Frau bringt er fast allen Eingeladenen echte Zuneigung entgegen. Er hat viel Zeit darauf verwendet, sich zu überlegen, wie er seine Gäste miteinander bekannt machen, welcher Gruppe oder welchem Tisch er diesen oder jenen Gast zugesellen wird, um für lebhafte Gespräche und gute Unterhaltung an diesem Abend zu sorgen. Die meisten der Gäste kommen aus jenen Welten, in denen ihr Vater heimisch ist: aus der Welt der Literatur, des Journalismus, der Malerei, der Musik und Architektur. Aber wie stets hat er auch Geschäftsleute, wie etwa Rufus Philbrick, unter die Gäste gemischt, um zu vermeiden, daß es ein blutleerer Abend wird.

Eine ganze Weile steht Olympia dort oben und beobachtet ihre Eltern, wobei sie mit Interesse feststellt, daß ihre Mutter es sich nicht hat nehmen lassen, einige Bahnen ihrer weißen Robe mit dem zartesten Aquamarinblau zu unterlegen und in den Ohren Opalgehänge mit blauem Feuer zu tragen; daß sie also ihrer beinahe obsessiven Vorliebe für Blautöne auch an diesem Abend treu geblieben ist. Was immer auch für unerfüllte Sehnsüchte oder Enttäuschungen ihre Eltern plagen mögen, sie verbreiten um sich eine Aura von Sorglosigkeit und Würde, die ihren Gästen gestattet, sich uneingeschränkt wohl zu fühlen. Das alles trägt dazu bei, den Eindruck zu vermitteln, daß dies besondere Haus an diesem besonderen Abend der einzige Ort auf der Welt ist, wo es sich lohnt zu sein.

Olympia holt einmal tief Luft und läßt sie langsam wieder entweichen. Dann geht sie die Treppe hinunter. Ihr Vater blickt als erster auf, dann ihre Mutter, danach heben die Gäste einer nach dem anderen die Köpfe, und Olympia schreitet unter den Blicken des Publikums, auf das sie gern verzichtet hätte, die Treppe hinunter. Aber sie kann sich nicht unmutig zeigen, schließlich ist es das Fest ihres Vaters, und er ist stolz auf sie; wie kleinlich wäre es, ihm diesen Moment stolzer Freude zu verweigern. Sie sieht Rufus Philbrick, der so strahlend lächelt, daß man meinen könnte, Olympia wäre seine Tochter, und die Gesichter mehrerer junger Männer, die ihr unbekannt sind; junger Männer aus Newburyport, Exeter und Boston, deren Familien seit Jahren, wenn nicht seit Generationen, jeden Sommer nach Fortune's Rocks kommen; junge Männer, die man vielleicht in ein, zwei Jahren schon als geeignete Bewerber um Olympias Hand betrachten wird. Bei dem Gedanken durchzuckt sie ein Grauen, und eine Sekunde verweigern ihr, fast am Ende der Treppe angekommen, die Füße den Dienst: Wie soll ich je einen anderen heiraten?

Sie sieht vor sich ein Defilee junger Männer, die ins Haus kommen, um ihr ihre Aufwartung zu machen, die sie umwerben und vielleicht um ihre Hand bitten, und alle wird sie um des Geheimnisses willen, das sie in sich trägt, abweisen müssen. In diesem Augenblick wird ihr klar, daß sie niemals heiraten und niemals Kinder haben wird; daß sie ihre Zukunft verwirkt hat. Sie legt ihre Hand auf das Treppengeländer, um nicht zu taumeln. Sie sieht, daß ihr Vater sie erschrocken anstarrt. Und im nächsten Augenblick verbietet sie sich, jetzt an solche Dinge zu denken. Es darf nicht sein. Sie findet ihre Sicherheit wieder und steigt die letzten Stufen hinunter.

Ihr Vater tritt ihr entgegen und nimmt sie bei der Hand. Sie wird von ihren Eltern mit Küssen auf die Wange begrüßt, und ihr Vater sagt so laut, daß die Umstehenden es hören können: »Olympia, du bist ein Bild.« Ihre Mutter, die weniger zum Überschwang neigt, aber nicht weniger entzückt ist über Olympias Anblick, sieht sie lächelnd an und streicht ihr eine Haarsträhne aus dem Gesicht.

»Du machst mich heute abend sehr stolz, Olympia, mein Kind«, sagt ihr Vater gedämpfter, und sie sieht den Glanz aufsteigender Tränen in seinen Augen. Aber gleich darauf hat er sich wieder gefaßt und wendet sich von ihr ab, um Zachariah Cote zu begrüßen.

Der erwidert die Begrüßung mit beinahe ungezogener Flüchtigkeit, um sich auf der Stelle Olympia zuzuwenden.

»Miss Biddeford«, sagt er, ihre Hand ergreifend und sich verneigend. Selbst als er den Kopf wieder hebt, läßt er ihre Hand nicht los. Sie fühlt sich wie in der Falle gefangen. Cotes Haar, mit Öl zurückgestrichen, klebt in schütteren Strähnen über dem schon kahl werdenden Schädel. Sie bildet sich ein, das Öl riechen zu können – ein ekelhaft süßer Geruch, bei dem sich ihr fast der Magen umdreht.

»Sie sehen bezaubernd aus«, sagt er mit einem Lächeln, das seine Augen nicht erreicht. »Wie eine junge Dame am Abend ihrer Verlobungsfeier. Oder sogar an ihrem Hochzeitstag.«

Erschrocken, aus dem Mund dieses impertinenten Menschen zu hören, was sie selbst erst vor einer Stunde gedacht hat, entreißt sie ihm ihre Hand.

»Aber Zachariah«, sagt indessen ihre Mutter, die nun ihrerseits Cote die Hand reicht, »wie kommen Sie denn auf einen solchen Gedanken? Ich fürchte fast, Ihnen ist die Festesfreude zu Kopf gestiegen. Olympia ist erst sechzehn, wie Sie wohl wissen. An Heirat ist überhaupt nicht zu denken.«

Ihre Mutter bringt das alles in leichtem Ton hervor, der Stimmung des Abends angemessen, aber ehe Cote sich entfernt, um sich unter die Gäste zu mischen, wirft er Olympia einen Blick zu, der so kalt und wissend ist, daß er nicht mißverstanden werden kann. Ganz als wollte er sagen: Wenn Sie auf dieser Scharade bestehen wollen ...

Olympia würde sich in ihrer Bestürzung am liebsten zurückziehen, aber sie weiß, daß sie an der Seite ihrer Eltern ausharren muß, um die Gäste zu begrüßen, die nun in Scharen eintreffen. Und sie hält durch, solange es ihr möglich ist. Dann aber entschuldigt sie sich und geht auf die Veranda hinaus.

Mit der Flut wälzt sich ein feiner Dunst herein, der das Licht der untergehenden Sonne filtert, so daß alle Gegenstände einen Stich ins Rosige bekommen, besonders auffällig an den weißen Kleidern der Damen und den langen Seitenschals des Zeltes. Und durch ein eigenartiges Spiel dieses diffusen rosigen Lichts, das sie nicht recht versteht, wirkt das Meer wie von einem leuchtendblauen Schleier überzogen, der an der Küstenlinie von einem weißen Schaumstreifen gesäumt ist. Es ist ein Anblick von aufwühlender Schönheit, um so ergreifender, als der Moment durchzogen ist von der Wehmut des Wissens darum, daß diese Schönheit vergänglich ist, durch ein einzigartiges Zusammentreffen der physikalischen Eigenschaften des Lichts erzeugt, und so vielleicht nie wiederkehren wird. Ihr Vater, denkt sie, wird froh und glücklich sein, daß sich die Natur, wie seine Familie und seine Gäste, an diesem großen Abend in ihrem schönsten Gewand zeigt.

Im Zauber des Abends verblaßt allmählich die Erinnerung an die unerfreuliche Begegnung mit Cote. Olympia geht langsam den Rasen hinunter und betritt das Zelt, in dem die mit Limogesporzellan und schwerem Silber gedeckten Tafeln auf die Gäste warten. Das Licht der Kerzen auf den Tischen spiegelt sich in den Champagnerkelchen aus Opalglas, Kellner stehen bereit, um die ersten Hungrigen zu bedienen.

»Olympia«, ruft eine Stimme.

Sie dreht sich im selben Moment herum, als Victoria Farragut sie mit ihrer kleinen Hand in weißem Seidensatin beim Arm faßt. »Fabelhaft ist das alles«, sagt sie. »Und du siehst brillant aus. Ich konnte mein Haar einfach nicht bändigen, obwohl ich wirklich alles versucht habe. Es ist diese verflixte Luftfeuchtigkeit.«

Olympia betrachtet Victorias Haar, das in krausen Löckchen ihr Gesicht umrahmt. »Ich finde, es sieht sehr hübsch aus«, sagt sie.

»Keine Spur«, widerspricht Victoria. »Ich sehe aus wie eine Vogelscheuche. Du dagegen – so schön. Ich weiß, daß das Kleid aus Paris ist. Deine Mutter hat es mir erzählt.«

Zu Olympias Überraschung bietet man ihnen Champagner an. Sie hat schon früher bei größeren Festlichkeiten einen Schluck Champagner gekostet, vor ihrer Bekanntschaft mit Haskell jedoch nie ein ganzes Glas getrunken. Jetzt spürt sie schmerzhaft vertraut das Prickeln des Getränkes auf ihrer Zunge und wird von Erinnerungen überwältigt.

»Das kitzelt im Hals«, stellt Victoria hüstelnd fest. »Weißt du, die meisten Leute hier kenne ich gar nicht. Sind die wirklich alle aus Fortune's Rocks? Nein, das kann ich mir nicht vorstellen.«

»Es sind einige Gäste aus Boston und Newburyport hier. Aber die meisten kenne ich selbst nicht.«

»Du hättest meine Mutter sehen sollen, was für ein Theater sie mit ihrem Kleid veranstaltet hat«, berichtet Victoria vertraulich. »Sie ist fest entschlossen, einen Mann zu finden. Aber nein, das sollte ich dir nicht erzählen.«

Olympia lächelt. »Ich hoffe, sie findet einen. An geeigneten Kandidaten mangelt es hier ja nicht«, meint sie, während sie ihren Blick über die Menge schweifen läßt, in der die Männer in der Überzahl zu sein scheinen.

»Ja, aber keiner will eine Frau mit fast zwei erwachsenen Kindern«, entgegnet Victoria mit einem kleinen Seufzer. »Und schon gar nicht eine Frau ohne Vermögen.«

»Ich glaube nicht, daß ein Mann lediglich nach finanziellen Gesichtspunkten wählt«, sagt Olympia, »oder eine Frau ablehnt, nur weil sie eine erwachsene Tochter hat. Meinst du nicht, daß die Liebe auch eine Rolle spielt?«

»Ach, ich bezweifle, daß meine Mutter sich Liebe verspricht«, erwidert Victoria. »Was sie sucht, ist ein Ehemann. Mit einem anständigen Einkommen. – Sag mal, wirst du tanzen, wenn jemand dich auffordert?«

»Ich werde wohl tanzen müssen«, sagt Olympia.

»Hör mal, du redest wie eine alte Frau, die das Leben satt hat.«

»Tut mir leid. Vielleicht bin ich einfach müde.« Olympia trinkt einen Schluck von ihrem Champagner und beobachtet Rufus Philbrick, der, weißer Backenbart und weißes Jackett, zielstrebig auf sie und Victoria zuhält.

»Da kommt schon einer, der dich auffordern will«, tuschelt Victoria.

»Du meine Güte, Victoria, der Mann ist älter als mein Vater«, gibt Olympia zurück und wird sich sogleich der Ironie ihrer Bemerkung bewußt.

Rufus Philbrick gibt Olympia die Hand. Sie macht ihn mit Victoria bekannt, er verneigt sich knapp. »Ich kannte Ihren Vater«, sagt er. »Wir hatten geschäftlich miteinander zu tun. Ich habe ihn sehr geschätzt. Ich hoffe, Sie und Ihre Mutter genießen Ihren Sommeraufenthalt hier.«

»O ja, danke«, antwortet Victoria. »Dabei fällt mir ein, daß ich einmal nach ihr sehen sollte. Wenn Sie mich entschuldigen wollen...«

Durch das Gedränge der Gäste, die sich auf dem Rasen tummeln, geht sie davon, und Olympia und Philbrick sehen ihr einen Moment schweigend nach.

»Haben Sie in diesem Sommer noch andere Freunde gefunden?« fragt Philbrick.

Olympia muß unversehens an den Abend denken, als Philbrick und Haskell zusammen hier gespeist haben.

»Nein, ich hatte zuviel mit anderen Dingen zu tun«, antwortet sie.

»Nichts Ernstes hoffentlich?«

»Nein, nein. Nichts allzu Ernstes.«

Olympia verspürt einen heftigen Impuls, diesem immer etwas schroffen und wohlmeinenden Mann die Geschichte von sich und Haskell zu erzählen. Irgend jemandem davon zu erzählen, ganz gleich, wem. Die Worte laut auszusprechen, sie zum Leben zu erwecken. Es ist ein gefährlicher und selbstmörderischer Impuls, als stünde sie am Rand eines Abgrunds und fühlte sich von einem überwältigenden Drang zu springen erfaßt.

»Auf Ihre Gesundheit, mein Kind«, sagt Philbrick und winkt einem Kellner, um sein Glas auffüllen zu lassen. »Ich beneide den Mann, der Sie eines Tages entführen wird...«

Olympia sieht zu dem imposanten Hotelbesitzer auf und denkt, wie anders seine Worte klingen als die schmierigen Anzüglichkeiten, die sie sich von Cote hat anhören müssen.

»Oh, ich hoffe, die Zukunft wird mich nicht zu weit von meinen Eltern wegführen«, fällt sie ihm in scherzhaftem Ton ins Wort.

»Ich weiß nicht, Sie scheinen mir eine abenteuerlustige junge Dame zu sein, Olympia Biddeford.« Er betrachtet sie mit demonstrativer Nachdenklichkeit. »Ja, ich sehe es vor mir. Sie werden einen Rancher heiraten und nach Westen ziehen. Sie werden Hotels besitzen und acht Kinder bekommen.«

Sie lacht. »Da kann ich nur hoffen, daß Sie als Prophet nicht so versiert sind wie als Geschäftsmann.«

Er mustert sie lächelnd über den Rand seines Glases hinweg. Das Stimmengewirr um sie herum scheint zu einem Summen der Erregung anzuwachsen, und das veranlaßt sie beide, sich zur Veranda umzudrehen.

»Ich habe einen Blick durch Ihr Teleskop riskiert«, bemerkt Philbrick. »Ihr Vater hat es Ihnen zum Geburtstag geschenkt, wie ich hörte.«

Sie nickt.

»Ein vorzügliches Instrument. Sehr scharf. Ich konnte deutlich bis nach Appledore hinübersehen.«

»Heute abend wäre das nicht möglich«, meint sie.

»Nein, aber der Nebel hat immer etwas wunderbar Geheimnisvolles, nicht wahr?«

Olympia schießt plötzlich die Frage durch den Kopf, warum sie Philbrick nie mit einer Ehefrau oder Kindern sieht. Lebt er allein? In einem seiner Hotels? Sie hält ihren Blick auf die Veranda gerichtet, wo die Gäste zu einem Mittelpunkt zusammenzuströmen scheinen. Und wieder, während sie da mit Philbrick auf dem Rasen steht, muß sie daran denken, daß jeder dieser wohlgekleideten und wohlfrisierten Menschen auf diesem Fest auf dem gleichen Wege zur Welt gekommen ist wie das Kind von Marie Rivard; und daß die meisten dort auf der Veranda irgendwann einmal, oft vielleicht sogar, ihre Beine geöffnet haben und in Nacktheit mit einem geliebten Menschen zusammen waren, keuchend der Lust entgegenstrebten, laut aufgeschrien haben und vielleicht sogar unanständige oder tierische Geräusche von sich gegeben haben; und daß manche der Paare, die heute abend hier zu Gast sind, erst vor Stunden solchen intimen Verkehr miteinander hatten. Und das alles gibt ihr Anlaß, sich über den Gegensatz zwischen der aufwendigen

Verkleidung und den natürlichen Gebärden des Körpers zu wundern und sich zu fragen: Wie weit, *wie weit* sind wir bereit zu gehen, um davon abzulenken, daß wir körperliche Wesen sind?

»Ah«, ruft Philbrick. »Hale ist da. Unser Ehrengast.«

»Nicht geehrter als Sie«, versetzt Olympia.

Er sieht sie mit einem breiten Lächeln an. »Gesprochen wie eine echte Demokratin«, sagt er.

Gemeinsam beobachten sie, wie der Umworbene in Begleitung einer Frau auf die Veranda hinaustritt. Olympia nimmt flüchtig ein bleiches Gesicht und schütteres Haar wahr. Man bekommt nicht viel von Hale zu sehen, da er von Gästen umringt ist, die entweder seine Bekanntschaft suchen oder einfach dabeisein wollen; aber Olympia weiß, daß man sie dem Mann bald genug vorstellen wird. Sie sieht diesem Moment nicht gerade mit Erwartungsfreude entgegen, da sie Hales Essays, deren Lektüre ihr Vater ihr so dringlich ans Herz gelegt hat, keines Blickes gewürdigt hat. Sie vermutet, daß Hale das ziemlich gleichgültig sein wird, aber ihr Vater wird ärgerlich sein, das weiß sie. Und sie hofft, daß er den Abend hindurch zu beschäftigt sein wird, um sie im Beisein Hales zu prüfen.

Aber sie wird Hale gar nicht kennenlernen, weder an diesem Abend noch irgendwann später.

»Da sind John Haskell und seine Frau«, sagt Rufus Philbrick neben ihr.

Ihr Herz setzt einen Schlag aus. Sie mustert die Menge mit suchendem Blick und findet das Paar, das soeben aus dem Haus auf die Veranda tritt. Sofort fällt ihr auf, daß etwas nicht stimmt. Vielleicht liegt es an der übermäßig fürsorglichen Art, mit der Catherine neben ihrem Mann steht, vielleicht an der Anspannung in Haskells Gesicht. Sie machen keine Anstalten, sich Hale zu nähern, im Gegenteil, sie entfernen sich von dem Kreis seiner Bewunderer, als hätten sie sich stillschweigend geeinigt, abseits zu bleiben. Langsam schieben sie sich zum Geländer durch und machen nicht weit von der Stelle halt, wo Philbrick und Olympia auf dem Rasen stehen.

Philbrick geht auf die beiden zu, um sie zu begrüßen; Olympia ist unfähig, sich zu bewegen.

Haskells Haar ist ein wenig durcheinander, als hätte er es gekämmt und wäre dann achtlos mit den Fingern hindurchgefahren. Seine Krawattenschleife ist nachlässig gebunden. Catherine, in ellbogenlangen weißseidenen Handschuhen, berührt flüchtig seinen Arm. Haskell scheint Olympia nicht zu sehen, obwohl sie direkt in seinem Blickwinkel steht; vielmehr ist sein Blick in jene Ferne gerichtet, die ihm nur seine eigenen Gedanken spiegelt.

Philbrick steigt zur Veranda hinauf und küßt galant Catherines dargebotene Hand. Haskell wendet sich Philbrick kurz zu, ist aber offenbar nicht in der Lage zu einem Gespräch, das über die Begrüßungsfloskeln hinausgeht.

Er ist nicht er selbst, denkt Olympia. Er ist krank.

Sie weiß nicht, ob sie sich zurückziehen oder ebenfalls zur Veranda hinaufsteigen soll.

Philbrick, dem Haskells Schweigen sichtlich Unbehagen einflößt, beginnt eine Unterhaltung mit einem Mann aus Rye, der Olympia oberflächlich bekannt ist. Haskell stützt die Hände auf das Verandageländer und beugt sich mit gesenktem Kopf vornüber, wie ein Mann, der sich gleich übergeben muß. Von Zeit zu Zeit dreht Catherine den Kopf, um nach ihm zu sehen. Sie scheint ein wenig aus der Fassung zu sein – natürlich besorgt, vor allem aber verwirrt über die Unhöflichkeit ihres Mannes, den sie so nicht kennt.

Aber es ist ja gar nicht Unhöflichkeit, auf die sein ungewöhnliches Verhalten zurückzuführen ist. Nein, mit Unhöflichkeit hat es nichts zu tun. Und es ist Catherine, die, bei einer neuerlichen Drehung des Kopfes nach ihrem Mann, Olympia entdeckt.

»Ach, Olympia«, ruft sie mit offenkundigem Vergnügen.

»Wie schön Sie sind, John, sieh sie dir an! Sieht sie nicht wunderbar aus?«

Haskell bewegt seine Augen in ihre Richtung. Obwohl sie ein ganzes Stück voneinander entfernt sind, kann Olympia sein Gesicht deutlich erkennen. Es verrät nichts. Nie hat sie ihn so erlebt. Sie wartet auf ein Zeichen, einen Wink, wie sie sich verhalten soll. Aber er nickt nur kurz und sagt nichts.

Catherine beginnt mit gekünstelter Munterkeit zu plaudern, wie jemand, der meint, einen peinlichen Moment überspielen zu müssen.

»Kommen Sie doch herauf, Olympia«, ruft sie. »Zeigen Sie sich. Ich habe schon gehört, daß Ihr Kleid ein Traum ist, aber ich hatte keine Ahnung. Den wahren Glanz verleiht ihm die junge Frau, die es trägt, findest du nicht auch, John? Wie kommt es, daß Sie so ganz allein stehen? Man sollte meinen, sämtliche jungen Männer würden Ihre Gesellschaft suchen.«

Haskell preßt die Lippen zusammen.

Weiß Catherine Bescheid? fragt Olympia sich beklommen. Hat Haskell mit ihr gesprochen? Und versucht sie jetzt mit verzweifelter Entschlossenheit, über die Krise hinwegzugehen? Die ganze Sache hinter sich zu lassen? Was ist an diesem Nachmittag im neuen Haus zwischen Mann und Frau vorgefallen? Olympia blickt Haskell forschend ins Gesicht, sucht in seinen Augen, im Ausdruck seines Mundes nach einer Antwort auf ihre Fragen und findet nichts.

Aber da richtet er sich plötzlich auf, nimmt sich sichtlich zusammen. »Olympia, guten Abend«, sagt er. »Verzeihen Sie mir.«

Was denn? würde Olympia am liebsten rufen. Was soll ich dir verzeihen?

Daß Haskell sich endlich zu einigen höflichen Worten aufgerafft hat, scheint Catherine zu erleichtern. Ihre Züge entspannen sich, sie bringt sogar ein Lächeln zustande.

»Kommen Sie zu uns herauf, Olympia, sonst komme ich hinunter und hole Sie«, sagt sie.

Olympia rafft ihre Röcke und steigt die Treppe hinauf, dieselbe Treppe, an der in jener Nacht, als sie von ihrem Ausflug ans Wasser zurückkehrte, Haskell sie erwartete. Diesmal jedoch ist es Catherine, die dort steht und ihr die Hand reicht und sie an sich zieht. Olympia fühlt sich umhüllt vom Duft frischer Seife und Gardenien, in den sich ein kaum wahrnehmbarer Hauch schalen Atems mischt.

Catherine trägt ein Kleid im Empirestil, unter dem Busen zusammengezogen, so daß der Stoff in fließenden Falten über Taille und Hüften fällt. Ihr Haar, frei von Nadeln und Kämmen, umrahmt ihr Gesicht, leicht und duftig gebauscht; wie Zuckerwatte, die jederzeit in Nichts zergehen kann, denkt Olympia.

Catherine hält Olympia beim Arm wie eine betuliche Tante, die ihre Nichte unter ihre Fittiche genommen hat. Haskell dreht sich herum und beugt sich über Olympias Hand. Jetzt, da sie ihm so nahe ist, kann sie die krampfhafte Anspannung seiner Gesichtsmuskulatur erkennen.

»Wie gefällt Ihnen Ihr neues Haus?« fragt sie Catherine in höflichem Bemühen.

Haskell wendet sich ab und schaut zum Meer hinaus.

»Oh«, antwortet Catherine mit unverhohlenem Entzücken und schlägt die Hände zusammen, als wollte sie klatschen. »Es ist wunderschön. Ich habe nie ein solches Haus gesehen. Man hat von jedem Fenster aus einen Blick aufs Meer, und die Seeluft… Wirklich, Olympia, Sie müssen uns unbedingt so bald wie möglich besuchen, damit ich Ihnen und Ihrer Mutter alles zeigen kann. Jedes Detail ist mit soviel Liebe ausgeführt… Und die Mädchen… Jede hat ihr eigenes Zimmer, und sie sind natürlich hellauf begeistert.«

Catherine hält inne. Olympia müßte jetzt etwas erwidern, aber nichts fällt ihr ein. Das Schweigen zieht sich in die Länge. Rundherum tönt das Geplapper angeregter Stimmen, so daß sich Olympias Sprachlosigkeit um so befremdlicher ausnimmt.

Catherine blickt von ihr zu Haskell und dann wieder zu ihr.

»John ist heute abend nicht wohl«, bemerkt sie, als müßte sie sich für die Ungeselligkeit ihres Mannes entschuldigen. »Ich fürchte, er hat in letzter Zeit viel zuviel gearbeitet.«

»Oh, das tut mir leid«, sagt Olympia.

Selbst Catherine mit all ihrer gesellschaftlichen Gewandtheit gelingt es nicht, ein Gespräch in Gang zu bringen. Haskells angespanntes Schweigen ist beklemmend. Olympia möchte fliehen. Sie hält es hier mit diesem Paar nicht mehr aus. Die Spannung ist so ungeheuer, daß sie fürchtet, entweder sie oder Haskell werden jeden Moment den wahren Grund dieses Schweigens aufdecken.

»Wenn Sie mich jetzt entschuldigen würden«, sagt Olympia hastig. »Ich muß meinen Vater suchen. Er würde es mir sehr übelnehmen, wenn ich die Gelegenheit, Mr. Hales Bekanntschaft zu machen, ungenutzt verstreichen ließe.«

Ehe Catherine oder Haskell etwas erwidern können, geht sie davon und sucht sich ihren Weg über die Veranda ins Haus. Teilt sich die Menge bereitwillig bei ihrem Kommen, oder bahnt sie sich ihren Weg? Nein, nein, nichts so Dramatisches. Sie drängt sich einfach mit höflichem Nicken an den Leuten vorbei, schlüpft durch Lücken im Gewühl, entzieht sich allem Gespräch. Sie tritt ins Haus und durchquert den Salon voll heiterer Menschen. Sie eilt weiter, ohne Ziel, nur von dem Wunsch getrieben, Catherine Haskell zu entkommen, der sie nie wieder guten Gewissens wird gegenübertreten können.

Und während sie ihren ziellosen Weg fortsetzt, macht sie sich scharfe Vorhaltungen: Nie wieder, ganz gleich, unter welchen Umständen, darf sie diese Frau aufsuchen. Sie muß Catherine irgendwie davon abhalten, je wieder in dieses Haus zu kommen. Sie muß um jeden Preis Zufallsbegegnungen, alle gesellschaftlichen Veranstaltungen, auf denen sie zusammentreffen könnten, meiden. Sie muß aus Fortune's Rocks abreisen und nach Boston zurückkehren. Dafür wird sie sich einen plausiblen Vorwand einfallen lassen, das wird ihr schon gelingen. Sie wird ihren Vater überreden, sie nach Hause zu schicken. Sie wird unverzüglich abreisen. Gleich morgen.

Sie befindet sich in einem Korridor, abseits vom festlichen Trubel. Sie hört das Stimmen der Instrumente. Gleich wird die Kapelle zu spielen beginnen. O Gott, denkt sie, wie soll ich das ertragen?

Sie erreicht einen stillen, leeren Flur und bleibt stehen, um Atem zu schöpfen. Sie lehnt sich mit dem Rücken an die Wand, neigt den Kopf nach hinten und schließt die Augen. So steht sie einige Minuten lang und versucht, sich zu beruhigen. Sie hört die Töne einer Bratsche, die ersten Takte eines Walzers. Wird Haskell mit Catherine tanzen? Olympia drückt einen Moment ihre Hände auf die Augen. Dann zieht sie ruckartig die Perlenkämme aus ihrem Haar und starrt zu ihren Händen hinunter, die sie halten. Sie hält sie so fest, daß sich die Zinken in ihr Fleisch bohren.

Als sie Schritte auf dem gewachsten Dielenboden hört, dreht sie den Kopf und gesteht sich ein, von Anfang an gewußt zu haben, daß er ihr folgen wird. Sie blickt ihm entgegen und rührt sich nicht. In seinem Gesicht liegt ein Ausdruck, den sie gut kennt: eine Mischung aus Schmerz und Begehren. Er tritt nahe an sie heran, so nahe, daß sie den Hauch seines Atems auf ihren gesenkten Lidern fühlen kann. Sie vernimmt ein zitterndes Seufzen. Er neigt sich zu ihr und drückt seinen Mund so fest in ihre Schulter, daß Olympia erschrickt. Sie spürt seine Zähne in ihrer Haut. Nie zuvor war er so heftig. Sie fühlt Nässe auf ihrer Haut und weiß, daß er weint. Er weint wie Männer weinen, lautlos und geräuschvoll zugleich, gewaltsam nach Luft ringend. Es ist ein so umfassender Verlust aller Selbstbeherrschung, daß das Weinen die Lust weckt, oder vielleicht ist es auch umgekehrt. Sie möchte sein Gesicht in beide Hände nehmen und zu ihrem aufheben, um ihn zu trösten, aber sein Mund liegt auf ihrer Brust, und seine Hände drücken so hart in ihren Rücken, daß sie kaum atmen kann. Sie gehen, oder stolpern, durch den Korridor, auf der Suche nach Dunkelheit, nach einer Zuflucht, nach einem Ort, an dem sie sich verbergen können. Sie stößt gegen eine Wand, und ein Bild fällt herab. Es ist ein Wunder, daß sie nicht einen Dienstboten oder einen Gast aufschrecken. Sie hält seinen Kopf umfaßt, und sie drehen sich so, daß sein Rücken der Wand zugekehrt ist. Sie tritt auf den Saum ihres langen Kleides und hört, wie in der Taille eine Naht reißt. Sie gelangen in die Kapelle und bleiben stehen, stumm den schmucklosen Altar und die gezimmerten Holzbänke betrachtend. Sie geht langsam auf den Marmorquader zu und setzt sich auf ihm nieder. Haskell folgt ihr und bleibt aufgerichtet vor ihr stehen. Sie sieht sein Gesicht nicht.

»Was ist passiert?« fragt sie.

»Ich habe es ihr nicht gesagt.«

Sie umschlingt mit den Armen seine Beine und neigt ihren Kopf hinunter.

»Ich kann nicht in diesem Haus leben«, stößt er hervor. »Ich kann es nicht. Niemals.«

»Nein«, sagt sie, rastlos den Kopf an seinen Beinen wiegend. Auch sie weint jetzt.

»Ich werde von hier fortgehen«, fügt er hinzu. »Ich werde schon einen Grund finden. Ich kann hier nicht bleiben.«

»Laß mich fortgehen«, sagt sie, zu ihm aufblickend. »Laß mich gehen. Du wirst hier gebraucht; ich nicht. Ich habe mir schon vorgenommen, gleich morgen mit meinem Vater zu sprechen.«

Er kauert vor ihr nieder, so daß sein Gesicht mit ihrem auf gleicher Höhe ist. Er gräbt seine Finger tief in ihr Haar. »Nein, ich kann nicht bleiben«, beharrt er. »Alles hier, jedes Bild, auf das mein Blick fällt, erinnert mich an dich und weckt eine Sehnsucht, die mir das Herz zerreißt.«

Er drückt seinen Mund auf ihren. Es ist ein Kuß, aber es ist mehr als ein Kuß. Eine Ahnung von Ertrinken vielleicht.

Aber der Körper gibt sich mit Küssen nicht zufrieden, mögen sie noch so tief und aufwühlend sein. Der Körper verfolgt seinen eigenen fordernden Kurs. Und so legt sie sich nieder, den Kopf auf dem kühlen Marmor, die Beine rittlings über dem Stein. Der Marmor ist hart und unbequem, und sie kommt sich plump vor, mit gespreizten Beinen auf dem Stein liegend, ihre Füße in den Tanzschuhen zu beiden Seiten den Boden berührend. Haskell kniet nieder. Seine Wange liegt feucht auf ihrem Oberschenkel. Er löst ein Strumpfband und legt seine Hand auf ihr Bein. Sie versucht, sich aufzurichten, um ihm ins Gesicht sehen zu können. Sie ruft seinen Namen. Aber er ist gefangen in der machtvollsten Art der Lust, die es gibt; jener Lust, die der Hoffnungslosigkeit entspringt. Sie hat Angst – mindestens so sehr um ihn wie um sich selbst. Und dennoch weiß sie, daß sie dieser Entwicklung, die vom Beginn bis zum Ende ihrer eigenen Dynamik folgt, keinen Einhalt gebieten kann.

Sie dreht den Kopf zur Seite und blickt durch das offene Fenster der Kapelle, und da sieht sie, wie Zachariah Cote gerade höflich seinen Platz am Teleskop für Catherine Haskell frei macht, die sich niederbeugt, um das Auge an das Okular zu drücken, kurz an einigen Knöpfen dreht, bis schließlich, glasklar und unbegreiflich, die Szene ins Bild kommt, auf die Cote mit niederträchtiger Präzision das Instrument eingestellt hat.

# 13

Sie stellt sich vor, daß es etwa so gewesen sein muß: Catherine richtet sich auf, den Mund halb geöffnet, eine seidenüberzogene Hand flach auf ihr Herz gedrückt. Cote, der den Verwunderten spielt, beugt sich seinerseits zum Teleskop hinunter und fährt, scheinbar entsetzt über das, was er soeben erblickt hat, hastig in die Höhe. »Ach, Catherine, meine Liebe! Es tut mir so leid. Wie grausam für Sie.« Und diese Worte durchdringen vielleicht Schock und Ungläubigkeit, veranlassen Catherine, Cote anzusehen, so daß sie das tückische Lächeln wahrnimmt, das er mit seinem heuchlerisch bekümmerten Stirnrunzeln nicht überspielen kann. Und vielleicht besitzt Catherine nach dem ersten Moment der Fassungslosigkeit die Geistesgegenwart, ihm ins Gesicht zu schlagen. Olympia hofft, daß es so war.

Als Olympia in ihrem zerrissenen Kleid, das sie krampfhaft um die Taille zusammenhält, den Hauptkorridor des Hauses erreicht, scheint ihr die Luft rundherum von einem Kreischen erfüllt, einem Geräusch, als läuteten alle Glocken der Welt wild durcheinander. Haben sie und Haskell dieses Chaos ausgelöst, dieses Höllenspektakel? Haskell ist vor ihr gegangen, und sie sucht ihn, sucht ihn und Catherine. Das Gesicht ihrer Mutter ist weiß und starr, und Olympia kann nichts zu ihr sagen. Ihr Vater kommt ihr entgegen, sein Blick eine einzige Frage: Ist das wahr, Olympia? Sie antwortet ihm, aber es ist, als brächte sie die Antwort in einer fremden Sprache hervor; er scheint ihre Worte nicht zu verstehen. Dann aber sieht sie den Schrecken der Erkenntnis in seinen Zügen, sieht das leichte Zusammenzucken und wird Zeugin seines langsamen Begreifens, daß alles verloren ist, was ihm lieb und teuer war – seine Tochter, ihr guter Ruf, die Möglichkeit, je nach Fortune's Rocks zurückzukehren, das Haus, das er so liebt, dieses Leben, das er so liebt. Und das Erschütterndste an diesem Abend ist für sie das tapfere Bemühen ihres Vaters, den Kopf hochzuhalten und die Kontenance zu bewahren, während die schreckliche Gewißheit von ihm Besitz ergreift; dieses Bemühen, den Gästen ein heiteres Gesicht zu zeigen, sie zu beruhigen und ihnen selbst dann noch den unerschütterlichen Kapitän vorzuspielen, als schon der Rumpf des Schiffes bricht und das Wasser durch die Schotten strömt.

Er greift nach ihrer Hand, aber sie zuckt zurück. Sie läuft von einem Zimmer ins andere. Die Gäste befinden sich im Aufbruch, rufen nach ihren Wagen. Sie muß Haskell finden. Sie muß Catherine finden. Sie muß irgend etwas zu Catherine sagen.

Sie stößt schließlich im Flur, der zur Küche führt, auf das Paar. Catherine hat geweint und wehrt jede Berührung ihres Mannes ab. Er sieht Olympia an, ohne etwas zu sagen. Sein Gesicht ist verwüstet von Schmerz und Grauen.

Wir können das doch nicht getan haben, möchte sie laut schreien. Wir können das doch nicht getan haben!

Gemeinsam gehen sie aus dem Haus. Mann und Frau. Er muß natürlich mit seiner Frau gehen. Er muß sie in ihr neues Haus begleiten. Aber was für Schrecken werden beide dort erwarten? Was für Schreie werden in die Stille der Nacht aufsteigen, da Catherine, einem grausamen und gnadenlosen Muster folgend, unablässig zwischen Schlafen und Wachen hin und her gerissen werden wird, in kurzen Schlummer fallen wird, nur um sogleich wieder in die Höhe zu fahren?

Olympia sieht Haskell nach, wie er aus dem Haus ihrer Eltern geht, sie im Flur stehend zurückläßt. Die Kapelle hat aufgehört zu spielen. Olympia sinkt in die Knie. Sie sieht Haskell noch einmal, als er zu einer Tür hinauseilt. Und erst da begreift sie, was sie von Beginn an hätte wissen müssen: Er gehört nicht ihr. Er hat ihr nie gehört.

# TEIL ZWEI

# Die Verbannung

## 14

Olympia reist mit ihren Eltern am Morgen des elften August mit der Bahn aus Fortune's Rocks ab. Josiah und Lisette, die nun doch nicht dazu gekommen sind, Philip Biddeford von ihrem persönlichen Anliegen zu sprechen, bleiben im Haus zurück, um das Heer von Aushilfskräften zu beaufsichtigen, dessen Aufgabe es ist, im Haus alle Spuren des Unglücksfests zu tilgen. Ihre Mutter ist auf der ganzen Fahrt völlig in sich zurückgezogen und muß von Zeit zu Zeit von der Pflegerin, die sie begleitet, mit Riechsalz belebt werden.

Ihr Vater spricht erst mit ihr, als sie zu Hause angelangt sind und sich hinter den geschlossenen Türen im Salon ihres Bostoner Hauses befinden, das noch auf die Rückkehr der für den Sommer beurlaubten Angestellten wartet. Mit mühsam beherrschtem Zorn hält er Olympia vor, sie habe die Familie ruiniert und deren Glück zerstört. Zudem habe sie sich selbst mit ihrer törichten Unbesonnenheit aller Chancen auf eine freundliche Zukunft beraubt. Obgleich er die Überzeugung hege, daß sie von einem gewissenlosen Schurken verführt worden sei, werde sie für den Rest ihres Lebens die Verantwortung für ihr Handeln tragen müssen. Und ob ihr klar sei, fügt er hinzu, die Frage mit der ganzen Wut eines Vaters durch den Raum speiend, dessen schlimmster Alptraum wahr geworden ist, noch ehe er recht Zeit hatte, ihn zu denken, daß sie nicht nur die Verantwortung für den Frevel trage, den sie an Catherine Haskell, einer unbescholtenen und bitter gedemütigten Frau, begangen habe, sondern auch für das, was vier unschuldige Kinder erleiden müssen? Von dem Verführer selbst könne er nicht sprechen, ja, er sei nicht einmal imstande, den Namen dieses Mannes über die Lippen zu bringen, dem er als Freund vertraut habe und dem er von nun an nur das Schlimmste wünschen könne.

Sie hört schweigend, was er ihr zu sagen hat: Sie wird in nächster Zukunft das Haus nicht verlassen und mindestens einen Monat lang, während er und ihre Mutter gemeinsam überlegen, was mit ihr zu tun sei und wie wenigstens ein Rest ihrer Zukunft zu retten wäre, in ihrem Zimmer bleiben. Sie wird in dieser Zeit keine Besuche empfangen oder Briefe erhalten, wird überhaupt keinen Kontakt zur Außenwelt pflegen, wird sogar auf Ablenkung durch Lektüre von Büchern verzichten. Ihre Mahlzeiten wird sie auf ihrem Zimmer einnehmen, nicht einmal ein Spaziergang im Park wird ihr gestattet sein. Sinn und Ziel dieser Maßnahme ist es, wie ihr Vater erläutert, ihr Zeit zu geben, über den Ernst ihrer Lage nachzudenken.

An dieser Stelle beginnt ihr Vater zu ihrer grenzenlosen Bestürzung plötzlich zu schluchzen, was weit schlimmer ist als alle Vorhaltungen, die er ihr machen konnte. Er fällt in einen Sessel, als hätte alle Kraft ihn verlassen. Olympia springt auf und kniet vor ihm nieder. Sie fleht ihn an, sich zu beruhigen, sie kann seine Traurigkeit nicht ertragen. Bei ihren Worten richtet er sich kerzengerade auf und befiehlt ihr scharf, sofort aufzustehen. Sie möge, sagt er, solch theatralisches Getue bei weiteren Gesprächen unterlassen; im übrigen werde sich alle Kommunikation in der Zukunft auf das Maß beschränken, das unter Menschen, die unter einem Dach leben, unumgänglich ist. So kalt zurückgewiesen, kommt sie seiner Aufforderung nach, das Zimmer zu verlassen und ihre Strafe anzutreten.

Eine schlimmere Bestrafung hätte ihr Vater sich nicht für sie ausdenken können. Stunde um Stunde in einem Sessel zu sitzen und über ihren eigenen Untergang nachzudenken, das ist schrecklich genug: Sie wird niemals Mann und Familie haben; sie wird ihre Ausbildung nicht weiterführen können, weder unter der Obhut ihres Vaters noch an irgendeiner öffentlichen oder privaten Institution; auf sie wartet das traurigste Schicksal, das einer Frau widerfahren kann – das der alten Jungfer, die von niemandem gebraucht wird; ihr Leben lang wird der Skandal, der bei den einen vielleicht lüsterne Neugier und bei den anderen Abwehr hervorrufen wird, sie verfolgen; man wird sie anderen jungen Frauen als Beispiel für die verderblichen Auswirkungen der Sünde vorhalten; und sie wird das Ziel des unbarmherzigsten und verächtlichsten aller Gefühle werden, des Mitleids. Doch das Wissen, daß sie das Leben Unschuldiger ruiniert hat, ist beinahe unerträglich.

Ab und zu klopft ihr Vater an ihre Tür und betritt ihr Zimmer, um ihr irgendwelche Dinge mitzuteilen, die er für lehrreich hält oder für geeignet, die Pein ihrer Strafe zu verschärfen. Catherine Haskell und ihre Kinder sind am elften August nach York zurückgekehrt, bemerkt er eines Tages kurz, ohne ihr Gelegenheit zu Fragen zu geben. Später bringt er ihr zur Kenntnis, daß *dieser Mensch* seine Stellung an der Universität in Cambridge und an den Kliniken sowohl in Cambridge als auch in Ely Falls verloren habe. Sie erfährt nichts über seinen Aufenthaltsort, nichts darüber, wie er sich nun seinen Lebensunterhalt verdient. Auch über das weitere Fortkommen Catherines und ihrer Kinder erfährt sie nichts, hört lediglich, daß das neue Sommerhaus, in dem das unglückliche Paar nur eine einzige grausame Nacht verbracht hat, verkauft worden ist.

Olympia ist auf ihre eigenen Gedanken und Mutmaßungen zurückgeworfen, die jeden Morgen mit dem Erwachen wiedergeboren werden und nur langsam eine gewisse Vertrautheit gewinnen. Doch nach einem langen Monat entdeckt sie etwas Erstaunliches an sich selbst: Ihre Fähigkeit zur Reue ist begrenzt. Der Geist unterwirft sich, wie sie feststellt, nicht so leicht der Vernichtung, sondern sucht sich einen Weg, mag er auch durch gefährliche Irrungen führen, um seine Wunden zu heilen und sich zu retten. Und sie rettet sich, in der Enge ihres

Zimmers eingesperrt, mit Hilfe der Erinnerung. Sie besitzt einen Schatz an Erinnerungen, körperlicher und geistiger Natur, den ihr niemand nehmen kann; auch wenn die Ereignisse, auf denen diese Erinnerungen beruhen, in die Katastrophe geführt haben, enthalten sie doch eine Süße, die alle nachfolgende Bitterkeit ihnen nicht völlig entziehen kann. So wird ihr die Vergangenheit zur Gefährtin.

Erst Ende Oktober wird Olympia klar, daß sie ein Kind erwartet. Sie wird schon seit einiger Zeit von einem metallischen Geschmack im Mund und von unerklärlicher Übelkeit geplagt. Am neunundzwanzigsten Oktober nimmt sie endlich ihren Mut zusammen und erzählt Lisette von ihrem Unwohlsein. Sie bittet sie, Dr. Branch zu holen, der regelmäßig das Haus besucht und sich ihrer Mutter widmet.

Lisette betrachtet Olympia einige Minuten lang, ohne etwas zu sagen, dann seufzt sie tief. Und da weiß Olympia mit einer Klarheit, die ihr zuvor gefehlt hat, wie es um sie steht. Ihr schwindelt vor Schreck und Bestürzung, aber noch während sie, eine Hand an die Stirn gedrückt, von Ungläubigkeit und Scham geschüttelt wird, stiehlt sich ein Lächeln in ihr Inneres, vielleicht sogar auf ihre Lippen. Obwohl ihr das Verzweifelte ihrer Lage in vollem Umfang bewußt ist, leuchtet ein Funken Freude in ihr auf über diese Hinterlassenschaft ihrer Tage und Wochen mit John Haskell. Es ist wenigstens etwas ...

Lisette erbietet sich, an ihrer Stelle mit ihrem Vater zu sprechen, aber Olympia lehnt das Angebot ab. Den Mut dazu habe sie selbst, erklärt sie.

Am nächsten Morgen vor dem Frühstück kleidet sich Olympia mit großer Sorgfalt, wählt ein schlichtes blaues Kleid, das ihren Zustand nicht ganz verbirgt, ihn aber auch nicht zur Schau stellt. Bei ihrem Eintreten ins Speisezimmer findet sie ihren Vater bei der Lektüre von Hawthornes *Der scharlachrote Buchstabe* vor, ein Zusammentreffen, das sie im ersten Moment so aus der Fassung bringt, daß sie versucht ist, umzukehren und in ihr Zimmer zu flüchten. Regen schlägt gegen die Fensterscheiben, und der Geruch des Kaffees widert sie an. Sie drängt die aufsteigende Übelkeit zurück, entschlossen, vor ihrem Vater keine Schwäche zu zeigen.

Zunächst nimmt er keine Notiz von ihr, obwohl sie spürt, daß ihre Anwesenheit ihn irritiert. Sie frühstückt im allgemeinen nicht mit ihm zusammen, daher ist ihr Erscheinen ungewöhnlich und verdächtig. Mit aller Ruhe, die sie aufbieten kann, nimmt sie sich Eier und Schinken von der Kredenz und gießt sich einen Becher heiße Milch ein. Doch sobald sie Teller und Becher vor sich auf den Tisch gestellt hat, merkt sie, daß sie nicht fähig sein wird, den Anblick der Speisen lange zu ertragen, ohne sich in peinliche Verlegenheit zu bringen. Sie stürzt sich daher augenblicklich in ihre unendlich oft geprobte Rede.

»Vater, ich muß dir etwas Wichtiges mitteilen, denn es wird sich auf die Dauer nicht verbergen lassen, und ich möchte nicht, daß dir die Tatsachen von …«

Er dreht den Kopf und sieht sie an.

»Es tut mir so leid …«, sagt sie.

»Olympia, was hat das zu bedeuten?«

»Ich bin …«, beginnt sie. »Ich …« Sie berührt mit einer Hand ihre Taille.

»Nein!«

Er sagt das Wort leise, zu leise, und sie spürt seine Ungläubigkeit und sein Entsetzen. Er sitzt wie versteinert, mit weißem Gesicht. Sein Blick ist starr, an ihr vorbei ins Leere gerichtet, seine Finger ruhen noch auf dem Buch. Mit äußerster Anstrengung kämpft er um seine Beherrschung. Er befeuchtet seine Lippen mit der Zunge. Er greift zu einem Glas Wasser und trinkt.

»Sag mir, daß es nicht wahr ist«, fordert er.

Sie schweigt.

Er trinkt noch einmal von dem Wasser. Sie sieht, daß seine Hände zittern. Und sie schweigt weiter.

»Wir werden Vorkehrungen treffen müssen«, sagt er, und seine Stimme ist ein wenig zu rauh, vom Schock vielleicht.

Sie senkt den Kopf und nickt. Vorkehrungen für ihre Niederkunft.

»Herrgott noch mal!« explodiert er endlich. »Hat dieser Mensch denn nicht wenigstens nachgedacht?«

»Niemand wollte dir weh tun«, entgegnet sie.

»Ich sehe keinen Anlaß, dir je wieder irgend etwas zu glauben«, versetzt er ruhig.

Sie schließt die Augen.

»Das wird deine Mutter umbringen«, sagt er.

Vielleicht ist es diese Übertreibung, die ihren Zorn weckt.

»Es geht hier doch nicht um meine Mutter«, ruft sie erregt, alle Vorsätze vergessend, ruhig zu bleiben. »Es geht um mich, Vater. *Ich* erwarte das Kind. *Ich* habe den Mann verloren, den ich liebe. *Ich* habe gelitten.«

»Das reicht!« fällt er ihr scharf ins Wort. Er tupft sich die Lippen mit seiner Serviette ab und legt das Tuch auf den Tisch. »Eines laß dir gesagt sein, Olympia«, herrscht er sie an, den Mund schmal vor Anspannung und heftig mit dem Kopf zitternd. »Ich sorge mich jede Sekunde meines Lebens um dich. Aber es geht hier sehr wohl um deine Mutter. Es geht um deine Mutter und um mich und um unser gemeinsames Leben. Es geht um ein ungeborenes und unschuldiges Kind, das du, wie du mir soeben mitgeteilt hast, in die Welt setzen wirst. Es geht um Catherine Haskell und ihre Kinder. Und es geht auch um Josiah und Lisette, die diese Katastrophe bisher mit uns zusammen durchgestanden haben. Und es geht, selbst wenn mir der Name kaum von den Lippen will, ebenso um John Haskell, einen Mann, dessen Leben zerstört ist, mag auch er selbst die Schuld daran tragen. Es geht nicht allein um Olympia Biddeford.«

Damit steht ihr Vater auf, schiebt sorgfältig seinen Stuhl an den Tisch heran und greift nach seinem Buch. Und erst da scheint ihm die Parallelität von Roman und Leben bewußt zu werden, den er wirft den Band mit heftiger Bewegung auf den Tisch zurück. Ohne ein weiteres Wort geht er hinaus.

Von diesem Tag an verkehrt ihr Vater nur noch schriftlich mit ihr, in Form von kurzen Mitteilungen, die er morgens auf dem Frühstückstisch hinterläßt oder die ihr von einer kopfschüttelnden Lisette überbracht werden. Er schreibt etwa: »Deine Mutter und ich werden vierzehn Tage verreisen« oder: »Am Freitag kommt der Elektriker, um einiges zu reparieren, sieh bitte zu, daß Dein Zimmer in Ordnung ist.« Doch immerhin erhält Olympia jetzt die Erlaubnis zu lesen, und da ohnehin alles verloren ist, wird ihr eine relativ breitgefächerte Lektüre gestattet: Walt Whitman und Jack London, Gedichte von Christina Rossetti. Auch ein medizinischer Text, *Das Hausbuch der Gesundheit,* findet seinen Weg zu ihr, vermutlich zu dem Zweck, sie über Wehen und Entbindung aufzuklären. Sie liest das Buch mit einer Begierde, als wolle sie es verschlingen, und Jahre später noch wird sie bestimmte Schlüsselpassagen wörtlich zitieren können: »Die Patientin trägt vorzugsweise ein gewöhnliches Nachthemd, das bis zu ihrer Taille aufgerollt sein sollte, um Beschmutzungen zu vermeiden.« »Die Schreie, von denen die Niederkunft begleitet wird, gleichen im allgemeinen mehr einem langgezogenen dumpfen Brüllen und können von jedem, der mit ihrer Besonderheit vertraut ist, auf beträchtliche Entfernung erkannt werden.« »Die Kindbettpsychose ist eine Form der Geistesgestörtheit, die sich eine Woche bis zehn Tage nach der Entbindung einstellen kann und sich häufig in einer heftigen Abneigung gegen das Kind und mitunter auch gegen den Ehemann äußert. Auch ist oft eine starke Suizidneigung zu verzeichnen, weshalb solchermaßen affizierte Patientinnen mit höchster Aufmerksamkeit zu beobachten sind.« Aber trotz dieser beunruhigenden Aussichten ist ihre Furcht vor der Entbindung nicht so groß, wie man annehmen könnte; den Ungeweihten fällt es schwer, sich Schmerz vorzustellen.

In all diesen Wochen weilen ihre Gedanken beständig bei John Haskell. Sie macht die Erfahrung, daß es sinnlos ist, die Liebe zu verbieten, weil der Geist sich nicht gebieten läßt. Obwohl sie es für unwahrscheinlich hält, Haskell je wiederzusehen, kann sie nicht aufhören, sich seiner zu erinnern, sich Gedanken darüber zu machen, was aus ihm geworden ist, ob er in gleicher Weise an sie denkt wie sie an ihn. Sie weiß nur – dank einer der brüsken Mitteilungen ihres Vaters –, daß das Haus der Familie Haskell in Cambridge verkauft worden ist und daß Catherine und die Kinder bis auf weiteres bei Catherines Mutter in York untergekommen sind. Eines Tages allerdings entdeckt sie beim Zeitunglesen zufällig ihren Namen in der Passagierliste der SS Lundgren mit Ziel Le Havre.

Gefangen in ihrem Zimmer, versucht Olympia sich vorzustellen, was sich in den frühen Morgenstunden des elften August im Sommerhaus der Haskells abgespielt hat. Was hat Haskell zu Catherine gesagt, was hat sie erwidert? Hat er Frau und Kinder noch an diesem Tag verlassen? Oder war es vielmehr so, daß Catherine die Kinder in aller Früh geweckt und angekleidet hat, um sich mit ihnen von einem gemieteten Wagen nach York fahren zu lassen?

Am einunddreißigsten Dezember 1899 sitzt Olympia im Erkerfenster der Stadtvilla ihres Vaters, das Blick auf den Stadtpark bietet. Durch das lavendelblaue Glas beobachtet sie die Frommen und die Frohgemuten, die auf dem Weg zu Andacht oder Lustbarkeit die Straßen bevölkern. Es sind schon viele Menschen unterwegs, die, zumeist festlich herausgeputzt, durch den sachte fallenden Schnee ihrem Bestimmungsort entgegeneilen. Droschken und Pferde drängen sich auf dem Fahrdamm, und noch während sie hinaussieht, zieht sich rund um den Park dichtes Verkehrsgetümmel zusammen. Sie hat die elektrischen Lampen im Salon noch nicht eingeschaltet, um besser nach draußen sehen zu können, und allmählich breitet sich im Zimmer tiefe Dunkelheit aus. Ihre Eltern, Josiah und Lisette befinden sich irgendwo im Haus, aber Olympia vernimmt kein Geräusch menschlicher Tätigkeit. Josiah und Lisette, die am Thanksgiving-Wochenende in aller Stille geheiratet haben und nun im obersten Stockwerk des Hauses zusammenleben, werden später ausgehen, um den Beginn des neuen Jahrhunderts zu feiern. Ihre Eltern werden zu Hause bleiben.

Das Weihnachtsfest war freudlos, verdunkelt von den Schatten der vergangenen Ereignisse und einer ungewissen Zukunft, die selbst die bemühte Fröhlichkeit ihres Vaters nicht zu lichten vermochte.

Es gab nur wenige Geschenke. Olympia hatte ihrer Mutter ein leichtes Schultertuch gehäkelt und für ihren Vater einen Winterschal gestrickt, da sie das Haus nicht verlassen konnte, um etwas zu kaufen. Die Geschenke ihrer Eltern an sie waren von himmelschreiender Absurdität – Schlittschuhe und ein blaues Samtcape. Als wollten ihre Mutter und ihr Vater die Realität der Gegenwart leugnen. Nur Lisette brachte ihr, nachdem alle anderen zur Messe gegangen waren, ein Geschenk, das den Tatsachen ihres jetzigen Lebens Rechnung trug: einen gelben wattierten Kasten mit Säuglingswäsche, jedes Stück handbestickt mit gelben Blümchen. Olympia war zu Tränen gerührt.

Das Feuer im offenen Kamin vertreibt die schlimmste Kälte aus dem Salon, aber die Feuchtigkeit bleibt. Olympia zieht ihr Umschlagtuch fester um sich und läßt die Fransen in den Schoß fallen. Wie gern wäre sie an diesem letzten Abend des Jahrhunderts draußen, um die Zeitwende unter Menschen zu erleben. Obwohl ihrer Meinung nach das Datum völlig willkürlich gesetzt ist – wer kann schon sagen, an welchem Tag die Zählung der Jahrtausende begann – und ganz gewiß keine mystische Bedeutung besitzt, ist sie fasziniert von der allgemeinen Hysterie und von der Flut von Prophezeiungen, die das Land mit dem Näherrücken der letzten Minuten dieses Jahrhunderts überschwemmt. In dieser Nacht wird man allenthalben mit einer Ausgelassenheit ohnegleichen feiern. Aus der Lektüre der Bostoner Zeitungen weiß sie, daß manche Leute tatsächlich unterirdische Bunker gebaut haben, um das Eintreffen der Prophezeiungen aus der Offenbarung des Johannes zu überleben, das ihrer festen Überzeugung nach auf den ersten Tag des Jahres 1900 fallen wird. Andere werden bis weit in die Nacht bei den Gottesdiensten in den Kirchen bleiben. Und wieder andere haben rauschende Feste geplant, die bis zum Morgen andauern werden.

Unter normalen Umständen würden ihre Eltern sich jetzt ankleiden, um an einer Sylvesterfeier teilzunehmen. Vielleicht hätten sie, wäre der zehnte August nicht gewesen, sogar selbst ein Fest gegeben. In einigen Fällen sind die Einladungen für diesen Abend schon vor einem Jahr versandt worden. Aber längst ist alles anders. Ihre Eltern sind seit ihrer Abreise aus Fortune's Rocks nicht mehr ausgegangen.

Beim gleichmäßigen Ticken der Standuhr in der Ecke des Salons überkommt Olympia das Gefühl, daß hier in diesem bedrückenden Raum mit den schweren Damaststoffen, den dunklen Mahagonimöbeln und den opulenten Orientteppichen, deren Muster sich überbieten, ihr Leben verrinnt. Sie sehnt sich nach einem Raum mit großen Fenstern, durch die Sonnenlicht strömt.

Sie spürt die jetzt schon vertraute Bewegung in sich, die sie mit dem Prickeln von Champagner verglichen hat (ein Bild, das Lisette ganz besonders gefällt). Gemeinsam haben sie ihre Kleider weiter gemacht, aber es ist schon jetzt abzusehen, daß Olympia trotz dieser Maßnahme bald die Garderobe ausgehen wird. Da sie kaum körperliche Bewegung hat, wird sie von Woche zu Woche voller und hat längst alle Bemühungen aufgegeben, ihren Zustand zu verbergen. Sie glättet den Flanellstoff über ihrem Bauch und denkt, wie so oft, an die bevorstehende Niederkunft, die ihr kaum angst macht, und an den Vater des Kindes, über dessen Verbleib sie noch immer nichts weiß. Erst wenn es draußen ganz dunkel geworden ist, darf Olympia zu einem Spaziergang rund um den Park das Haus verlassen. Und wie jeden Tag, den ganzen Herbst und Winter hindurch, werden Josiah und Lisette sie begleiten.

Im Zimmer wird Licht gemacht, dessen Widerschein im Fenster nun den Blick nach draußen verwehrt.

»Lisette«, sagt Olympia, »könnten wir jetzt ein Stück spazierengehen? Ich habe das Gefühl, meine Beine platzen gleich, wenn ich mich nicht endlich bewege.«

»Ich bin es«, sagt ihr Vater.

Olympia dreht sich in ihrem Sessel herum.

»Bleib sitzen.« Er geht zu ihr und zieht sich einen Sessel heran.

Ihr ist beklommen zumute; seit dem Tag, an dem sie ihm eröffnet hat, daß sie schwanger ist, hat er nie wieder das Gespräch mit ihr gesucht. Er hat stark an Gewicht verloren und ist in den letzten Monaten erschreckend gealtert, auch das ist etwas, woran Olympia sich die Schuld gibt. Er trägt ein alltägliches wollenes Jackett und hat sich den Schnurrbart abrasiert. Insgesamt wirkt er, zumal auch sein Haar schütter geworden ist, weit weniger imposant als im vergangenen Sommer.

»Es gibt einiges, was wir besprechen müssen«, beginnt er förmlich, doch in seinem Ton ist eine Weichheit, die sie lange nicht mehr gehört hat. Vielleicht, denkt sie, kann nicht einmal ihr Vater seinen Zorn in seiner ganzen Intensität bewahren.

»Du hast deine Strafe mit bewundernswertem Anstand auf dich genommen, Olympia«, sagt er, und ihr wird leichter ums Herz bei diesen Worten. »Ich war zu hart zu dir.«

»Vater...«

Er hebt abwehrend die Hand. »Mehr gibt es darüber nicht zu sagen.«

Obwohl er sehr gerade sitzt und sich um die beinahe militärisch straffe Haltung bemüht, die ihm früher eigen war, hat sie den Eindruck, daß sein Rückgrat ihn nicht mehr hält, daß der Schwerpunkt seines Körpers sich abwärts verlagert hat; er wirkt wie in sich zusammengesunken.

»Ich habe inzwischen alles Nötige veranlaßt«, erklärt er mit einem verlegenen Blick auf ihre Leibesfülle.

»Was genau meinst du damit?« fragt sie.

Er wendet sich ab und sieht zum Fenster.

»Es ist besser, wenn wir nicht über Einzelheiten sprechen«, antwortet er.

Sie setzt zu einer Entgegnung an, doch er schüttelt den Kopf.

»Du kannst das Kind auf keinen Fall behalten«, fährt er eilig fort. »Ich habe dafür gesorgt, daß es in sichere Obhut kommt, und es wird gut versorgt werden, glaube mir.«

Obwohl Olympia immer gewußt hat, daß ein solcher Ausgang möglich ist, hat sie es vermieden, sich eine Trennung in aller Konsequenz vorzustellen. »Aber Vater!« Sie beugt sich vor. »Ich möchte das Kind bei mir behalten.«

»Daran ist überhaupt nicht zu denken. Weder deine Mutter noch ich wären damit einverstanden, und du bist dir wohl im klaren darüber, daß du ohne unsere Unterstützung nicht existieren kannst.«

»Aber Vater...«

»Olympia, jetzt hör mir einmal zu. Du mußt mir vertrauen. Du wirst diese unglückselige Geschichte im Laufe der Zeit vergessen. Spätestens im Herbst nächsten Jahres wirst du dich davon erholt haben. Natürlich werden Wunden bleiben, die nie heilen, aber ich denke, du wirst dir doch ein eigenes Leben aufbauen können. Wir leben schließlich in modernen Zeiten. Es gibt genug junge Frauen, die aus eigener Kraft ihren Weg finden. Das ist nichts Unvorstellbares. Aber du wirst eine Ausbildung brauchen, um später einem Beruf nachgehen zu können.«

»Das Kind gehört mir«, ruft Olympia erregt. »Es gehört mir und John Haskell. Wir sind diejenigen, die darüber entscheiden sollten, was mit ihm geschieht.«

Die Wangen ihres Vaters werden fleckig, er braucht einen Augenblick, um seine Beherrschung zurückzugewinnen.

»Wie kannst du es wagen, in meinem Beisein den Namen dieses Mannes auszusprechen!« sagt er empört.

Als sie etwas erwidern will, wehrt er mit erhobener Hand ab.

»Im Herbst werde ich dich auf das Hastings-Seminar für junge Frauen im Westen des Staates schicken«, fährt er fort, und sein Ton sagt klar, daß er keinen Widerspruch duldet. »Es ist das Beste für dich – ja, es ist die einzige Möglichkeit –, wenn du Lehrerin wirst. Es besteht ein hoher Bedarf an guten Lehrern, besonders in den ländlichen Gegenden Neu-Englands, und so kannst du deinem Leben doch noch einen Sinn geben.«

»Vater! Tu mir das nicht an!«

Er blickt seiner Tochter scharf und streng ins Gesicht. Olympia kann sich vorstellen, was er sieht: eine aufgequollene Sechzehnjährige, deren Urteil in keiner Weise zählt.

»Die Diskussion ist beendet«, sagt er.

Sie beißt sich auf die Lippen, um sich nicht zu weiteren Protesten hinreißen zu lassen, und umklammert die Armlehne ihres Stuhles so fest, daß ihre Fingerknöchel weiß hervortreten.

Sie wird ihm nicht gehorchen. Sie wird die Herausforderung, auf die er angespielt hat, annehmen und selbst ihren Weg finden. Aber wie denn? fragt sie sich schon im nächsten Moment. Ohne die Hilfe ihres Vaters hat sie wenig Hoffnung, es zu schaffen. Und wenn sie selbst sich im Leben nicht behaupten kann, hat auch das Kind keine Chance.

Ihr Vater gibt vor, zum Fenster hinauszusehen, aber Olympia weiß, daß er nur sich selbst und sie erkennt, umschlossen vom cremefarbenen Fensterrahmen. Ihm scheint nicht zu gefallen, was er erblickt, denn er wendet sich wieder ihr zu. »Wenn du deine Ausbildung abgeschlossen hast, wirst du dir eine Anstellung irgendwo außerhalb von Boston suchen, wo deine Geschichte nicht bekannt ist«, sagt er. Offensichtlich hat er sich seit Tagen mit diesen Plänen beschäftigt. »Aber du mußt natürlich damit rechnen, daß die Leute früher oder später von deiner Vergangenheit erfahren. Ich bezweifle, daß es einen Ort gibt, an dem diese Sache dich nicht einholen wird. Es sei denn, du änderst deinen Namen ...«

Er läßt sich diesen Gedanken einen Moment durch den Kopf gehen. »Nein«, sagt er dann. »Nein, das wirst du nicht tun. Feigheit ist nicht Art unserer Familie. Selbstverständlich wird für dich gesorgt werden. Ich glaube nicht, daß du vom Gehalt einer Lehrerin gut leben könntest. Was du von mir bekommst, wird nicht üppig sein, aber ausreichend, Olympia ...«

Sie spürt einen Riß in der Fassade kühler Gelassenheit und blickt abrupt auf.

»... deine Mutter und ich lieben dich trotz allem.«

Tränen schießen ihr heiß in die Augen, sie kann sich nicht erinnern, daß ihr Vater ihr je von Liebe gesprochen hätte.

Ihr Vater seufzt, als hätte ihn dieses Bekenntnis mehr Kraft gekostet, als er voraussehen konnte.

»So, und jetzt hol deinen Mantel und deinen Hut«, sagt er brüsk, um sein Unbehagen über die Gefühlsaufwallung, die ihn zu weich gezeigt hat, zu überspielen. »Heute abend gehe ich mit dir spazieren. Und wenn wir wieder zu Hause sind, machen wir uns eine Tasse Kakao und feiern, wenn auch bescheiden, das neue Jahrhundert, das dir, hoffe ich, ein zufriedenes Leben bescheren wird, wenn schon kein glückliches.«

Olympia versucht aufzustehen, aber ihre Beine tragen sie nicht. Ihr Vater springt hinzu, um sie zu stützen. Sie sieht seine Bestürzung über ihren Leibesumfang, als er sich zum erstenmal seit Monaten so dicht an ihrer Seite befindet.

Sobald sie ohne Hilfe stehen kann, entzieht sie ihm ihren Arm. »In einem täuschst du dich, Vater«, sagt sie so ruhig, wie es ihr möglich ist.

»Und was ist das?« fragt er beinahe zerstreut, jetzt, da er sich seiner Pflichten entledigt hat, um einiges entspannter als bei seinem Eintritt ins Zimmer.

Sie sieht ihm ins Gesicht und wartet, bis er ihren Blick erwidert.

»Du sagst, daß ich mich bis zum Herbst des kommenden Jahres von dieser unglückseligen Geschichte, wie du es nennst, erholt haben werde. Aber du irrst dich. Ich werde mich niemals erholen, Vater. Niemals. Wenn du mir das Kind nimmst, werde ich es nie verwinden.«

Er betrachtet sie einen Moment schweigend.

»Olympia«, entgegnet er dann. »Du bist noch so jung.«

Am vierzehnten April fährt Olympia kurz nach Mitternacht aus dem Schlaf: Ihr Bett ist naß. Nachthemd und Laken sind warm durchfeuchtet. Schwerfällig steht sie auf und wechselt das Hemd. Nach der Lektüre des Hausbuches der Gesundheit weiß sie, was diese Nässe bedeutet. Sie geht zur Treppe, die in die zweite Etage hinaufführt, und klopft an die Wand, allerdings mit einer gewissen Zurückhaltung, um ihre Eltern nicht zu wecken.

Josiah erscheint im Morgenrock und mit schlafzerzaustem Haar auf dem oberen Treppenabsatz.

»Holen Sie Lisette«, bittet Olympia und geht zurück zum Bett.

Im Nachthemd, das Haar zu Zöpfen geflochten, kommt Lisette ins Zimmer gehuscht. So aufgeregt, als wäre sie es, die kurz vor der Niederkunft steht, umarmt sie Olympia. Ihre Freude und unerschrockene Zuversicht sind so ansteckend, daß Olympia jeden Anflug von Furcht vergißt. Ganz ruhig setzt sie sich in einen Sessel und wartet, während Lisette das Bett frisch bezieht. Danach schlüpft sie wieder unter die Decke. Es ist eine warme Nacht.

Ob Lisette schon einmal bei einer Geburt dabei gewesen sei, fragt sie. O ja, bei mehreren, versichert Lisette. Sie ist die älteste von sieben Geschwistern, und bei ihrer Mutter, sagt sie, sei das »gegangen wie das Brötchenbacken«.

. habe auch schon eine Geburt gesehen«, bemerkt Olym-

»Wirklich? Wann denn?«

»Als ich mit John Haskell zusammen war«, antwortet Olympia, selbst überrascht, seinen Namen genannt zu haben. Sie hat nie mit einem Menschen über ihre Beziehung zu Haskell gesprochen, nicht einmal mit Lisette. »Ich habe ihn begleitet, als er zu einer Entbindung geholt wurde. Es war in einem Arbeiterwohnheim in Ely Falls.«

»Und Sie sind mit im Zimmer gewesen?«

»Ja. Ich habe alles gesehen. Es war eine Steißgeburt, und die Frau, eine arme Frankokanadierin mit drei Kindern, war fast wahnsinnig vor Schmerzen. Dr. Haskell hat ihr Laudanum gegeben, glaube ich, und daraufhin ist sie etwas ruhiger geworden. Aber ich weiß noch genau, wie er kämpfen mußte, um das Kind zu drehen. Er hatte seine Hände …«

Weiter kommt sie nicht, die erste Schmerzwelle hat sie erfaßt. Starr vor Überraschung hält sie den Atem an, bis es vorbei ist. Dann seufzt sie tief.

Lisette tritt zu ihr ans Bett. »Sie dürfen nicht die Luft anhalten«, erklärt sie. »Sie müssen atmen. Jedesmal, wenn der Schmerz kommt, müssen Sie atmen.«

Olympia nickt, von der Heftigkeit dieser ersten Wehe in ihrer Furchtlosigkeit erschüttert. »Geht es so weiter?« fragt sie.

»Hören Sie mir jetzt mal einen Moment zu.« Lisette zieht sich einen Stuhl ans Bett, setzt sich und umfaßt Olympias Hand. »Sie haben gelernt, sich immer so zu verhalten, wie es sich gehört. Sie sind immer sehr beherrscht. Sie verlieren fast nie die Fassung, und wenn doch, lassen Sie es sich nicht anmerken. Aber jetzt ist nicht die Stunde, für gutes Benehmen und Selbstbeherrschung. Das ist schlecht für das Kind und schlecht für Sie. Genieren Sie sich nicht, schreien Sie, wenn Ihnen danach ist. Und genieren Sie sich bloß nicht für das, was noch alles geschehen wird. Es ist nichts Peinliches daran. Soll ich Ihre Mutter holen?«

»Nein«, wehrt Olympia ab. »Das ist nicht nötig.«

Danach werden die Schmerzen heftiger, sind bald so grausam, daß Olympia schon in dieser ersten Phase meint, sterben zu müssen. Eine Steigerung des Schmerzes ist nicht vorstellbar.

Nach Tagesanbruch kommt Olympias Mutter. Sie trägt einen blauseidenen Morgenmantel und hat Papierwickel im Haar.

»Holen Sie Dr. Branch«, bittet sie Lisette kurz. Dann weicht sie ein kleines Handtuch in einer Porzellanschüssel mit Wasser ein, wringt es aus und legt ihrer Tochter das feuchte Tuch gefaltet auf die Stirn. Ihr Gesicht ist dick eingecremt und glänzt im Licht der elektrischen Lampe. »Und bringen Sie ein paar harte Bonbons, die Olympia lutschen kann«, fügt sie hinzu. »In meinem Zimmer sind welche. In einer silbernen Dose auf dem Frisiertisch.«

Es überrascht Olympia, mit welcher Selbstverständlichkeit ihre Mutter das Kommando übernimmt. Wenn sie sich mit zusammengebissenen Zähnen im Bett hin und her wirft, drückt sie ihr mit fester Hand das feuchte Tuch auf die Stirn. Wenn eine Wehe sie überrollt, beugt ihre Mutter sich über das Bett und drückt ihr die Arme in die Laken, und merkwürdigerweise hilft das irgendwie. In den Pausen zwischen den Kontraktionen löst sie die Papierröllchen aus ihrem Haar und trinkt eine Tasse Tee, die Lisette ihr gebracht hat. Einmal steht sie sogar auf und sieht sich den kleinen gelben Kasten mit der Säuglingswäsche an. Kurz, sie vergißt ihre sonstige Empfindlichkeit und die Eleganz, auf die sie soviel Wert zu legen pflegt, und setzt sich so resolut und tatkräftig ein wie Lisette. Sie zeigt Mut und Güte und viel gesunden Menschenverstand, lauter Eigenschaften, deren Olympia sie bisher nur in sehr beschränktem Maße für fähig gehalten hat. Als Olympia aus einem kurzen Dämmerschlaf erwacht, hört sie ihre Mutter mit Lisette plaudern und sogar lachen, und sie empfindet die Normalität der beiden als sehr beruhigend. Wenn ihre Mutter und Lisette keine Angst haben, dann braucht sie auch keine zu haben.

Arzt, den Lisette nicht selbst erreicht hat, weil er zu
in Krankenbesuch unterwegs war, kommt erst kurz nach
Mittag. Olympia riecht Alkoholdunst in seinem Atem und
fragt sich, wo er gewesen ist. Vielleicht hat er mit ihrem Vater
ein Glas getrunken, bevor er zu ihr kam, was allerdings in Anbetracht der frühen Stunde unwahrscheinlich scheint. Olympia ist kaum noch bei Sinnen vor Schmerz und Anstrengung.
Allein das Wissen, meint sie, daß diese grauenvollen Schmerzen gnadenlos immer wiederkehren werden und sie nichts dagegen tun kann, erschöpft ihre Kräfte. Sie bittet um Laudanum,
und Dr. Branch flößt ihr drei Teelöffel einer bräunlichen Flüs-
sigkeit ein, die sie benommen macht und ihr kurze Perioden
eines leichten Schlafes zwischen Wachen und Träumen ver-
schafft, aus dem sie jedoch die heftigen Schmerzen schnell wieder herausreißen. Dann fährt sie hoch und sieht über sich die
Gesichter ihrer Mutter und Lisettes.

Gegen zwei Uhr beginnt Olympia laut zu schreien. Sie liegt
seit dreizehn Stunden in den Wehen. Dr. Branch ist plötzlich
ganz wache Aufmerksamkeit. Er befiehlt Olympias Mutter und
Lisette, Olympia aufzusetzen, und bindet dann ihre Füße an
den Bettpfosten fest. Ihre Mutter spricht ständig in beruhigendem Ton auf sie ein.

»Ich kann das nicht!« schreit Olympia. »Ich kann nicht!«

Und mit diesem Aufschrei kommt ihr Kind zur Welt, ein
Junge.

Wie oft wird Olympia bereuen, Dr. Branch um das Betäubungsmittel gebeten zu haben! Wäre sie nach der Geburt wach
und ganz bei Sinnen gewesen, so hätte sie vielleicht verhindern
können, daß man ihr das Kind nimmt. In den kommenden Jahren wird sie sich nur an einen kurzen, flüchtigen Moment mit
ihrem Sohn erinnern: als sie, aus ihrer Benommenheit erwa-
chend, überrascht das vermummte kleine Bündel neben sich
sah, den Kopf drehte, um das runzlige Gesichtchen zu betrach-

ten, die Tücher gerade weit genug auseinanderschlug, um eine zarte kleine Hand freizulegen. Aber erschöpft und von der Droge betäubt, kann sie den Schlaf nicht abwehren. Ja, ihr Körper heißt ihn willkommen.

Später wird sie diese kurzen Augenblicke immer wieder an sich vorüberziehen lassen, um vielleicht einen Funken oder einen Splitter der Erinnerung zu entdecken, der ihr zuvor entgangen ist. Sie wird sich an feuchtes dunkles Haar erinnern, an blaue Augen von unschuldiger Reinheit, an ein feingezeichnetes Mündchen.

Sie kommt nie dazu, ihren Sohn an die Brust zu legen; seine kleinen Füßchen zu betrachten; ihn weinen zu hören. Als die Wirkung der Droge endlich nachläßt und Olympia zu vollem Bewußtsein erwacht, ist ihr Sohn fort.

## 15

Am siebenundzwanzigsten September 1900 trifft Olympia in Hastings Seminar für junge Frauen im westlichen Teil von Massachusetts ein. Das Städtchen, in dem die Schule ihren Sitz hat, ist ein reiner Industrieort, von einer einzigen riesigen Fabrik beherrscht, einem Moloch, der sich alles andere, Straßen, Kirchen, Geschäfte, ja, auch die Schule, einverleibt hat, so daß man nicht sagen kann, wo die Fabrik beginnt und wo sie endet. Alle Bauten sind aus dunklem Backstein, selbst die stattlichen Herrenhäuser der Eigentümer. In der Fabrik werden Schuhe und Stiefel hergestellt, und es gibt unzählige Gerbereien im Ort, so daß selbst die Bäume nach tierischen Abfällen und Säure stinken. Olympia ist augenblicklich klar, daß ihr Vater die Schule nie besichtigt hat; dieser Ort gleicht so sehr einem Straflager, daß nicht einmal er in all seinem Zorn und seiner Entschlossenheit, sie büßen zu lassen, sie dorthin verbannt hätte.

r aus diesen Jahren werden Olympia immer wieder ısuchen, bruchstückhafte Erinnerungen, die ihr wie ein ammernder Schmerz im Nacken sitzen, aber eine chronologisch präzise Vorstellung vom Verlauf dieser Zeit bleibt ihr nicht. Kaltes Fleisch auf einem blauen Teller mit einem Weidenmuster. Ein Wandteppich über einem Bett. Zimperliche Mädchen, die behaupten, sich vor der Liebe zu fürchten. Vom Regen verdunkelte Backsteinbauten. Der erste Blick beim Aufwachen, der über eine fahlbraune Wand streicht. Ein Fenster, das sich nicht öffnen läßt, weil die Feuchtigkeit den Rahmen verzogen hat. Ein Mädchen in einem dünnen Kleid beim Messerputzen. Hundert Eier für Vanillepudding. Ein Kirschholzpult mit grünem Klappdeckel. Eine Blechdose mit Streichhölzern. Eine hölzerne Veranda unter Ulmen. Ein weinendes Mädchen in der Wäschekammer. Steife weiße Laken, im Hof zum Trocknen aufgehängt. Goldbraune Teppiche und pfauenblaue Sessel. Eine Unterrichtsstunde, auf die eine Betstunde folgt. Bleichgesichtige Methodistenpfarrer, die den Mädchen bei der Gymnastik mit den Reifen zusehen. Worcesters *Elemente* und Goldsmith' *England*. Junge Frauen, die in fremde Länder geschickt werden: »Die Koffer müssen bis Sonntag abend gepackt sein.«

Die Schule wurde, wie Olympia hört, im Jahr 1873 von wohlmeinenden Methodisten mit dem erklärten Ziel gegründet, junge Fabrikarbeiterinnen in ihrer Freizeit weiterzubilden. Es wurde die erste Abendschule des Landes. Als den Gründervätern jedoch nach einiger Zeit klar wurde, daß Fabrikarbeiterinnen kaum über Freizeit verfügten (und kein Interesse daran hatten, in diesen kurzen Stunden die Schulbank zu drücken), begann man um Schülerinnen aus dem Mittelstand zu werben: Töchter von Geistlichen, Geschäftsleuten und Lehrern.

Theorie und Praxis der Lehranstalt laufen darauf hinaus, den jungen Frauen eine Ausbildung zu vermitteln, die es gestattet, sie später als Lehrerinnen in die Welt hinauszuschicken; nach

Smyrna oder in die Türkei, nach Indiana oder Worcester oder auch nach Süd-Afrika zur Arbeit mit den Zulus. Man hofft, daß die Absolventinnen der Schule nicht nur erzieherisch tätig sein, sondern jungen Mädchen und Frauen in der ganzen Welt zugleich als Vorbild christlicher Aufgeklärtheit dienen werden. Es sagt einiges über Olympias Einstellung zu ihrem eigenen Leben aus, daß sie derartigen Aussichten mit Gleichmut entgegensieht: Der Gedanke an neuerliches Exil weckt bei ihr weder Furcht noch Abenteuerlust; alle Orte auf der Welt, außer dem Fortune's Rocks ihrer Erinnerung, lassen sie gleichermaßen gleichgültig.

Auf der Schule erhält Olympia Unterricht in Latein und Geographie, Mathematik und Biologie; hinzu kommen spezielle Kurse, in denen die jungen Frauen im Umgang mit der englischen Sprache, in Gymnastik, Gesang, Nähen und Haushaltsführung ausgebildet werden. Der Unterricht ist vornehmlich auf das Praktische ausgerichtet; rein geistige Arbeit ist die Ausnahme. Da weder der Lehrplan noch seine Vermittler übermäßig anspruchsvoll sind, erfreut sich die Schule sehr zur Überraschung aller großen Zuspruchs und erhält weit mehr Bewerbungen, als Unterrichtsplätze zur Verfügung stehen. Olympia kann kaum glauben, daß so viele junge Frauen bereit sind, ihr Zuhause in den Dörfern und Städtchen Neu-Englands aufzugeben, um sich in ferne Gebiete schicken zu lassen, wo sie vor Einsamkeit sterben oder sich heimtückische Krankheiten zuziehen können. Sie fragt sich, ob diese Passivität eine Folge persönlichen Mißgeschicks ist, das ihnen alle Aussicht auf Heirat genommen hat, oder Auswirkung eines allgemeinen Mangels an Vertrauen in die Zukunft.

Vom Hauptgebäude aus hat sich die Schule immer weiter ausgebreitet und in Konkurrenz mit der Fabrik leerstehende Arbeiterwohnheime auf benachbarten Grundstücken aufgekauft. Zur Zeit von Olympias Aufenthalt dort, von 1900 bis 1903, umfaßt sie insgesamt siebzehn Gebäude, zu denen auch eine Sporthalle und ein Observatorium gehören, Geschenk einer ehemaligen Schülerin, die einen Mellon geheiratet hat. Die meisten Frauen allerdings machen, wie Olympia hört, weit bescheidenere Partien, wenn sie überhaupt heiraten. Eine junge Frau in Olympias Klasse wird später nach Westen gehen und Hotelbesitzerin werden, und als Olympia davon hört, wird sie an Rufus Philbrick und seine Prophezeiung denken.

Während ihres Aufenthalts am Seminar bewohnt Olympia ein Zimmer für sich allein und ist dankbar dafür. (Hat ihr Vater einen Aufpreis bezahlt, um dem Austausch von Vertraulichkeiten mit einer Wohngenossin vorzubeugen?) Das Zimmer, mit einem offenen Kamin und einem großen Fenster, das zum Rasenrondell in der Mitte des Haupthofes hinausblickt, ist ihr trotz seiner spartanischen Einrichtung – ein Bett, ein Tisch, ein Stuhl, ein Schrank – eine Art Zuhause. Sie verspürt keinerlei Verlangen, diesem Raum zu entfliehen, und so wird er ihr in diesem großen Gefängnis, in das man sie eingesperrt hat, zum tröstlichen Refugium. Wenn sie ihm fern ist, beim Unterricht, bei den Mahlzeiten oder bei den Pflichtspaziergängen, wünscht sie sich nur, zurückzukehren in seine schmucklose Stille, wo sie auf dem schmalen Bett sitzen und auf die fahlbraune Wand blicken kann, auf der Gesichter und Bilder vorüberziehen, während sie sich gewisse Episoden aus der Vergangenheit ins Gedächtnis ruft. Sie hat das ehemalige Nonnenkloster von Fortune's Rocks verlassen und dafür die Gewohnheiten der frommen Frauen angenommen. Kontemplation. Meditation. Reflexion.

Aber beten kann sie nicht. Beten heißt Hoffen, und Hoffen heißt, der Pein der Hoffnungslosigkeit Einlaß gewähren. Und dazu ist Olympia nicht bereit.

Es ist nicht verwunderlich, daß Olympia sich bald den Ruf der Verschlossenheit erwirbt. Schon eine kurze Bemerkung über die eigene Geschichte könnte ja, ohne daß sie es will, zur Preisgabe von Details verleiten, die sie für sich behalten möchte. Ihre Schweigsamkeit erregt den Argwohn der anderen. Sie ist nicht beliebt, aber es ist auch nicht so, daß man ihr Abneigung entgegenbrächte. Sie ist eine Mitschülerin, der man trotz aller freundlich gemeinten Annäherungsversuche niemals wirklich näherkommt.

Es gibt jedoch einen Lehrer, Mr. Benton aus Syracuse, den Olympia bewundert. Er unterrichtet Biologie und hat ein Arbeitszimmer in der Belcher Hall, in dem neben zahlreichen interessanten Objekten und Büchern auch die Photographie einer Frau (seiner Ehefrau?) steht, die er, wie er Olympia einmal andeutet, verloren hat. Sie trinken ab und zu zusammen Tee, häufiger in Olympias zweitem Jahr, nachdem sie sich entschieden hat, Biologie zu ihrem Hauptfach zu machen. Vielleicht faßt sie deshalb Zuneigung zu ihm, weil er sie, blond und hellhäutig und etwa Ende Dreißig, an ihren Vater erinnert, wie er vor der Katastrophe war.

Mr. Benton und Olympia sprechen ruhig und sachlich über Anatomie, Plastiden und die Schaltvorgänge des Gehirns, ohne je persönliche Dinge zu streifen. Mag sein, daß er hinter ihrer Zurückhaltung die tiefe Verletzung spürt, so wie sie hinter seiner korrekten Fassade eine Geschichte ahnt: Vielleicht ist die Frau auf dem Photo doch nicht seine Ehefrau. Olympia hat das Gefühl, eine verwandte Seele gefunden zu haben. In späteren Jahren wird sie häufig das Bedürfnis verspüren, dem Mann zu schreiben; aber dann müßte sie ihm von ihrem Leben berichten und dazu ein Vokabular verwenden, das sich im Licht dieser klaren, ruhigen Nachmittage wie wildes Kauderwelsch ausnehmen würde; darum tut sie es nicht.

Was ihren Vater angeht, den sie nur zu Weihnachten und in den Sommerferien sieht, da die Fahrt für die kurzen Ferien über Thanksgiving und Ostern zu umständlich ist, so hat er sein früheres Leben wieder aufgenommen, doch den alten Glanz hat es verloren – ein Haus, in dem die Lichter erloschen sind. Hin und wieder schreibt er ihr. »Hinsichtlich Deiner Entscheidung,

Biologie als Hauptfach zu wählen, habe ich Bedenken. Du schränkst Deine beruflichen Aussichten damit auf eine Weise ein, wie das nicht der Fall wäre, wenn Du Dich für Geschichte entschieden hättest.« »Beiliegend schicke ich Dir zwanzig Dollar zum Kauf warmer Kleidung für die kommenden Monate. Ich habe gehört, daß Mrs. Moncton in der Hadley Street eine sehr ordentliche Schneiderin ist.« »Deine Mutter möchte unbedingt nach Paris reisen. Ich hoffe, ihre Kraft reicht dafür aus.«

Er schreibt nie über die Vergangenheit, fragt nie, wie es ihr geht, berührt kein Thema, das eine emotionale Reaktion hervorrufen könnte. Er fragt nicht, ob es Olympia auf der Schule gefällt, ob sie Freunde gefunden hat. Und er fragt auch nicht, ob sie vergessen kann.

Wenn er es täte, würde Olympia antworten: Nein, ich kann nicht vergessen. Nicht einen einzigen Tag. Nicht eine einzige Stunde.

Ihr Vater hat ihr prophezeit, daß sie sich im Herbst erholt haben würde. Aber sie hat sich nicht erholt.

Es vergeht kein Tag, an dem sich Olympia nicht Gedanken über das Schicksal ihres Sohnes macht. Sie empfindet seine Abwesenheit als eine Wunde, die mitten in ihren Körper gerissen wurde und die sich weder mit Lesen noch mit Lernen oder Phantasien ausfüllen läßt; die schmerzhaft klafft, auch wenn sie ihren Körper zusammenkrümmt, um sie nicht zu spüren.

Eines Tages, als sie auf dem Weg zur Belcher Hall die Holyoke Street überquert, sieht sie eine Mutter mit einem kleinen Jungen von vielleicht drei Jahren. Sein Haar hat über der Stirn einen widerspenstigen Wirbel, und die Söckchen sind zu den Knöcheln hinuntergerutscht. Mutter und Kind bewegen sich im goldenen Licht der Sonne, das durch das Laub der Ahornbäume an der Straße fällt. Olympia beobachtet die beiden, wie sie die matschige Straße überqueren, der Kleine in der Gewißheit, daß ihm niemals Böses zustoßen wird, wenn er die Hand seiner Mutter nur fest genug hält. Ein Blatt fällt vor ihnen vom Baum. Der Junge fängt es auf und hält es stolz in die Höhe, um es seiner Mutter zu zeigen.

Olympia wendet sich hastig ab und läuft zu ihrem Zimmer zurück, schafft es gerade noch, die Tür zu schließen, bevor sie alle Beherrschung verliert. Weinend wirft sie sich auf ihr Bett und schluchzt so heftig, daß Mrs. Cowper, die Hausmutter, aufmerksam wird, bei ihr klopft und Einlaß verlangt. Olympia kann sich nur in eine Lüge retten (was ihr im Notfall immer noch glänzend gelingt): Ihre Mutter sei sterbenskrank, behauptet sie, damit Mrs. Cowper sie allein läßt.

Soviel sie an ihr unbekanntes Kind denkt, ist sie doch mit ihren Gedanken noch häufiger bei Haskell, an den sie weit mehr Erinnerungen hat, die ihrer Phantasie Nahrung geben. Es ist beinahe eine Sucht, an ihn zu denken. Ständig beschäftigt sie sich mit ihm, in Tagträumen, die allerdings oft vage sind. Manchmal entschwindet ihr sein Gesicht. Schon früh verliert sie die Erinnerung an den Klang seiner Stimme. Oft inszeniert sie eine unerwartete Begegnung und malt sich aus, wie sie reagieren werden. Er steht mit dem Rücken zu ihr auf einem Bahnsteig. Sie erkennt ihn – ja, woran erkennt sie ihn? – an der Drehung einer Schulter, an der für ihn typischen Haltung, aufrecht, die Hände an den Hüften. Sie beobachtet, wie er auf seine Uhr schaut. Er trägt einen dunklen Anzug, zu seinen Füßen steht eine Ledertasche. Er nimmt einen weichen Filzhut mit schmaler Krempe vom Kopf und streicht sich das Haar aus der Stirn. Leise tritt sie neben ihn. Er spürt sofort ihre Gegenwart und dreht sich um. »Olympia«, sagt er, als wäre sie von den Toten auferstanden.

Wagt er es, sie zu berühren? Sie stellt sich vor, wie ihre Zurückhaltung atemlosen Bekenntnissen und hastiger Absolution weicht. Sie stellt sich Reue vor und auch glücklichen Überschwang. Und sie stellt sich Haskells Schock vor. Denn er weiß ja nicht, daß er einen Sohn hat. Und dann wird sie sich ihm überlassen, und er wird für sie Sorge tragen. Diese tagträumerischen Stunden sind die glücklichsten ihres Aufenthalts in Hastings.

Eine Besonderheit, die die Schule bietet, ist das Sommerpraktikum, eine Einrichtung, die, wie man ihr zu verstehen gibt, einzigartig ist im amerikanischen Bildungswesen. Da die Mehrzahl der Schülerinnen aus Familien kommt, die mit jedem Penny rechnen müssen und das Schulgeld oft nur mit Mühe aufbringen können, hat die Schule es sich zur Aufgabe gemacht, den jungen Mädchen Anstellungen für den Sommer zu vermitteln: Als Gouvernanten oder Mitarbeiterinnen wohltätiger Organisationen können sie Erfahrungen sammeln und gleichzeitig etwas Geld verdienen, um zur Bezahlung ihrer Ausbildung beizutragen. Typisch sind zum Beispiel Anstellungen als Assistentin in der Verwaltung eines sozialen Hilfswerks oder als Erzieherin bei einer Familie, deren Kindern es an Schulbildung fehlt.

Gegen Ende ihres dritten Schuljahres beginnt Olympia darüber nachzudenken, wohin man sie schicken wird. Sie hat gehört, daß man sich, wenn man sich rechtzeitig bemüht, auch selbst um einen Posten bewerben kann; ja, Schülerinnen der Oberklasse pflegen häufig an die Arbeitsplätze zurückzukehren, an denen sie das Sommerpraktikum absolviert haben, wobei natürlich die Stellen in Boston am begehrtesten sind. Aber Olympia will nicht nach Boston zurück, obwohl es bedeuten würde, daß sie bei ihren Eltern leben könnte (oder vielleicht gerade deshalb, weil sie dort bei ihren Eltern leben könnte). Sie hat die letzten drei Sommer in diesem bedrückenden Haus verbracht, und nichts zieht sie dorthin zurück. Die Aufenthalte waren ihr beinahe unerträglich. Sie wünschte immer nur, sie wäre dort, wo sie nicht war, nämlich in Fortune's Rocks. Mit jedem Tag verband sie eine schmerzhaft-sehnsüchtige Erinnerung: An diesem Tag habe ich Haskell kennengelernt. An diesem Tag haben wir zugesehen, wie der Ballon aufstieg. An diesem Tag haben wir uns im halbfertigen Sommerhaus geliebt.

Um nicht immer wieder an diese bitteren Jahrestage erinnert zu werden, um aber auch der quälenden Langeweile und

Hitze der Stadt zu entgehen, faßt Olympia eine Anstellung ins Auge, die sie auf die andere Seite des Staates führen würde. »Verbringen Sie den Sommer auf einem Bauernhof in den Berkshires«, lautet der Text der Anzeige, die vor dem Direktorat angeschlagen ist. »Gesucht wird eine Erzieherin für drei Kinder. Keine schweren Arbeiten, gute Bezahlung.«

Sie bewirbt sich und bekommt den Posten. Die Antwort auf ihren Brief erhält sie von einer Frau, die sich als Schwester eines Witwers mit drei Kindern vorstellt. In ihrem Schreiben (das den Eindruck vermittelt, sie lebe im Haus ihres Bruders, was, wie sich später herausstellt, nicht zutrifft) versichert sie Olympia, daß sie sich auf dem Hof ihres Bruders gewiß rundum wohl fühlen und ihren Aufenthalt als angenehme Abwechslung vom Schulalltag empfinden werde. Olympia bezweifelt zwar, daß sie sich je wieder irgendwo »rundum wohl fühlen« wird, aber sie kann sich gut vorstellen, daß das Leben auf dem fernen Hof eine angenehme Abwechslung ist.

Sie schreibt ihrem Vater von ihrer Zuweisung für das Praktikum, wobei sie zu erwähnen unterläßt, daß sie selbst sich um diesen Posten beworben hat, und beugt sich dem Beschluß ihrer Eltern, nach den Abschlußprüfungen zunächst zwei Wochen in Boston zu verbringen, um dann mit der Bahn nach West-Massachusetts zu reisen.

Den größten Teil ihrer Zeit zu Hause verbringt Olympia damit, ihrer Mutter Emily Brontë vorzulesen. Umhüllt von himmelblauem Chenille, ruht ihre Mutter auf pfauenblauem Satin und trinkt Tee, während Olympia von Hochmooren und stürmischen Leidenschaften vorliest. Ihr Vater geht, wenn er sich nicht in seinem Arbeitszimmer verschanzt hat, mit den Händen in den Hosentaschen in den oberen Räumen der Stadtvilla auf und ab.

So kurz der Besuch ist, so kann Olympia es doch schon nach einer Woche kaum mehr erwarten, diesem Haus den Rücken zu kehren, wo ihr noch immer die Schatten von Scham und

Versagen folgen, die in Wänden, Teppichen und Möbeln der vielen Zimmer zu hängen scheinen wie Rauch nach einem Brand. Sie ist neunzehn, in einem Alter, in dem die meisten jungen Frauen ihrer Kreise im Sommer aus den Städten in die Badeorte an der Küste Neu-Englands reisen. Sie vergnügen sich auf Sommerbällen und Gartenfesten, beim Reiten und beim Tennis und verloben sich irgendwann mit gutaussehenden oder albernen jungen Männern. Da Olympia auf eine solche Bindung niemals hoffen kann, versteht es sich, daß sie anderweitig beschäftigt besser aufgehoben ist.

Die Reise nach West-Massachusetts ist lang und beschwerlich, auch wenn sich Olympia dem Reiz der sanft wogenden blauen Landschaft westlich der Fabrikstädte nicht entziehen kann. Irgendwo tief in den Hügeln der Berkshires steigt sie schließlich an einem Ort, der lediglich aus einem Gemischtwarenladen und einem kleinen Steinhaus besteht, aus dem Zug. Auf ihre Frage an den Schaffner, ob sie hier richtig sei, wird ihr versichert, daß dies in der Tat ihr Bestimmungsort ist. Sie wartet an der Straßengabelung, bis ihr Arbeitgeber, Averill Hardy, eintrifft, um sie abzuholen.

Mr. Hardy ist ein robuster Mann von ungefähr fünfunddreißig Jahren, mit vollem Haar, das vorzeitig grau geworden ist, und einem Bart, der ihm bis zur Mitte der Brust reicht. Er hat zwei hölzerne Schneidezähne, und sein Gesicht ist von der Sonne gerötet. Er hat vier Söhne, von denen drei noch auf dem Hof leben. Der vierte ist nach Springfield gegangen. Da keine Frau im Haus ist, wie er Olympia erklärt, noch ehe sie den Hof erreicht haben, hofft er, daß sie neben dem Unterricht seiner Söhne im Lesen und Schreiben den Haushalt führen wird. Olympia ist empört über dieses Ansinnen und wehrt sich zunächst energisch, indem sie Hardy darauf hinweist, daß von solchen Bedingungen nie die Rede gewesen sei. Später jedoch, als sie die Zustände im Haus sieht, beschließt sie zu helfen; sonst müßte ja auch sie in Schmutz und Schlamperei leben. Die Alternative wäre, den Posten sofort aufzugeben und nach Boston zurückzureisen, und das ist etwas, was sie auf keinen Fall will. Sie beugt sich also Averill Hardys Erwartungen.

Tatsächlich macht ihr die Arbeit nichts aus. Haushaltsführung hat sie in Hastings gelernt, und sie stellt fest, daß das tägliche Einerlei der häuslichen Arbeiten beruhigend auf ihr Gemüt wirkt. Das Haus ist ähnlich gebaut wie alle anderen hier in der Gegend, einstöckig, mit weißen Holzschindeln, schwarzen Fensterläden und einem Anbau nach hinten. Es ist ein freundliches Haus, wenn auch der Stall, in dem das Milchvieh untergebracht ist und aus dem es an heißen Tagen ziemlich streng riecht, sehr nahe ist. Olympias Zimmer liegt im rückwärtigen Teil des Hauses, ein kleiner Raum mit Blick auf eine Reihe von Eichen und Ahornbäumen.

Die Jungen, im Alter zwischen zwölf und siebzehn, sind muskulös und kräftig und sehr scheu, und Olympia findet es erstaunlich, daß sie nicht lesen können. Morgens, wenn sie aufwacht, sind Averill Hardy und seine Söhne längst auf den Beinen, um die Tiere zu versorgen und sich um das Land zu kümmern, eine Fläche von etwa einhundertfünfzig Morgen, größtenteils mit Futtermais bestellt. Die Küche ist geräumig und praktisch, und Olympia hat auf der Schule genug gelernt, um kräftige Mahlzeiten zu bereiten. Sie ißt niemals mit dem Vater und den Söhnen zusammen, sondern setzt sich lieber allein an den Tisch, wenn sie nach dem Essen wieder aufs Feld hinausgegangen sind. Wenn Hardy seine Söhne entbehren kann, setzt sie sich mit ihnen in die Wohnstube, um ihnen wenigstens grundlegende Kenntnisse in den wichtigsten Schulfächern beizubringen. Die Jungen sind höflich, sogar dankbar, auch wenn dem Ältesten, Seth, das Lernen große Mühe bereitet und er mit seinen jüngeren Brüdern nicht mithalten kann. Als Olympia sieht, wie dringend die Kinder den Unterricht brauchen, stellt sich bei ihr sogar eine gewisse Befriedigung über ihre Arbeit ein.

Manchmal kommt Averill Hardy schon vor dem Abend ins Haus zurück und tauscht ein paar höfliche Worte mit ihr; aber der wahre Grund für diese Besuche ist, wie Olympia bald entdeckt, im Wohnzimmer in dem abgesperrten Schrank zu suchen, den Hardy aufschließt, um heimlich ein Gläschen zu trinken. Sie hat keine Ahnung, wann er das Glas spült, sie sieht es nie in der Küche. Aber ihr ist klar, daß Hardys blühender Teint nicht allein auf die Einwirkung der Sonne zurückzuführen ist.

Eines Tages – Olympia ist seit drei Wochen auf dem Hof und hat gelernt, ihre Aufgaben als Haushälterin und Lehrerin recht gut zu meistern – verweilt Hardy nach dem Mittagessen am Tisch. Olympia, die hungrig ist und sich immer erst zum Essen setzt, wenn er und die Jungen die Küche verlassen haben, vermerkt es mit Ungeduld. Sie hat es sich zur Gewohnheit gemacht, sich in der Zeit, wenn Vater und Söhne essen, in den ersten Stock des Hauses zurückzuziehen und in dem Zimmer, das Hardy mit seiner Frau bewohnt hat und in dem noch ihr Nähtisch steht, Flickarbeiten zu erledigen. Es ist ein freundliches und helles Zimmer, in dem sie sich gern aufhält. Mrs. Hardy hatte im Handarbeiten offensichtlich großes Geschick und hat das gemeinsame Schlafzimmer mit vielen ihrer Erzeugnisse geschmückt. Besonders beeindruckt ist Olympia von den zahlreichen bunten Häkeldecken in den raffiniertesten Mustern und den mit feinen Stichen genähten Quilts, die sauber gefaltet auf einer Truhe liegen und auf die Wintermonate warten.

Als Olympia auf der Treppe Schritte hört, hebt sie verwundert den Kopf und legt ihre Arbeit nieder. Vielleicht, denkt sie, fühlt Hardy sich nicht wohl und möchte sich in seinem Zimmer niederlegen. Stoff und Nadel in der Hand, steht sie aus ihrem Sessel auf.

Er kommt durch den Flur und bleibt breitbeinig in der Türöffnung stehen. Beim Anblick seiner Augen, die wäßrig glänzen, schießt ihr ein anderer Gedanke durch den Kopf: Er trauert um seine verstorbene Frau.

Es ist heiß im Schlafzimmer, das Sonnenlicht fällt in einer Raute auf die gefirnißten Bodendielen.

»Sie sind ein gutes Mädchen«, sagt Hardy, immer noch an der Tür stehend.

Sie hat den Eindruck, daß er versucht, sie anzulächeln, ist sich aber nicht sicher, da sie ihn nie hat lächeln sehen. Sein Mund jedenfalls wirkt infolge der hölzernen Zähne, die kein erfreulicher Anblick sind, seltsam schief verzogen. Sie hat außerdem den Eindruck, daß Hardy nervöser ist, als sie ihn je zuvor gesehen hat.

Es ist ihr unangenehm, so vor ihm zu stehen und sich loben zu lassen, ohne hoffen zu können, ihm eine angemessene Antwort zu geben, und ohne recht zu wissen, warum er heraufgekommen ist. In der Absicht, das Zimmer zu verlassen, geht sie auf ihn zu, sicher, daß er zur Seite treten und sie vorbeilassen wird. Doch er mißversteht ihre Absicht, und es kommt zu einem Moment peinlichen Durcheinanders, in dem sie nicht weiß, wohin sie den nächsten Schritt tun soll.

Hardy, der zweifellos mehr getrunken hat, als gut für ihn ist, legt täppisch seine Arme um sie und zieht sie so kraftvoll an sich, daß sie das Gefühl hat, an seiner breiten Brust zerquetscht zu werden. Sie versucht, sich zu wehren, aber es mißlingt, er scheint nicht einmal wahrzunehmen, daß sie Widerstand leistet. Im Gegenteil, er neigt seinen Kopf zu ihr hinunter und küßt sie. Es ist ein glitschiger, unangenehmer Kuß. Sie fühlt die stumpfen Kanten seiner hölzernen Zähne. Sein Bart berührt kratzig ihr Gesicht und ihren Hals. Sein schaler Atem, in dem sich die Gerüche von Alkohol, Wurst und reifem Käse mischen, weht ihr widerlich ins Gesicht. Und dann, noch ehe sie Gelegenheit findet, irgend etwas zu tun, legt er seine große, breite Hand auf das Oberteil ihrer Schürze und preßt mit einer Gewalt dagegen, als wollte er ihren Busen zerdrücken. Da erst stößt sie ihn zurück und schafft es, sich von ihm abzuwenden.

»Nein!« schreit sie.

Er läßt sie los. Sie taumelt zurück.

»Hat Ihnen das nicht gefallen?« fragt Hardy mit heiserer Stimme, und Olympia sieht ungläubig, daß er ehrlich bestürzt und vielleicht sogar erstaunt ist über ihre Reaktion.

Sprachlos vor Schock und Ekel steht sie da, unfähig, sich von der Stelle zu rühren, hält immer noch das Nähzeug in der verkrampften Hand und wünscht inbrünstig, es möge vorbei sein, bis sie plötzlich gewahr wird, daß er gegangen ist.

Ihre Hände beginnen zu zittern. Stoff und Nadel fallen zu Boden.

»Mein Gott«, flüstert sie und läßt sich schwer in den Sessel der verstorbenen Mrs. Hardy fallen. »Das bin doch nicht ich!«

Sie blickt zu ihren Händen hinunter und dann zu den gefalteten Decken auf der Truhe. Wie konnte es so weit mit ihr kommen?

Weil man ihr eingeredet hat, sie sei ein nichtswürdiges und minderwertiges Geschöpf? Aber warum? Weil sie einmal geliebt worden ist? Weil aus dieser Liebe ein Kind hervorgegangen ist? Weil ihr Vater und die Welt, an die er glaubt, es so sehen?

Sie schüttelt den Kopf, wie um sich von ihrer Lethargie zu befreien.

Sie wendet ihr Gesicht zu den dunstigblauen Hügeln jenseits des säuberlich geflickten Fliegengitters vor dem Fenster. Sie öffnet es, beugt sich weit hinaus und atmet die Luft ein, und mit jedem Atemzug wird ihr Geist klarer. Es ist, als wäre sie jahrelang betäubt gewesen und tauchte erst jetzt mit einem Ruck aus der Benommenheit auf. In der Luft liegt eine Verheißung, die sie zuvor nicht wahrgenommen hat. Eine Verheißung auf Leben.

Sie wird den Hof verlassen und niemals zurückkehren. Sie wird der Verbannung ein Ende bereiten. Sie wird an den einzigen Ort zurückkehren, an dem sie glücklich war.

# TEIL DREI

# Wiedersehen mit Fortune's Rocks

# 16

Während der langen Fahrt nach New Hampshire – von den Berkshires nach Springfield mit dem Wagen, von Springfield nach Rye mit der Bahn, dann weiter mit der Elektrischen nach Ely und in einer Mietdroschke nach Fortune's Rocks – hat Olympia überlegt, wie sie in das Haus hineinkommen soll, das seit Jahren unbewohnt ist. Wird es mit Brettern vernagelt sein und ihr den Zutritt verwehren, wie sie fürchtet? Oder haben Landstreicher den Schlaf des verlassenen Hauses gestört? Ist es denkbar, daß Josiah und Lisette damals in der Eile der Aufräumarbeiten nach dem Unglücksfest versäumt haben, die Türen abzusperren und so den Neugierigen Gelegenheit gegeben haben, den Schauplatz des jüngsten und vielleicht größten Skandals von Fortune's Rocks zu besichtigen?

Die Landschaft ist vertraut und doch auch fremd, beglückend nach so vielen Jahren fern vom Meer, erschreckend in ihrer Veränderung. Wo früher weite Strecken Sand und Felsen waren, stehen jetzt Häuser aller Größen und Baustile, so viele allein in Rye, daß sie, wäre da nicht die leicht erkennbare Plankenpromenade, unsicher wäre, den Ort erreicht zu haben. Sie kommen an einer Kegelbahn vorüber, die sie nicht kennt, und an einer neuen Spielhalle, die sich schrill und laut zwischen zwei altehrwürdigen Hotels breitmacht. Pensionen und Hotels sind in dieser zweiten Juliwoche bereits von Feriengästen überfüllt, am Strand wimmelt es von Badelustigen in Schwimmkostümen, die weit gewagter sind als jene, die sie in Erinnerung hat. Aber als sie Rye hinter sich gelassen hat und die Droschke, in die sie in Ely umgestiegen ist, sich Fortune's Rocks nähert, beginnt sich allmählich eine Ruhe über der meergesäumten Landschaft auszubreiten, die sich auf ihr erregtes Gemüt überträgt. Hier hat sich kaum etwas verändert, nur hier und dort verraten frische, von der Witterung noch nicht angegriffene Zedernholzschindeln, daß sie einen Neubau sieht.

Sie knöpft ihren wollenen Umhang auf, der für das kühle Klima der Berkshires geeignet war, aber viel zu warm ist für die Küste im Juli, und dabei kommt ihr der Gedanke, daß kaum etwas von den Kleidern, die sie aus West-Massachusetts mitgenommen hat, hier am Strand brauchbar sein wird.

Neben ihr treibt der Kutscher, ein sehniger Mann mit stoppeligem Kinn, zungenschnalzend die Pferde an, und ihr Herz beginnt schneller zu schlagen. Sie biegen in die gewundene schmale Chaussee ein, die sie nach Fortune's Rocks führen wird, und sie denkt plötzlich: Was ist, wenn das Haus gar nicht mehr steht? Was ist, wenn es irgendwann niedergebrannt ist, wenn ihr Vater ihr ganz einfach nichts davon gesagt hat? Oder hat er es vielleicht ohne ihr Wissen verkauft, wird sie bei ihrer Ankunft fremde Kinder auf der Veranda spielen sehen?

Doch bevor sie sich weitere Gedanken machen kann, erreicht der Wagen eine Biegung, und mit einem Anflug von Wehmut sieht sie das vertraute Halbrund verstreut liegender Sommerhäuser, die Felsen, die jetzt bei Ebbe ihre schwarzen Nasen aus dem Meer heben wie Seehunde, den Strand von Fortune's Rocks. Ungeduldig beugt sie sich vor. Nach der nächsten Kurve erscheint vor ihr das Haus: das Sommerhaus ihres Vaters, einst ein Nonnenkloster, jetzt verlassen.

Ein Laut entfährt ihr, und der Kutscher wirft ihr einen Blick zu.

Über Fenster und Türen sind die Läden zugezogen, die Fassade des Hauses erscheint wie ein Gesicht mit blinden Augen und festgeschlossenem Mund, der kein Geheimnis preisgibt.

»Das hier kann's doch nicht sein, Miss«, sagt der Kutscher im breiten Dialekt der Einheimischen ungläubig.

Sie ist unfähig, ihm zu antworten. Ist es das hier? Ist es das Haus, in dem einmal Frauen in weißen Kleidern im Glanz gespiegelten Kerzenscheins zu Tisch saßen? Ist es das Haus, das Zeuge des schicksalhaften Tages war, an dem John Haskell mit seiner Frau und seinen Kindern zu Besuch kam, ohne die kommende Katastrophe zu ahnen?

Von den Holzschindeln blättert die Farbe, und das Gras steht einen halben Meter hoch, doch im Haus ihrer Erinnerung strömte Licht durch die Fenster, und Füße in leichten Schuhen glitten über polierte Böden.

»Doch, das ist es«, antwortet sie endlich dem Kutscher.

Nicht ein einziges neues Haus ist in der Nähe entstanden, und sie fragt sich, wie das zu erklären ist. Gehört das umliegende Gelände ihrem Vater? Wurde dieses Land vielleicht vor Jahren dem Kloster übereignet? Der nächste Nachbar ist immer noch das Wachhaus der Rettungsstation. Sein frischer weißer Anstrich und das rote Schnitzwerk leuchten in der Sonne und lassen das Haus ihres Vaters noch schäbiger erscheinen. Am Wasser sind viele Menschen, Badende und Spaziergänger, und sie erinnert sich in Bildern, die dank der Greifbarkeit des Schauplatzes lebhafter sind als seit Jahren, an ihren langsamen Weg vom Badehaus zum Wasser vor vier Sommern, unter den Augen Haskells, von dem sie damals noch nichts wußte.

Sie bezahlt den Kutscher, dem es sichtlich nicht behagt, sie hier abzusetzen, und wartet, während er ihren großen Koffer aus dem Wagen holt. Gebeugt unter der Last, erbietet er sich, das Gepäck ins Haus zu tragen, aber sie läßt es nur zur Hintertür bringen. Er soll nicht sehen, daß sie keinen Schlüssel hat und weder diese noch sonst eine Tür öffnen kann. Vor der Tür stehend, blickt sie dem davonfahrenden Wagen nach. Sie winkt einmal und hofft, daß es so aussieht, als warte sie nur darauf, daß ein säumiger Dienstbote ihr endlich öffnen und sie ins Haus lassen wird.

Sobald der Wagen verschwunden ist, tritt Olympia einen

Rundgang um das Haus an, um nach einer Möglichkeit zu suchen, sich Zugang zu verschaffen. In ihrer Eile, den Hof in den Berkshires zu verlassen und nach Fortune's Rocks heimzukehren, hat sie kaum gegessen und geschlafen. Sie rüttelt an den Läden (verblaßt jetzt und rissig) und ist nicht überrascht, sie von innen verriegelt zu finden. Gleichermaßen gesichert sind die Kellertür und die anderen vier Türen des Hauses. Sie würde ohne Zögern ein Fenster einschlagen, wenn sie nur an eines herankäme, aber sie kann nirgends in der Panzerung des Hauses eine Schwachstelle entdecken. Hilfe will sie nicht holen; damit würde sie ihre Anwesenheit kundtun, und sie möchte, auch wenn sie weiß, daß ihr Erscheinen hier nicht lange verborgen bleiben wird, wenigstens das Haus bezogen haben, ehe die Neugierigen sie überfallen.

Draußen bei der Kapelle tritt sie zurück und mustert das Haus vom Rasen aus. Grashalme kitzeln sie an den Beinen. Auf dem Dach sind mehrere Schindeln lose, und die Wände bedürfen dringend eines neuen Anstrichs. Das Verandageländer ist gebrochen, von einem Sturm heftig durchgerüttelt, demselben vielleicht, der die Zierleisten der Dachfenster abgerissen hat. In der Tat braucht das Haus eine Menge Reparaturen, größere Reparaturen, die sie selbst nicht ausführen kann. Bei diesem Gedanken wird sie sich mit Überraschung bewußt, daß sie die Schäden am Haus – den klaffenden Sprung in einem Treppenpfosten, einen von der Feuchtigkeit verzogenen Türrahmen, den Schornstein, an dem mehrere Ziegel sich gelokkert haben – auf eine ganz neue Art begutachtet, so nämlich, als wäre dies ihr Haus. Während ihr Blick noch suchend umherschweift, entdeckt sie das gebrochene Scharnier.

Das Fenster hinter dem geschlossenen Laden ist zu hoch oben. Sie braucht ein Hilfsmittel, um hinaufklettern zu können. Nach kurzer Suche findet sie neben dem Haus einen alten Tisch, der vielleicht für die Gartenarbeit gebraucht wurde, und schleppt ihn mit einiger Mühe (aber wie sehr hat die Arbeit in

Hastings, an die sie am liebsten nie wieder denken möchte, ihre Muskeln gekräftigt) unter das Fenster. Sie klettert auf die verwitterte Tischplatte aus rohem Holz und schafft es mit mehrmaligem ruckartigem Ziehen, den Laden zunächst zu lockern und schließlich aus dem geborstenen Scharnier zu reißen. Polternd läßt sie ihn zu Boden fallen. Sie wischt sich den Rost von den Händen. Mit dem Handballen schlägt sie gegen den Fensterrahmen, um den Riegel zu sprengen, der sich über dem von Feuchtigkeit aufgequollenen Holz verzogen hat, und stößt einen kleinen Triumphschrei aus, als das Fenster nachgibt. Mit Schwung zieht sie sich zum Fenstersims hinauf, rollt sich darüber hinweg und läßt sich auf den Steinboden der Kapelle fallen.

Wieder auf den Beinen, sieht sie sich in der Kapelle um. Schmerz überflutet sie wie eine Woge. Sie sieht den Altar, und die letzten hoffnungslosen Momente mit Haskell ziehen an ihr vorüber, sie sieht ein junges Mädchen, das, von dunklen Gedanken unbeschwert, an einem offenen Fenster sitzt und zeichnet; sie sieht ein Kind, einen kleinen Jungen, den sie nie gekannt hat, der vielleicht hier gespielt hätte.

Sie läßt sich auf dem Marmorquader nieder und gibt dem Schmerz nach. Die Tränen ziehen Spuren in den Straßenstaub auf ihren Wangen. Sie putzt sich die Nase mit dem Saum ihres Rockes. Nach einer Weile richtet sie sich auf, gewiß, daß das Schlimmste vorbei ist, und öffnet die beiden obersten Knöpfe ihrer Bluse. Aber dieser Handgriff, dieses harmlose Nesteln, ruft eine Erinnerung von so viel schmerzlicher Süße hervor, daß die Sehnsucht sie von neuem überwältigt.

Als sie sich wieder gefaßt hat, nimmt sie die Hände vom Gesicht und sieht sich um. Fremde sind in die Kapelle eingedrungen und haben den Marmor und die Wände mit Kohle oder schwarzer Tinte beschmiert. Wachspapier, wie es an den Fischbuden benutzt wird, um den gebratenen Fisch einzuwikkeln, liegt zusammengeknüllt in einer Ecke. An einer der gezimmerten Bänke hängt ein Stoffetzen, das Unterhemd einer Frau, wie sie feststellt, als sie näher tritt, billiger Musselin voller Flecken. Sie nimmt das Kleidungsstück und läßt es zu Boden fallen. Sie empfindet es als eine Entweihung. Aber haben nicht sie und Haskell als erste die Kapelle entweiht? Oder war das keine Entweihung, sondern vielmehr die heiligste aller menschlichen Handlungen? Sie weiß es nicht, obwohl sie seit Jahren über diese Frage nachdenkt. Ganz gleich, diese neue Entweihung erscheint ihr als die schlimmere – es ist eine Entwürdigung ihrer Erinnerung, ihres teuersten Besitzes.

Von der Kapelle aus geht sie durch den engen Gang, der ins Haus führt, öffnet Fenster und Läden, läßt Licht herein und hört beglückt das Klappern ihrer Absätze auf dem Holzboden. Sie gelangt in die Küche mit ihren leeren Schränken und nackten Tischen. Mäuse haben sich hier getummelt, und im Spülbecken hat sich Rost angesetzt. Sie tritt durch die Schwingtür, hinter der sie damals ungewollt auf Josiah und Lisette gestoßen ist. Sie geht durch den getäfelten Flur, in dem sie Haskells Gesicht zum letztenmal gesehen hat, weiter durch das Speisezimmer, in dem sie miteinander zu Tisch gesessen haben, und schließlich in den Salon voll geisterhafter weißer Skulpturen, unberührt und verlassen. Eine Salzkruste liegt wie Reif auf den Fensterscheiben, so daß sie das Meer nur hören kann.

In der Mitte des Zimmers, das nach Moder und Feuchtigkeit riecht, bleibt sie stehen, nimmt ihren Hut ab und läßt ihn zu Boden fallen. Sie legt auch Umhang und Halstuch ab und bückt sich, um die rissigen Stiefel aufzuschnüren, die sie seit Wochen trägt. Sie knöpft die Manschetten ihrer Bluse auf und rollt die Ärmel bis zu den Ellbogen auf.

Mit großer Geste reißt sie ein Laken von einem Sessel: rote Seide mit cremefarbenen Streifen. Mäuse haben daran genagt, oder war er immer so zerschlissen? Sie nimmt das nächste Laken ab: ein kleiner runder Mahagonitisch mit Klauenfüßen. Wie dunkel er sich in dem weißen Raum ausnimmt. Sie geht zu einer Tür, zieht den Riegel auf und öffnet sie. Der Luftzug wirkt erfrischend, und sie hat den Eindruck, daß sie klarer sieht als je zuvor. Sie geht über die Veranda zum Geländer und schaut, die Augen mit der Hand abschirmend, auf eine ungeheure Weite glitzernden silbernen Lichts hinaus. Langsam läßt sie ihren Blick wandern – über die Felsen, den alten Obstgarten, die Kaimauer, den Strand. Ja, in diesem Haus wird sie leben. Hier wird sie frei sein.

»Miss?«

Sie fährt zusammen beim Klang der fremden Stimme und dreht den Kopf. Am Fuß der Verandatreppe steht der Kutscher, der sie eben erst hier abgesetzt hat. Die Mütze in der Hand, sieht er zu ihr hinauf, sein Körper lang und sehnig und leicht gebeugt.

»Ich bin noch mal zurückgekommen, weil ich sicher sein wollte, daß alles in Ordnung ist«, sagt er auf seine breite, emotionslose Art. »War mir irgendwie nicht geheuer, Sie da ganz allein vor der Tür zurückzulassen, wo das Haus doch seit Jahren leer steht. Es hat ja was richtig Unheimliches.«

»Danke«, sagt sie.

»Ich sehe, Sie sind rein gekommen.«

»Ja.«

»Läuft das Wasser?«

»Das weiß ich gar nicht.«

»Dann läuft's wahrscheinlich nicht. Da muß die Pumpe erst mal wieder angelassen werden.«

»Ja.«

Ihr fällt auf, daß seine Jacke aus grober marineblauer Wolle an der Schulter einen Riß hat. Seine Arme sind ungewöhnlich lang und hängen an den Seiten herab, als gehörten sie nicht zu seinem Körper. Die Augen blitzen eisblau durch die Stoppeln und den Schmutz in seinem Gesicht.

»Strom und Gas sind bestimmt auch nicht eingeschaltet«,

fährt er fort. »Haben Sie jemanden, wo Sie für die Nacht unterkommen können?«

»Ich bleibe hier«, erklärt sie.

Er kratzt sich am Kinn und macht ein skeptisches Gesicht. »Ich glaub nicht, daß eine junge Dame wie Sie hier gut aufgehoben ist, Miss«, sagt er dann rundheraus. Sie versucht, sein Alter zu schätzen. Fünfunddreißig? Vierzig? Sein von Wind und Wetter zerfurchtes Gesicht verrät wenig. »Ich würde vorschlagen, Sie suchen sich eine Unterkunft, bevor es dunkel wird. Die meisten Hotels und so sind um diese Jahreszeit voll, aber Alice, das ist meine Schwester, die vermietet im Notfall.«

Olympia hat sich eigentlich nicht als Notfall betrachtet. Aber sie denkt nun doch, wenn auch widerstrebend, über den Vorschlag des Mannes nach. Er hat recht, wenn sie kein Wasser hat, kann sie hier nicht bleiben, so sehr sie es auch wünscht.

»Also gut«, sagt sie schließlich. »Und vielen Dank.«

»Können wir gleich fahren?«

Sie zögert. Sie bringt es nicht über sich, das Haus so schnell wieder zu verlassen. »Ich…«

»Na schön, dann hol ich Sie in einer Stunde ab.«

»Vielen Dank«, sagt sie wieder. »Sie sind sehr freundlich. Darf ich nach Ihrem Namen fragen?«

»Ich heiße Ezra Stebbins. Ich bin früher oft hier gewesen und hab Hummer geliefert. Als Ihre Eltern noch hier gewohnt haben.«

»Ach so«, sagt sie. »Sie sind Fischer.«

»Richtig.«

»Und wohnen Sie in der Nähe?«

»In Ely, Miss.«

Sie wendet sich einen Moment ab und starrt über das Verandageländer ins Leere. Ob er weiß, warum das Haus all die Jahre leergestanden hat? Sie strafft die Schultern. Dies ist nur eine Begegnung von vielen, die sie in den kommenden Wochen wird über sich ergehen lassen müssen, wenn sie sich in Fortune's Rocks niederlassen will. Sie dreht den Kopf, um das Wort an den Fischer zu richten, aber der ist schon wieder fort.

Es gibt keine Stühle oder Sessel auf der Veranda, nur einen alten Hocker, der in einer Ecke des Geländers eingeklemmt ist. Sie zieht ihn heraus, stellt ihn in die Mitte der Veranda und läßt sich mit gebauschten Röcken nieder. Vor vier Jahren hat sie hier auf dieser Veranda Haskell zum erstenmal gesehen. Nur zu gut kann sie sich dieser sonderbaren wortlosen Begrüßung im Kreis der Kinder, Martha, Clementine, Randall und May, erinnern. Nur zu gut kann sie sich erinnern, daß sie da schon wußte, daß diese Begegnung mit John Warren Haskell außergewöhnlicher Natur war. Rein äußerlich war davon nichts zu bemerken, aber sie empfand, neben einer Mischung aus Scham und Verwirrung, ganz deutlich, daß unter der Oberfläche schillernde Töne schwangen, in deren Licht ihre einfachen, scheinbar unschuldigen Gesten eines Tages interpretiert werden würden.

Jetzt fragt sie sich, ob es nicht in jedem Leben Momente gibt, in denen dieses Leben völlig umgekrempelt wird oder, unversehens aus der Bahn geworfen, eine Wendung nimmt, die so phantastisch oder furchtbar ist, daß man etwas Derartiges nie zuvor auch nur in Betracht gezogen hätte. Solche Momente kommen oft wie ungeladene Gäste gerade dann, wenn man sie am wenigsten erwartet, sie treffen einen nicht selten unter den ungünstigsten Umständen, aber auch in ganz banalen Situationen. Es kann sein, daß sie einen zart und leicht anfliegen wie kleine Vögel, die sich auf dem äußersten Zweig eines Baumes niederlassen; nur fliegen sie dann nicht wieder fort. So einen Moment kann ein flüchtiges Aufblitzen im Gesicht eines geliebten Menschen herbeiführen, der erste ahnungslose Blick auf ein einziges Wort in einem Telegramm (und an dieser Stelle beginnt das Leben von seinem Kurs abzuweichen). Das Außerordentliche aber ist, daß innerhalb des endlichen Zeitkontinuums, in dem sich ein menschliches Leben fortbewegt, so ein Moment fixiert ist, unverrückbar und unauslöschlich, auch wenn man später noch so leidenschaftlich wünschen mag, man könnte ihn tilgen.

Die Begegnung mit Haskell auf der Veranda war ein solcher Moment, das weiß Olympia; ein anderer war zweifellos jener Augenblick, als Catherine sich zu dem Teleskop hinunterbeugte, ein Augenblick, den Olympia sich mit Grauen ins Gedächtnis ruft und den auslöschen zu können sie vieles geben würde. Aber da war auch ein solcher entscheidender Moment, in dem ein Leben geschaffen wurde. Und wann genau war dieser Moment? An jenem ersten Tag in Haskells Hotelzimmer? An einem der Tage, an denen sie sich in dem halbfertigen Sommerhaus geliebt haben? Im Sand, im Dunkel der Nacht, als sie sich unbemerkt aus dem Haus geschlichen hatte?

Haskell hat ihr einmal erklärt, auf welche Weise er einer Empfängnis vorzubeugen versuchte, und sie hat die kleinen, nassen Ballons gesehen und gefühlt; aber er hat ihr damals auch gesagt, daß dieses Verfahren nicht unbedingt zuverlässig sei. Und darum fragte er sie eines Tages, als sie auf dem rohen Boden seines zukünftigen Hauses beieinander lagen, nach ihrer monatlichen Regel. Es bewegt sie jetzt tief, daran zu denken, daß sie einst ein solches Gespräch geführt haben, daß sie mit einem Mann über so intime Dinge reden konnte; wie leicht das damals war. Neue Traurigkeit ergreift sie, und um sie abzuschütteln, steht sie auf und läuft von der Veranda zum Strand hinunter.


Zehn Tage lebt Olympia in der kleinen Pension in Ely, die von Alice Stebbins, der Schwester des Fischers, betrieben wird. Sie bewohnt ein kleines Zimmer unter dem Dach und wird täglich mit drei Mahlzeiten versorgt. Obwohl es nicht einfach ist, von Ely nach Fortune's Rocks hinauszukommen, gelingt es Olympia, in dieser Zeit einen neuen Hausmeister zu engagieren. Die Wasserpumpe wird angelassen und funktioniert problemlos. Die elektrischen Leitungen allerdings, die ins Haus führen, sind in schlechtem Zustand und müssen dringend repariert werden. Aber das kann Olympia nicht davon abhalten, sich in Fortune's Rocks niederzulassen, es sind ja genug Spirituslampen in den Räumen.

Als sie endlich das Haus bezieht, hat sie allen Grund, für die Lehrzeit in Hastings dankbar zu sein, wo sie gründlichen Unterricht in Haushaltsführung genossen hat. Mit großem Eifer geht sie daran, das Haus wohnlich zu machen, und schöpft tiefe Befriedigung aus dieser Arbeit. Sie schrubbt die Böden und schüttelt die Teppiche aus. Mit dem Wasser aus der Handpumpe in der Küche wäscht sie die Bettwäsche durch und putzt die Fenster. Sie fegt die Schränke aus, befreit die Zimmer von Spinnweben, schneidet Büsche in Form, staubt Möbel ab und bügelt Wäsche. Sie hängt die Kleider, die in den Schränken zurückgeblieben sind, an die Luft, und was zerrissen ist, stopft sie. Sie legt die Schubladen mit Schrankpapier aus, schleppt die Matratzen ins Freie hinaus und klopft sie tüchtig durch. Sie spült Töpfe und Geschirr, wischt Türen und Fensterrahmen, poliert das Messing der Kaminböcke auf Hochglanz. Allmählich breiten sich Sauberkeit und Glanz im Haus aus, die Bettwäsche duftet nach Sonne und frischer Luft, und es ist eine Freude, abends angenehm müde zwischen die Laken zu schlüpfen.

Mit dem Geld, das ihr von dem geblieben ist, was ihr Vater ihr vor dem Sommer für die Reise gegeben hat, kauft sie im Dorf Nahrungsmittel und andere Dinge des täglichen Bedarfs. Der Weg zum Laden ist weit, aber sie geht in aller Frühe los, weil da die Wahrscheinlichkeit, unerkannt zu bleiben, größer ist. Zwar ist vermutlich jeder in der Gegend mit der unerhörten Geschichte ihres Fehltritts vertraut, aber sie selbst ist nur wenigen bekannt. Außerdem hat sich ihr Gesicht in den vier Jahren ihrer Abwesenheit verändert. Ihre Züge sind klarer ausgebildet, ihr Kinn vielleicht nicht mehr so weich. Bei Sonne trägt sie eine dunkle Brille, die sie sich in Hastings gekauft hat.

Dennoch ist ihr bewußt, daß sie nicht lange unbemerkt bleiben kann, daß ihren nächsten Nachbarn ihre Anwesenheit nicht lange verborgen bleiben wird. Schon regt sich erstes Interesse – Vorüberkommende mustern neugierig die Wäsche, die im Garten auf der Leine hängt, kleine Jungen beobachten sie beim Unkrautjäten –, und wenn erst einmal die Nachbarn von ihrer Anwesenheit wissen, wird es nur eine Frage der Zeit sein, bis auch ihr Vater davon erfährt. Aus diesem Grund setzt sie sich eines Nachmittags, nicht lange nach ihrem Einzug, an ihren kleinen Sekretär und schreibt ihm einen Brief.

Sie teilt ihm mit, daß sie sich in Fortune's Rocks befindet und die Absicht habe, längere Zeit zu bleiben; daß nichts sie dazu bewegen könne, diese Absicht aufzugeben, und daß sie im Herbst nicht an die Schule in Hastings zurückkehren werde. Sollte er ihr den Aufenthalt im Haus verbieten, fügt sie hinzu, so werde sie alle Verbindung zu ihm und ihrer Mutter abbrechen. Sie wolle ihm nicht weh tun, versichert sie; sie wolle nur endlich ein wenig Ruhe und Frieden finden. Schließlich bittet sie noch um Geld für zahlreiche Reparaturen am Haus, die sie einzeln aufführt. Zudem habe sie auch für sich persönlich kaum noch Geld.

Sie rechnet damit, etwa vier Tage später Antwort zu bekommen. Als kein Brief eintrifft, macht sie sich mit Unbehagen darauf gefaßt, daß ihr Vater persönlich erscheinen wird. Jedesmal, wenn sie auf der Straße einen Wagen hört, zuckt sie zusammen. Doch am zwölften Tag endlich bringt der Postbote den erwarteten Brief in der vertrauten Handschrift.

*3. August 1903*

*Meine liebe Olympia,*

*ich war überrascht und bestürzt zu hören, daß Du in Fortune's Rocks bist. Meiner Ansicht nach ist das nicht der geeignete Aufent-*

haltsort für Dich. Und ich bedaure es außerordentlich, daß Du Deine Studien in Hastings abbrechen willst. Ich gestehe, daß ich gehofft habe, Du würdest in der Arbeit als Lehrerin eine gewisse Befriedigung finden und in Deiner Unabhängigkeit einen gewissen Trost. Aber ich habe nicht das Herz, Dir weitere Bestrafung aufzuerlegen. Vielleicht sind Befriedigung und Trost nicht das, was Du Dir wünschst. Ich muß zugeben, daß ich in Deinem Alter auf solche Dinge auch keinen großen Wert gelegt hätte, obwohl ich sie heute hochschätze.

Du hättest mir gleich schreiben sollen, Olympia. Ich habe, wenige Tage nachdem Du Deinen Brief aufgegeben hattest, ein Schreiben von Mrs. Bardwell, der Direktorin, bekommen. Man hatte sie in Kenntnis darüber gesetzt, daß Du Deine Arbeit bei Mr. Hardy und seinen Söhnen ohne Begründung aufgegeben hast, und ich habe mir große Sorgen um Dich gemacht. Eine Zeitlang fürchtete ich, dieser Mensch könnte irgendwie mit Dir Verbindung aufgenommen haben und Du wärst mit ihm weggegangen. Ich nehme an, Du sagst mir die Wahrheit und bist wirklich nicht mit ihm zusammen.

Ich mache mir Sorgen, Olympia. Ich weiß nicht, wie Du in diesem zugigen Haus zurechtkommen willst. Aber wenn Du entschlossen bist, Dich dort niederzulassen, werde ich Dir nichts in den Weg legen. Ich habe keinerlei Verlangen danach, jemals wieder in dieses Haus an der Küste zurückzukehren. Ich werde es eines Tages verkaufen müssen, aber augenblicklich habe ich keine Pläne in dieser Richtung, da ich bezweifle, daß ich bei der heutigen finanziellen Entwicklung einen guten Preis bekommen würde.

Deine Mutter und ich bedauern es, an Deinem zwanzigsten Geburtstag nicht bei Dir sein zu können, aber Du weißt hoffentlich, daß wir täglich an Dich denken. Bitte melde Dich von Zeit zu Zeit. Ich muß wissen, wie es Dir geht.

Dein Dich liebender Vater

P. S. Ich lege einen Scheck über hundertfünfzig Dollar bei. Alle Rechnungen für größere Reparaturen laß bitte direkt an mich schicken.

Nach der Lektüre dieses Briefes läßt Olympia den Kopf auf den Küchentisch sinken. Es quält sie, ihren Vater traurig zu wissen. In diesem Moment ist sie versucht, ihre Koffer zu packen und zum Bahnhof zu fahren, um nach Boston zurückzukehren und sich von ihren Eltern in die Arme schließen zu lassen. Sie denkt an die vielen Tage, die ihr Vater ihrem Unterricht gewidmet hat, wieviel von sich er ihr gegeben hat.

Nach einer Weile richtet sie sich auf und legt den Brief auf den Küchentisch. Aus dem Schrank unter dem Spülbecken holt sie eine Scheuerbürste und füllt einen Eimer mit Seifenwasser. Dann hockt sie sich vor dem offenen Kamin nieder und beginnt, die Rußflecken auf der Platte zu entfernen, die alte Feuer hinterlassen haben. Der Stein ist fast schwarz, und sie muß den Eimer immer wieder mit frischem Wasser füllen. Sie schrubbt mit aller Kraft, als könnte nur körperliche Anstrengung die Qual der Unschlüssigkeit lindern.

Und wie groß ist die Befriedigung, die sie aus diesen einfachen häuslichen Arbeiten gewinnt! Oft, wenn sie abends fertig ist, geht sie durch die Räume des Hauses und betrachtet das Ergebnis ihrer Bemühungen. Wie das Treppengeländer blitzt! Wie blank die Fensterscheiben sind, durch deren welliges Glas die Linie des Horizonts leicht verzerrt erscheint. Wie der Lack der Fenstersimse glänzt!

Mitunter bekommt sie, wenn sie ein Zimmer gründlich gereinigt hat, plötzlich Lust, die Möbel umzustellen. Zunächst verschiebt sie nur einen Tisch oder einen Sessel und gibt ihm einen anderen Platz im Zimmer; später jedoch, als sie feststellt, daß all die Möbel sie stören, bringt sie nach und nach die Stücke, die sie tragen kann, in die Kapelle hinaus. Der Salon leert sich immer mehr, und sie empfindet diese Leere als zutiefst wohltuend. Natürlich kann sie weder das Klavier noch das Sofa oder den englischen Sekretär entfernen, aber es wandert doch einiges in die Kapelle hinaus: eine Tischlampe mit Kristallgehänge, eine mit Chenille bezogene Fußbank, ein Tierfell, das als Kaminvorleger gedient hat, eine marmorne Tischuhr, ein verschnörkelter Lüster, Beistelltische, ein Bambussofa, Gobelins, die seit Jahren die Wände schmücken, schwere goldfarbene Vorhänge, die viel Licht geschluckt haben, ein Pflanzenständer aus Mahagoni, ein bemalter Paravent, ein großer goldener Spiegel und verschiedene Topfpflanzen, die längst eingegangen sind.

Einen Windsorsessel, unter dessen Sitz eine Schreiblade verborgen ist, stellt sie in die Mitte des Zimmers, so daß sie freien Blick auf das Meer hat, wenn sie sich dort niederläßt. Und das tut sie häufig. Meistens schaut sie nur zu den Fenstern hinaus, steht höchstens einmal auf, um sich eine Kanne Tee zu kochen, aber manchmal strickt oder liest sie auch, während sie dort sitzt. Mit Büchern allerdings ist sie sehr vorsichtig, sie fürchtet die Gefühle, die sie auslösen können. Seit Wochen ist sie damit beschäftigt, ein Fundament zu legen, Gerüste zu errichten, sie will nicht, daß die stabilen Mauern, die sie hochgezogen hat, von ein paar Wörtern auf einer Buchseite zum Einsturz gebracht werden.

Meistens kleidet sie sich einfach, da sie schwere Hausarbeiten verrichtet. Aber hin und wieder wählt sie auch ein Pikee- oder Taftkleid, das im Schrank zurückgeblieben ist. Sich morgens anzukleiden und dann in ihrem Windsorsessel zu sitzen und zum Meer hinauszuschauen, das ist ihr häufig Beschäftigung genug, und sie ahnt jetzt, was mit einer Ruhekur gemeint ist. Hätte ihr Instinkt sie nicht getrieben, diese Ruhe hier zu suchen, so hätte sie sich, dessen ist sie gewiß, niemals erholt, hätte vielmehr im Lauf der Zeit alle möglichen nervösen Leiden entwickelt wie so viele Frauen in einem gewissen Alter, und sie denkt dabei auch an ihre Mutter.

Am Ende des Tages läßt Olympia sich meist mit einer köstlichen Müdigkeit ins Bett sinken, nachdem sie ihren Appetit, der dieser Tage beinahe unersättlich ist, mit einfachen Speisen gestillt hat. Sie ißt Süßmais und Blaubeeren und Plätzchen und weißen Käse. Milch und Brot läßt sie sich ins Haus liefern und vereinbart mit Ezra, daß er ihr einmal wöchentlich Hummer und frischen Fisch bringt. Und eines Tages, kurz nachdem Ezra mit seiner Lieferung da war und sie dabei ist, den frischen Kabeljau in der Eistruhe zu verstauen, fährt am hinteren Tor ein schwarzes Automobil vor. Durch das Fenster sieht Olympia verblüfft Rufus Philbrick aus dem Fahrzeug steigen.

Sie blickt an ihrem Kleid hinunter – verwaschene Baumwolle – und hebt die Hände zu ihrem Haar, das sie seit einer Woche nicht mehr gewaschen hat. Ihr bleibt keine Zeit, sich umzuziehen. Zum erstenmal seit ihrer Ankunft in Fortune's Rocks bedauert sie es, keinen Dienstboten im Haus zu haben, um den Besuch zu empfangen.

»Ich hoffe, ich komme nicht ungelegen.« Philbrick nimmt seinen Hut ab und reicht ihr die Hand.

»Aber nein, natürlich nicht«, versichert sie, immer noch etwas verwirrt über diesen völlig unerwarteten Besuch.

Philbrick ist um einiges korpulenter als in jenem Sommer vor vier Jahren, und ihr fällt gleich wieder ein, daß er nicht nur ein Dandy ist, sondern auch ein Mann, der die leiblichen Genüsse liebt. Es erschreckt sie ein wenig zu sehen, daß er einen Stock braucht, um sich fortzubewegen, und dann bemerkt sie, daß seine Schuhe von unterschiedlicher Größe sind. Vielleicht leidet er an der Gicht. Er trägt keinen Backenbart mehr, seine Wangen sind rosig, das Kinn ist voll und schwer. Die Augen sind um die Ränder leicht gerötet.

Als sie ihn hereinbittet, sieht sie noch einmal kurz zu ihrem verwaschenen Baumwollkleid hinunter und denkt: Er findet mich sicher auch verändert.

Er folgt ihr in die Küche, die trotz der sparsamen Einrichtung nicht ungemütlich ist. In der Mitte des Tisches steht eine Vase mit Strandrosen, auf dem Fensterbrett leuchten Hortensien in einem Krug. Zunächst weiß sie nicht, wie sie Philbrick begegnen soll, waren doch Ezra und die Lieferanten ihre einzigen Besucher. Aber dann besinnt sie sich ihrer Manieren und bittet Philbrick zu Tee und *scones*. Philbrick bittet sie zwar, sich nur keine Umstände zu machen, aber man spürt doch, daß er sich durchaus auf frisches Gebäck freut.

»Sie sehen wohl aus«, bemerkt er, nachdem sie sich im Salon gesetzt haben, er in den Windsorsessel, Olympia in einen Schaukelstuhl, den sie aus dem Zimmer ihrer Mutter heruntergeholt hat. Die Fenster sind geöffnet, es ist ein schöner Tag, und in das Rauschen der Brandung mischt sich gelegentlich das ferne Jauchzen kleiner Kinder am Strand.

»Danke«, sagt sie und bietet ihm ein Glas Zitronenlimonade an.

»Wie lange sind Sie schon hier?« fragt er, sich im Zimmer umsehend, offensichtlich erstaunt über die Kargheit des Mobiliars.

»Ich habe die letzten Jahre auf dem Seminar für junge Frauen in Hastings verbracht«, antwortet sie, »aber ich habe mich entschlossen, nicht zurückzukehren. Ich bin seit Mitte Juli hier.«

»Und Ihre Eltern sind wohlauf?«

»Danke, ja. Darf ich Ihnen ein paar Brötchen mit Heringspaste anbieten?«

»Danke, gern.«

Sie stellt die Platte vor ihm auf den Tisch. »Mr. Philbrick, woher wußten Sie, daß ich hier bin?«

»Ach, Kind«, erwidert er mit freundlicher Nachsicht, »das ist mir von den verschiedensten Seiten zugetragen worden. Wollten Sie Ihre Anwesenheit denn geheimhalten? Wenn ja, dann haben Sie, fürchte ich, den Charakter dieser kleinen Gemeinde ganz falsch eingeschätzt.«

Jetzt erst fällt ihr das bemerkenswerte Ensemble auf, das er trägt – eine seidene Weste in Schwarz und Gelb über einem blaßgelben Hemd, dazu ein eleganter Sommeranzug aus feinstem Leinen. Wo kann man derlei Extravaganzen in New Hampshire erwerben?

»Nein, ich wollte meine Anwesenheit hier nicht geheimhalten«, antwortet sie, »aber ich wollte sie auch nicht an die große Glocke hängen. Ich freue mich sehr über Ihren Besuch, Mr. Philbrick. Ich habe bis jetzt noch kein einziges Mal Besuch gehabt.«

»Du meine Güte, Olympia. Sie scheinen ja zur Einsiedlerin geworden zu sein. Ich wollte eigentlich nur nachfragen, ob Sie irgend etwas brauchen. Es gab eine Zeit, da habe ich Ihren Vater als meinen besten Freund betrachtet.«

»Das ist sehr nett von Ihnen«, sagt sie mit Wärme, »aber im Augenblick habe ich alles, was ich brauche.« Sie blickt sich um. »Bis auf eine Dampfheizung.«

Er starrt sie ungläubig an. »Sie haben vor, den Winter hier zu verbringen?«

»Vielleicht«, antwortet sie und reicht ihm noch einmal die Platte mit den Brötchen.

»Aber warum denn das?« fragt er. »Die Winter hier sind abscheulich.«

»Ich lasse das Haus winterfest machen. Und ich werde natürlich einige Räume unbenutzt lassen.«

»Trotzdem.«

Olympia nickt. »Ich habe das Bedürfnis, eine Zeitlang ganz für mich zu sein«, erklärt sie leise.

Philbrick sieht sie forschend an.

»Und ich war hier einmal sehr glücklich«, fügt sie offen hinzu.

Philbrick stellt sein Glas nieder und faltet die Hände über seinem stattlichen Bauch. Ein langes Schweigen tritt ein.

»Olympia«, sagt Philbrick schließlich, »Sie haben meine ganze Sympathie. Ich bin im allgemeinen kein Mensch, der andere richtet, und ich darf sagen, daß ich in bezug auf die Liebe und ihre Schwierigkeiten ein gewisses Verständnis besitze.« Er hält einen Moment inne, und in der Pause fragt Olympia sich flüchtig, was er unter den Schwierigkeiten der

Liebe versteht. »Ich glaube, ich kann mir bis zu einem gewissen Grad vorstellen, was Sie um Ihrer Liebe willen gelitten haben. Denn für mich besteht kein Zweifel, daß Ihre Beziehung zu John Haskell auf Liebe gründete. In der Rückschau bilde ich mir ein, das zwischen Ihnen gespürt zu haben.«

Olympia ist nicht gleich fähig zu einer Antwort.

»Es lag so ein Knistern in der Luft, wenn Sie und er in einem Raum waren«, fügt er mit beschreibender Geste hinzu.

Olympia sehnt sich schon so lange danach, über Haskell zu sprechen. Aber sie fürchtet, daß es sie, gäbe sie diesem Verlangen jetzt im Gespräch mit Rufus Philbrick nach, die Wertschätzung des Mannes kosten könnte.

»Eigentlich«, sagt Philbrick und greift jetzt, nachdem er das etwas trügerische Gebiet der Liebe durchmessen hat, nach einem *scone,* »dachte ich, Sie seien des Kindes wegen hier.« Er wischt sich ein Krümelchen von der seidenen Weste.

Olympia ist, als hielte die ganze Welt den Atem an, als stürzte der Boden unter ihr tausend Meter in die Tiefe. Später wird sie sich fragen, wie sie es zuwege gebracht hat – abgesehen von einem kurzen und vielleicht zu abrupten Blick zu Philbrick –, so zu tun, als wüßte sie weit mehr über das Kind, als es der Fall ist.

»Ein ausgesprochen gutes Heim«, fügt Philbrick hinzu.

Olympias Mund ist staubtrocken. Aber sie wagt es nicht, nach dem Glas zu greifen, um zu trinken, fürchtet sie doch, Philbrick könnte das Zittern ihrer Hand bemerken.

»Manche dieser Waisenhäuser sind furchtbar«, fährt Philbrick fort, »aber Mutter Marguerite sorgt für Zucht und Ordnung, das muß man ihr lassen. Der Kirchenvorstand von St. André hat mich, nachdem ich jahrelang brav gespendet habe, vor kurzem in den Verwaltungsrat des Waisenhauses aufgenommen.« Er zuckt mit den Achseln. »Ich habe nichts dagegen. Es ist eine gesunde Organisation.«

Olympia nickt höflich. Sie wird sich bewußt, daß sie die

ganze Zeit den Atem angehalten hat. Langsam, um sich nicht zu verraten, läßt sie die Luft entweichen. Sie öffnet den Mund, um etwas zu sagen, aber sie bringt keinen Ton heraus.

Philbrick beugt sich vor. »Aber Kind«, sagt er, »Sie sind ja ganz blaß. Ich hätte nicht davon anfangen sollen. Ich hätte wissen müssen, wie schmerzlich es für Sie ist. Aber ich war noch nie ein besonders taktvoller Mensch...« Er betrachtet sie besorgt. »Bitte, verzeihen Sie einem alten Mann seine Gedankenlosigkeit.«

Olympia schüttelt den Kopf. »Ich habe Ihre Direktheit immer bewundert«, sagt sie mit heiserer Stimme.

Philbrick wischt sich den Mund mit seiner Serviette. »Ich werde Sie jetzt nicht länger belästigen, Olympia, mein Kind. Es ist besser, ich gehe, bevor ich mir noch weitere Schnitzer erlaube. Ich wollte Ihnen lediglich einen Besuch abstatten und Ihnen sagen, daß Sie jederzeit über mich verfügen können. Es wäre mir die größte Freude, Ihnen behilflich zu sein.«

Er steht auf, und Olympia folgt seinem Beispiel, wenn auch etwas unsicher.

»Es tut mir sehr leid, wenn ich Sie in Aufregung gestürzt habe«, sagt Philbrick.

»Nein, nein, Ihr Besuch war mir eine willkommene Abwechslung«, entgegnet sie rasch, um seinen Verdacht zu zerstreuen. »Ich hoffe, es wird nicht der einzige bleiben.«

Philbrick nimmt eine Karte aus einer ledernen Brieftasche und reicht sie Olympia. »Sie können mir jederzeit an diese Adresse schreiben. Bitte grüßen Sie Ihre Eltern von mir.«

Sie bringt ihn zur Tür, sich kerzengerade haltend, da sie weiß, daß er sie beobachtet.

»Danke für die freundliche Bewirtung«, sagt er, ihr die Hand reichend. »Und bitte richten Sie der Köchin mein Lob aus.«

»Es gibt keine Köchin«, antwortet sie.

»Mein Gott, Olympia, Sie sind wirklich allein.«

»Ja, und es gefällt mir.«

Er steigt die Treppe hinunter und sieht sie dann noch einmal

nachdenklich an. »Ich wußte immer, daß auf Sie eine ungewöhnliche Zukunft wartet«, sagt er.

Sie schließt die Tür hinter Philbrick und wartet, bis sie den
Motor des Automobils aufheulen hört. Die Gegenstände verschwimmen vor ihren Augen, und an der linken Schläfe erwacht ein pochender Schmerz. Sie preßt eine Hand an ihren
Kopf, aber der Schmerz zieht sich zu einem kleinen harten
Kern tief im Inneren zusammen. »Ich bilde mir ein, das zwischen Ihnen beiden gesehen zu haben«, hat Philbrick gesagt.
Ihr wird schwindelig, und sie legt die Stirn ans kühle Glas der
Tür. Sie muß einen klaren Kopf bewahren, muß das Badezimmer erreichen. »Ein Knistern in der Luft…« Auf dem Weg
durchs Haus muß sie sich an der Wand stützen. An einer Ecke
bleibt sie abrupt stehen und krümmt sich zusammen. Gleich
wird sie sich übergeben. »…Sie seien wegen des Kindes hierher gekommen…« Sie wischt sich das Gesicht mit dem Rock
und versucht, sich zu konzentrieren. Sie wird es doch wohl
noch bis zu ihrem Bett schaffen. Der Schmerz brennt wie
Feuer und drückt gegen die Wände ihres Schädels. »Manche
von diesen Waisenhäusern sind furchtbar…«
      Unter ihr schwankt der Boden. Ihr Sohn ist in Ely Falls.

# 17

Tagelang liegt Olympia in ihrem sauberen Haus im Bett. Milch
und Brot bleiben unberührt vor der Tür, der sorgfältig ver-
packte Hummer beginnt zu stinken. Von Zeit zu Zeit hört sie
draußen jemanden klopfen und nimmt an, daß es Ezra ist. Aber
obwohl sie es dem Mann ersparen möchte, sich ihretwegen zu
beunruhigen, schafft sie es nicht, aufzustehen und mit ihm zu
sprechen.

Am dritten oder vierten Tag hält sie es vor Hunger nicht mehr aus. Die Luft in ihrem Zimmer ist schal geworden. Sie wäscht sich, zieht frische Kleider an, bürstet sich das Haar. Sie öffnet die Küchentür, nimmt die Nahrungsmittel, die sich dort angesammelt haben, und wirft sie zum Abfall. Nur einen Laib altes Brot holt sie hinein, röstet einige Scheiben und ißt sie zum Tee.

Wie konnte ihr Vater ihr Kind in ein Waisenhaus in Ely Falls geben, ohne ihr etwas davon zu sagen? Sie stellt sich vor, wie erschrocken er gewesen sein muß, als er ihren Brief aus Fortune's Rocks bekam. Wahrscheinlich wird ihn nun die Sorge nicht mehr verlassen, daß sie durch einen Zufall den Aufenthaltsort des Kindes entdecken wird. Sie kann ihn vor sich sehen, wie er im oberen Flur des Hauses in Boston auf und ab geht.

Schon in dem Moment, als sie hinter Rufus Philbrick die Tür geschlossen hat, war ihr klar, daß sie sich auf die Suche nach dem Kind machen würde. Sie hat die Tage im Bett nicht in Unschlüssigkeit verbracht; sie hat die Pause genutzt, um Kräfte zu sammeln für die Aufgabe, die vor ihr liegt. Immer wieder hat sie sich gefragt, ob sie bereit ist, solch ein Unternehmen zu wagen. Wie soll es weitergehen, wenn sie das Kind wirklich findet? Kann sie es zurückverlangen? Und wenn sie es versucht, wird man es ihr geben? Wird sie in der Lage sein, für das Kind zu sorgen, wenn man es ihr denn anvertraute? Der Junge ist jetzt knapp über drei Jahre alt. Ob er gesund ist? Sie wünscht es aus tiefstem Herzen. Sie weiß nicht einmal seinen Namen.

Wie soll sie ihn dann überhaupt ausfindig machen? Welchen Namen hat man ihm bei seiner Geburt gegeben? Und was für einen Familiennamen trägt er? Hat ihr Vater ihm den Namen Biddeford gelassen, oder hat man ihm die Genehmigung erteilt, dem Kind einen völlig fremden Namen zu geben? Wie werden diese Dinge normalerweise gehandhabt? Olympia hat keine Ahnung, und ihren Vater kann sie nicht fragen. Er würde Argwohn schöpfen und auf den Verdacht hin, sie könnte das Kind gefunden haben, entweder veranlassen, daß es in einem anderen Heim untergebracht wird, oder persönlich nach Fortune's Rocks kommen, um sich mit ihr auseinanderzusetzen. Das aber wünscht sie am allerwenigsten.

Am Morgen des siebten Tages zieht sie ein lavendelblaues Kostüm aus Seidenmoiré an, das sie im Kleiderschrank ihrer Mutter entdeckt hat, und wählt dazu einen hellen Hut mit breiter Krempe, die, wenn sie sie tief genug in die Stirn zieht, ihr Gesicht größtenteils verbirgt. Sie möchte nicht erkannt werden, weil sie noch niemanden in diese fragile kleine Welt, die sie sich geschaffen hat, einlassen kann.

Die Straßenbahn nach Ely Falls fährt in Ely ab, gut fünf Kilometer vom Strand von Fortune's Rocks entfernt. Sie hat daran gedacht, den Weg zu Fuß zu gehen, sich dann aber dagegen entschieden. Wenn sie sich in staubigen Röcken und schmutzigen Stiefeln in Ely Falls präsentiert, könnte es dem Erfolg ihres Unternehmens Abbruch tun. Sie läßt sich daher von Ezra abholen und zur Elektrischen fahren.

Der Hummerfischer, der, wie sie mittlerweile weiß, Ende Dreißig ist, ist ein angenehmer Begleiter auf der kurzen Fahrt.

»War Ihr Vater auch Fischer?« fragt sie unterwegs.

»Ja. Und mein Großvater auch.«

»Und dieses Leben gefällt Ihnen?« fragt sie.

»Ich habe zweihundert Reusen im Wasser, da geht mir die Arbeit so leicht nicht aus«, antwortet er. »Jeden Morgen fahr ich vor Sonnenaufgang raus und schau nach ihnen. Ich hab drei Söhne, und ich denk mir, daß mindestens einer von ihnen mal in meine Fußstapfen treten wird, obwohl ich sie alle drei immer wieder davor warne. Na sehen Sie, da haben Sie die Antwort. Es ist ein hartes Leben.« Er sagt das in seinem breiten, weichen Dialekt ohne jedes Selbstmitleid, und Olympia, die zu seinen schwieligen Händen sieht, auf denen viele Kämpfe und Unfälle ihre Spuren hinterlassen haben, neigt sich ihm impulsiv zu und berührt eine der Narben auf seinem Handrücken.

Über sich selbst erschrocken, entschuldigt sie sich hastig für ihre Zudringlichkeit, doch er wehrt mit einem Achselzucken ab. Die tiefen Schnitte, erklärt er, hätten ihm die gefangenen Hummer mit ihren Scheren in den wenigen Sekunden beigebracht, bevor er sie aktionsunfähig machen konnte.

Sie würde ihn gern nach seiner Frau fragen; was sie für ein Leben führt. Und noch stärker drängt es sie zu fragen – aber sie wird diese Frage nicht stellen, niemals würde sie das tun –, ob er seine Frau liebt, ob er glaubt, daß sie ihn liebt; ob sie auf ihre Weise miteinander glücklich sind. So gering ihre Erfahrung ist, weiß sie doch, daß die Liebe für Außenstehende häufig unergründlich, unlesbar ist, aber gerade diese besondere Intimität zwischen zwei Menschen ist es, in die sie gern tieferen Einblick gewinnen möchte.

An der Straßenbahnhaltestelle angekommen, wünscht er ihr gute Fahrt und verspricht um vier Uhr wieder dazusein, um sie abzuholen.

Die Bahn ist überfüllt mit Einheimischen und Sommerfrischlern, von denen viele aus Rye heraufgekommen sind, vermutlich um einen Einkaufstag in Ely Falls zu verbringen. Es sind keine Sitzplätze mehr frei, als sie zusteigt, und im Wagen scheint sich die Hitze des Tages gestaut zu haben. Die Fahrgäste werden in dem ratternden Holzgehäuse wie Puppen hin und her geworfen, und die Gerüche all dieser schwitzenden Menschen rauben einem den Atem. Wenn sie sich nicht mit beiden Händen festhalten müßte, um auf den Beinen zu bleiben, würde sie sich ein parfümiertes Taschentuch an die Nase drücken.

Ab und zu erhascht sie durch eine Lücke im Gedränge einen Blick auf die vorübergleitende Landschaft. Überall sind neue Häuser entstanden, und die Außenbezirke von Ely Falls beginnen viel früher als vor vier Jahren. Firmen- und Geschäftsschilder winken zu beiden Seiten der Straße: »Drogerie« und »Librairie Française« und »H. P. Poisson, Fotograf«. Dann »Modewaren«, »Paradays Tabakhandlung« und »Boynoins Apotheke« neben einem Schild, auf dem nur »Lewis Polakewich« steht. Gestreifte Markisen in vielen Farben spannen sich über den Bürgersteigen, und sie sieht weit in die Höhe gebaute Kaufhäuser, die ihr entweder bei früheren Fahrten in die Stadt nicht aufgefallen sind oder die damals einfach noch nicht existierten. Straßen und Trottoirs sind belebt, ein Gewimmel von Fahrzeugen und Menschen, und die Fahrgäste der Straßenbahn werden plötzlich von einer ungeduldigen Geschäftigkeit erfaßt. Sie steigt aus, wo die meisten anderen aussteigen, ohne eine Ahnung zu haben, wo sie sich befindet.

Ein Polizist, den sie um Auskunft bittet, beschreibt ihr den Weg zum Waisenhaus. Jetzt erst bemerkt sie, daß der Himmel schwarz geworden ist, und sie hört fernes Donnern. Sie beginnt zu laufen und wird schon im nächsten Moment von einem heftigen Schauer überrascht, der sie zwingt, sich in einer Türnische unterzustellen. Als der Regen nachläßt, macht sie sich, von Rastlosigkeit getrieben, wieder auf den Weg und gerät kurz vor ihrem Ziel erneut in einen Guß. Keuchend läuft sie weiter und hält den wuchtigen Granitbau mit den gleichmäßig angeordneten Fensterreihen an der Ecke Merton und Washington Street zunächst für ein Kaufhaus. Erst im Vorübereilen sieht sie die Inschrift über der Tür: »Waisenhaus St. André«.

Sie tritt in ein Vestibül mit Steinfußboden, auf dem ihre Stiefel feuchte Spuren hinterlassen, als sie auf die Tür zugeht, die durch ein kleines Schild als »Büro« gekennzeichnet ist. Nach kurzem Zögern klopft sie an.

Eine zierliche kleine Frau in Nonnentracht öffnet ihr. Sie hat schmale dunkle Augen unter faltigen Lidern und einen von tiefen Runzeln zusammengeschobenen Mund. Im ersten Moment zeigt sie nur Verwunderung über Olympias Erscheinen, dann mustert sie die Fremde mit scharfem Blick, vermerkt die feuchten Röcke und die durchnäßten Stiefel. Olympia ist überzeugt, daß sie ihr gleich die Tür vor der Nase zuschlagen wird.

»Bitte verzeihen Sie die Störung«, sagt sie hastig, »aber ich hätte gern jemanden von der Leitung des Waisenhauses gesprochen.«

»Und zu welchem Zweck?« fragt die Frau wie eine Lehrerin, die eine prompte Antwort erwartet. Sie spricht mit dem Akzent der Frankokanadierin.

Olympia hat ihre Worte so gründlich eingeübt, daß sie sicher war, nichts könne sie ins Stottern bringen. Aber angesichts der strengen Miene der Nonne gerät sie nun doch ins Stammeln und ist sich bewußt, daß sie damit ihre Position schwächt.

»Ich – ich suche ein Kind«, erklärt sie. »Das heißt – ich möchte mich nach dem Befinden eines bestimmten Kindes erkundigen. Mich vergewissern, daß es ihm gutgeht. Es müßte vor drei Jahren hierher gebracht worden sein. Im Frühjahr.«

»Aber warum?« fragt die Nonne, noch immer keine Anstalten machend, sie ins Büro zu bitten.

»Weil…« Olympia holt tief Luft. »Weil es mein Kind ist«, sagt sie schnell.

Die Nonne tritt seufzend zur Seite. »Kommen Sie herein«, sagt sie.

Sie geht Olympia voraus und setzt sich in einen Sessel hinter einem Schreibtisch. »Ihr jungen Mädchen seid doch alle gleich«, sagt sie. »Ihr glaubt, ihr könnt eure neugeborenen Kinder einfach bei uns vor der Tür absetzen und dann nach zwei oder drei Jahren wiederkommen und mit ihnen zur Tür hinausmarschieren. Aber so geht das nicht.«

»Nein«, entgegnet Olympia, an den Schreibtisch herantretend.

Mit einer kurzen Handbewegung bedeutet ihr die Nonne, Platz zu nehmen.

Olympias Rock ist durchnäßt, sie ist sicher, daß er einen

feuchten Fleck auf dem Stuhl hinterlassen wird. Ihr Hut ist so schwer vom Regen, daß sie ihn abnehmen muß. Sie streicht sich die feuchten Haarsträhnen, die sich aus ihrem Knoten gelöst haben, hinter die Ohren.

»Würden Sie mir bitte Ihren Namen sagen«, fordert die Nonne sie auf.

»Olympia Biddeford.«

Es ist nicht zu erkennen, ob der Name ihr etwas sagt. Sie hebt die gefalteten Hände. »Und der Name des Kindes?«

»Den weiß ich nicht«, antwortet Olympia.

Die Finger der Nonne sind rot und glänzend. »Sie wünschen lediglich Auskunft über das Befinden des Kindes?« fragt sie.

»Ich…« Olympia senkt den Blick. Sie hat einen ansehnlichen Geldbetrag in ihrer Tasche. Die Vorstellung, ihr Kind zurückkaufen zu müssen, widerstrebt ihr, aber sie ist bereit, es zu tun, wenn es sein muß.

»Ich bin mir nicht sicher«, sagt sie nicht ganz aufrichtig.

»Sie sind verheiratet?«

Olympia schüttelt den Kopf.

Die Nonne verzieht mißbilligend den faltigen kleinen Mund.

»Und wie wollen Sie für ein Kind sorgen?«

»Ich bin nicht mittellos«, erklärt Olympia. »Ich habe ein Haus.«

»Und wo ist dieses Haus?«

»In Fortune's Rocks.«

Die Nonne betrachtet Olympia mit der dünnen Verachtung der Selbstgerechten für die Privilegierten. »Haben Sie Familie? Eine Haushälterin?«

»Nein, im Augenblick nicht. Meine Familie, meine Eltern, meine ich, sie leben in Boston.«

»Ich verstehe. Hatten Sie zu der Zeit, als Sie das Kind weggegeben haben, Geld?«

»Weggegeben ist nicht das richtige Wort«, entgegnet Olympia. »Das Kind wurde mir genommen. Ich war sehr jung.«

»Das sehe ich.« Die Nonne mustert sie aufmerksam. »Wie alt sind Sie jetzt?«

»Zwanzig.«

»Wir haben unsere Vorschriften«, erklärt die Nonne. »Wir geben die Kinder nicht einfach auf Anfrage heraus. Das werden Sie verstehen.«

»Ja.«

»Unter welchem Namen wurde uns das Kind überlassen?«

»Das weiß ich nicht.«

»Dann wird es schwierig werden«, sagt die Nonne. »Wer hat das Kind gebracht?«

»Auch das weiß ich nicht. Es wurde mir gleich nach der Geburt von meinem Vater genommen. Es ist ein Junge. Mein Vater hat ihn sicherlich nicht persönlich zu Ihnen gebracht, aber es könnte sein, daß die – äh –«, sie sucht nach einem passenden Wort, »die Übergabe unter seinem Namen stattgefunden hat.«

»Richtig.« Die Nonne zieht eine Schublade ihres Schreibtisches auf und entnimmt ihr einen großen Ordner, der mit Papieren vollgestopft ist. Sie nimmt sich Zeit, um den Ordner durchzusehen. Die Seiten knistern, wenn sie umblättert.

»Ich finde hier nirgends den Namen Biddeford«, bemerkt sie schließlich. »Jedenfalls nicht für den von Ihnen angegebenen Zeitraum. Könnte ein anderer Name in Frage kommen?«

Olympia zögert. Sie senkt den Blick. »Haskell«, antwortet sie leise.

Die Nonne, deren Namen Olympia bis jetzt nicht erfahren hat, sieht sie an.

»Gut«, sagt sie, ohne einen Blick in den Ordner zu werfen. »Vorname?«

»John.«

»Welche Verbindung hat dieser Mann zu dem Kind?«

»Er war – ist – der Vater«, antwortet sie.

»Ah ja.« Die Nonne unterzieht Olympia neuerlich einer

Musterung. »Und es ist möglich, daß er selbst das Kind gebracht hat?«

»Nein, nein«, entgegnet Olympia. »Das glaube ich nicht. Mein Vater hat jeden Kontakt mit Dr. Haskell abgelehnt, nicht einmal sein Name durfte in unserem Haus ausgesprochen werden. Ich kann mir nicht vorstellen, daß er mit ihm Verbindung aufgenommen hätte.«

»Und wo hält dieser John Haskell sich jetzt auf?«

»Das weiß ich nicht«, antwortet Olympia wieder.

Die Nonne schüttelt den Kopf. »Sie werden verstehen, daß diese Angelegenheit Zeit braucht.«

Olympias Herz tut einen Sprung. Heißt das, daß es möglich ist, das Kind aus dem Heim herauszuholen?

»Natürlich«, sagt sie, und vielleicht lächelt sie dabei. »Es ist aber auch möglich, daß das Kind gar nicht hier ist.«

Die Schwester sieht Olympia mit einem strengen Stirnrunzeln an, als wolle sie ihr anraten, ebenfalls wieder eine ernste Miene aufzusetzen.

»Ich bete darum, daß es nicht zutrifft«, erwidert Olympia und denkt im gleichen Moment, daß der Nonne ihre protestantischen Gebete wahrscheinlich egal sind.

»Sie werden sehr wahrscheinlich rechtliche Beratung brauchen«, erklärt die Nonne.

»Ich möchte wissen, ob es dem Kind gutgeht«, sagt Olympia. »Und ich möchte seinen Namen wissen.«

Die Nonne nickt bedächtig. Wie sieht das Leben so einer Frau aus? fragt Olympia sich plötzlich. Ein Leben der Enthaltsamkeit und der Gebete, des Dienstes an anderen. Wäre die natürliche Sehnsucht nach Liebe so groß, daß man den Verlust immer empfinden würde, oder verflüchtigten sich Sehnsüchte mit der Frömmigkeit?

»Viele der Kinder werden zu Familien gegeben, bevor die Mütter sie zurückholen können«, erklärt die Nonne. »Gelegentlich werden sie adoptiert. Warum haben Sie so lange gewartet?«

»Es war mir vorher nicht möglich, an einen derartigen Schritt auch nur zu denken«, antwortet Olympia.

»Ein Kind ist ein großes Geschenk«, doziert die Nonne. »Sind Sie der Meinung, daß eine Frau, die gesündigt hat, für ihre Torheit mit einem solchen Geschenk belohnt werden sollte?«

Olympia öffnet den Mund, um etwas zu sagen, aber sie kann nicht antworten.

Die Nonne steht auf. »Bitte warten Sie hier«, sagt sie und verläßt das Zimmer.

Olympia sitzt in ihren durchnäßten Röcken auf dem Stuhl und wartet auf die Rückkehr der katholischen Nonne. Sie fröstelt, ob vor Furcht oder vor Kälte, könnte sie nicht sagen. Der Regen schlägt gegen die Scheiben der hohen Fenster, deren Simse sich auf Höhe ihres Gesichtes befinden. Die Wände sind braun, und der Schein des elektrischen Lichts betont alle Schrammen und Kerben auf dem glänzenden Anstrich. Hinter dem Schreibtisch der Nonne hängt ein großes Kruzifix.

Der Ordner voller Papiere unterschiedlicher Größen und Farben liegt auf dem Schreibtisch. Olympia fragt sich, ob sie, wenn sie einen Blick in diesen Ordner tun könnte, den Namen fände, den sie sucht.

Sie steht auf und geht im Zimmer umher, um sich aufzuwärmen. Die feuchten Röcke kleben an ihren Oberschenkeln, und sie versucht, sie auszuschütteln. Sie zittert jetzt. Warum bleibt die Frau so lange weg? Wohin ist sie gegangen?

Der Name John Haskells war ihr bekannt. Da ist Olympia ganz sicher.

Sie tritt ans Fenster und schaut in den stetig fallenden Regen hinaus, der dem Gewitter gefolgt ist. Dann dreht sie sich um und mustert das Zimmer, die hohen Aktenschränke aus Eichenholz, die vielen Bücher in einem deckenhohen Bücherschrank. Der einzige Besucherstuhl, der, auf dem sie gesessen hat, ist von spartanischer Einfachheit. Auf Besuch scheint man hier keinen Wert zu legen.

Ihr ist so kalt, daß ihre Zähne aufeinanderschlagen. Sie sieht sich nach einer Wärmequelle um und bemerkt hinter dem Schreibtisch einen Heizkörper. Aber er ist nur lauwarm, wie sie feststellt, als sie näher tritt und die Hand darauf legt. Trotzdem, denkt sie, lauwarm ist besser als gar nichts. Sie lehnt sich dagegen. Es ist ihr egal, ob die Nonne sie hinter dem Schreibtisch ertappt.

Sie lauscht nach Kinderstimmen, aber sie hört nichts. Nur einmal vernimmt sie das Klappern von Absätzen draußen auf dem Steinboden und kehrt zu ihrem Stuhl zurück. Aber niemand tritt ein, und gleich flüchtet sich Olympia wieder an den Heizkörper. Wo sind die Kinder? fragt sie sich. Leben sie in diesem düsteren, kalten Granitbau? Nein, sicher nicht. Wie könnten Kinder sich hier zu Hause fühlen? Sie möchte nicht darüber nachdenken. Ein bedrückendes Bild steigt vor ihr auf, Kinderbetten, die wie Pritschen in einem Feldlazarett an der Wand aufgereiht stehen.

Die Nonne bleibt so lange aus, daß Olympia glauben muß, sie habe sie vergessen. Soll sie sich auf die Suche nach ihr machen? Sie starrt den Schreibtisch an, gebannt vom Anblick des Ordners mit den vielen Papieren. Von ihrem Standort an der Heizung aus kann sie einige mit Tinte geschriebene Wörter lesen: »...das Baby, das zurückgelassen wurde...« Und »...schreckliche Trennung...« Sie wagt sich einen Schritt näher heran. Sie streckt den Arm aus und schlägt mit der Spitze des Zeigefingers den Ordner auf.

Ein Brief liegt da, zwischen zwei Formularen.

*24. Mai 1897*

*An die Nonnen des Waisenhauses:*

*Ich weiß kaum, was ich schreiben soll, außer daß ich die Mutter des kleinen Mädchens bin, das vorgestern abend in einem Körbchen mit drei Dollar bei Ihnen vor der Tür abgesetzt worden ist. Ich kann Ihnen nicht sagen, wie entsetzlich es für mich ist, mich von meiner Kleinen trennen zu müssen, aber ich kann sie nicht behalten, weil ich mit einem kleinen Kind nirgends eine Anstellung finde (und ich habe weder Ehemann noch Vater, die mir helfen könnten). Darum muß ich sie Ihnen anvertrauen. Bitte trösten Sie sie und seien Sie gut zu ihr und sagen Sie ihr, daß ihre Mutter Francine heißt. Meinen Nachnamen kann ich Ihnen jetzt nicht nennen, aber Sie werden ihn eines Tages erfahren, wenn ich komme, um sie zurückzuholen. Ich hoffe aus tiefstem Herzen, das wird bald möglich sein, wenn ich hart arbeite und etwas Geld zusammensparen kann. Sie ist erst vier Wochen alt. Ich konnte sie nicht taufen lassen, weil mir das Geld fehlte, bitte sorgen Sie dafür, daß sie getauft wird. Sie heißt Marie Christine, und ich hoffe, Sie werden den Namen beibehalten, damit ich sie eines Tages wiederfinden kann. Und wenn Gott es nicht so wollen sollte, hoffe ich, daß wir in einer besseren Welt wieder miteinander vereint werden.*

*Eine Mutter.*

Olympia schließt die Augen. 1897. Wie alt wäre Marie Christine jetzt? Sieben Jahre? Acht? Ist die Mutter zurückgekehrt, wie sie gehofft hat, um sie zu holen?

Olympia blättert um.

*15. Dezember 1899*

*An die Mutter Oberin*

*Hochverehrte Mutter Marguerite,*

*dieses Kind ist die Folge einer Vergewaltigung, begangen an einer jungen Frau, die von mir ärztlich betreut wird. Sie ist eine anständige Frau, aber völlig mittellos und nicht in der Lage, dieses Kind zu versorgen, zumal sie bereits ein Kind von unbekanntem Vater hat. Ich war bei der Geburt des Kindes zugegen und habe festgestellt, daß es bei guter Gesundheit ist. Allerdings sagt mir die junge Mutter gerade, daß der Kleine seit mehreren Tagen an Atembeschwerden leidet. Das Kind ist noch nicht getauft. Ich würde raten, es in eine Familie zu ge-*

*ben, wenn dazu Gelegenheit besteht, da ich es für äußerst zweifelhaft*
*halte, daß die Mutter jemals Anspruch auf ihren Sohn erheben wird.*
*Sie leidet noch immer sehr unter den Umständen, die zu der Schwan-*
*gerschaft geführt haben, und mußte deshalb das Haus ihrer Mutter und*
*ihres Stiefvaters verlassen. Ich denke, Sie verstehen, was ich damit sagen*
*will.*

*Hochachtungsvoll*
*Dr. R. Martin*

»O Gott«, flüstert Olympia entsetzt.

Sie blättert weiter und stößt auf ein Blatt Papier, das bis auf
den Briefkopf leer ist. Der Name »Mère Marguerite« fällt ihr
ins Auge, und sie sagt sich, daß dies die zierliche kleine Frau
mit den dunklen Augen sein muß, auf die sie immer noch wartet. Automatisch überfliegt sie das Dutzend Namen, das unter
der Überschrift »Verwaltungsrat« auf der linken Seite aufge-
führt ist, und stößt auf den Namen Rufus Philbrick. Natürlich.
Auf das leere Blatt folgt wieder ein Brief, auf braunes Packpapier geschrieben.

*4. Februar 1901*

*An die guten Nonnen,*
*ich weiß von Ihrer Güte, und ich weiß, daß Sie meinen kleinen*
*Charles liebhaben werden. Bitte verzeihen Sie einer ledigen Mutter. Es*
*bricht mir das Herz, daß ich mein Kind hergeben muß. Ich bitte Sie*
*herzlichst, ihn einer katholischen Familie zu geben, denn ich möchte*
*nicht, daß er ohne die Kirche aufwächst. Verzeihen Sie mir, wenn ich*
*meinen Namen nicht nenne.*

Olympia kehrt zu ihrem Stuhl zurück und starrt auf den Ordner. Sind alle die anderen Papiere darin ähnlich unglückliche
Briefe? Sie senkt den Kopf. Sie hat ihr Kind aufgegeben, ohne
ihm auch nur einen Brief oder einen Geldschein mitzugeben,
und welche Entschuldigung hat sie dafür? Keine. Sie war nicht

arm. Sie war kein Opfer von Gewalt. Das Kind war in Liebe gezeugt worden. Wie hat sie ihr Kind so leicht hergeben können?

Sie fährt aus ihren Gedanken, als sie hinter sich die Tür gehen hört. Die Nonne gleitet in ihrem langen Gewand an ihr vorbei und setzt sich hinter den Schreibtisch, scheint nicht zu bemerken, daß in ihren Unterlagen geblättert worden ist. Sie verrät Olympia nicht, warum sie so lange fort war, aber sie wirkt auch nicht mehr so streng wie zuvor. Im Gegenteil, sie scheint beinahe milde. »Ihnen ist kalt«, sagt sie.

Olympia schweigt.

»Soll ich Ihnen etwas zum Überziehen holen? Oder eine Tasse Tee?«

Olympia schüttelt den Kopf.

»Ich habe die Genehmigung erhalten, Ihnen den Namen des Jungen zu sagen.«

Olympia drückt die Hände aneinander wie zum Gebet und senkt ihr Kinn zu den Fingerspitzen.

»Er heißt Pierre«, sagt die Nonne.

*Pierre!* Der Name ist ein Schock für Olympia.

»Aber leider«, fährt die Nonne fort, »habe ich auch enttäuschende Nachricht für Sie.«

Olympia erstarrt.

»Der Junge ist nicht mehr bei uns«, erläutert die Nonne.

»Was heißt das?« fragt Olympia.

»Er lebt in einer Pflegefamilie.«

»Nein! Das kann nicht sein.«

»Doch, mein Kind, so ist es. Leider.«

»Nein!« wiederholt Olympia mit mehr Nachdruck. Sie beugt sich vor und legt ihre Hände auf den Schreibtisch. »Es muß doch Möglichkeiten geben, ihn zurückzuholen«, sagt sie. »Er gehört zu mir. Er ist mein Sohn. Das Gesetz kann nicht wollen, daß er von mir getrennt bleibt.« Sie kann die Verzweiflung nicht aus ihrer Stimme heraushalten.

»Die Entscheidung wurde schon vor einiger Zeit getroffen«, erwidert die Nonne behutsam, aber unverkennbar im Ton der Endgültigkeit.

Olympia spürt, wie alles Blut ihrem Kopf entweicht. Die Nonne scheint es ihr anzusehen, denn sie fragt hastig: »Ist Ihnen nicht gut?«

»Wo ist er?« fragt Olympia heiser.

Die Nonne preßt die Lippen aufeinander und schüttelt den Kopf. »Das darf ich Ihnen nicht sagen«, antwortet sie. »Unsere Regeln …«

»Sie *müssen* es mir sagen«, unterbricht Olympia. »Bitte, ich muß wissen, wo er ist.«

»Ich kann es Ihnen nicht sagen«, wiederholt die Nonne. »Ich kann Ihnen nur sagen, daß er bei liebevollen Eltern lebt. Ich kenne die Familie und weiß, daß gut für ihn gesorgt wird.«

»Leben sie hier, in Ely Falls?«

»Auch das kann ich Ihnen nicht sagen. Es tut mir leid, aber so ungewöhnlich ist diese Situation nicht. Und wenn Sie es einmal vom Standpunkt des Jungen aus betrachten – war er in diesen Jahren nicht bei liebevollen Pflegeeltern, die ihm Fürsorge und Geborgenheit bieten konnten, besser aufgehoben als bei einer ledigen Mutter, die von Scham gequält gewesen wäre und vielleicht aufgrund ihrer Jugend gar nicht richtig für ein kleines Kind hätte sorgen können?«

»Ich schäme mich nicht«, versetzt Olympia.

Die Nonne lehnt sich in ihrem Sessel zurück. »Wie hochmütig Sie sind«, sagt sie kalt. »Sie kommen hierher und bitten mich um meine Hilfe, ich tue mein Bestes, und dann wagen Sie mir zu sagen, daß Sie nicht gesündigt haben? Haben Sie denn gar kein Gewissen?«

»Doch, ich habe ein Gewissen«, erwidert Olympia ruhig. »Ich bedaure, was ich einer anderen Frau und ihren Kindern angetan habe. Aber ich bedaure nicht, daß ich geliebt habe und geliebt worden bin. Und ich bin nicht der Meinung, daß ich zu jung bin, um für ein Kind zu sorgen. Ich hätte zu jeder Zeit gut für meinen Sohn gesorgt.«

»O ja, aber Sie haben es nicht getan, nicht wahr?« Die Nonne lächelt unangenehm. »Sie werden feststellen, daß sowohl die Kirche als auch das Gesetz energisch bestreiten werden, daß Sie geeignet sind, angemessen für ein kleines Kind zu sorgen. Eine ledige Mutter, in den Augen der Gesellschaft eine unmoralische Person und in den Augen Gottes eine Sünderin, gilt allgemein als untauglich, ein Kind großzuziehen.«

»Aber deswegen ist es noch lange nicht wahr«, gibt Olympia hitzig zurück. »Würden Sie einen Vater, der seine Tochter vergewaltigt hat, als tauglicher betrachten, ein Kind großzuziehen, als eine gesunde junge Frau, die zufällig schwanger geworden ist, ohne verheiratet zu sein?«

»Niemand wird *zufällig* schwanger«, entgegnet die Nonne. »Es gehören Wille und Vorsatz dazu. Da Sie offensichtlich nicht getäuscht wurden, da Ihnen auch keine Gewalt angetan wurde, liegt wohl auf der Hand, daß Sie willentlich gesündigt haben – wider Gott und Natur –, ohne auf andere Menschen Rücksicht zu nehmen. Möge Gott Ihnen verzeihen.«

Olympia richtet sich auf. »Zu lieben ist keine Sünde wider die Natur. Niemals werde ich das glauben.«

Die Nonne steht auf. »Sie haben keine Aussicht, wieder in die Gesellschaft und die Gemeinschaft der Gerechten aufgenommen zu werden, wenn Sie nicht Ihre Sünden bekennen und um Vergebung bitten.«

Auch Olympia ist aufgestanden. »Ich werde bitten«, sagt sie. »Sie können sich darauf verlassen, ich werde bitten.« Sie greift nach ihrer Handtasche, in der das Geld liegt, mit dem sie ihr Kind zurückkaufen wollte. Vielleicht hätte sie gleich Geld bieten sollen, denkt sie. Aber jetzt ist es zu spät.

»Sie können sicher sein, daß ich bitten und betteln und kämpfen und alle mir zur Verfügung stehenden Mittel einsetzen werde«, erklärt sie mit ruhiger Entschlossenheit, »um eines

Tages den vollen Namen meines Sohnes zu erfahren, um das Kind eines Tages zu mir zu holen.«

Statt einer Erwiderung bekreuzigt sich die Nonne, eine Antwort, die auf Olympia ärgerlich, aber auch ein wenig beängstigend wirkt.

16. August 1903

*Sehr geehrter Mr. Philbrick,*

*Sie sagten neulich zu mir, ich könne Ihnen jederzeit schreiben, wenn ich Hilfe brauche. Ich würde Sie nicht belästigen, wenn die Angelegenheit nicht von höchster Bedeutung für mich wäre. Ich hoffe, Sie werden mir gestatten, Sie aufzusuchen, und sich anhören, was ich zu sagen habe.*

*Ich würde gern am kommenden Dienstag um elf Uhr bei Ihnen vorsprechen, wenn Ihnen das recht ist. Bitte schreiben Sie meinem Vater nichts von diesem Brief und von unserem früheren Gespräch. Ich bin jetzt zwanzig Jahre alt und erwachsen. Ich kann für mich selbst einstehen, wenn Sie einem Gespräch zustimmen.*

*In Erwartung Ihrer Antwort verbleibe ich*

hochachtungsvoll<br>Olympia Biddeford

17. August 1903

*Verehrte Miss Biddeford,*

*selbstverständlich bin ich gern bereit, Ihnen behilflich zu sein, soweit es in meiner Macht steht. Ich freue mich auf Ihren Besuch am Dienstag, dem 21., um elf Uhr.*

*Ich hoffe, Sie sind wohlauf.*

Ihr ergebener<br>R. Philbrick

Der Dienstag ist ein herrlicher Tag, und Olympia nimmt das als Omen für einen glücklichen Ausgang ihres Vorhabens. Sie sieht dem Gespräch mit Rufus Philbrick mit Nervosität entgegen, aber immer, wenn sie spürt, daß ihre Entschlossenheit ins Wanken gerät, denkt sie an die unvergleichliche Belohnung, die auf sie wartet, falls ihr Unternehmen Erfolg hat. Sie stellt sich vor, daß sie mit einem kleinen Jungen namens Pierre auf dem Schoß auf der Veranda sitzt und ihm vom Ozean und von den Gezeiten erzählt und von der Sonne, die stets im Osten aufgeht; von der Sommersonnenwende, von einem Spiel, das Tennis heißt, und von seltsam aussehenden gepanzerten Tieren, die man Hummer nennt. Sie wird ihn mit Ezra bekannt machen, und sie wird mit ihm zum Einkaufen ins Lebensmittelgeschäft gehen. Sie werden zusammen am Strand entlangmarschieren und Muscheln suchen, die er in einem Eimer sammeln wird.

Sie wählt für diesen Tag ein pfirsichfarbenes Hemdblusenkleid, das sie vorbildlich gebügelt und gestärkt hat, um keinen Zweifel an ihren häuslichen Talenten aufkommen zu lassen. In ihrer Nervosität plant sie viel zuviel Zeit für ihre Toilette ein und ist beinahe eine Stunde zu früh startbereit. Noch einmal übt sie ihre vorbereitete Rede und bemüht sich, mit ihrem Ton genau das richtige Maß an Besonnenheit und Leidenschaftlichkeit zu treffen. Ohne Rufus Philbricks Hilfe kann sie nichts ausrichten.

Ezra holt sie zur vereinbarten Zeit ab, aber es will kein rechtes Gespräch zwischen ihnen zustande kommen. Olympia ist zu erregt, um Konversation zu machen, und Ezra ist von Natur aus ein wortkarger Mann. Als sie das Städtchen Rye erreichen, holt Olympia Philbricks Karte aus ihrer Tasche und nennt Ezra die Anschrift. Er scheint verwundert, obwohl die bezeichnete Gegend ihm offensichtlich bekannt ist. Nach einem Zickzackkurs durch Straßen, die immer schmaler werden, erreichen sie schließlich einen von Hecken gesäumten Weg, der kaum breit genug ist, um einem Wagen Platz zu bieten. Ezra hält vor einem kleinen Haus.

»Das ist es?« fragt Olympia ungläubig.

»Ja, Miss.«

»Das kann doch nicht stimmen«, sagt sie.

Sie mustert das Häuschen, rings umgeben von dichtem Geißblatt, in der Ferne die Bläue des Ozeans, verwitterte Holzwände, vorn zwei Fenster mit vielen kleinen Scheiben, auf der Seite eine große verglaste Veranda. Im ersten Stockwerk, oder vielleicht ist es auch eine Mansarde, zieht sich eine Reihe hoher, schmaler Fenster über die ganze Front des Hauses. Es ist ein malerisches kleines Haus, das eher ein Gärtnerhäuschen sein könnte als der Wohnsitz eines vermögenden Geschäftsmannes.

Unmöglich, denkt sie, das muß ein Irrtum sein, aber da sieht sie Rufus Philbrick selbst. In einem blaßblauen Leinenanzug tritt er aus der Glasveranda, um sie zu begrüßen. Eilig klettert sie vom Wagen und geht ihm entgegen.

»Mr. Philbrick.«

»Guten Morgen, Miss Biddeford.«

Sie hat mit Ezra vereinbart, daß er auf sie warten wird. Sie winkt ihm noch einmal zu, dann nimmt sie Philbricks dargebotenen Arm und läßt sich ins Haus führen.

»Sie sind zu wohlerzogen, um etwas zu sagen, aber es überrascht Sie zu sehen, wie ich lebe«, bemerkt Philbrick entwaffnend.

»Ja, ein wenig schon«, antwortet sie mit einem leichten Lächeln. »Ich hatte mir vorgestellt...«

»Natürlich. Aber sehen Sie, abgesehen von meinen kleinen Eitelkeiten bin ich ein genügsamer Mensch, und ich habe festgestellt, daß es mir wesentlich mehr behagt, in einem kleinen Haus zu leben, als in einer Riesenvilla, in der ich mir als alleinstehender Mann verloren vorkäme. Außerdem habe ich gern meine Ruhe und möchte nicht ständig von Dienstboten umgeben sein. Deshalb habe ich schon vor einigen Jahren Pomp gegen Freiheit eingetauscht, und ich muß sagen, ich habe es nicht bereut. In der Hauswirtschaft bin ich allerdings hoffnungslos unbegabt, darum habe ich eine Haushälterin, die zweimal in der Woche kommt und für mich kocht. Aber was stehe ich da und schwatze! Kommen Sie, nehmen Sie eine kleine Erfrischung nach der Fahrt.«

»Nein, nein«, wehrt sie ab. »Bitte machen Sie sich keine Umstände.«

»Unsinn. Ich habe so selten Besuch, und Mrs. Marsh hat einen Blaubeerkuchen gebacken. Wir setzen uns in den Salon und nehmen einen kleinen Imbiß und lassen uns danach den Kuchen schmecken. Oder möchten Sie lieber hier draußen sitzen?«

Olympias Blick schweift über die halbhohen weißen Holzwände, die Reihe großer Fenster darüber, von denen einige zur Decke hochgeklappt sind, so daß durch die Fliegengitter ein Lüftchen hereinweht. Rund um die Veranda sind Strandrosen und Phlox gepflanzt, und von einer Seite aus kann sie das Meer sehen. Durch eine offene Tür blickt sie in die Küche. Schlicht. Helles Holz.

»Hier wäre es wunderschön«, sagt sie.

Er weist zu einem der beiden Korbstühle, die er an einen kleinen runden Tisch gestellt hat, und verschwindet dann in der Küche. Er hinkt kaum. Seinem Fuß scheint es besser zu gehen. Sie bleibt einen Moment still sitzen, doch dann steht sie wieder auf und folgt Philbrick in die Küche. Ob sie sich irgendwo frisch machen könne, fragt sie.

»Aber natürlich, Kind. Gehen Sie hier gerade durch. Am Ende des Flures ist das Badezimmer.«

Olympia folgt seiner Anweisung und nimmt sich einen Moment Zeit, um den kleinen Salon zu bewundern, der eher einem Arbeitszimmer gleicht. Auf einem Sekretär aus Walnußholz mit vielen Fächern gruppiert sich ein halbes Dutzend in Silber gerahmter Photographien, von Familienangehörigen vermutlich; einige zeigen gutaussehende junger Männer, die jüngere Brüder Philbricks sein könnten. Den Flügel, der viel zu wuchtig ist für diesen bescheidenen Raum, schmückt eine Glasvase mit einem duftenden Strauß Phlox. Nicht weit von dem Instrument stehen ein kleines seidenes Sofa und ein Lehnstuhl, der sie an den ihres Vaters im Arbeitszimmer in Fortune's Rocks erinnert. Ein Perserteppich, der beinahe von Wand zu Wand reicht, bedeckt den Boden. Der Raum ist mit Gegenständen möbliert, die früher in einem weit größeren Haus ihren Platz hatten – von denen ihr Eigentümer sich aber nicht trennen mochte.

Im Flur, dessen Wände mit einer geschmackvollen Tapete in grünen und schwarzen Streifen bespannt sind, hängen mehrere Ölgemälde. Sie erkennt eines von Childe Hassam und ein anderes von Claude Legny. Am Ende des Flurs sind zwei Türen, und sie öffnet auf gut Glück die rechte, sieht aber sofort, daß sie hier nicht richtig ist. Sie scheint in Philbricks Schlafzimmer geraten zu sein. Die Ausstattung ist schlicht: ein Doppelbett, das nachlässig gemacht ist; eine Kirschholzkommode, auf der eine Bürstengarnitur liegt; ein Waschtisch aus hellem Kiefernholz mit Schüssel und Krug darauf. Schon wendet sie sich der anderen Tür zu, da hält sie etwas fest, ein unbestimmter Eindruck des Ungewöhnlichen. Sie braucht nur eine Sekunde, um zu erkennen, was es ist: Zwei Bürstengarnituren liegen auf der Kommode; zwei seidene Morgenröcke mit Paisleymuster hängen an den Wandhaken; zwei gefaltete Pyjamas liegen auf dem Bett mit den beiden Kopfkissen; und auf jedem der beiden Nachttische steht ein großer Glasaschenbecher mit Zigarrenresten darin. Sie tritt näher an eines der Tischchen heran und nimmt die Photographie im braunen, mit Intarsien verzierten Rahmen zur Hand. Der junge Mann, im Profil aufgenommen, hat ein gutgeschnittenes Gesicht und sehr helles Haar, das im Gegenlicht wie eine blasse Wolke hinter seinem Kopf steht.

Olympia ist überrascht, aber nicht fassungslos, wie sie das vielleicht vor einigen Jahren noch gewesen wäre. Und sie ist auch nicht bestürzt. Dennoch – obwohl sie nichts mit Sicherheit weiß und das, was sie vermutet, nicht recht einordnen kann – sieht sie Philbrick plötzlich mit anderen Augen. Und während sie an die Bilder der anderen jungen Männer draußen auf dem Sekretär denkt (die vielleicht doch keine Brüder Philbricks sind), fallen ihr die Worte ein, die Philbrick vor einigen Tagen über die Schwierigkeiten der Liebe sagte und die sie zu jenem Zeitpunkt etwas seltsam fand. Jetzt sind sie absolut verständlich.

Porträts, denkt sie und stellt das gerahmte Bild wieder auf den Nachttisch. Wir alle sind unfertige Porträts.

Sie kehrt an ihren Platz auf der Glasveranda zurück. Wenig später kommt Philbrick mit einer Platte Brötchen und einem Glaskrug mit Eistee. Der Anblick Philbricks in seinem eleganten blaßblauen Leinenanzug mitten in dieser bescheidenen Umgebung – die Vorstellung, wie er in seinem seidenen Morgenrock mit einem jungen Mann schwatzt, der vor dem Spiegel steht und sein Halstuch bindet – bewegt sie, und für einen Moment vergißt sie ihre guten Manieren und starrt den Mann unverhohlen an. Dann aber reißt sie der Duft des Essens aus ihren Phantasien; die Realität, Philbrick, diesen stets etwas schroffen Menschen, mit einer Platte Brötchen vor sich stehen zu sehen, hat etwas Rührendes, das ihr ein Lächeln entlockt.

Sie öffnet den Mund, um etwas zu sagen, aber er hebt abwehrend die Hand.

»Ich weiß, Sie sind aus gewichtigem Anlaß zu mir gekommen«, sagt er, »aber ich bin der Meinung, man sollte ernste Angelegenheiten niemals auf leeren Magen besprechen. Sie werfen einen dann zu leicht um.«

Dieser Logik hat Olympia nichts entgegenzusetzen. Im übrigen überkommt sie angesichts der appetitlichen Brötchen unerwartet ein wahrer Heißhunger. Sie wird sich dieses kleinen Mittagessens später als einer der köstlichsten Mahlzeiten erinnern, die sie je genossen hat, als hätte gerade die Einfachheit des Mahls und der Umgebung eine Lust geweckt, die sie jahrelang verdrängt hatte.

Eine Zeitlang unterhalten sie sich über das Essen, das Wetter, die Freizügigkeit der modernen Schwimmkostüme, den Rummel in der Stadt.

»Sie haben einen gesunden Appetit«, stellt Philbrick beifällig fest, als sie gemeinsam beinahe alle Brötchen verspeist haben. »Jetzt müssen Sie unbedingt noch Mrs. Marshs Blaubeerkuchen kosten. Er ist etwas ganz Besonderes.«

Er verschwindet einen Moment in der Küche und kommt mit zwei Tellern zurück, auf denen die aufgeschnittenen Kuchenstücke liegen. »Lassen Sie es sich schmecken«, sagt er und reicht ihr Teller und Kuchengabel.

Sie essen schweigend. Einziges Geräusch in der wohltuenden Stille ist das geschäftige Summen der Bienen im Blumenbeet vor der Veranda.

»Der Kuchen schmeckt wirklich köstlich«, bemerkt Olympia nach einer Weile. »Dieser etwas herbe Beigeschmack ist mir ganz neu. Er ist sehr angenehm.«

»Tja, das ist Mrs. Marshs Geheimrezept«, erwidert Philbrick.

Olympia stellt ihr Glas nieder. »Mr. Philbrick«, beginnt sie, »ich weiß, Sie sind ein vielbeschäftigter Mann, und ich möchte Sie nicht zu lange aufhalten. Lassen Sie mich erklären, warum ich zu Ihnen gekommen bin.«

»Bitte. Was ist das für eine bedeutsame Angelegenheit?«

»Sie wissen, daß ich im April neunzehnhundert ein Kind bekommen habe«, sagt sie mutig. Nie zuvor hat sie das einem anderen Menschen gegenüber ausgesprochen, und dieser Schritt kostet sie auch jetzt Kraft.

Philbrick stellt sein Glas auf den Tisch und lehnt sich in seinem Sessel zurück.

»Das Kind wurde mir sofort genommen«, fährt sie fort. »Mein Vater hatte alles schon veranlaßt. Ich weiß nicht, wem er das Kind übergeben hat. Ich weiß nur, daß er selbst das Haus am Tag der Geburt und auch am Tag danach nicht verlassen hat.«

»Ich verstehe.«

»Als Sie mich neulich besuchten, hatte ich noch keine Ahnung davon, daß das Kind nach Ely Falls gebracht worden ist«, erklärt sie.

Sie hat sich vorgenommen, Philbrick gegenüber ehrlich und aufrichtig zu sein. Sie weiß, daß er einen scharfen Blick hat, und möchte den Erfolg ihrer Bemühung nicht aufs Spiel setzen, indem sie ihm Anlaß gibt, an ihrem Wort zu zweifeln.

»Es war ein Schock für mich zu hören, daß das Kind ins Waisenhaus von St. André gebracht wurde. Kurz nach Ihrem Besuch bin ich dorthin gefahren, um mich nach ihm zu erkundigen.«

»Tatsächlich?« Philbrick mustert sie eindringlich.

»Ja. Ich habe dort mit einer Nonne gesprochen.«

»Mutter Marguerite Pelletier, vermute ich«, sagt er. »Klein, aber resolut?«

»O ja, sehr.«

»Und Sie haben es überlebt.«

»Mit knapper Not.«

»Erzählen Sie weiter.«

Olympia holt Atem. »Sie sagte mir nur, daß mein Sohn den Namen Pierre bekommen hat. Und daß er zu einer Familie gegeben worden ist.«

»Sie wußten den Namen des Kindes vorher nicht?«

»Nein, man hat ihn mir nie genannt. Über dieses Thema hat mein Vater nie mit mir gesprochen.«

»Ja, das kann ich mir vorstellen«, Rufus Philbrick tupft sich die Mundwinkel mit seiner Serviette, »und jetzt möchten Sie wissen, wo Ihr Sohn ist?«

»Ja. Ich möchte seinen vollen Namen wissen. Ich möchte wissen, wo er ist, bei wem er lebt. Ich möchte wissen, ob es ihm gutgeht.«

»Und?«

Sie faltet die Hände im Schoß. »Ich könnte versuchen, Sie zu belügen, und sagen, ich möchte nur die Gewißheit haben, daß es dem Jungen wohl ergeht, aber das will ich nicht, wenn ich Sie schon um Ihre Hilfe bitte. Ich hoffe, daß ich den Jungen eines Tages zu mir holen kann.«

Philbrick betrachtet sie, als wolle er sich ein genaues Bild von ihr machen, ihre Zuverlässigkeit und Charakterfestigkeit einschätzen. »Das ist ein sehr ernstes Vorhaben.«

»Ja, das weiß ich«, erwidert sie. »Aber ich wäre nicht ehrlich, wenn ich behaupten wollte, ich würde keinen Versuch unternehmen, ihn zu mir zurückzuholen. Er wurde mir genommen, *gestohlen*, könnte man sagen, und ich kann diesen Verlust auf die Dauer nicht ertragen. Ich lebe nun schon seit einiger Zeit damit. Ich meine, ich habe einen hohen Preis bezahlt.«

Philbrick schweigt. Er zupft an seinem Halstuch und blickt auf seinen stattlichen Bauch hinunter, wie um sich zu vergewissern, daß ihm nichts fehlt. Dann beugt er sich vor, um seinen Worten Nachdruck zu verleihen.

»Ich habe Sie immer als eine verantwortungsbewußte und begabte junge Frau betrachtet, Olympia. Ich muß gestehen, daß ich schockiert und bekümmert war über die Ereignisse vor vier Jahren. Was da geschehen war, paßte so gar nicht zu meinem Bild von Ihnen. Ich wußte nicht, was ich davon halten sollte. Selbstverständlich fühlte ich mit Ihrem Vater, der mein Freund war, und machte mir schwere Gedanken um Mrs. Haskell und ihre Kinder. Es tut mir leid, das zur Sprache zu bringen, aber diese Dinge können nicht einfach außer acht gelassen werden.«

»Ja.«

»Eines muß ich Sie fragen, Olympia: Wollen Sie wirklich ein kleines Kind, fast noch ein Baby, aus seinem Zuhause herausreißen? Ihm die einzige Mutter nehmen, die es je gekannt hat?«

Gerade über diese Frage hat sie intensiv nachgedacht und

sich ihre Antwort zurechtgelegt. »Sie ist nicht seine Mutter«, entgegnet sie schnell.

Philbrick schüttelt den Kopf. »Sie haben schon eine Familie unglücklich gemacht. Es tut mir leid, das so scharf aussprechen zu müssen, aber es ist eine Tatsache. Sind Sie wirklich sicher, daß Sie das gleiche noch einmal tun wollen? Denn Sie werden doch nicht erwarten, daß eine Pflegemutter ihr Kind leichten Herzens weggibt?«

»Er ist nicht ihr Kind«, wiederholt Olympia.

»Ich glaube nicht, daß diese Frau das auch so sieht.«

»Aber was ist, wenn sie den Jungen gar nicht richtig versorgt?« entgegnet sie. »Wenn sie zum Beispiel noch mehrere andere Kinder hat und sich deshalb um keines richtig kümmern kann? Und was ist, wenn sie Frankokanadierin ist? Das scheint sie, nach dem Namen des Jungen zu urteilen, ja zu sein. Soll mein Kind in einer Kultur erzogen werden, in die es nicht hineingeboren wurde?«

»Und was ist, wenn die Mutter eine liebevolle und fürsorgliche Frau ist?« hält Philbrick dagegen. »Spielen Stand, Einkommen oder Kultur dann überhaupt eine Rolle? Denken Sie gar nicht daran, was für Ihr Kind das Beste ist?«

»Doch, das tue ich«, ruft Olympia erregt. »Das tue ich. Und ich bin überzeugt, daß ich das Beste für mein Kind bin. Ich habe keine anderen Verpflichtungen. Ich weiß, daß ich gut für den Jungen sorgen kann. Daß ich eine gute Mutter sein werde. Ja, davon bin ich aufrichtig überzeugt.«

Olympia hört selbst den hysterischen Unterton in ihrer Stimme und zwingt sich zur Ruhe. »Mr. Philbrick, ich kann meine Seite nicht mit Logik vertreten, weil meine Gründe von meinem Gefühl diktiert werden. Von meinem Herzen und nicht von meinem Kopf.«

Philbrick steht auf und tritt an eines der Fenster.

»Soll ich denn bis in alle Ewigkeit bestraft werden, indem man mir nicht einmal zu wissen erlaubt, was aus meinem Kind geworden ist?« fragt Olympia. »Wollen Sie mir nicht wenigstens sagen, ob es gut versorgt ist und in welchen Verhältnissen es lebt? Soll ich denn mein Leben lang darüber in Ungewißheit bleiben?«

Philbrick dreht sich zu ihr. »Lassen Sie mich über all das in Ruhe nachdenken, Olympia. Das sind schwierige Fragen.«

»Ich weiß.«

»Ich denke, eine Frage wenigstens kann ich Ihnen schon jetzt beantworten«, sagt Philbrick. »Ich kann Ihnen nicht mit Sicherheit sagen, welchen Namen der Junge jetzt trägt, aber ich weiß, daß er ursprünglich den Namen Haskell trug.«

»Mein Vater hat ihm diesen Namen gegeben?« fragt Olympia.

»Nein, John hat den Jungen gebracht«, antwortet er leise.

Olympia wendet sich ab und starrt durch das Fliegengitter zu einem Fliederstrauch hinaus, der jetzt keine Blüten mehr trägt. Philbrick tritt zu ihr, aber sie wehrt ihn mit einer Handbewegung ab. »Das wußte ich nicht«, sagt sie. »Ich glaubte immer, mein Vater hätte das alles arrangiert.«

»Das hat er zweifellos auch getan«, erwidert Philbrick. »Aber gemeinsam mit Haskell.«

Sie schüttelt den Kopf. Unvorstellbar, daß ihr Vater in diesen schrecklichen Monaten vor der Geburt auch nur ein Wort mit John Haskell gesprochen hat. Unvorstellbar, daß Haskell sein eigenes Kind weggegeben hat. Doch dann, als sie aus der Tasche neben sich ein Taschentuch nimmt, erinnert sie sich an eine Diskussion, die sie und Haskell geführt haben, als sie nach der Entbindung Marie Rivards im Wagen nach Hause fuhren. Haskell vertrat damals die Ansicht, ein unehelich geborenes Kind wäre in einem Waisenhaus besser aufgehoben als bei einer ledigen Frau, die schlecht gerüstet sei, ihrer Rolle als Mutter gerecht zu werden.

»Sie haben also von John selbst nie gehört?« fragt Philbrick.

»Nein.«

Er räuspert sich. »Ich bin ziemlich sicher, daß es dem Kind gutgeht«, sagt er, »obwohl einige Zeit vergangen ist, seit ich mich erkundigt habe. Tatsächlich ist es Jahre her, ich schäme mich, es zu sagen. Ich wußte noch nicht einmal, daß das Kind in eine Familie gegeben wurde.«

»Wie konnten mein Vater und Haskell es wagen, sich zusammenzutun, um mir meinen Sohn wegzunehmen«, ruft Olympia. Zorn ist jetzt an die Stelle des ersten Schocks getreten.

»Ach, mein Kind«, sagt Philbrick. »Sie waren zweifellos überzeugt davon, es sei das Beste für Sie.«

»Sie konnten überhaupt nicht wissen, was das Beste für mich ist«, entgegnet Olympia hitzig und springt auf. »Ich muß gehen«, sagt sie heftig, besinnt sich aber doch noch ihrer Erziehung. »Mr. Philbrick, ich danke Ihnen. Auch für das gute Mittagessen. Das war sehr lieb von Ihnen. Ich beneide Sie um Ihr schönes Haus.«

»Ach ja?«

Sie blickt ihm forschend ins Gesicht, auf der Suche nach einem Hinweis darauf, was für ein Leben er in diesem bescheidenen Haus führt, was für ein Geheimnis er vor der Welt verbirgt; aber er bleibt der gütige, wenn auch leicht schroffe Geschäftsmann, den sie immer gekannt hat. »Sie werden doch meinem Vater nicht schreiben?«

»Nein. Das kann ich Ihnen versprechen. Diese Angelegenheit bleibt unter uns.«

Sie gehen in den Vorgarten hinaus. Draußen wartet Ezra mit dem Wagen.

»Ich werde versuchen, ausfindig zu machen, wo das Kind lebt«, sagte Philbrick, »und mir meine eigene Meinung darüber bilden, ob es gut versorgt ist, bevor ich mich wieder bei Ihnen melde. Ich gefalle mir nicht in der Rolle des Richters über Ihre Zukunft, Olympia, aber Sie selbst haben mir diese Rolle auferlegt.«

»Ich weiß nicht, was ich sonst tun könnte.«

»Ich werde Ihnen schreiben.« Er neigt sich Olympia entgegen und küßt sie leicht auf die Wange, eine höchst überraschende Geste.


18


Wie jeden Nachmittag seit ihrem Besuch bei Rufus Philbrick vor elf Tagen sitzt Olympia auf der Veranda und schaut zum Meer hinaus, eine Beschäftigung, die den größten Teil ihres Tages ausfüllt. Manchmal nimmt sie ein Buch mit hinaus, ab und zu auch ihre Nähsachen, aber im Grunde ist das nur Beiwerk, das mit der wahren Aufgabe, die sie zu bewältigen hat, nichts zu tun hat. Die wahre Aufgabe ist, Geduld zu üben, dazusitzen und zum Wasser hinauszuschauen und auf einen Brief zu warten.

Sie beobachtet einen Fischer in seinem Boot, keine zwanzig Meter von den Felsen am Ende des Rasens entfernt. Das Boot schaukelt im leichten Wellenschlag, während der Mann die hölzernen Hummerkörbe vom Grund des Meeres heraufzieht. Es ist ein malerisches, aber trügerisches Bild; das Leben der Fischer ist hart und mit nichts vergleichbar, was Olympia je erlebt hat, eingeschlossen die drei schweren Wochen auf dem Hardy-Hof. Vor ihrer Bekanntschaft mit Ezra hat sie kaum je einen Gedanken an diese Menschen verschwendet. Unzählige Male ist sie an den primitiven Hütten vorübergegangen, in denen die Hummerfischer ihre Geräte lagern und ihre Reusen flicken, aber immer hat sie die Hütten, die Boote selbst und die Männer lediglich als Kulisse von Fortune's Rocks betrachtet, dieser Enklave der Reichen, während es sich in Wirklichkeit doch genau umgekehrt verhält und die Fischer die wahren Erben dieser Küste sind. Wieder, wie so oft in letzter Zeit, geht ihr der Gedanke durch den Kopf, wie leicht es ist, vor der Wahrheit die Augen zu verschließen.

Ungeduldig legt sie das Buch wieder zur Seite, das sie zu lesen versucht hat, eine fade Abhandlung über italienische Landschaftsmalerei. All ihre Gedanken drehen sich ständig im Kreis, ohne daß je etwas dabei gewonnen wird. Es liegt an dieser zermürbenden Untätigkeit, diesem Zustand beinahe unerträglicher innerer Spannung, zu dem sie sich selbst verurteilt hat. Sieben-, acht-, manchmal zehnmal am Tag geht sie zur Hintertür mit dem Briefschlitz und starrt auf den nackten Boden, als könnte sie einen Brief herbeizaubern, wenn sie nur lange genug hinsieht. Obwohl die Post nicht immer zur gleichen Zeit kommt, sind ihr die Gewohnheiten des Briefträgers längst vertraut, und oft steht sie schon an der Ecke zur Straße, wenn er kommt, und knüpft, in der Hoffnung, einen Brief in die Hand gedrückt zu bekommen, ein Gespräch mit dem verwunderten Mann an.

Sie steht auf und geht auf der Veranda hin und her. Warum braucht Rufus Philbrick mit seiner Antwort so lange? Ist es möglich, daß er beschlossen hat, die Sache einfach auf sich beruhen zu lassen? Aber würde er ihr dann seinen Entschluß nicht mitteilen? Er hat auf sie immer den Eindruck eines Mannes gemacht, auf dessen Wort man sich verlassen kann, und wenn er versprochen hat, ihr zu helfen, wird er doch gewiß sein Möglichstes versuchen.

Geduld, mahnt sie sich. Aber sie ist es leid, geduldig zu sein; sie ist es müde, in Passivität zu verharren.

Sie greift zu ihrem Buch und legt es gleich wieder nieder. Es muß doch in diesem Haus etwas Interessanteres zu lesen geben als die gedrechselte Prosa eines langweiligen italienischen Kunsthistorikers, dem alles Feuer fehlt. Sie geht in das frühere Arbeitszimmer ihres Vaters, in dem noch einige Bücher stehen, wenn auch feucht und aufgequollen. Seit ihrer Rückkehr nach Fortune's Rocks hat sie das Zimmer nur selten betreten. Es ist, als hätte die Persönlichkeit ihres Vaters selbst die Wände des kleinen Raumes durchtränkt, so daß sie bei jedem Besuch das

Gefühl hat, er wäre da, säße dort in seinem Armlehnensessel und betrachtete sie mit kritischem Blick.

Beinahe vorsichtig, den Anblick des Schreibtischstuhles meidend, tritt sie ein und sucht auf den fast leeren Borden nach einer Lektüre, von der zu erwarten ist, daß sie wenigstens oberflächlich zu fesseln vermag. Doch bei Durchsicht der Titel – *Meeresbiologie* von Clapp, *Eine kurze Geschichte des Volkes der Zulu* und Cornelius Nepos' *De Vita Excellentium Imperatorum* – schwindet rasch alle Hoffnung auf Erfolg. Enttäuscht wendet sie sich ab, um wieder auf die Veranda hinauszugehen, doch da fällt ihr Blick auf einen dunklen Band mit goldener Schrift, der, mit einer Schnur zusammengehalten, vor dem Schreibtisch auf dem Boden liegt, als hätte ihr Vater ihn dort hingeworfen. Und beim Anblick des Titels ist sie erstaunt, daß das Buch überhaupt noch existiert, daß es nicht fortgeworfen oder im Kamin verbrannt wurde: Es ist dasselbe Buch, das sie einst mit dem Denken John Haskells bekannt gemacht hat.

Sie hebt es auf und setzt sich, den bedrohlichen Geist ihres Vaters vorübergehend vergessend, auf den einzigen Stuhl im Zimmer. Als sie die Schnur aufknüpft, die das Buch zusammenhält, fallen ihr mehrere Briefe entgegen. Sie kennt die Handschrift, es ist nicht die ihres Vaters, es ist Haskells Schrift, schnörkellos und bestimmt. Sie braucht eine Weile, ehe sie es über sich bringt, die Briefe zu öffnen. Natürlich, denkt sie, während sie den ersten entfaltet; natürlich hat Haskell in jenem Sommer mit ihrem Vater korrespondiert.


*17. Juni 1899*

*Mein lieber Biddeford,*

*besten Dank für Ihre freundliche Einladung an uns, das kommende Wochenende mit Ihnen und Ihrer Familie in Fortune's Rocks zu verbringen. Sie haben völlig recht mit Ihrer Vermutung, daß Catherine und die Kinder nicht begeistert davon sind, die Wochenenden im Hotel verbringen zu müssen, andererseits möchten wir auf keinen Fall ...*

*24. Juni 1899*

*Lieber Biddeford,*

*lassen Sie mich Ihnen nochmals ganz herzlich für Ihre Gast-freundschaft danken. Wir alle waren froh, in Ihrem schönen Haus sein zu dürfen, und der Abschied ist uns schwergefallen. Catherine ist guter Dinge in der Gewißheit, in Rosamund eine zukünftige Freundin und Vertraute gefunden zu haben, und ich fand die Gespräche mit Ihnen und Philbrick wie immer äußerst anregend. Die Kinder schwärmen von Ihrer erstaunlichen Tochter, Olympia...*

*2. Juli 1899*

*Lieber Biddeford,*

*ich muß gestehen, daß ich Ihren Argumenten in bezug auf Zacha-riah Cotes Verdienste als Lyriker nicht folgen kann und daß mir die Veröffentlichung seiner kürzeren Werke in Ihrer geschätzten Zeitschrift nichts bedeuten würde. Meiner Meinung nach fehlt es seinen Gedich-ten, deren Sprache schwülstig und larmoyant auf mich wirkt, an Kraft und Gehalt. Aber schließlich sind Sie der Herausgeber, und ich bin nur ein Mann der Wissenschaft...*

*11. Juli 1899*

*Lieber Biddeford,*

*danke Ihnen für die freundliche Einladung zum Abendessen im Rye Club am vierzehnten dieses Monats. Leider hat sich für diesen Tag Dr. Dwight Williston, ein Kollege aus Baltimore, angesagt, so daß ich bedauerlicherweise...*

*18. Juli 1899*

*Liebste Rosamund, lieber Philip,*

*John und ich danken für die freundliche Einladung zu Ihrem Gar-tenfest am Abend des 10. August zur Feier des sechzehnten Geburts-tages Ihrer Tochter Olympia, und nehmen mit Vergnügen an.*

*In der Erwartung, Sie bald zu sehen, und mit herzlichen Grüßen,*

*Catherine Haskell*

Olympia knüllt die Briefe in ihrer Hand zusammen, bedauert diesen Impuls jedoch sogleich und streicht die Papiere auf ihrem Schoß wieder glatt. Die Freundschaft, die jenen Sommer über zwischen ihrem Vater und John Haskell, zwei Männern, die einander bewunderten, bestand, ist nicht zu leugnen. Wie schwer verraten muß ihr Vater sich gefühlt haben – doppelt verraten von seiner Tochter und von dem Freund. Hat ihr Vater sie später, im Licht der Ereignisse am Abend des Gartenfestes, noch einmal gelesen? Nein, denkt sie, sicher nicht, sonst hätte er sie in Wut und Enttäuschung vernichtet.

Der Umschlag des Buches öffnet sich in ihrer Hand, und sie liest die Widmung auf dem Vorsatzblatt: »Für Philip Biddeford in Wertschätzung, John Haskell.«

Sie schiebt die Briefe wieder in das Buch und klappt es zu. Wohin hat das Schicksal Haskell verschlagen? Arbeitet er wieder in einer Fabrikstadt? Kann es sein, daß er seinen Beruf als Arzt ganz aufgegeben hat? Und das Schreiben auch? Oder wird sie vielleicht eines Tages in einer öffentlichen Bibliothek eine literarische oder politische Zeitschrift aufschlagen und auf einen von ihm verfaßten Aufsatz stoßen?

Sie blickt durch die offene Tür ins Speisezimmer, diesen eleganten, wohlproportionierten Raum mit den beiden Kredenzen und den darüber angebrachten Spiegeln, durch dessen große Fenster der Blick vom Meer angezogen wird. Sie sieht zu dem prächtigen Leuchter hinauf, zu den blitzenden Kristalltropfen, aufgereiht wie Juwelen an der Halskette einer Frau. Und sie hebt die Hand zu ihrem Hals, zu dem Medaillon, das Haskell ihr damals geschenkt und das sie niemals abgelegt hat, nicht einmal in den schweren Stunden der Geburt ihres Sohnes.

Sie schließt die Augen und läßt die Erinnerungen kommen, wie sie wollen. Sie weiß längst, daß sie sie nicht abwehren kann, und hat gelernt, sie wie eine hereinrollende Flut über sich zusammenschlagen und dann verebben zu lassen. Sie legt das

Buch schließlich auf den Marmortisch neben dem Stuhl ihres Vaters und steht auf. Sie sollte sich Bewegung verschaffen, um nicht der Verzweiflung anheimzufallen.

Der Sand ist von einer dünnen Kruste überzogen, die unter ihren Füßen bricht. Männer und Frauen in Schwimmkostümen aus fester Baumwolle stehen am Wasser und blicken enttäuscht zum Meer hinaus. Beinahe jeden Sommer, soweit Olympia sich erinnern kann, kommt im August eine Woche, in der das Wasser zu stehen scheint, trübe von dunklen Tangbüscheln, bevölkert von schleimigen Quallen. In dieser Woche geht niemand ins Wasser, weil alle die hautnahe Begegnung mit diesen unangenehmen Geschöpfen fürchten. Die meisten kennen die Geschichte des unglücklichen Tommy Yeaton, einst Dorfpolizist von Fortune's Rocks, der an einem Samstagnachmittag im August schwimmen ging und in einen Schwarm Quallen geraten war. Er starb am folgenden Morgen an dem Fieber, das durch das Gift aus den Nesselzellen hervorgerufen worden war. Olympia erinnert sich, daß ihr Vater ihr diese Geschichte häufig erzählt hat, wenn sie am Strand spazierengingen; zweifellos, um sie zur Vorsicht zu mahnen.

Aber bald wird der Strand verlassen sein. Es ist nur noch eine Woche bis zum September, und da werden die meisten Feriengäste aus Fortune's Rocks abreisen. Sie wartet mit brennender Ungeduld auf den Herbst, wenn es am Strand still sein wird bis auf das Rauschen des Meeres und das Schreien der Möwen. Die Tage werden kälter werden, und landeinwärts wird sich das Laub der Bäume färben. Sie wird einen Vorrat an Konserven und Dörrfisch anlegen und Kohle für den Winter ins Haus bringen lassen. Vielleicht, überlegt sie, wird sie ganz ins Erdgeschoß hinunterziehen müssen; ja, das wird wohl angebracht sein. Sie sieht sich, wie sie an einem kalten Herbsttag allein im leeren Salon sitzt und durch die deckenhohen Fenster zum weiten Strand hinunterblickt, rings umgeben von leerstehenden Häusern mit verschlossenen Läden, die auf den Sommer und die Rückkehr ihrer Eigentümer warten. Dieses Bild löst bei ihr unversehens so heftige Trauer aus, daß sie stehenbleiben muß. Die Trauer gilt, wie sie beinahe überrascht feststellt, ihrem Vater; sie sieht jetzt klarer denn je (vielleicht konnte sie sich bis zu diesem Moment nicht erlauben, es zu sehen), wie vernichtend es ihren Vater getroffen haben muß, seine Tochter, sein einziges Kind, so tief gefallen, alle seine Hoffnungen für immer zerstört zu sehen. War denn nicht Olympia sein Experiment, sein ganzer Stolz? Sie erinnert sich an den Abend, als sie mit Haskell und Philbrick zu Tisch saßen, mit welchem Stolz ihr Vater von der überlegenen Bildung seiner Tochter gesprochen hat. Und damals, denkt sie, war es wahr; sie hat wirklich eine einzigartige Erziehung genossen. Aber wozu?

Sie läßt sich in den Sand fallen, schlingt die Arme um ihre hochgezogenen Beine und legt ihre Stirn auf die Knie. Der Hut rutscht ihr vom Kopf. Sie denkt an die vielen Stunden, die ihr Vater ihrem Unterricht gewidmet hat, an die vielen Tage der Belehrung und Diskussion. Wie beschäftigt er sich jetzt in seinen freien Stunden?

»Geht es Ihnen nicht gut, Miss?« hört sie eine Stimme neben sich.

Sie blickt hastig auf. Ein Junge sieht mit gerunzelter Stirn, offensichtlich leicht beunruhigt, zu ihr hinunter.

Sie richtet sich auf. »Doch, doch«, antwortet sie, »es geht mir schon wieder gut.«

Er bleibt höflich neben ihr stehen, im trockenen marineblauen Schwimmanzug, die Hände auf dem Rücken, wie ein kleiner Soldat. Er hat blonde Locken und unter den blauen Augen ein paar Sommersprossen.

»Sie sind traurig«, stellt er fest.

»Ein bißchen, ja.«

»Wegen der Quallen?«

Sie lächelt. »Nein, nicht direkt.«

»Wie heißen Sie?«

»Olympia.«

»Oh.«

»Und du?«

»Edward. Ich bin neun.«

Sie reicht ihm die Hand, und er faßt zu wie ein kleiner Junge, der den Mann herauskehrt. »Sind Sie in den Ferien hier?« fragt er.

»Nein, ich wohne hier.«

»Oh, haben Sie ein Glück!«

»Aber ich habe hier noch keinen Winter erlebt. Es heißt, daß die Winter ziemlich hart sind.«

»Ich wohne in Boston«, sagt der Junge und setzt sich neben sie. »Darf ich?«

»Aber ja«, antwortet sie, lächelnd über seine Wohlerzogenheit. »Bist du mit deinen Geschwistern hier?«

»Ich habe nur eine Schwester, und die ist eigentlich noch ein Baby«, erklärt er wegwerfend.

Olympia sieht sich um und kann nirgends eine achtsame erwachsene Person entdecken. »Werden sich deine Eltern keine Sorgen machen, wo du bist?«

»Das glaube ich kaum. Die sind in Frankreich. Ich bin mit unserer Erzieherin hier.«

»Und die wird sich nicht wundern, wohin du verschwunden bist?«

»Ach wo! Als ich gegangen bin, hat sie auf der Veranda geschlafen.« Er zeigt auf ein großes Haus mit weißen Fensterläden jenseits der Kaimauer.

Olympia nickt. »Aber du weißt, daß du nicht ohne einen Erwachsenen ins Wasser gehen sollst?«

»Ja, klar. Aber heut würde ich sowieso nicht reingehen.«

»Nein.«

Sie beobachtet den Jungen, wie er seine Beine ausstreckt, die lang und dünn und trocken sind. Er gräbt die Fersen in den Sand.

»Ist es wirklich so schlimm?« fragt er unvermittelt. »Wenn die Quallen einen erwischen, meine ich?«

»Ich habe es noch nicht erlebt. Aber ich habe gehört, daß es ziemlich weh tut.«

»Und man stirbt dran?«

»Man *kann* daran sterben. Meistens bekommt man nur Fieber. Hier ist einmal ein Polizist beim Schwimmen in einen Schwarm Quallen geraten. Er ist furchtbar krank geworden und am nächsten Tag gestorben.«

Der Junge scheint sich das durch den Kopf gehen zu lassen.

»Haben Sie Lust auf ein Wettrennen?« fragt er plötzlich.

»Ein Wettrennen?« Sie lacht.

»Ja. Wir könnten hier starten und …« Er blickt den Strand entlang. »Sehen Sie da vorn den gestreiften Schirm?«

»Ja.«

»Wer zuerst bei dem Schirm ist, hat gewonnen, ja?«

»Hm …« Sie zögert. Sie kann sich nicht erinnern, wann sie das letztemal bei einem Wettrennen mitgemacht hat. Bestimmt war sie damals selbst noch ein Kind. Aber der Junge wirkt so eifrig, daß sie es nicht über sich bringt, abzulehnen.

»Na schön, warum nicht?« meint sie und beginnt, ihre Stiefel aufzuschnüren.

Der Junge springt auf. Er zieht eine lange Linie in den Sand. »Hier ist der Start«, erklärt er aufgeregt.

»In Ordnung.« Sie zieht unauffällig ihre Strümpfe aus und stopft sie in die Stiefel.

Der Junge tritt an die Startlinie und stellt sich, Oberkörper gebeugt, einen Fuß nach rückwärts, in Position. Olympia läßt Stiefel und Strümpfe neben ihrem Hut zurück, nimmt neben dem Jungen Aufstellung und rafft den Rock ihres gelben Baumwollkleides, um nicht zu stolpern.

»Fertig, Miss?«

»Ja, ich glaube schon.«

»Also gut, dann auf drei?«

Der Junge stürmt los, mit erhobenem Kinn und fliegendem Haar, als hätte er in der Schule gelernt, so zu laufen. Olympia, die sich zunächst etwas seltsam vorkommt, legt sich in den Lauf und versucht, mit ihm Schritt zu halten. Ihr Haar löst sich aus dem Knoten und fällt ihr schwer in den Nacken. Der Junge, drahtig und kräftig, wirft einen Blick über seine Schulter und steigert seine Geschwindigkeit, als er sieht, wie nahe sie ist. Olympia spürt, wie ihre Fußballen sich in den Sand bohren. Ihre Muskeln fühlen sich angenehm geschmeidig an nach so vielen Wochen energischer Hausarbeit. Sie hebt ihren Rock höher, um die Beine durchstrecken zu können. Zuerst ist es ihr ein wenig peinlich, so hemmungslos herumzutollen, aber schnell weicht diese Verlegenheit einem Gefühl herrlichen Überschwangs. Ihr schwindelt beinahe vor Lust. Sie hebt das Gesicht zur Sonne. Mein Gott, denkt sie, wie lange habe ich mich nicht mehr so gefühlt.

Als sie dem gestreiften Schirm näher kommen, blickt Olympia kurz zu dem Jungen hinüber und sieht, daß sie ungewollt Siegerin des Rennens werden könnte, wenn sie nicht achtgibt. Der Junge läuft mit Anmut und Entschlossenheit, aber seine Beine ermüden. Olympia täuscht Atemlosigkeit vor und läßt sich ein wenig zurückfallen. Den Sieg im Blick, findet der Junge neue Kraft, sprintet dem Schirm entgegen und läßt sich, die Leute erschreckend, die dort im Schatten sitzen, erschöpft in den Sand sinken. Als Olympia ihn einholt, liegt er mit gespreizten Beinen da und keucht. Sie beugt sich vor und holt ein paarmal tief Luft. Der Junge hat Sand auf Stirn und Oberlippe.

»Du hast gewonnen«, sagt sie atemlos, die Hände auf die Knie gestemmt.

Er ist so außer Atem, daß er nicht einmal lächeln kann. Dann aber fliegt plötzlich ein Schatten über sein Gesicht. »Sie haben mich doch nicht gewinnen lassen, oder?« fragt er.

Olympia richtet sich auf. »Nie im Leben«, antwortet sie. »Das würde mir nicht einfallen.«

Er fegt sich den Sand von Gesicht und Gliedern.

»Wir können morgen wieder ein Rennen machen, wenn Sie wollen«, sagt er.

»Das wäre schön.«

»Und vielleicht gewinnen morgen Sie«, fügt er scheu hinzu.

Sie bemüht sich, nicht zu lächeln. »Gut, dann werde ich nach dir Ausschau halten. Und morgen werde ich ganz bestimmt gewinnen.«

»In Ordnung.« Der Junge steht auf, scheint aber nicht gehen zu wollen. »Haben Sie einen Sohn?« fragt er plötzlich.

»Ja«, antwortet sie.

»Wie heißt er?«

»Pierre.«

»Vielleicht möchte er auch mal mit uns um die Wette laufen.«

»Das ist gut möglich, ja, aber ich fürchte, er hätte gegen uns keine Chance. Er ist erst drei Jahre alt.«

»Ach so«, sagt der Junge enttäuscht.

»Aber ich weiß, daß er dich eines Tages gern kennenlernen würde«, fügt Olympia hinzu. »Er mag neunjährige Jungen, so wie du einer bist.«

»Wirklich?«

»O ja.«

Der Junge lächelt. Dann blickt er zu dem Haus mit den weißen Läden hinüber.

»Du solltest jetzt besser gehen«, meint Olympia. »Wir sehen uns morgen.«

Er nickt. Langsam setzt er sich in Bewegung, dann dreht er sich noch einmal um und winkt kurz. Sie winkt zurück. Er fällt in Laufschritt und rast in vollem Tempo, als wollte er schon für das nächste Rennen üben, zu der Stelle zurück, wo sie sich getroffen haben.

Sie blickt ihm nach, bis er nur noch ein dunkler Strich ist.

Ja, denkt sie, ich habe einen Sohn, der drei Jahre alt ist.

Sie schaut zu ihren sandverkrusteten Füßen hinunter. Sie greift sich ans Haar, das ihr wirr auf dem Rücken liegt. Unter ihrem Kleid ist sie schweißnaß von der Anstrengung. Sie unternimmt einen halbherzigen Versuch, ihr Haar ohne Nadeln hochzudrehen, aber das Gewicht zieht es wieder hinunter.

Sie will jetzt noch nicht ins Haus zurück. Im Haus sein heißt, auf einen Brief warten, und sie will nicht wieder in diesem betäubenden Zustand versinken. Sie geht weiter den Strand entlang. Strümpfe, Schuhe und Hut wird sie auf dem Rückweg mitnehmen.

Sie schreitet flott aus, noch beschwingt von dem befreienden Lauf, und stockt erst, als sie in der Ferne das Highland Hotel auftauchen sieht. Seit ihrer Rückkehr nach Fortune's Rocks ist sie nie mehr so weit den Strand entlanggegangen. Sie betrachtet die Veranda, die Gäste in den Schaukelstühlen, die Fenster in den oberen Stockwerken, ein bestimmtes Fenster, in dessen Öffnung ein buntes Tuch flattert, als schüttelte dort jemand eine Decke aus.

Das Hotel scheint unverändert, obwohl sie den Eindruck hat, es seien mehr Gäste da als früher. Sie denkt an weißes Leinen, an ein aufgeschlagenes Journal, dessen Seiten mit einer kraftvollen Handschrift bedeckt sind. Sie sieht die Musselinvorhänge an den Fenstern, ein Hemd, das achtlos hingeworfen auf dem ockerfarbenen Boden liegt. Sie hört eine Stimme: Wenn du wüßtest … Sie fühlt beinahe die seidige Baumwolle der vielgewaschenen Laken. Sie hört den Widerhall ihrer Schritte im Treppenschacht.

Am Südende der Veranda bemerkt sie eine größere Gruppe von Menschen. Ein kleines Fest zum Ende der Saison, vermutet sie. Wie modisch die Frauen aussehen in ihren eleganten Kleidern mit den weiten Ärmeln. Während sie mit müßigem Interesse die Gäste mustert, fällt ihr Blick auf eine vertraute

Gestalt. Sie erstarrt beim Anblick dieser ganz gewissen selbstbewußten Haltung des Kopfes, dieses unverwechselbaren Profils, dieses zähneblitzenden Lächelns. Er trägt eine gelb-schwarz gewürfelte Weste, im Auge klemmt ein Monokel. Er hat sich, ganz mit der Mode gehend, lange Koteletten stehenlassen.

Noch während Olympia ihn ansieht, wirft Zachariah Cote lachend den Kopf in den Nacken, und selbst auf diese Entfernung ist die Übertriebenheit der Geste, die nur auf Wirkung bedacht ist, zu erkennen. Sie hat gehört, daß Cote jetzt Erfolg und Ansehen genießt und daß seine Gedichte sich großer Beliebtheit erfreuen; er veröffentlicht in Damenmagazinen und wird vor allem von verheirateten Frauen bewundert. Olympia hat mehrere seiner Gedichte gelesen, aber an ihrer Meinung über diese Ergüsse hat sich nichts geändert: Sie triefen vor Sentimentalität, und der Hang zum Morbiden ist unverkennbar. Plötzliche Bitterkeit erfaßt sie, weil es ausgerechnet Cote ist – und nicht ihr Vater oder ihre Mutter, John Haskell oder Catherine Haskell oder auch sie selbst (ja, gerade sie selbst) –, der es sich an diesem Spätsommertag des Jahres 1903 unter den Gästen auf dieser Veranda wohl sein läßt.

War denn nicht Cote von ihnen allen der einzige, der wahrhaft niederträchtig gehandelt hat? Hat nicht Cote Catherine Haskell geradezu aufgefordert, einen Blick durch das Teleskop zu werfen, wohl wissend, was für ein Bild auf sie wartete? Waren nicht hingegen ihre Eltern und Catherine Haskell völlig schuldlos an diesem Skandal, in den sie ohne ihr Zutun hineingezogen wurden? Obwohl Olympia sich selbst keineswegs von der Schuld freispricht, die sie an der traurigen Entwicklung der Dinge trägt, erwacht heftiger Zorn in ihr, während sie da im Sand steht und schaut. *Was für ein Esel,* hat Catherine einmal über diesen Mann gesagt. Olympia fand die Bezeichnung damals passend, und jetzt erst recht. Sie fragt sich, ob Catherine Haskell je ein Gedicht dieses Mannes in die Hände gefallen ist und was es vielleicht bei ihr ausgelöst hat.

Während ihr dieser Gedanke durch den Sinn geht, dreht Cote oben auf der Veranda, da er sich immer noch für seine Bewunderer in Szene setzt, den Kopf und entdeckt Olympia – in ihrem gelben Kittelkleid, mit nackten Füßen und wirr herabfallendem Haar. Sie widersteht dem Impuls, sich umzudrehen und davonzugehen; statt dessen erwidert sie unverwandt seinen Blick. Sie nimmt seine Überraschung wahr, die momentane Verwirrung, die Frage in seinem Gesicht, aus dem das Lächeln verschwunden ist.

Die Frau neben ihm sagt etwas zu ihm, und er gibt kurz Antwort, jedoch ohne Olympia aus den Augen zu lassen. Neugierig fliegt der Blick der Frau in ihre Richtung, aber wenn sie Olympia erkennt, so verrät sie es nicht.

Olympia weicht nicht von der Stelle, als Cote sich aus dem Kreis seiner Bewunderer löst und die Verandatreppe hinuntersteigt.

Diese Dreistigkeit, denkt sie, während sie ihn beobachtet.

Etwa einen Meter von ihr entfernt bleibt er stehen. Zunächst sagen sie beide kein Wort.

»Miss Biddeford«, meint er schließlich und betrachtet sie mit taxierendem Blick, als überlege er, wie dieses Zusammentreffen sich entwickeln könnte. Ein kleines Lächeln bildet sich an einem Mundwinkel, das Lächeln eines Schachspielers, der eine Möglichkeit entdeckt hat, den Gegner matt zu setzen. »Was für eine reizende Überraschung«, sagt er.

»Ich finde nichts Reizendes daran«, entgegnet Olympia ruhig.

»Ich wußte natürlich, daß Sie hier sind«, fährt Cote fort, ohne auf ihre unhöfliche Erwiderung einzugehen. »Es ist ja ein offenes Geheimnis.«

Sie schweigt.

»Aber leben Sie wirklich ganz allein?« fragt er. »Eine erstaunliche Vorstellung.« Seine Pose ist ihr widerwärtig vertraut: ein Arm über der Brust gekreuzt, das Kinn auf den gekrümmten Fingern der anderen Hand ruhend.

»Wie ich lebe, geht Sie nun wirklich nichts an, Mr. Cote.«

Er drückt eine Hand aufs Herz. »Oh, ich bin tief verletzt«, spöttelt er.

»Aber ich bin froh«, fährt sie fort, »daß sich mir diese Gelegenheit bietet, Ihnen zu sagen, daß Sie in meinen Augen der erbärmlichste Mensch der Welt sind.«

Er mustert demonstrativ ihre nackten Füße, das unmodische Kittelkleid, das unordentliche Haar. »Und das sagen ausgerechnet Sie? Das ist wirklich stark. Aber man muß in Ihrem Fall wohl Nachsicht üben und über Ihre Impertinenz hinwegsehen. Sie sind einfach zu bedauern.«

»Nein«, entgegnet sie, »zu bedauern ist die Frau, die Sie einmal heiraten wird. Oder haben Sie sich schon einen Korb geholt?«

»Aber, aber – wie sehr Sie sich verändert haben, Miss Biddeford. Sie waren früher ein so reizendes junges Mädchen. Und so wohlerzogen. Mir war nie bewußt, daß Sie eine so scharfe Zunge besitzen.«

»In diesem Fall wünschte ich mir meine Zunge messerscharf«, erwiderte sie.

»Sie unverschämte kleine Person.« Cotes Lippen sind plötzlich blutleer. »Wie können Sie sich unterstehen, in diesem Ton mit mir zu sprechen? Gerade Sie! Sie haben doch das Schlimmste getan, was ein Mensch tun kann! Sie haben Ihre Sittenlosigkeit vor aller Augen demonstriert. Glauben Sie denn, ich hätte nicht gemerkt, was zwischen Ihnen und Haskell vorging? Ich wußte von dem Augenblick an, als ich Sie in enger Umarmung am Straßenrand sah, was Sie ausheckten. Und ich habe geschwiegen. Ich habe wochenlang geschwiegen, Miss Biddeford. Aber Sie – Sie haben mich mit einem Hochmut behandelt, der Ihnen kaum erlaubte, das Wort an mich zu richten. Dachten Sie, ich würde Ihre Herablassung nicht bemerken? Dachten Sie, ich würde bis in alle Ewigkeit untätig Ihrem rücksichtslosen Treiben zusehen? Glaubten Sie, ich würde untätig zusehen, wie Sie nicht nur das Leben Catherine Haskells ruinieren, sondern auch das Ihrer Mutter und Ihres Vaters – dem ich leider keinerlei Achtung mehr entgegenbringen kann. Mein Gott, Sie sind regelmäßig in das Hotel hier gekommen, um sich mit diesem Mann zu treffen – wie eine Hure!«

Er schleudert ihr diese letzten Worte ins Gesicht und zeigt dabei zum Hotel hinauf, wo schon mehrere Gäste auf der Veranda die Hälse recken, um zu sehen, was da vorgeht. Olympia blickt zu ihren Händen hinunter. Sie zittern stark, und zum erstenmal fällt ihr auf, wie rot sie sind, rot und aufgesprungen.

Sie hebt den Kopf und sieht Cote ins Gesicht. Sie weiß, hat es die ganze Zeit gewußt, daß er gleich auf die Veranda zurückkehren wird, um den Versammelten von dieser Begegnung zu berichten; und sie stellt sich flüchtig vor, wie ausführlich er diese Geschichte von Skandal und Schande erzählen wird. Mit diesem hämischen Genuß, den sie beinahe schmecken kann.

»Was ich getan habe«, sagt sie zu Cote, »habe ich aus Liebe getan. Was Sie getan haben, geschah aus Niedertracht.«

Damit wendet sie sich von ihm ab und geht davon, langsam und gemessen, so würdevoll, wie es einer Frau im Kittelkleid und ohne Schuhe an den Füßen möglich ist. Sie hat rasende Kopfschmerzen und kann kaum atmen; sie zwingt sich vorwärts zu gehen, ohne einen Blick zurückzuwerfen. Als sie sicher ist, daß er sie nicht mehr sehen kann, beginnt sie am ganzen Körper zu zittern, so heftig, daß sie trotz Tang und Quallen ein Stück ins Meer hineinwatet, um sich vom Schock des eisigen Wassers an ihren Füßen und Beinen zur Besinnung bringen zu lassen. So steht sie, unfähig, sich zu bewegen, die einzige Badende am langen Strand, Ziel neugieriger Blicke, bis ihre Füße vor Kälte so taub sind, daß sie sie nicht mehr spürt.

Als sie an die Stelle zurückkommt, wo sie ihre Sachen gelassen hat, wartet dort der Junge auf sie, Edward. Er springt auf, als er sie sieht.

»Ich hab mir Sorgen um Sie gemacht, Miss. Sie waren so lange weg.«

Sie streicht ihm über das helle, lockige Haar.

1. September 1903

*Meine liebe Miss Biddeford,*

*verzeihen Sie mein spätes Schreiben, aber ich habe eine ganze Weile gebraucht, um die Antworten auf Ihre Fragen ausfindig zu machen, und mir dann zusätzlich Zeit genommen, um gründlich darüber nachzudenken, ob es ratsam ist, die Auskünfte, die ich erhalten habe, an Sie weiterzuleiten. Mutter Marguerite, wie Sie aus eigener Erfahrung wissen, ist eine grimmige Wächterin, und selbst ich, als Mitglied des Verwaltungsrates, mußte all meine Überredungskunst aufbieten, um sie zu bewegen, mir – um im Bild zu bleiben – die Tür zu öffnen.*

*Olympia, mein Kind, merken Sie jetzt wohl auf. Ich habe die Angaben, um die Sie gebeten haben, auf ein separates Blatt Papier geschrieben, das in dem beiliegenden Umschlag verschlossen ist. Aber ich hoffe aus tiefstem Herzen, daß Sie den Mut finden, den Umschlag ungeöffnet zu vernichten; denn das, was er enthält, wird unter Umständen sowohl Ihnen als auch vielen anderen Menschen großen Kummer bereiten.*

*Sollten Sie in dieser oder irgendeiner anderen Angelegenheit weiterer Hilfe von mir bedürfen, so scheuen Sie sich bitte nicht, mir zu schreiben.*

*Ergebenst Ihr*
*Rufus Philbrick*

Sie legt den verschlossenen Umschlag auf den Tisch und starrt ihn eine Zeitlang an, ohne etwas zu tun, teilweise aus Achtung vor Rufus Philbrick und seiner Warnung, teilweise aus Furcht vor dem, was sie darin finden wird. Doch schon nach wenigen Minuten weiß sie, daß sie weder mutig noch vernünftig sein wird, sondern dem überwältigenden Wunsch, mehr über ihren Sohn zu erfahren, nachgeben muß. Mit fliegenden Fingern reißt sie das Kuvert auf.

»Der Junge heißt Pierre Francis Haskell. Er wurde am 20. Mai 1900 in der Kirche von St. André getauft. Er lebt bei seinen Pflegeeltern, Albertine und Telesphore Bolduc, beide Angestellte der Textilfabrik in Ely Falls, in der Alfred Street 137 in Ely Falls. Er ist gesund und hat keine schwereren Krankheiten durchgemacht.«

Olympia schließt die Augen und drückt das Blatt Papier an ihre Brust. Ich habe einen Sohn, denkt sie, und er ist gesund. Ich habe einen Sohn, und er trägt den Namen Haskell.

# 19

Benommen von Hitze und Gedränge steigt Olympia an der Ecke Alfred und Washington Street aus der Straßenbahn. Der grell leuchtende Himmel wirft ein stumpfes weißes Licht auf die Straßen; das Laub der Ulmen glänzt wie Nickel, und die Gesichter der Frauen wirken wie aus Porzellan. Es ist einer der schlimmsten Tage, die man an der Küste von New Hampshire erleben kann: Nicht einmal ein Windhauch lindert die drükkende Hitze. Vielleicht wird es ein Gewitter geben.

Mit Philbricks Brief in der Hand geht sie den Bürgersteig hinunter, immer wieder prüfende Blicke auf die schmiedeeisernen Hausnummern neben den Türen werfend. Die Alfred Street ist Wohn- und Geschäftsstraße zugleich, in den Erdgeschossen der Häuser sind Läden, die oberen Stockwerke sind Privatwohnungen vorbehalten. An diesem Tag sind fast überall in den oberen Etagen die Fenster weit geöffnet, Menschen lehnen an den Simsen, fächeln sich Luft zu und hoffen auf ein Lüftchen.

Sie findet die Hausnummern 135 und 139 und sagt sich, daß 137 das schmale Gebäude ohne Hausnummer sein muß, das zwischen den beiden Häusern eingequetscht ist, ein ockerbrauner Backsteinbau neben einer Dentistenpraxis. Noch einmal wirft sie einen Blick auf das Blatt Papier in ihrer Hand, um sich zu vergewissern, daß sie tatsächlich an der richtigen Adresse ist. Da sie möglichst unauffällig bleiben möchte, steckt sie das Papier eilig in ihre Tasche und sieht sich nach einem Platz um, wo sie verweilen kann, ohne Aufmerksamkeit zu erregen.

Sie sieht zwei Möglichkeiten: eine Bank unter einer Ulme, ungefähr zwanzig Meter nördlich des Hauses, und eine Bäckerei hinter ihr, die in ihrem Schaufenster Teekuchen und Biskuitrollen anpreist. In der Befürchtung, daß es bei dieser Hitze in der Bäckerei unerträglich stickig ist, entscheidet sie sich für die Bank unter der Ulme.

Überall in der Alfred Street suchen Männer und Frauen unter den Markisen der Geschäfte Schatten, die Männer in kragenlosen Hemden und herabhängenden Hosenträgern, die Frauen in halsfreien Blusen mit aufgerollten Ärmeln. Ein Straßenhändler, der Eiscreme und Limonade verkauft, wird von einer beträchtlichen Kinderschar belagert. Vermutlich lungern sie in der Hoffnung um ihn herum, ein Stück Eis zum Lutschen zu erhaschen. Olympia, die die Fahrt durstig gemacht hat, ist einen Moment versucht, sich ein kaltes Getränk zu kaufen, aber der Gedanke, daß sie den Händler dann auf offener Straße anrufen müßte und so ihre Umgebung auf sich aufmerksam machen würde, hält sie davon ab.

Sie wünscht, sie hätte keinen Hut aufgesetzt. Sie wünscht, sie hätte ihr weißes Batistkleid angezogen, das luftigste, das sie besitzt. Sie mustert die Schilder in den Fenstern auf der anderen Straßenseite. »Zähne. Prothesen – $ 8.00«, liest sie. »Silberfüllung – 50 Cents.« Nicht weit von der Dentistenpraxis ist ein Drugstore, der, wie dem Gekritzel auf einem Pappschild zu entnehmen ist, »Kalte Sasparilla« anbietet. Vor den offenen Ladentüren in der Straße stehen die Geschäftsinhaber, manche rauchend, in ihren weißen Schürzen herum und wischen sich immer wieder den feuchten Nacken.

Aber Olympia läßt sich weder von der Hitze noch von dem Schauspiel, das die Straße bietet, ablenken, sondern hält ihr Augenmerk auf die kleine blaue Tür gerichtet, die sich, über drei Steinstufen erreichbar, in dem ockerfarbenen Haus zwischen der Dentistenpraxis und dem Drugstore befindet. Ein Mann in einem beige-braun karierten Anzug setzt sich neben sie auf die Bank. Der Geruch seines ungewaschenen Körpers, gemischt mit dem süßlichen Aroma billigen Toilettenwassers und Zigarrenrauch ist in der stehenden Luft so intensiv, daß ihr davon beinahe übel wird. Sie rückt ein Stück von dem Mann ab. Zu ihrem Schrecken rückt er nach und neigt sich zu ihr, um sie zu fragen, wann die nächste Straßenbahn kommt. Ohne sich zu ihm umzudrehen, antwortet sie, das wisse sie leider nicht.

»Also, ich fahr jetzt raus an den Strand«, verkündet er. »Bei dieser Hitze hält's ja kein Mensch in dieser stinkenden Stadt aus.«

Olympia schweigt, um ihn nicht zu einem weiteren Gespräch zu ermuntern.

»Darf ich mich vorstellen«, sagt der Mann. »Lyman Fogg, Handelsvertreter der Firma Boston Drug. ›Fünf Tropfen nach durchzechter Nacht, und der Kater ist um die Ecke gebracht.‹ Das ist unser Werbespruch.«

Er bietet ihr die Hand, und Olympia, die wegen der Hitze ihre Handschuhe ausgezogen hat, bleibt nichts anderes übrig, als sie zu ergreifen. Der Mann trägt zu dem dicken braunen Anzug absurderweise noch einen Zylinder, unter dem hervor ihm eine ölige dunkle Locke in die Stirn fällt. Mit der freien Hand schiebt er seine Zigarre in den Mund, pafft einmal kurz daran und stößt eine blaue Rauchwolke aus. Sein auffallend rotes Gesicht glänzt von Schweiß.

»Mächtig heiß, was?« bemerkt er und nimmt seinen Hut ab.

Olympia wendet sich von ihm ab, um wieder die blaue Tür zu beobachten.

»Warten Sie auch auf die Straßenbahn?«

»Nein«, antwortet sie höflich. »Ich ruhe mich nur ein wenig aus.«

»Na, bin ich nicht ein Glückspilz«, ruft er strahlend. »Gerade hab ich nämlich zu mir gesagt: ›He, Lyman, da ist eine hübsche Bank mit einer hübschen Frau drauf, warum gehst du nicht rüber und machst dich mit ihr bekannt?‹«

Selbst mit abgewandtem Kopf kann Olympia den Alkohol im Atem des Mannes riechen. Er lehnt sich zurück, und es gelingt ihm, dabei noch ein wenig näher an Olympia heranzukommen.

Sie nimmt ein parfümiertes Taschentuch aus ihrer Handtasche und hält es sich an die Nase, in der Hoffnung, daß er den Wink verstehen wird. Aber der Mann ist unerschütterlich in seiner Aufdringlichkeit.

»Also, ich würde sagen«, beginnt er zu spekulieren, während er sie mustert, »daß Sie nicht aus dieser Gegend sind, und das veranlaßt mich doch, mir Gedanken zu machen. Darf ich so frei sein und fragen, was eine elegante junge Dame wie Sie hier in der Alfred Street zu tun hat? Die Straße hat zwar gewiß ihren Charme, ist aber doch für eine Dame nicht der geeignete Ort.«

Aus dem Augenwinkel sieht Olympia, wie die blaue Tür geöffnet wird. Eine Frau in einem mauvefarbenen Baumwollkleid lehnt sich dagegen, offensichtlich, um sie für jemanden aufzuhalten. Ein Arm ist ins Innere des Hauses ausgestreckt.

»Nein«, fährt der Mann neben ihr fort, »ich denke, ich kann mit Sicherheit annehmen, daß Sie aus Fortune's Rocks kommen, wo die Reichen ihre schönen Sommerhäuser haben. Na, hab ich recht?«

Olympia beobachtet, wie die Frau an der Tür sich ein wenig hinunterbeugt, um mit jemandem im Inneren des Hauses zu sprechen.

»Miss?«

»Wie bitte?« fragt Olympia zerstreut. »Ach so. Ja. Sie haben recht.«

»Na also«, sagt der Mann neben ihr befriedigt über seinen Scharfblick. »Und darf ich fragen, wie Sie heißen?« fügt er hinzu, vielleicht dreist geworden durch seinen Erfolg.

Die Frau an der blauen Tür greift sich an das dunkle Haar, das sie aufgerollt trägt, mit einem Pony in der Stirn. Sie streicht sich mit der Hand glättend über das Oberteil ihres Kleides, das in Biesen genäht ist. Sie ist vielleicht dreißig, schätzt Olympia. Über dem Rock ihres Kleides trägt sie eine schwarze Schürze. Sie tritt ins Haus zurück und läßt die Tür beinahe hinter sich zufallen. Dann kommt sie mit einem kleinen Jungen wieder heraus.

»Oder bin ich vielleicht ein bißchen zu forsch?« fragt der Mann neben Olympia.

Die Frau und der kleine Junge bleiben Hand in Hand auf dem Treppenabsatz stehen, als wollten sie sich erst einmal orientieren. Olympia kann die Gesichtszüge des Kindes deutlich erkennen. Dunkelbraunes Haar. Hellbraune Augen. Die Ähnlichkeit ist nicht zu übersehen.

Olympia preßt mit einer hastigen Bewegung die Faust auf den Mund.

Der Mann neben ihr blickt sie aufmerksam an. »Ist Ihnen nicht gut, Miss?« erkundigt er sich.

Die Sehnsucht ist instinktiv und überwältigend. Später wird sie die doppelte Sehnsucht in diesem starken Gefühl erkennen: nach dem Jungen und nach dem Vater.

Die Frau und das Kind gehen die steinerne Treppe hinunter. Der Junge trägt eine kurze Hose in ausgewaschenem Blau und eine passende Jacke dazu. Er macht eine halbe Drehung und entfernt sich an der Hand seiner Mutter von Olympia. Sie sieht jetzt nur noch seinen Rücken, das ordentlich geschnittene Haar, die kurzen Beinchen und die Füße in braunen Lederschuhen. Sie steht auf.

»Aber kommen Sie, Miss«, sagt der Mann im braunen Anzug und steht ebenfalls auf. »Das ist doch nicht nötig. Ich wollte

Sie nicht beleidigen. War ich vielleicht etwas zu forsch? Wenn ja, dann verzeihen Sie mir. Diese Hitze macht einen ja ganz irre.«

Olympia fürchtet, die Frau und den Jungen in der Menschenmenge auf dem Bürgersteig aus den Augen zu verlieren. Beinahe in Panik geht sie einen Schritt weiter vor.

»Darf ich vorschlagen, wir machen einen neuen Anfang und holen uns in dem Drugstore da drüben, wo ich kein Unbekannter bin, zwei kalte Sasparillas?«

Olympia schüttelt ungeduldig den Kopf. »Gehen Sie doch endlich«, sagt sie gereizt und geht statt dessen selbst davon.

Mit schnellem Schritt überquert sie die Straße und drängt sich, auf der Suche nach einem mauvefarbenen Kleid, eilig durch die Menge. Sie bekommt grobe Püffe ab und verteilt vielleicht auch selbst welche. Sie geht schneller, beginnt zu laufen, bis sie an der nächsten Ecke eine Frau und einen kleinen Jungen sieht, die in einen Laden gehen. Auf dem Schild über der Tür steht »Süßwaren«.

Olympia bleibt so nahe der Ladentür stehen, wie sie es wagen kann, ohne aufzufallen. Sie tut so, als suche sie etwas in der Handtasche, kramt mit einem Stirnrunzeln der Konzentration in ihren Tiefen.

Das ist ja Wahnsinn, denkt sie, aber sie unternimmt nichts dagegen. Ich weiß nicht einmal, ob das die Frau und das Kind sind, die ich suche.

Doch schon im nächsten Moment denkt sie: Aber natürlich weiß ich es.

Um sie herum sind Männer und Burschen in Hemdsärmeln, die sich trotz des Lärms über die Straße hinweg lauthals miteinander unterhalten. Sie hört sie, kann aber ihre Worte nicht verstehen. Als die Frau und das Kind aus dem Laden kommen, hält der Kleine eine Eistüte in der Hand, von der es auf allen Seiten auf seine kleine Faust hinuntertropft. Der

Junge verzieht das Gesicht, als wollte er zu weinen anfangen. Die Frau beugt sich zu ihm hinunter, nimmt ihm die Waffel- tüte ab und leckt sie rundherum ab. Dann reicht sie sie dem Jungen, der wieder strahlt.

Olympia steht so nahe bei den beiden, daß sie nur den Arm auszustrecken brauchte, um den Jungen zu berühren. Die Ähn- lichkeit ist erstaunlich. John Haskell als Kind.

Vielleicht aufmerksam geworden durch Olympias ange- spannten Blick nimmt die Frau den Jungen bei der Hand und geht mit ihm die Straße hinunter. Olympia bleibt mit ihrer of- fenen Handtasche stehen und starrt den beiden nach. Die Frau neigt sich zu dem Jungen hinunter, hebt ihn hoch und küßt ihn auf die Wange. Olympia kann die kleinen braunen Schuhe an den Füßen des Jungen sehen, abgetragen und rissig.

Eifersucht trifft sie wie ein Faustschlag. Die Tasche fällt ihr aus den Händen. Münzen und Steckkämme fallen scheppernd aufs Pflaster.

Doch sie steht weiter wie gelähmt, unfähig, sich zu bücken. Sie nimmt Zigarrenrauch wahr und erkennt wie durch einen Schleier den Mann im braunen Anzug, der neben ihr in die Knie geht, um ihre Sachen einzusammeln.

»Ihnen ist anscheinend wirklich nicht gut«, sagt er. Sie spürt seine Hand an ihrem Ellbogen. »Ich bin Ihnen gefolgt«, fügt er hinzu. »Ich hoffe, Sie nehmen's mir nicht übel. Aber ich hab doch gesehen, daß Ihnen was fehlt.«

Er führt sie in den dämmrigen Laden und schiebt ihr einen Metallstuhl hin. Schwer läßt sie sich darauf niederfallen. Zwi- schen ihnen steht ein runder Glastisch.

»Und dann hab ich gesehen, wie Sie in Ihrer Handtasche gesucht haben. Sie müssen einen fürchterlichen Schrecken ge- kriegt haben, Sie sind ja leichenblaß geworden.« Er nimmt eine Tasse vom Nachbartisch, der frei ist. »So weiß wie die Tasse hier.«

Sie hebt den Blick und sieht buschige Augenbrauen, scharfe

grüne Augen, einen vollen roten Mund mit einem Tabakfädchen an der Unterlippe; aber so sehr sie sich bemüht, ein Gesicht kann sie aus den Fragmenten nicht bilden. Ein breites Band grellweißer Flecken vor ihrem rechten Auge versperrt ihr die Sicht.

Der Mann beugt sich ihr entgegen, und sie riecht wieder den Alkohol in seinem Atem. »Haben Sie vielleicht etwas verloren, was Ihnen viel bedeutet?« fragt er.

Das Band weißer Flecken dehnt sich aus und verdeckt fast die Gestalt ihr gegenüber. Olympia beginnt zu lachen und sieht die Verblüffung des Mannes.

Und während sie fällt – ganz langsam, wie eine Feder, die träge durch die schwüle Luft taumelt –, denkt sie: Ja, genau. Ich habe etwas verloren, was mir viel bedeutet.

Der drückende Himmel leuchtet in einem giftigen gelben Licht. Die Luft ist still, allzu still, es ist schlimmer noch als gestern. An der Bucht angekommen, zieht sie ihre Stiefel aus und watet in den schwarzen Schlamm, den die Ebbe hinterlassen hat. Ihre Füße sind lang und weiß und glatt, der zarteste Teil ihres Körpers, und jeder Schritt auf eine Muschelschale tut weh. Wie sonderbar, denkt sie, daß wir am ganzen Körper so zäh und muskulös sein können, gerade an den Füßen aber, mit denen wir auf dem Boden wurzeln, so empfindlich sind.

Ein langer fransiger Saum aus Tang von unterschiedlichen Farben und Beschaffenheiten markiert die Gezeitenlinie, zwischen Strandkrabben liegen blaß und durchscheinend gestrandete Quallen. Sie muß bei jedem Schritt achtgeben, um die Berührung mit den wabbeligen Dingern, die ekelhaft ist und schmerzhaft sein kann, zu vermeiden. Der Tang gleicht jetzt, da er ausgetrocknet ist, geschreddertem Zeitungspapier. Sie hat gehört, daß es Leute gibt, die aus diesen Meerespflanzen Suppen und Gemüsegerichte bereiten, sie kann sich allerdings nicht vorstellen, daß ihr so etwas schmecken würde.

Mit dem Muschelrechen, den Ezra ihr geliehen hat, gräbt sie die kleinen Mollusken aus, die im Schlamm versteckt sind. Auf diese Weise beschäftigt sie sich fast eine Stunde lang, bis ihr Eimer randvoll ist. Ihre Füße und der Saum ihres gelben Kittelkleides, der mehr als einmal durch den Schlamm gezogen wurde, sehen aus wie in schwarzen Sirup getaucht. Sie geht zu einem großen Felsen, der ins Wasser hineinragt, und setzt sich darauf nieder, um Füße und Rocksaum zu säubern. Sobald ihre Füße trocken sind, zieht sie Strümpfe und Stiefel über.

Gestern, als sie in der Konditorei in Ely Falls ohnmächtig wurde, konnte Lyman Fogg sie gerade noch auffangen, bevor sie vom Stuhl fiel. Mit hämmernden Kopfschmerzen kam sie beinahe augenblicklich wieder zu sich. Der Mann flößte ihr löffelweise Wasser ein, das sie trotz der Kopfschmerzen gehorsam schluckte, um wieder auf die Beine zu kommen. Sie erlaubte ihm, sie zur Straßenbahn zu bringen und bis nach Ely zu begleiten. Dort aber verabschiedete sie sich mit aller Entschiedenheit von ihm und nahm sich trotz seiner Proteste allein eine Droschke, um nach Hause zu fahren. Sobald sie da war, ging sie nach oben und ließ sich auf ihr Bett fallen. Dort schlief sie ein und erwachte erst kurz vor Mittag des heutigen Tages.

Sie wird nicht wieder nach Ely Falls fahren. Sie hat den Jungen gesehen, und das ist genug. Sie wird Rufus Philbrick einen Brief schreiben und ihm für seine Hilfe danken, und er wird mit Erleichterung hören, daß sie beschlossen hat, die Sache auf sich beruhen zu lassen.

In der schwülen Luft ist jede Bewegung eine Anstrengung, doch Olympia nimmt ihren Eimer mit Muscheln und geht langsam zum Haus zurück. Es ist, als wären Meer, Küste und Häuser rundherum von einem schmierigen gelben Film überzogen und bekämen keine Luft. Sie wird sich die Muscheln zum Abendessen machen, überlegt sie. Sie hat Salzkekse dazu und Milch; aus der Brühe wird sie eine Suppe kochen.

Sie wäscht die Muscheln mehrmals, wie Ezra es sie gelehrt

hat. Dann holt sie einen großen Topf heraus und setzt Wasser auf. Sofort wird es so stickig in der Küche, daß sie kaum noch atmen kann. Sie reißt sämtliche Fenster auf, und als das nicht viel bewirkt, geht sie nach vorn in den Salon und öffnet auch dort die Fenster.

Sie schaut zum Strand hinunter, der heute beinahe menschenleer ist, sicher nicht nur infolge der unangenehmen Witterung, sondern weil mittlerweile die meisten Sommergäste abgereist sind. Ein krachender Donnerschlag zerreißt die Stille, und im ersten Moment glaubt sie, oben im Haus wäre irgend etwas Schweres, Scharfkantiges zu Boden gestürzt. Dann verfinstert sich der Himmel, als wollte, viel zu früh, die Nacht kommen. Der Wind bricht los und rüttelt am Haus. Die Fensterrahmen scheppern unter der Gewalt der Böen.

Dennoch ist der Himmel in all seiner Bedrohlichkeit von einer seltsamen Schönheit, und ihr geht der Gedanke durch den Sinn, daß jede große Katastrophe, so grauenvoll sie im einzelnen sein mag, auch ein Bild urgewaltiger Schönheit schaffen kann. Ein in Flammen stehendes Hotel beispielsweise mag bei den Beobachtern Angst hervorrufen, vielleicht auch Mut wecken. Aber werden die Beobachter nicht zugleich von der Majestät des Schauspiels ergriffen sein?

Von draußen dringt kühle Luft herein. Fröstelnd holt Olympia sich ein Umschlagtuch und wickelt sich in die warme Wolle. Der Schiffsuntergang vor vier Jahren war so ein Ereignis, das ihr auch wegen seiner paradoxen Schönheit inmitten von Angst und Entsetzen in Erinnerung geblieben ist. Sie ruft sich jenen Moment ins Gedächtnis, als John Haskell mit dem Kind in den Armen an ihr vorbeieilte. Sie weiß es noch genau. Sie wollte nicht bemerkt werden, aber es machte ihr nichts aus, von Haskell gesehen zu werden. Sie stand in dem kühlen weißen Sand, in den ihre nackten Füße sich eingegraben hatten, und wäre um nichts in der Welt in der Lage gewesen, sich von der Stelle zur rühren. Sie wollte mithelfen bei den Rettungsarbeiten, aber sie konnte ihren Blick nicht von John Haskells Gestalt lösen, von seinem Körper, den sie und alle rundherum nur allzu deutlich sehen konnten, da das Meer seinen Morgenrock und das Nachtgewand, das er darunter trug, völlig durchnäßt hatte.

Was genau ist in diesen wenigen Stunden kurz vor Tagesanbruch auf dem Strand zwischen ihr und Haskell erwacht? Liebe kann es nicht gewesen sein – nein, ausgeschlossen –, nicht einmal Verliebtheit, die, so vermutet sie, einer gewissen Grundlage persönlicher Bekanntschaft bedarf, die ihr und Haskell zu Beginn des Sommers fehlte. Nein, es war eine Art gegenseitiges Erkennen, das da aufblitzte; als ob jeder von ihnen den anderen nicht erst vom Tag zuvor kennte, sondern schon von zukünftigen Tagen.

Der Wind treibt den Regen beinahe horizontal gegen das Haus und unter das Verandadach. Eine Bö reißt einen Korbstuhl um, und zu spät fällt ihr ein, daß noch Wäsche auf der Leine hängt.

Aber es *war* Liebe, sagt sie sich. Natürlich war es Liebe. Selbst damals. Selbst in dieser Nacht. Denn waren sie und Haskell nicht da schon in diesen gefährlichen Zustand der Verzauberung geraten, den man Liebe oder Besessenheit oder schlicht Wahn nennen kann, je nachdem, wie nahe man dem Ereignis ist, wie stark der Glaube an die Vorstellung ist, daß zwei Seelen innerhalb des Universums dazu bestimmt sein können, einander zu finden und nie wieder voneinander zu lassen?

Schon greift das Meer nach dem Sand, beginnt den Strand zu unterspülen und tiefe Rinnen auszuheben. Sie weiß, wie gefährlich das für die Häuser am Wasser werden kann. An ein Fenster gelehnt, spürt sie das Vibrieren des Glases unter dem Ansturm des Windes. Hat sie damals nicht geahnt, was es für Folgen haben würde, wenn sie ihre Liebe zu Haskell einfach zuließe? Kann sie je so unbedacht gewesen sein? Oder hat sie geglaubt, von höheren Mächten beschirmt zu werden und gefahrlos mit dem Abgrund kokettieren zu können, wie die Möwe mit dem Ozean spielt, wenn sie mit leichtem Flügelschlag über die Wogen hinwegstreift, ohne sich niederzulassen?

Sie blickt auf, zieht das wollene Tuch fester um sich. Wo ist der Junge jetzt? fragt sie sich. Wohin geht die Frau mit ihm auf ihren Spaziergängen? Warum hat die Frau eine schwarze Schürze getragen? Olympia erinnert sich der braunen Schuhe des Jungen, so schäbig, so rührend.

Die große Liebe kommt nur einmal im Leben, das ahnt Olympia jetzt. Kann es denn zwei derartige Ereignisse geben? Die eine große Liebe bleibt im Gedächtnis und auf der Zunge und in den Augen des einst Geliebten und kann niemals vergessen werden.

Sie senkt den Kopf in ihre Hände.

Warum muß Liebe so grausam sein?


Ein ungeheurer Wind erfaßt das Haus, und sie fühlt es in seiner Umarmung erzittern. Beinahe ehrfürchtig sieht sie zu, wie der Sturm über den Strand rast, die weißen Schaumkronen von den Wellen reißt, Äste, Treibholz und Seetang hoch in die Luft schleudert. Eine Möwe steht reglos über dem Wasser, unfähig, gegen das Brausen anzufliegen, und wird dann von einem Windstoß zurückgeworfen. Ein Stück strandabwärts wird eine Wellblechplatte vom Dach einer Fischerhütte in die Luft getragen. Die Korbstühle rutschen über die Veranda und krachen nacheinander mit dumpfen Aufprall gegen das Geländer. Von oben hört Olympia das Klirren splitternden Glases.

Der Hurrikan tobt an der Küste entlang bis nach Bar Harbor. Die Nacht hindurch hockt Olympia zusammengekauert in der Küche und lauscht dem Knarren von Holz, dem Tosen des Meeres und dem Heulen des Windes. Neben dem Haus stürzt eine Tanne um und verfehlt es nur um Zentimeter. Ein- oder zweimal, wenn der Sturm besonders bedrohlich wird, kriecht Olympia unter den Küchentisch. Sie denkt an Ezra und hofft, daß er es vor dem Ausbruch des Orkans zur Küste geschafft hat. Keiner, der draußen auf dem Wasser geblieben ist, kann diese Nacht überleben.

Von Zeit zu Zeit geht Olympia zum Fenster auf der Nordseite des Hauses und blickt zur Rettungsstation hinunter. Der Leuchtturm ist weithin zu erkennen, und in unregelmäßigen Abständen hört sie, wie Morsezeichen, die von einem großen Instrument ausgesandt werden, das Tuten des Nebelhorns von Granite Point. Der Sturm rüttelt an Balken und Wänden, und das Haus stöhnt und ächzt wie ein sinkendes Schiff auf stürmischer See.

Bei Tagesanbruch zeigt sich, daß das Meer große Teile des Strandes fast bis zur Kaimauer weggefressen hat. Der Sturm hat Häuser aus den Fundamenten gehoben, Veranden von den tragenden Pfählen gerissen. Der Rasen vor dem Haus ist übersät mit Laub und Ästen, eine gelbe Öljacke leuchtet in dem Durcheinander. Rund um die Bucht von Fortune's Rocks stehen die Häuser mit glaslosen Fenstern und abgedeckten Dächern. Wo der Strand nicht abgetragen ist, wirkt er wie ein Trümmerfeld: Metallzisternen, Schindeln, Glasscherben, gebrochene Holzteile. Nur das Meer liegt unerschüttert, wie siegreich hervorgegangen aus namenlosem Kampf, und seine gewaltigen Wellen rollen majestätisch landwärts und brechen sich an der neugestalteten Küste.

Zaghaft wagen sich die ersten Menschen zum Strand, um die Schäden zu besichtigen. Olympia wirft sich ein Tuch um die Schultern und tritt auf die Veranda hinaus. Die Luft ist blank und klar, wie frisch gewaschen. Sie läuft zur Kaimauer hinunter und blickt von dort zum Haus zurück. Auf dem Dach ist eine Schornsteinkappe abgerissen. Aber das ist nur eine oberflächliche Feststellung, mit ihren Gedanken ist sie woanders. Sie fragt sich, wie sie das noch tausendmal tun wird (und es ist, als verstünde sie schon jetzt, daß sie von dieser besonderen Sorge niemals frei sein wird und sie sich zu eigen machen muß), wie es der Frau und dem Jungen ergangen ist. Zweifellos wird der Sturm landeinwärts weniger heftig gewütet haben, aber können diese billigen Arbeiterhäuser einem Hurrikan standhalten? Wie steht es mit dem elektrischen Strom? Gibt es in der Stadt frisches Wasser? Und ist der Junge, den Olympia auch in Gedanken nicht bei seinem Namen nennt, unversehrt?

Am zehnten Tag nach dem Sturm nimmt Olympia die erste Straßenbahn, die vom Bahnhof in Ely aus nach Ely Falls fährt. Anderthalb Stunden dauert die Fahrt, dreimal so lang wie sonst. Überall an der Strecke hat der Hurrikan seine Spuren hinterlassen: Telephon- und Elektrizitätsleitungen sind niedergerissen, Wagen umgestürzt, Hausdächer von gefällten Bäumen eingedrückt.

Nach dem Sturm ist es merklich kühler geworden. Zum erstenmal seit ihrer Rückkehr nach Fortune's Rocks hat Olympia Wollsachen aus dem Koffer geholt und sie, nachdem sie sie auf der Veranda ausgelüftet hat, in die Schränke gehängt. Heute morgen trägt sie ihr gutes Kostüm, taubengraue Wolle, mit einer hochgeschlossenen weißen Bluse und einer Samtschleife. Ihr Hut, eine pflaumenfarbene Toque, sitzt schräg auf ihrem Haar, das im Nacken zu einem Knoten gesteckt ist. Schon ein flüchtiger Blick auf die Mitreisenden in der Straßenbahn zeigt ihr, daß die Mode sich in den vier Jahren ihrer Abwesenheit geändert hat. Die Röcke sind länger, die Ärmel weiter, insgesamt scheint die Kleidung lockerer und bequemer geworden zu sein.

Zusammen mit einigen anderen Fahrgästen steigt sie an der Ecke Alfred und Washington Street aus, wo Männer auf einem Gerüst dabei sind, ein Dach zu reparieren und Fenster neu zu verglasen. Sie hat im *Ely Falls Sentinel* gelesen, daß beim Einsturz eines Spinnereigebäudes während des Sturmes siebzehn Arbeiter ums Leben gekommen sind, weil der Fabrikeigentümer trotz wiederholter Bitten seiner Leute nicht bereit war, die Arbeit vorübergehend einzustellen. Olympia hat die Liste der

Namen gelesen, wie vielleicht die Ehefrau eines Soldaten die Aufstellung der Kriegsopfer überfliegt – hastig, nur nach dem einen Namen suchend. Die Stimmung in der Stadt, die bei Olympias letztem Besuch trotz der drückenden Hitze heiter und freundlich war, ist umgeschlagen. Die Leute wirken ernst, sogar düster. Viele Läden sind noch mit Brettern vernagelt.

Auf halbem Weg die Alfred Street hinunter überrascht sie der langgezogene schrille Ton einer Signalpfeife, wie am Bahnhof vor Einfahrt eines Zuges. Innerhalb von Minuten wimmelt es auf der Straße von Männern und Frauen, die eilig den Wohnhäusern zustreben. Olympia sieht zum Glockenturm an der Ecke Washington und Alfred Street hinauf: fünf nach zwölf. Jetzt ist offensichtlich Mittagspause in den Fabriken.

Wieder setzt sie sich schräg gegenüber von Haus Nummer 137 auf die Bank unter der Ulme. Mehrere Frauen treten in das schmale Haus mit der blauen Tür, aber die, nach der Olympia Ausschau hält, ist nicht unter ihnen. Sie überlegt, ob sie jemanden auf dem Weg ins Haus ansprechen und nach der Familie Bolduc fragen soll; aber der Gedanke erscheint ihr wenig vernünftig, und sie gibt ihn gleich wieder auf. Schnell wird ihr klar, daß sie nicht lange auf der Bank wird verweilen können; wegen der rauhen Witterung halten sich weit weniger Menschen auf der Straße auf als bei ihrem letzten Besuch; die Gefahr aufzufallen ist größer als damals.

Genau um zehn vor eins strömen Scharen von Menschen aus den Arbeiterhäusern. Frauen ziehen Handschuhe über, werfen einen prüfenden Blick in ihre Handtaschen, halten ihre Hüte fest, während sie eiligen Schrittes zur Arbeit zurückkehren. Um ein Uhr ist es wieder still auf der Straße.

Fröstelnd steht Olympia von der Bank auf und geht zu der Bäckerei. Bei ihrem Eintreten sieht die Serviererin im schwarzen Kleid mit blauer Schürze so erstaunt auf, als wäre der Laden geschlossen.

»Kann ich eine Tasse Tee haben?« fragt Olympia.

»Essen gibt's nicht mehr«, erklärt die Serviererin, »aber eine Tasse Tee kann ich Ihnen schon machen.«

»Danke.« Olympia sucht sich einen Platz am Fenster und setzt sich so, daß sie das Haus Nummer 137 im Auge hat. Sie zieht ihre Handschuhe aus und stopft sie in die Taschen ihres Kostüms. Von dem Gedanken getrieben, daß sie nach Hause zurückkehren wird, ohne etwas über den Jungen erfahren zu haben, wenn sie nichts wagt, fragt sie die Serviererin, als diese den Tee bringt, ob sie eine Familie Bolduc kenne.

»Na, das will ich meinen«, antwortet die junge Frau mit irisch klingendem Akzent. »Bolducs gibt's hier wie Sand am Meer. Welche meinen Sie denn?«

»Albertine?« sagt Olympia mit stockendem Atem. »Und Telesphore?«

»Da haben Sie Glück«, antwortet das Mädchen, sich die Hände an ihrer Schürze wischend. »Die wohnen gleich gegenüber.«

Olympia lächelt, scheinbar freudig überrascht.

»Aber wenn Sie zu Albertine wollen«, fährt das Mädchen fort, »werden Sie die jetzt nicht antreffen. Die kommt erst nach vier heim, wenn die erste Schicht vorbei ist. Dafür ist Telesphore jetzt zu Hause. Bis kurz vor vier. Da«, sie zeigt auf die blaue Tür, »das ist das Haus, in dem sie wohnen. Wie eine Verwandte schauen Sie nicht aus. Sie sind wohl eine Freundin?«

»Ja«, antwortet Olympia.

»Den Kleinen kennen Sie sicher auch.«

»Ja«, sagt Olympia wieder.

»Süßer kleiner Racker, nicht?«

Olympia nickt.

»Ich frag mich, wann die beiden, Albertine und Telesphore, mein ich, sich überhaupt mal sehen«, bemerkt das Mädchen. »Immer wenn der eine kommt, geht der andere gerade. – Wenn Sie Hunger haben, kann ich Ihnen eine Austernsuppe holen.«

Olympia, die das Entgegenkommen des Mädchens nicht

zurückweisen möchte, sagt, einen Teller Suppe würde sie gern nehmen.

Die Suppe ist wäßrig, aber Olympia zwingt sich, sie zu essen. Sie löffelt sie langsam, um Zeit zu gewinnen. Sie möchte möglichst lange auf ihrem Beobachtungsposten bleiben. Die Serviererin bringt ihr Salzbiskuits, *scones* und süßes Gebäck und entschuldigt sich dann mit der Bemerkung, sie gehe jetzt »nach hinten«, um selbst zu essen.

Lange sitzt Olympia an dem kleinen Tisch, auf den nun das warme Licht der Nachmittagssonne fällt. Sie hat so viel gegessen, daß sie schläfrig geworden ist. Aber sie wird schlagartig munter, als sie – auf dem Glockenturm zeigt die Uhr drei Uhr fünfzig an – Albertine in einem strengen schwarzen Kleid mit schwarzer Schürze die Steintreppe hinauflaufen und hinter der blauen Tür verschwinden sieht. Fünf Minuten später kommt ein Mann in blauem Arbeitshemd und mit schwarzer Schirmmütze (sein Kopf ist gesenkt, so daß Olympia sein Gesicht nur undeutlich sehen kann) aus dem Haus und geht die Treppe hinunter zum Bürgersteig. Unschlüssig, was sie tun soll, denn sie hat nicht die Absicht, bei der Familie Bolduc zu klopfen, bleibt Olympia noch eine Weile an ihrem Platz sitzen. Und nach kurzer Zeit schon wird ihre Geduld belohnt. Wieder erscheint Albertine Bolduc an der blauen Tür. Olympia versucht, sich gegen die innere Erschütterung zu wappnen, von der sie weiß, daß sie kommen wird, aber als der Junge heraustritt, begreift sie ein für allemal, daß nichts sie jemals gegen den Sturm der Gefühle feien kann, der sie so heftig ergreift, daß sie die Faust auf den Mund drücken muß.

Das dicke dunkelbraune Haar des Jungen scheint vor kurzem geschnitten worden zu sein. Es sieht aus, als hätte man ihm einfach eine Schüssel über den Kopf gestülpt und wäre mit der Schere dem Rand gefolgt. Weich fällt es ihm fast bis zu den Augenbrauen hinunter und lenkt den Blick auf die großen hellbraunen Augen, die das kleine Gesicht mit der Stupsnase, dem hübsch geschwungenen Mund und dem vollen kleinen Kinn beherrschen. Instinktiv greift der Junge nach der Hand seiner Mutter, und gemeinsam steigen sie die drei Stufen hinunter. Er trägt heute eine lange Hose und einen grauen selbstgestrickten Pullover mit passender Wollmütze. Nur die Schuhe, die rissigen, braunen Lederschuhe, sind dieselben.

Olympia legt ein paar Münzen auf den Tisch und verläßt die Bäckerei unbemerkt. Sie folgt dem Paar in sicherem Abstand. Sie ist sich bewußt, daß eine Art Wahnsinn von ihr Besitz ergriffen hat und sie zu einem Verhalten treibt, das sie nicht für möglich gehalten hätte. Wie eine Schnüfflerin kommt sie sich vor, und die ist sie ja auch. Aber obwohl ihr die Absurdität ihres Handelns klar ist, bringt sie es nicht über sich, die Frau und das Kind einfach davongehen zu lassen. Sie folgt ihnen bis zur Ecke Washington Street, dann hinunter bis zur Fembroke Street, schmal, von Arbeiterhäusern gesäumt, Backsteinbauten, von denen einer aussieht wie der andere, mit kleinen Fenstern und ungestrichenen Zäunen vor armseligen Vorgärten. Auf eines dieser Häuser steuern Albertine und der Junge zu, er läuft die Vortreppe hinauf und stößt die Haustüre auf, als hätte er das schon hundertmal getan.

Olympia, die es aus Angst vor Entdeckung nicht wagt, der Frau und dem Kind in die Pembroke Street zu folgen, bleibt an der Ecke stehen und beobachtet die Szene. Am liebsten würde sie sich niedersetzen und warten, bis der Junge wieder herauskommt; sie möchte ihn nie mehr aus den Augen lassen, deshalb braucht sie ein paar Minuten, ehe sie es über sich bringt, der kleinen Straße den Rücken zu kehren und zur Straßenbahnhaltestelle zurückzugehen. Es ist fast fünf, und wenn sie die letzte Bahn nach Ely verpaßt, muß sie die Nacht in Ely Falls verbringen.

Eine Zeitlang geht sie wie blind vor sich hin, mit ihren Gedanken nur bei dem Jungen. Wird das für immer alles bleiben, was ihr von ihm gegönnt ist? Diese gestohlenen Blicke? Eine persönliche Beziehung zu Albertine Bolduc wird niemals möglich sein, das weiß sie jetzt. Und diese heimlichen Beobachtungen kann sie nicht fortsetzen, ohne irgendwann entdeckt zu werden. Das aber will sie auf keinen Fall.

So kann es nicht weitergehen. Diese Situation ist unerträglich. Sie muß sich aus dieser Besessenheit befreien. Sie muß den Jungen vergessen und ihr eigenes Leben führen. Sie muß sich eine Anstellung suchen, vielleicht als Erzieherin oder Lehrerin. Wahrscheinlich könnte Rufus Philbrick ihr dabei behilflich sein. Ganz von diesen Gedanken gefangen, achtet Olympia nicht darauf, wohin ihr Weg sie führt, und als sie sich nach einiger Zeit umschaut, stellt sie fest, daß sie sich im Geschäftsviertel von Ely Falls verlaufen hat. An der Ecke ist eine Filiale der Bank of New Hampshire, daneben das Redaktionsgebäude des *Ely Falls Sentinel*. Sie sieht ein Bestattungsinstitut, den Verwaltungsbau einer Versicherungsgesellschaft sowie verschiedene andere Firmen und Geschäfte mit Schildern an den Türen oder in den Fenstern. Auf der anderen Straßenseite fällt ihr eine schwarze Plakette neben einer Tür auf; schwarz mit goldener Schrift: »Tucker & Tucker, Rechtsanwälte«. Sie wendet sich ab und späht durch das Glasfenster der Bank in das Foyer. Die Bank ist geschlossen. Sie fragt sich, wie spät es sein mag.

Die Kanzlei, sagt sie sich, wird ebenfalls geschlossen sein. Selbst wenn sie so weit gehen sollte, an die Tür zu klopfen, wird ihr gewiß niemand öffnen. Sie wird das als ein Zeichen nehmen, eine Botschaft. Sie wird nach Fortune's Rocks zurückfahren und dort bleiben und nicht wieder nach Ely Falls kommen. Ja, sie wird es als Zeichen nehmen, das sie nicht unbeachtet lassen darf.

Mit diesen kindlichen Selbsttäuschungen gewappnet, überquert Olympia am vierzehnten September 1903 die Dover Street in Ely Falls und betritt die Kanzlei Tucker & Tucker, Rechtsanwälte, um anzukündigen, daß sie beabsichtigt, ihren Sohn, Pierre Francis Haskell, zurückzufordern.

# TEIL VIER

# Die Klage

»Ihren Worten zufolge haben Sie ihn also im Haus Ihres Vaters kennengelernt«, sagt Payson Tucker.

Auf den Knien des jungen Anwalts liegt ein Schreibheft mit marmoriertem Umschlag, das Olympia an die Schulhefte erinnert, in denen sie als Kind ihre Schreibübungen machte: Von Zeit zu Zeit notiert Tucker sich etwas, wobei er seine Feder in ein Tintenfaß aus gestreiftem Glas taucht, das auf dem Schreibtisch hinter ihm steht. Das Zimmer ist klein – glänzendes Holz, braunes Leder, Messingbeschläge – und erinnert Olympia an die Bibliothek ihres Vaters in Boston. Vielleicht ist es diese Gedankenverbindung, vielleicht auch die ernsthafte Aufmerksamkeit des jungen Mannes, die seinen Fragen Autorität verleiht.

»Wir sind uns zum erstenmal am einundzwanzigsten Juni 1899 im Sommerhaus meines Vaters in Fortune's Rocks begegnet«, berichtet Olympia. »Ich weiß es deshalb noch so genau, weil es der Sonnenwendtag war.«

»Wie alt waren Sie damals?«

»Fünfzehn.« Sie wartet auf eine Reaktion von Tucker, aber sein Gesicht bleibt unbewegt.

»Und wie alt war Mr. Haskell?«

»Einundvierzig.«

»Und jetzt sind Sie wie alt?«

»Zwanzig.«

Tucker rückt seine goldgerändete Brille zurecht und betrachtet sie nachdenklich. »John Haskell war im Haus Ihres Vaters zu Gast?«

»Ja. Er war mit seiner Frau und seinen Kindern da.«

»Ich verstehe«, sagt Tucker in neutralem Ton, und Olympia fragt sich, was genau er versteht. Sie schätzt ihn auf fünf- oder sechsundzwanzig, aber er scheint Wert darauf zu legen, älter zu wirken. Der schon jetzt zurückweichende Haaransatz kommt ihm in diesem Bemühen entgegen. Er ist ein schlanker Mann mit blassem Teint und schwarzem geschmeidigen Haar, das ihm, wenn er den Kopf neigt, locker ins Gesicht fällt.

»Können Sie mir ihre Namen nennen?« fragt er.

»Catherine«, antwortet sie. »Das ist – war – seine Frau. Ich weiß nicht, ob sie geschieden sind. Ich habe nur gehört, daß sie von ihm getrennt lebt. Die Kinder heißen Martha, Clementine, Randall und May.«

Bei Olympias Erscheinen in der Kanzlei war Payson Tucker im Begriff, Tasche und Hut zu nehmen, um sich auf den Heimweg zu machen. Ein wenig unsicher hat sie sich vorgestellt und ihm erklärt, sie brauche einen Anwalt. Tucker, der etwas überrascht schien, bat sie, Platz zu nehmen. Seitdem bemüht sie sich, seine Fragen so genau wie möglich zu beantworten.

»Wie alt waren seine Kinder damals?« fragt er jetzt.

»Martha war zwölf. Die anderen jünger.«

»Und wo hält sich John Haskell jetzt auf?«

»Das weiß ich nicht.«

Tucker legt seinen Federhalter nieder. »Es ist vielleicht am besten, wenn Sie mir einfach die ganze Geschichte erzählen«, meint er. »Von Anfang an.«

Olympia reagiert nicht gleich. Sie läßt ihren Blick zu einem hohen Bücherschrank aus dunklem Eichenholz wandern. Hunderte von Bänden stehen auf den Borden, in Leder gebundene Texte mit komplizierten Titeln. Sie zögert. Es widerstrebt ihr, mit einem Fremden von den innigsten Momenten ihres Lebens zu sprechen, denn ihr ist klar, daß selbst die anschaulichsten Worte der Realität nicht gerecht werden können. Und wenn ihr alle Wörter der Welt zur Verfügung stünden, könnte sie nicht die Wonne und das Glück beschreiben, die sie mit Haskell geteilt hat. Sie fürchtet, daß sie im Gegenteil diesen wunderbaren Erfahrungen alle Lebendigkeit nehmen, sie zu bloßen Bildern herabmindern wird, über die ein anderer vielleicht schockiert ist, so wie der Ahnungslose erschrocken zurückfährt, wenn sein Blick unversehens auf zwei Liebende im Moment ihrer tiefsten Intimität fällt. Wird nicht eine solche Störung, wird nicht dieser fremde Blick das Ereignis selbst verändern und ihm etwas Kostbares rauben?

»Ich kann Ihnen erzählen, wie es war«, sagt Olympia, »aber vorher muß ich Sie auf eine Tatsache hinweisen, die sehr wichtig ist.«

»Aber ja, natürlich.«

»Ich war zwar sehr jung und hatte wenig Ahnung von der Tragweite dessen, was ich tat, aber ich bin nicht verführt worden. Ich hatte meinen eigenen Willen und ein gewisses Bewußtsein. Ich hätte es jederzeit verhindern können. Verstehen Sie, was ich damit sagen will?«

»Ich denke schon.«

»Glauben Sie mir?«

Den Federhalter zwischen Daumen und Zeigefinger hin und her drehend, mustert er sie aufmerksam. Sie fragt sich, ob »Tucker & Tucker« Vater und Sohn bedeutet oder vielleicht Bruder und Bruder.

»Ja«, antwortet er. »Ja, ich glaube Ihnen. Ich denke, Sie würden das nicht sagen, wenn es nicht wahr wäre.«

Es ist warm im Büro, und sie zieht ihre Handschuhe aus. »John Haskell und ich sind an diesem ersten Wochenende mehrmals miteinander allein gewesen«, beginnt sie. »Das nächstemal trafen wir uns am vierten Juli. Wir – ungefähr zwei Wochen später wurden wir – miteinander intim. Ich war nur diesen einen Sommer mit ihm zusammen, sechs Wochen.«

»Wo haben die Haskells gelebt?«

»Haskell wohnte im Highland Hotel. In Fortune's Rocks. Catherine und die Kinder lebten bis zur Fertigstellung ihres

Hauses in Fortune's Rocks in York, Maine, bei Catherines Mutter.«

»Aja, das Highland kenne ich. Und Sie…« Tucker zögert, versucht, den peinlichen Moment zu überspielen, indem er ein imaginäres Staubkörnchen vom Ärmel seines Nadelstreifenjacketts zupft. »Sie sind zu ihm ins Hotel gegangen? Oder ist er zu Ihnen ins Haus gekommen? Oder haben Sie sich anderswo getroffen?«

»Gewöhnlich bin ich zu ihm ins Hotel gegangen«, antwortet sie mit Mühe und denkt, wie wenig gewöhnlich es doch war. »Er war dreimal bei uns im Haus. Dort habe ich ihn auch zum letztenmal gesehen.«

»Und wann war das?«

»Am zehnten August.«

»Was ist an dem Tag geschehen?«

Olympia senkte den Blick. Sie hat die Hände so fest ineinander gekrampft, daß die Knöchel weiß hervortreten. Sie denkt an den Abend, an dem sie Haskell zum letztenmal gesehen hat, an all die Tage, die zu diesem letzten Abend hinführten. An all die Tage, an denen sie Haskell und Catherine hätte daran hindern können, zum Gartenfest ins Haus ihres Vaters zu kommen. Aber sie hat es nicht getan. Sie hatte, wie sie heute weiß, zu dem Zeitpunkt schon jene Phase einer Liebesbeziehung erreicht, in der jede Begegnung mit dem Geliebten heiß erwünscht ist, mögen die Umstände noch so förmlich oder widrig sein, weil sie nicht nur die Gelegenheit bietet, den Geliebten zu sehen, sondern auch die Chance, den köstlichen Kitzel stillschweigender Zwiesprache inmitten einer ahnungslosen Öffentlichkeit zu genießen. Olympia könnte Payson Tucker erzählen, sie hätte gewünscht, ihr Vater hätte die Haskells nicht eingeladen; sie könnte behaupten, sie hätte Catherine Haskell, die sie aufrichtig bewunderte, auf keinen Fall den kleinsten Anlaß zur Beunruhigung geben wollen. Aber das wären Lügen.

»Mein Vater hat ein Fest gegeben, und die Haskells kamen auch. Catherine hat uns an diesem Abend entdeckt.«

Tucker taucht seine Feder ins Tintenfaß und macht sich eine Notiz. »Hat sie selbst Sie beide entdeckt, oder war es eine andere Person, die es ihr dann mitteilte?«

Olympia wendet sich ab.

»Wenn das zu schmerzhaft ist ...«, sagt er.

»Mrs. Haskell hatte Hilfe«, sagt sie. »Von einem Mann namens Zachariah Cote.«

Payson Tucker hebt interessiert den Kopf. In seinen Brillengläsern blitzt es auf. »Sie sprechen von dem Dichter?«

»Ja«, antwortet sie, leicht überrascht, daß Tucker von Cote gehört hat. »Nach diesem Abend habe ich John Haskell nicht wiedergesehen«, fügt sie hinzu.

»Ist er weggegangen?«

»Die Nacht vom zehnten August hat er in seinem neuen Haus verbracht. Wohin er danach gegangen ist, weiß ich nicht. Ich glaube, er hat Fortune's Rocks und Ely Falls verlassen.«

»Hatte er denn auch in Ely Falls einen Wohnsitz?« fragt der Anwalt.

»Nein, er hat dort an der Klinik gearbeitet.«

»Ich verstehe.«

»Und wann wurde Ihnen klar, daß Sie ein Kind erwarten?«

Tucker stellt die Frage so beiläufig, als wäre sie nur eine von vielen. Olympia öffnet den Mund, um zu antworten, aber sie bleibt stumm. Sie spürt, wie sich Hitze in ihrem Gesicht ausbreitet. Tucker, der sie nicht aus den Augen gelassen hat, neigt sich ihr entgegen. Eine Haarsträhne fällt nach vorn, und er streicht sie sich hinter das Ohr.

»Miss Biddeford, ich weiß, daß das quälende Fragen sind, und Sie haben bisher bei der Beantwortung sehr viel Mut bewiesen. Ich brauche diese Auskünfte, wenn ich Ihren Fall übernehmen soll. Und ich muß wissen, ob Sie die Kraft haben, gewissen Tatsachen Ihrer Vergangenheit ins Gesicht zu sehen.

Glauben Sie mir, das hier ist nur ein milder Vorgeschmack auf das, was kommen wird, wenn Sie vor Gericht gehen sollten.«

Olympia nickt. »Ich bin am Morgen des elften August mit meinen Eltern aus Fortune's Rocks abgereist«, berichtet sie. »Wir leben in Boston, in Beacon Hill. Um den neunundzwanzigsten Oktober herum war ich ziemlich sicher, daß ich ein Kind erwartete.«

»Sie wurden von einem Arzt untersucht?«

»Nicht gleich.«

Tucker lehnt sich in seinem Sessel zurück. Hinter ihm auf dem Schreibtisch steht in silbernem Rahmen die Photographie einer hübschen Frau von etwa Mitte Dreißig. Sicher seine Mutter, vermutet Olympia. Als junge Frau.

»Miss Biddeford, die nächste Frage ist äußerst unangenehm, aber ich muß sie stellen. Besteht auch nur die geringste Möglichkeit, daß ein anderer Mann – also nicht John Haskell – der Vater des Kindes ist?«

Trotz Tuckers Warnung ist Olympia schockiert, weniger von der Frage selbst, als von der Vorstellung, zu einem anderen als Haskell eine so intime Beziehung gehabt zu haben.

»Nein«, antwortet sie mit Nachdruck. »Überhaupt keine.«

»Gut.« Er sieht ehrlich erleichtert aus. »Das ist gut. Haben Sie versucht, sich mit John Haskell in Verbindung zu setzen, um ihm von der Schwangerschaft Mitteilung zu machen?«

»Nein.«

»Erzählen Sie mir genau, was am Tag der Geburt des Kindes geschehen ist.«

»Genau weiß ich das nicht. Gegen Ende hat der Arzt mir Laudanum gegeben, weil die Schmerzen so stark waren. Ich bin eingeschlafen, und als ich wieder aufwachte, hatte man mir das Kind schon genommen.«

»Aber Sie haben das Kind gesehen?«

»Ja.«

»Und Sie wußten, daß es ein Junge war?«

»Man sagte mir, es sei ein Junge.«

»Sie wurden von einem Arzt betreut? Oder von einer Hebamme?«

»Von einem Arzt. Dr. Ulysses Branch aus Boston.«

»Hat er Ihnen das Kind genommen?«

»Das weiß ich nicht. Aber ganz gleich, wer es mir genommen hat, er hat es auf Anweisung meines Vaters getan. Er hatte mir gegenüber ein-, zweimal ›Maßnahmen‹ erwähnt, die er getroffen habe. Persönlich hat er allerdings nie mit mir darüber gesprochen, was mit dem Kind geschah – weder damals noch später.«

»Und Sie haben ihn nie danach gefragt?«

»Nein.« Sie versteht plötzlich selbst nicht, warum sie es nie getan hat. Wie kam es, daß sie sich so widerstandslos in ihr Schicksal ergab?

»Hat Ihr Vater am Tag der Geburt das Haus verlassen?«

»Nein.«

»Dann muß er das Kind einer anderen Person übergeben haben?«

»Ja. Ich weiß nicht, wem, aber ich habe Grund zu der Vermutung, daß sich das Kind kurze Zeit in der Obhut John Haskells befand.«

»Ich verweile deshalb so lange bei den Umständen der Geburt, weil die Frage, wie und wann Ihnen das Kind genommen wurde, sehr wichtig werden kann«, erklärt Tucker.

»Ja, das ist mir klar.«

»Wie haben Sie vom Aufenthaltsort des Kindes erfahren?«

»Durch Zufall«, antwortet sie. »Bald nach meiner Ankunft in Fortune's Rocks – ich bin im Juli zurückgekommen – bekam ich Besuch von einem alten Freund meines Vaters, Rufus Philbrick...«

»Aja, ich kenne ihn«, unterbricht Tucker kurz.

»Und bei diesem Besuch erwähnte er, daß das Kind damals im Waisenhaus von St. André untergebracht wurde.«

»Woher hat er das gewußt?«

»Er ist Mitglied des Verwaltungsrates. Am nächsten Tag bin ich nach Ely Falls gefahren und habe im Waisenhaus mit einer Nonne gesprochen. Ich glaube, sie heißt Mutter Marguerite Pelletier. Sie sagte mir, daß das Kind zwar im Waisenhaus gewesen sei, aber dann zur Pflege in eine Familie gegeben wurde. Sie hat mir auch den Vornamen des Jungen genannt. Den Nachnamen wollte sie mir nicht verraten.«

»Aber Sie sagen doch, das Kind heißt…« Tucker wirft einen Blick in seine Aufzeichnungen, »…Pierre Francis Haskell.«

»Ja, das hat Mr. Philbrick für mich ausfindig gemacht«, erklärt Olympia. »Ich habe ihn nach meinem Besuch im Waisenhaus gebeten, den Aufenthaltsort des Kindes für mich in Erfahrung zu bringen. Er sagte mir dann, daß der Nachname des Jungen Haskell sei.«

»Und was konnte er Ihnen noch sagen?«

»An dem Tag, als ich bei ihm war, konnte er mir keine weiteren Auskünfte geben, aber später schrieb er mir, daß der Junge bei einem frankoamerikanischen Ehepaar lebt, Albertine und Telesphore Bolduc. Sie wohnen in Ely Falls in der Alfred Street 137 und arbeiten beide in der Textilfabrik. Der Junge ist jetzt drei Jahre alt. Ich habe den Jungen gesehen, und er scheint gesund zu sein. Das ist alles, was ich weiß. Ach ja, und er wurde katholisch getauft.«

»Sie haben mit dem Jungen gesprochen?«

»Nein, ich habe ihn nur aus der Ferne gesehen.«

Tucker nimmt seine Brille ab und putzt die Gläser mit einem Taschentuch. »Haben Sie an dem Kind etwas bemerkt, was Sie davon überzeugt hat, daß es Ihr Kind ist?«

Olympia weiß, daß sie niemals den Schock beim ersten Anblick des Jungen vergessen wird. »O ja. Er hat große Ähnlichkeit mit seinem Vater. Ich denke, jeder würde das sehen.«

Tucker setzt seine Brille wieder auf. »Haben Sie jemals mit Albertine oder Telesphore Bolduc gesprochen?«

»Nein.«

»Haben Sie mit irgend jemanden darüber gesprochen, daß Sie beabsichtigen, Ihr Kind zurückzufordern?«

»Nur mit Rufus Philbrick.«

»Und Sie sagen, Sie haben den Jungen auch heute gesehen.«

»Ja.«

Tucker lehnt sich in seinen Sessel zurück und faltet die Hände unter dem Kinn. »Ich kann Ihnen noch nicht sagen, ob es möglich ist, diesen Fall weiterzuverfolgen«, sagt er.

»Ich verstehe.«

»Ich muß zunächst einige Nachforschungen anstellen.«

Sie nickt.

»Dafür brauche ich einen Privatdetektiv. Das ist in solchen Fällen üblich…«

»Ja«, sagt Olympia.

»Es fällt mir schwer, über Geld zu sprechen, aber ich fürchte…«

»Ich habe Geld«, versichert Olympia rasch. »Geld ist kein Problem.«

»Gut.« Er steht auf, und sie folgt seinem Beispiel.

»Darf ich Ihnen Ihren Wagen rufen«, fragt er. »Oder haben Sie ein Automobil?«

»Mr. Tucker, ich lebe allein«, erwidert Olympia. »Ich habe weder Wagen noch Automobil, und ich fürchte, ich habe die letzte Straßenbahn nach Ely verpaßt. Wenn Sie mir freundlicherweise eine Droschke rufen würden…«

Tucker zieht eine goldene Uhr aus seiner Westentasche und wirft einen Blick darauf. »Ja. Ja, natürlich«, sagt er, sich zum Schreibtisch umdrehend. Er scheint etwas zu suchen. »Sind Sie telephonisch erreichbar?«

»Nein.«

»Dann brauche ich Ihre Adresse.«

»Natürlich.«

»Ich werde Sie vielleicht gelegentlich in Fortune's Rocks

aufsuchen müssen, um weitere Fragen zu klären«, bemerkt er beiläufig und blättert in einem Adreßbuch.

Überrascht nimmt sie wahr – sein Gesicht verrät es ihr –, daß Payson Tucker sie interessant findet, vielleicht auch faszinierend oder sogar anziehend, und daß er deshalb ihren Fall übernehmen wird. Soll sie so gewissenlos sein, diese Tatsache auszunutzen, fragt sie sich mit Unbehagen. Aber dann denkt sie an das Kind, ihren Sohn, in den rissigen kleinen Lederschuhen.

»Ich freue mich auf Ihren Besuch«, sagt sie.

Zurück in Fortune's Rocks, schreibt Olympia einen Brief an Rufus Philbrick, um ihm mitzuteilen, daß sie sich einen Anwalt genommen hat, der ihre Ansprüche bezüglich des Kindes prüfen soll. Danach schreibt sie an ihren Vater und bittet ihn um Geld, ohne näher zu erklären, wofür sie es benötigt. Sie wartet auf die Antworten der beiden Männer, und denkt darüber nach, wie sie sich das Geld für einen eventuellen Sorgerechtsprozeß verdienen könnte; aber sie sieht keine andere Möglichkeit, als sich eine Anstellung als Erzieherin zu suchen, und das widerstrebt ihr von Herzen. Um sich die Wartezeit zu verkürzen, liest sie viel, Bücher und Zeitungen, während die Außenwelt sich immer weiter zu entfernen scheint, zumal jetzt auch die letzten Sommergäste Fortune's Rocks verlassen. Es wird noch kälter, und sie fragt sich, ob sie auf Dauer überhaupt in diesem Haus bleiben kann.

Am achtundzwanzigsten September erhält sie einen Brief – aber weder von Rufus Philbrick noch von ihrem Vater.

*27. September 1903*

*Sehr geehrte Miss Biddeford, ich werde mich am 2. Oktober im Highland Hotel aufhalten und würde mich sehr freuen, wenn Sie am Abend dort mit mir speisen würden. Mit ist klar, daß es für Sie vielleicht nicht ganz einfach sein wird, und ich schlage, wenn Ihnen das lieber ist, gern einen anderen Treffpunkt vor. Wie dem auch sei, darf ich am Abend des*

*zweiten um sechs Uhr bei Ihnen vorsprechen, um Sie abzuholen? Ich*
*bin im Besitz einiger Neuigkeiten bezüglich Ihrer Sorgerechtsklage, die*
*Sie, denke ich, interessieren werden.*

*Hochachtungsvoll,*
*Payson Tucker*

Mit dem Brief in der Hand setzt sich Olympia an den Küchentisch und liest das Geschriebene noch einmal durch. Das Highland Hotel. Sie sieht die hohen Zimmerdecken vor sich, das riesige Foyer, den langen Empfangstisch aus Mahagoni. Sie hat gemeint, sie würde nie wieder fähig sein, das Highland zu betreten, aber es erscheint ihr jetzt feige, Payson Tucker eine Absage zu erteilen, zumal ihr viel daran liegt, ihn durch Mut und Entschlossenheit zu beeindrucken. Sie nimmt Federhalter und Tinte aus der Schublade im Küchentisch und beginnt zu schreiben.

*29. September 1903*

*Sehr geehrter Mr. Tucker,*
*es wird mir ein Vergnügen sein, am Abend des 2. Oktober im Highland Hotel mit Ihnen zu speisen. Ich erwarte Sie um sechs Uhr und sehe mit Interesse den Neuigkeiten entgegen, die Sie mir mitzuteilen haben.*
*In Erwartung Ihres Besuches verbleibe ich*
*Olympia Biddeford*

Sie löscht die Tinte ab, steckt den Brief in einen Umschlag und versiegelt ihn mit Wachs. Sie sieht sich in ihrer Küche um.

So beginnt es also, denkt sie.

Für das Abendessen im Highland Hotel wählt Olympia ein smaragdgrünes Samtkostüm mit schwarzem Schnurbesatz. Es ist zwar nicht mehr in Mode, aber der schmale Schnitt schmeichelt ihrer Taille. Dazu trägt sie eine hochgeschlossene Bluse aus cremefarbener Seide, die sie im Schrank ihrer Mutter gefunden hat, und Perlenschmuck – tropfenförmige Ohrgehänge, Halskette und Armband. Fast eine Stunde bringt sie damit zu, ihr Haar aufzustecken, dann sitzt es endlich nach Wunsch, weich fallend an den Seiten, im Nacken zu einem doppelten Knoten geschlungen. Als sie sich im Spiegel in der Küche mustert, stellt sie überrascht fest, daß ihr Gesicht älter wirkt als in ihrer Vorstellung, daß seine Konturen stärker ausgeprägt sind. Und ihr Körper ist schlanker, irgendwie länger, aber vielleicht wirkt das nur so durch das Kostüm. Nein, sie ist wirklich dünner. Sie kommt sich fremd und doch seltsam vertraut vor; vertraut aus einer Zeit, als es nichts Ungewöhnliches war, sich in Samt und Perlen zu kleiden und eine Stunde Zeit auf die perfekte Frisur zu verwenden.

Payson Tucker kommt wie angekündigt um sechs Uhr in einem eleganten gelb-schwarzen Automobil vorgefahren. Sein weißes Hemd leuchtet im Licht der Schweinwerfer auf, als er vorn um das Fahrzeug herumgeht, um ihr beim Einsteigen behilflich zu sein. Er wirkt eindrucksvoller, als sie ihn in Erinnerung hat. Da dies erst ihre zweite Autofahrt überhaupt ist (was sie Tucker allerdings nicht verrät), wird ihr doch ein wenig bang, als sie, schneller als ihr geraten erscheint, die schmale, gewundene Straße hinter der Kaimauer und den Sommerhäusern von Fortune's Rocks hinauffahren.

»Sie sind doch bestimmt eine der letzten hier unten am Strand«, bemerkt er.

»Ja, wahrscheinlich.«

»Und diese Einsamkeit stört Sie nicht?«

»Nein«, antwortet sie. »Ich empfinde sie, ehrlich gesagt, sogar als wohltuend.«

Vor dem Hotel übergibt Tucker den Wagen einem Angestellten, schiebt leicht seine Hand unter Olympias Ellbogen und geleitet sie die lange Treppe hinauf. Obwohl sie sich auf diesen Moment vorbereitet hat, stockt ihr Fuß, als sie das Foyer betreten. Sie versucht, das Zaudern mit Worten zu überspielen.

»Was führt Sie denn so spät im Jahr noch ins Highland?«
fragt sie Tucker.

»Ich hatte heute in Fortune's Rocks zu tun und habe morgen auch noch einen Termin hier«, erklärt er. »Da bot es sich an, hier zu übernachten, anstatt nach Exeter zurückzufahren, wo ich lebe. Außerdem hielt ich es für eine ausgezeichnete Gelegenheit, Sie wiederzusehen.«

Er führt sie in den Speisesaal, der völlig unverändert scheint und an diesem Dienstagabend im Oktober kaum besucht ist. Ein Ober führt Olympia und Tucker an einen Tisch mit weißen Kerzen und einem Strauß spätsommerlicher Rosen. Während sie ihren Blick über die funkelnden Gläser, die silbernen Champagnerkübel und das schwere Silber zum gewaltigen Kristalleuchter an der Decke des großen Raumes schweifen läßt, geht ihr der Gedanke durch den Kopf, daß sie seit vier Jahren nicht mehr in Gesellschaft war. Und sie ruft sich ins Gedächtnis, mit welcher Selbstverständlichkeit sie damals die Privilegien ihres Standes hingenommen hat, den Luxus, die Bequemlichkeit, die opulenten Speisen, die bevorzugte Behandlung – als gebührte ihr nichts anderes. Vielleicht, denkt sie jetzt, ist solche Blindheit notwendig, um diesen Überfluß genießen oder auch nur ertragen zu können.

»Das Hotel hat nur noch eine Woche geöffnet«, bemerkt Tucker.

»Ja, es sind offenbar kaum Gäste da. Sie werden sich ganz verloren vorkommen.«

»Ich möchte Ihnen sagen – und ich hoffe sehr, Sie werden an meinen Worten keinen Anstoß nehmen –, daß Sie heute abend ganz bezaubernd aussehen«, sagt Tucker.

Er nimmt seine Brille ab und legt sie neben seinen Teller. Erstaunt bemerkt sie, wie tiefdunkel seine Augen ohne das verschleiernde Glas der Brille sind, wie lang und seidig seine Wimpern.

»Wenn ich an solchen Worten Anstoß nehmen wollte«, erwidert sie, »dann weiß ich nicht, wie wir mit der Geschichte umgehen sollten, die mich zu Ihnen geführt hat. Soweit ich mich erinnere, haben wir bei meinem Besuch in Ihrer Kanzlei weit ›anstößigere‹ Dinge besprochen.«

Tuckers Haar, das er an diesem Abend glatt aus der Stirn gekämmt trägt, glänzt von Haaröl oder Pomade. Auch das entspricht offenbar der Mode, denkt Olympia und ist nun gewiß, daß ihr smaragdgrünes Kostüm, obwohl hier und dort geändert, hoffnungslos altmodisch ist.

»Leben Sie in Exeter bei Ihren Eltern?« fragt sie.

»Ich lebe mit meinen Eltern und meiner Schwester zusammen«, antwortet er, »und arbeite bei meinem Vater, der mich in seine Kanzlei aufgenommen hat. Wären Sie eine halbe Stunde früher gekommen, dann wäre er jetzt Ihr Anwalt.«

»Nun, dann will ich mich ausnahmsweise darüber freuen, daß ich mich verspätet habe«, gibt sie zurück.

»So groß wie meine Freude kann Ihre gar nicht sein«, erklärt Tucker mit etwas mehr Wärme, als Olympia angenehm ist.

Ein Kellner bringt den bestellten Champagner.

»Mögen Sie Austern?« fragt Tucker.

»Ja, sehr.«

»Ich möchte Sie nicht täuschen und auf keinen Fall Ihr Vorhaben zu klagen in irgendeiner Weise gefährden, deswegen fühle ich mich verpflichtet, Ihnen zu sagen, daß ich erst vor einem Jahr mein Jurastudium in Yale abgeschlossen habe«, sagt Tucker entwaffnend, nachdem der Kellner gegangen ist. »Ich habe mit meinem Vater über Ihren Fall gesprochen, und wenn Sie sich lieber von ihm vertreten lassen möchten, werde ich bestimmt nicht gekränkt sein. Im Gegenteil, ich rate Ihnen, diese Möglichkeit sorgfältig zu erwägen. Mein Vater hat erheblich mehr Prozeßerfahrung als ich. Ihr Fall ist allerdings sehr ungewöhnlich, und ich bedaure, Ihnen sagen zu müssen, daß auch mein Vater einen solchen Prozeß bisher nicht geführt hat. Ich kann keinen ähnlich gelagerten Fall in den Gerichtsarchiven finden.«

»Tatsächlich? So ungewöhnlich ist mein Fall?«

»Es sieht ganz so aus. Soweit ich feststellen kann, ist im Staat New Hampshire nur zweimal in einer solchen Sache Klage erhoben worden.«

Er scheint weitersprechen zu wollen, unterbricht sich jedoch und streicht sich mit den Fingerspitzen über den Bart.

»Und wie sind diese beiden Prozesse ausgegangen?« fragt sie nach einer kleinen Pause.

»Die Klage wurde abgewiesen«, antwortet er leise.

»Ich verstehe.«

»Ich habe übrigens mit großen Interesse die Geschichte Ihres Hauses in Fortune's Rocks nachgelesen«, bemerkt Tucker, offensichtlich bemüht, das Thema zu wechseln.

Sie blickt auf. »Wie sind Sie denn dazu gekommen?«

»Mir kam die Adresse bekannt vor, als Sie sie mir in der Kanzlei nannten. Vor einem halben Jahr ungefähr, als ich in einer Angelegenheit der katholischen Diözese in Ely Falls tätig war, bin ich auf einige alte Dokumente gestoßen, die das Kloster betrafen«, erklärt er. »Wußten Sie, daß die Kirche gezwungen war, das Kloster zu schließen? Es scheint da einen Skandal gegeben zu haben.«

»Nein, davon hatte ich keine Ahnung«, antwortet sie. »Ich dachte immer, die Kirche hätte beschlossen, die Nonnen nach Ely Falls zu holen, um sie dort das Hospiz und das Waisenhaus betreuen zu lassen. Ich bin ganz sicher, daß man es meinem Vater so berichtet hat.«

»O ja, daran zweifle ich nicht. Man hat sich sehr bemüht, den Skandal zu vertuschen. Die katholische Kirche besaß – besitzt – ungeheuren politischen Einfluß in Ely Falls.«

Er hält inne und schweigt, während der Kellner auf einer silbernen Platte die Austern serviert, auf Eis, mit Zitrone und Meerrettich.

»Das Haus wurde in den späten siebziger Jahren des letzten Jahrhunderts gegründet, um jungen Frauen Zuflucht zu gewähren, die nach Ansicht ihrer Familien einen liederlichen Lebenswandel führten oder vom rechten Weg abgekommen waren. Es war gewissermaßen eine Klosterschule«, erläutert Tucker.

»So jung waren die Mädchen.«

»Die jüngsten waren zwölf Jahre alt. Einige von ihnen waren Opfer von Gewalt oder Hausmädchen, die von ihren Arbeitgebern mißbraucht worden waren.«

Olympia legt ihre Austerngabel nieder. »Mr. Tucker, ich bin wirklich überrascht!«

»Miss Biddeford«, erwidert er sofort in einer Art, als wäre er sich bewußt geworden, einen unverzeihlichen Fehler begangen zu haben. »Entschuldigen Sie vielmals. Bitte, verzeihen Sie mir.«

»Weniger über die Geschichte selbst«, erläutert sie, »als über die unübersehbare Parallele zu meiner eigenen Situation. Ich nehme doch an, wir sprechen von ledigen Müttern.«

»Ich hatte selbstverständlich nicht die Absicht… ich weiß gar nicht, warum ich… ich vermute, ich sehe Sie ganz anders als diese unglücklichen jungen Frauen. Es tut mir aufrichtig leid, wenn ich Ihnen zu nahe getreten bin.«

»Nein, nein.« Sie winkt ab. »Machen Sie sich keine Gedanken. Ich kann nicht behaupten, daß diese Geschichte mich nicht überrascht, und ich bin natürlich empfindlich, was meine persönliche Situation angeht, aber es war auch eine ungeheure Erleichterung für mich, mit jemandem über diese Dinge sprechen zu können, Mr. Tucker. Ich habe das alles jahrelang für mich behalten und mich keinem Menschen anvertraut. Wenn man über Dinge, die wahr sind, nicht sprechen kann, nehmen sie mit der Zeit immer größere Dimensionen an und gewinnen weit mehr Bedeutung, als man ihnen zugestehen sollte. Das Resultat ist schließlich, daß man durch das, was man in der

Vergangenheit getan hat, völlig gelähmt ist. Ich habe diese letzten vier Jahre mit keiner anderen Realität gelebt.«

Tucker schweigt einen Moment, dann sagt er mit offenkundiger Teilnahme: »Es tut mir leid, daß die Vergangenheit Sie so sehr belastet hat, Miss Biddeford, aber ich muß gestehen, daß ich mich auch geehrt fühle durch Ihr Vertrauen.«

Olympia tupft sich den Mund mit ihrer Serviette. »Bitte erzählen Sie jetzt weiter«, sagt sie rasch. »Sie haben mich neugierig gemacht.«

»Tja, es ist wirklich eine schlimme Geschichte, in jeder Beziehung. Die Säuglinge wurden den Mädchen gleich nach der Geburt genommen und in ein Waisenhaus gegeben. Diese Kinder machten damals den größten Teil der im Waisenhaus Betreuten aus und waren eigentlich der Grund seiner Existenz. Aber nicht alle diese jungen Mädchen befanden sich in gleich verzweifelter Lage; manche wurden, nur weil sie übermäßig temperamentvoll oder abenteuerlustig waren, von ihren Familien als schwierig betrachtet.«

»Und wurden deswegen dann von ihren Eltern ins Kloster gegeben?«

»Ja, mit der Vorstellung, daß die Mädchen dort ›gezähmt‹ würden – wie wilde Pferde etwa. Im Kloster herrschte strenge Disziplin. Die Mädchen mußten, genau wie die Mitglieder des Ordens, das Schweigegelübde ablegen.« Er macht eine nachdenkliche Pause. »Man muß sich das einmal vorstellen!«

»Es läuft mir kalt über den Rücken, wenn ich daran denke, daß im Haus meines Vaters solche Dinge geschehen sind. Ich hatte mir das Klosterleben dort ganz anders vorgestellt – friedlich und beschaulich.«

»Ja.«

Der Kellner legt ihnen den Truthahnbraten vor, den sie als Hauptgang bestellt haben.

»Der Skandal wurde öffentlich, als eine junge Frau, die von ihrer Mutter wegen ›liederlichen und sittenlosen Verhaltens‹ in das Kloster verbannt wurde, einen Priester beschuldigte, sich an ihr vergangen zu haben, und vor Gericht zog«, fährt Tucker fort. »Im Laufe des Prozesses stellte sich heraus, daß der Priester – dessen Name übrigens aus allen Unterlagen der Kirche gestrichen ist – die jungen Mädchen ›untersucht‹ hatte, um festzustellen, ob sie …« Tucker bricht ab. Olympia sieht, daß er rot geworden ist. »Es ist unmöglich, das taktvoll zu umschreiben«, sagt er. »Diesen Untersuchungen gemäß wurde dann gewissermaßen die Spreu vom Weizen getrennt, mit der Begründung, daß die Mädchen, die – äh – die Mädchen mit Erfahrung die Unschuldigen verderben könnten.«

»Ich verstehe.«

»Der Fall wurde schließlich mit einem außergerichtlichen Vergleich abgeschlossen, in dessen Rahmen die Kirche sich verpflichtete, das Kloster zu schließen. Die Nonnen, von denen man den meisten keinen Vorwurf machen konnte, gingen nach Ely Falls. Die beiden Frauen, die mit dem Priester gemeinsame Sache gemacht hatten, wurden nach Kanada zurückgeschickt. Wie Sie zweifellos wissen, tun sich die Nonnen des Ordens heute durch ihre zahlreichen guten Werke im Dienst der Gemeinde hervor. Und das Schweigegelübde ist längst aufgehoben.«

»Ein Glück.«

»O ja. Im Rückblick hat man erkannt, daß eben die Verpflichtung zu schweigen den fortgesetzten Mißbrauch der Mädchen begünstigt hat.«

»Und was wurde aus den Mädchen?«

»Darüber geben die Unterlagen keine Auskunft.«

Olympia versucht, sich das Schicksal dieser Mädchen vorzustellen. »Wurden sie von ihren Familien wiederaufgenommen?«

»Ich weiß es nicht.«

»Die Austern waren vorzüglich«, bemerkt sie.

Er lächelt. »Sie haben einen gesunden Appetit, Olympia Biddeford.«

Etwas verlegen glättet sie die Serviette auf ihrem Schoß. »Das höre ich in diesem Herbst schon zum zweitenmal«, erwidert sie.

»Mir gefällt es«, erklärt Tucker. »Die meiste Frauen müssen genauso regelmäßig und kräftig essen wie die Männer. Und warum sollte eine Frau das Essen nicht genießen? Gutes Essen gehört doch zu den Freuden des Lebens, finden Sie nicht?«

Er wartet, bis der Kellner sich entfernt hat.

»Miss Biddeford«, sagt er dann, »es gibt einige Dinge, die wir besprechen müssen. Ich würde, wenn ich könnte, dieses Gespräch, das für Sie nicht angenehm werden wird, bis in alle Ewigkeit hinausschieben, aber leider geht das nicht, wenn wir in Ihrer Sache vorwärts kommen wollen. Bevor ich anfange, möchte ich jedoch sagen, daß ich Ihre Gesellschaft sehr genieße und hoffe, wir werden eines Tages zusammen in einem Restaurant sitzen können, ohne über geschäftliche Dinge sprechen zu müssen.«

»Das ist sehr freundlich von Ihnen«, sagt sie. »Danke.«

»Darf ich jetzt offen sprechen?«

»Bitte.«

»Ich möchte Sie auf keinen Fall entmutigen«, beginnt er, »aber ich muß Sie warnen, die Sache wird schwierig werden. In den meisten Staaten, in denen schon einmal über einen ähnlichen Fall entschieden wurde, hat man der leiblichen Mutter weniger Rechte zugestanden als der Ersatzmutter. In Ihrem Fall hätte also Albertine Bolduc als Ersatzmutter die Richter auf ihrer Seite.«

Es quält Olympia, eine andere Frau als Mutter ihres Sohnes bezeichnet zu hören, obwohl sie weiß, daß sie den Tatsachen ins Auge sehen muß.

»Ferner ist die ledige Mutter im allgemeinen die letzte, der man das Sorgerecht für ein Kind zuzusprechen bereit ist. Eine ledige Mutter, von der man annimmt, daß sie ihr Kind aufgegeben hat, kann keinerlei Rechte auf das Kind geltend machen.«

»So ist es also«, sagt sie.

»Ich weiß, das ist schlimm für Sie«, sagt Tucker. »Bitte lassen Sie es mich wissen, wenn ich Sie schon jetzt zu sehr belaste.«

Olympia kämpft um Gelassenheit. Sie weiß, daß sie sich auf weitere harte Tatsachen gefaßt machen muß. Sie darf sich nicht so schnell entmutigen lassen. Ihr schießt plötzlich der Gedanke durch den Kopf, daß Tuckers Bericht über die Geschichte des Hauses ihres Vaters ein Versuch gewesen ist, sie auf das vorzubereiten, was noch auf sie zukommen wird.

»Nein, nein, es geht mir gut«, versichert sie. »Das heißt, gut geht es mir natürlich nicht. Aber mir ist klar, daß ich mir anhören muß, was Sie mir mitzuteilen haben. Und ich möchte auch alles wissen, weil ich sonst keine vernünftige Entscheidung treffen kann.«

Tucker nickt. Seine Hand liegt auf dem Tischtuch, nicht weit von der ihren entfernt, und sie ahnt, daß er sie unter anderen Umständen wahrscheinlich berühren würde.

»Es ist äußerst wichtig für uns, den Nachweis zu erbringen, daß Sie Ihr Kind nicht freiwillig aufgegeben haben, sondern daß es Ihnen genommen wurde«, fährt er fort. »Ich habe noch einige andere Fakten, die ich Ihnen gern unterbreiten würde, wenn Sie glauben, dem gewachsen zu sein.«

»Sind sie denn so schrecklich?«

»Sie sind – unangenehm.«

»Bitte, fahren Sie fort.«

»Kurz nach seiner Geburt wurde das Kind von Ihrem Vater Josiah Little übergeben«, beginnt Tucker.

»Josiah!« ruft Olympia ungläubig.

Tucker hebt eine Hand. »Nur vorübergehend, um es wegzubringen.«

»Little und seine Frau Lisette sind noch am selben Nachmittag mit dem Kind nach Ely Falls gefahren.«

Olympia kämpft mit aufsteigendem Schwindelgefühl. Lisette! Wie ist das möglich? Sie denkt zurück zum Tag der Geburt. War Lisette bei ihr, nachdem sie entbunden hatte? Sie kann sich nicht erinnern. Nein, vielleicht war sie tatsächlich nicht da. Hat nicht ihre Mutter bei ihr gesessen, während sie noch halb betäubt dahindämmerte?

»Die beiden brachten das Kind zu John Haskell, der in Ely Falls im Hotel wohnte. Soweit ich unterrichtet bin, untersuchte Haskell das Kind und schickte das Ehepaar Little wieder nach Hause. Dr. Haskell brachte das Kind dann ins Waisenhaus von St. André. Er hatte alles Nötige bereits veranlaßt.«

»Ich kann das überhaupt nicht verstehen«, sagt Olympia. »Ich verstehe nicht, wie er das Kind weggegeben haben kann«, murmelt sie wie betäubt.

»Brauchen Sie ein bißchen Zeit?«

Sie schüttelt den Kopf.

Tucker setzt seine Brille wieder auf. »Sehr bald nach seiner Einlieferung ins Waisenhaus«, fährt er fort, »wurde der Junge zu Albertine und Telesphore Bolduc in Pflege gegeben. Sie haben das Kind nicht adoptiert, weil Dr. Haskell bisher nicht gefunden werden konnte, und vor seinem Verschwinden hat er die notwendigen Verzichtserklärungen nicht unterzeichnet. Eine Adoption war daher nicht möglich, wäre auch nicht möglich gewesen, wenn die Bolducs über die notwendigen Mittel verfügt hätten, um die Gerichtskosten und dergleichen zu bezahlen. Sie wird jedoch allein dadurch, daß Sie jetzt Klage erheben, möglich werden.«

»Ich *kann* also Klage erheben?« fragt Olympia.

»Von Gesetzes wegen, ja. Da John Haskell verschwunden ist und das Kind verlassen hat.«

»Aber wenn ich den Prozeß verliere, haben die Bolducs die Möglichkeit, den Jungen zu adoptieren.«

»Sie werden dem Gesetz dieses Staates entsprechend sogar dazu verpflichtet sein.«

»Ich verstehe«, sagt Olympia. »Und wissen Sie, wo John Haskell sich aufhält?«

»Nein. Wenn ich es wüßte, würde ich es Ihnen sagen, glauben Sie mir. Wir haben uns mit der ehemaligen Mrs. Haskell in Verbindung gesetzt, die sich vor zwei Jahen von ihrem Mann scheiden ließ, aber sie hat nicht reagiert und wird es wohl auch nicht tun. Wir haben aber mit ihrem Anwalt gesprochen, der uns mitteilte, daß Dr. Haskell seiner geschiedenen Frau über die Bank von New Hampshire regelmäßig Geld schickt.«

Olympia schließt einen Moment die Augen. Es bedrückt sie, daß Catherine in diese Angelegenheit hineingezogen werden mußte; daß man sie um Auskünfte gebeten hat. Mit einem Schlag wird ihr klar, daß sie etwas begonnen hat, was jetzt seinen eigenen Weg gehen wird, was sie nicht mehr aufhalten kann.

»Albertine und Telesphore Bolduc leben mit dem Kind in einem Raum«, fährt Tucker fort. »Albertine arbeitet sechs Tage in der Woche von morgens halb sechs bis nachmittags um vier als Wollkämmerin in der Textilfabrik, eine nicht ungefährliche Arbeit, die häufig zu tödlichen Erkrankungen der Lunge führt. Davon haben Sie sicher gehört?«

»Ja.«

»Für diese Arbeit bekommt sie ein Entgelt von jährlich dreihundertsechsunddreißig Dollar.«

Olympia sieht Tucker unverwandt an.

»Das Paar hat offensichtlich dafür Sorge getragen, daß das Kind jederzeit angemessen betreut wird«, berichtet Tucker weiter, »obwohl die Organisation der Betreuung die Eheleute vor große Schwierigkeiten stellt. Ich will Ihnen gleich sagen, daß jeder Richter den Fleiß der beiden und ihr gewissenhaftes Bemühen, den Bedürfnissen des Kindes gerecht zu werden, ohne der Opfer zu achten, die es mit sich bringt, günstig bewerten wird.«

Olympia nickt.

»Aber das ist noch nicht alles«, fügt Tucker hinzu. »Ich habe mehr zu berichten, und es ist nicht erfreulicher.«

Olympia blickt auf. »Was kann denn noch schlimmer sein?«

Tucker verschränkt die Arme auf dem Tisch und neigt sich ihr entgegen. »Ich würde Ihnen raten, die Klage gar nicht erst zu erheben«, sagt er. »Lassen Sie mich erklären, was geschehen wird, wenn Sie vor Gericht gehen. Der Prozeß wird eine Tortur für Sie werden. Man wird Sie, als ledige Mutter, wie ein minderwertiges Mitglied der Gesellschaft behandeln. Ihre Vergangenheit wird der Öffentlichkeit preisgegeben werden, und das auf eine Weise, als stünden Sie am Pranger. Sehr wahrscheinlich werden die Bostoner Zeitungen es für wert halten, über den Prozeß zu berichten. In den beiden Fällen, die ich zuvor erwähnt habe, wurde den Klägerinnen beträchtlicher Schaden zugefügt. Eine der jungen Frauen hat sich kurz nach dem Prozeß das Leben genommen.«

Olympia spürt, wie ihre Hände eiskalt werden. Heimlich, so daß Tucker es nicht bemerken kann, schiebt sie sie in die Falten ihres Rockes.

»Es tut mir leid, so hart sein zu müssen«, sagt Tucker. »Aber ich halte es für meine Pflicht, Ihnen die Augen zu öffnen. Wenn Sie wirklich vor Gericht gehen wollen, werden Sie nach dem Prozeß Ihren Ruf verloren haben, ganz gleich, wie der Prozeß ausgeht. Ich glaube nicht, daß der Anwalt der Bolducs Sie schonen oder auf Ihre Gefühle Rücksicht nehmen wird. Es wird nicht einmal mir möglich sein, auf Ihre Gefühle Rücksicht zu nehmen. Ich werde genauso erbarmungslos sein müssen wie der Gegner.«

»Und was für Alternativen habe ich?«

»Die Alternative ist einfach, Miss Biddeford. Sehen Sie von der Klage ab.«

Olympia blickt Payson Tucker an. »Dann werde ich meinen Sohn niemals sehen.«

»Das ist richtig.«

»Ich werde ihn nie in den Armen halten.«

Tucker schweigt.

»Ich werde ihm niemals etwas beibringen«, fährt sie mit wachsender Erregung fort. »Ich werde ihn niemals ankleiden. Ich werde niemals mit ihm sprechen, so wenig wie er mit mir.«

»Ja.«

»Dann gibt es keine Alternative, Mr. Tucker. Ich muß Klage erheben.«

Tucker lehnt sich mit einem Seufzen in seinem Sessel zurück. Sein Blick wandert durch den überladenen Saal, mit den wenigen Gästen.

»Dann erlauben Sie mir, Ihnen zu helfen«, sagt er schlicht.

Wolken haben sich vor den Mond geschoben, und sie kann nur die von den Autoscheinwerfern angestrahlten Ausschnitte der Straße erkennen: ein Stück Mauer, das aufleuchtet und verschwindet; die mit Holzschindeln abgedeckte Ecke eines Hauses; die grelle Silhouette eines Telephonmastes.

»Ich bin erst einmal zuvor in einem Automobil gefahren«, bekennt Olympia. »In der Schule. Einer der Förderer kam zu Besuch. Ich war eine von den Schülerinen, die mit ihm in seinem Automobil zu einem Observatorium auf einen Berg hinauffahren durften.«

»Wo sind Sie zur Schule gegangen?«

»Ach, von dieser Schule haben Sie bestimmt noch nie gehört. Sie nennt sich Hastings Seminar für junge Frauen und liegt in Fairbanks, im westlichen Teil von Massachusetts.«

»Hat es Ihnen Spaß gemacht?«

»Die Fahrt oder die Schule?«

Er lächelt. »Beides.«

»Auf der Autofahrt hatte ich Todesangst. Ich war überzeugt, wir würden seitlich den Berg hinunterrutschen. Als wir oben am Observatorium angekommen waren, habe ich nur überlegt, wie ich wieder hinunterkommen könnte, ohne noch einmal in den Wagen steigen zu müssen. Und die Schule – die habe ich gehaßt.«

Olympia sieht interssiert zu, wie Tucker von einem Gang in den anderen schaltet, und denkt, daß es ihr gefallen würde, das Autofahren zu lernen. Was für ein Luxus, selbst durch die Gegend zu chauffieren!

Als Tucker ihr die Wagentür öffnet, spürt sie sogleich feinen Dunst, so leicht wie Spinnweben, an ihrem Gesicht und ihren Händen. »Regnet es?«

»Nur ganz sachte«, antwortet er und legt wieder seine Hand unter ihren Ellbogen.

»Es ist schrecklich dunkel heute abend«, bemerkt sie, sich auf dem Weg vorantastend.

»Soll ich warten, bis Sie Licht gemacht haben?« fragt er, als sie die Vortreppe erreicht haben.

»Nein, danke, ich kenne mich hier ja aus.«

In der Finsternis kann sie sein Gesicht nicht erkennen. Sie reicht ihm die Hand, und er umschließt sie mit festem Griff.

»Ich kann Ihnen nicht sagen, wie leid es mit tut, daß ich der Überbringer so schlechter Nachrichten sein muß«, sagt er. »Ich bewundere Sie, Miss Biddeford, schon seit dem Moment, als Sie plötzlich in der Kanzlei standen.«

Olympia entzieht ihm ihre Hand. Die Luft trägt ihr einen Hauch von frischer Seife zu. Es ist lange her, seit sie einem Mann so nahe gewesen ist.

»Lieben Sie ihn immer noch?« fragt Tucker plötzlich.

Und Olympia ist gar nicht so sehr überrascht über die Frage. Sie hat das Gefühl, daß er vielleicht den ganzen Abend schon auf die Gelegenheit gewartet hat, sie ihr zu stellen.

»Kann eine Frau einen Mann noch lieben, der vielleicht gar nicht existiert?« antwortet sie.

Sie lauscht dem davonfahrenden Wagen nach, bis nur noch das Rauschen der Brandung zu hören ist. Ohne Hut und Handschuhe abzulegen, geht sie durch die Räume des Hauses und sieht es in einem ganz neuen Licht – ein Gefängnis, in dem junge

Mädchen, von ihren unversöhnlichen Eltern verstoßen und zum Schweigen verdammt, ein trauriges Leben führten. Unglaublich, daß dieses Haus, in dem sie Luxus und Liebe erfahren hat, in dem John Haskell sie umarmt und geküßt hat, in dem Josiah seine Lisette liebte, in dem einst Klavierspiel erklang, in dem Frauen und Männer tanzten und angeregte Gespräche führten, eine so abscheuliche Vergangenheit haben soll, ohne je etwas von dieser Geschichte von Schmerz und Leiden preisgegeben zu haben.

Sie geht langsam nach oben, betritt ein selten benutztes Zimmer und setzt sich dort aufs Bett. Es ist ein freundliches Zimmer mit einer hellen Vergißmeinnichttapete und zarten Spitzenvorhängen an den Fenstern. Im Licht einer Lampe mit bernsteinfarbenem Perlenbehang, die früher einmal auf dem Toilettentisch ihrer Mutter gestanden hat, kann sie die Ränder erkennen, die nasse Becher und Gläser auf der Mahagoniplatte des Nachttischs zurückgelassen haben. Sie versucht, die beiden Gesichter des Hauses im Blick zu behalten, das frühere und das heutige, das des Klosters und das des Feriendomizils, und plötzlich weiß sie – oder hat eine Vorstellung davon –, was sie eines Tages mit dem Sommerhaus ihres Vaters machen wird.

## 21

Olympias Schritte hallen auf dem Steinboden des Gerichtsgebäudes. Zu beiden Seiten des weiten Korridors stehen Bronzebüsten auf hohen Sockeln neben niedrigen Lederbänken. Als Olympia sich setzt, um auf Payson Tucker zu warten, kommt sie sich klein und unbedeutend vor, vermutlich der Absicht des Architekten entsprechend. Das Gesetz ist größer als die Menschen, die es gemacht haben, scheinen die starren Bronzegesichter zu verkünden. Das Gesetz ist größer als jene, die um sein Eingreifen bitten.

Der Schnee an ihren Stiefeln taut schnell zu kleinen Pfützen. Das Glas der hohen Fenster ist blind vor Alter und Schmutz, sie hört und sieht nichts von dem Schneesturm, der sich anschickt, die Stadt draußen lahmzulegen. Aber sie weiß, daß sie eine weitere Nacht im Ely Falls Hotel verbringen muß, es ist unmöglich, bei diesem Wetter nach Hause zurückzufahren.

Es war ein strenger Winter in Fortune's Rocks. Den ganzen Januar, Februar und März hindurch hat es geschneit, Häuser und Strand, selbst die Felsen am Wasser waren weiß. In der langen Wartezeit vor Prozeßbeginn haben Stürme das Haus gerüttelt, und Schneewehen haben sich bis zu den Fenstern hinauf aufgetürmt. Es hat Wochen gegeben, in denen sie das Haus nicht verlassen konnte, und wenn sie es schaffte, sich zu Goldthwaite's durchzuschlagen, um Einkäufe zu erledigen, oder zu einer Besprechung mit Payson Tucker nach Ely Falls zu fahren, drehten sich die Gespräche zunächst überall um das Wetter. »Einen Winter mit so viel Schnee hat es an der Küste nie gegeben. Wann wird es endlich wärmer?« Aus diesen Kommentaren wird ihr klar, daß sie ihren ersten Winter in Fortune's Rocks nicht hätte schlechter wählen können.

In der Ferne kann sie Tucker erkennen, der vom anderen Ende des langen Korridors auf sie zukommt, eine hohe, dünne Gestalt. Seine Brillengläser blitzen, noch ehe sie sein Gesicht sieht. Hinter ihm treten jetzt noch andere Leute in den Korridor, geradeso, als wäre eben eine Straßenbahn gekommen. Auf dem Pelzkragen von Tuckers Ulster sitzt noch Schnee, und die Gläser seiner Brille beschlagen in der Wärme, so daß er, als er schließlich vor ihr steht, keine Augen zu haben scheint.

Er stellt eine Tasche vor ihr nieder. »Guten Tag, Miss Biddeford«, sagt er, nimmt seine Brille ab und poliert die Gläser mit einem Taschentuch.

»Guten Tag, Mr. Tucker.«

Er nimmt seinen Wollschal ab. Neben ihnen zischt ein Heizkörper. »Sind Sie bereit?«

»Ich hoffe es«, antwortet sie.

»Ich werde Sie als erste aufrufen, wie wir besprochen haben. Es kann sich allerdings eine Weile verzögern, je nachdem, was für Anträge Mr. Sears stellt.«

»Ja, natürlich.«

»Fürchterlich, dieser Schneesturm. Ich hoffe nur, die Sitzung wird nicht wieder vertagt.« Tucker sieht sich kurz um, dann richtet er den Blick wieder auf Olympia. »Etwas muß ich noch mit Ihnen besprechen, bevor wir hineingehen«, sagt er. »Ich möchte nicht, daß Sie durch irgend etwas überrascht oder aus der Fassung gebracht werden.«

»Ja?«

Er setzt sich neben sie auf die Bank. Er riecht nach feuchter Wolle und frischer Seife. »Ich habe Ihren Vater als Zeugen laden lassen«, sagt er.

Ihr Gesicht verrät wohl ihren Schock, denn er legt sogleich beschwichtigend seine Hand auf die ihre.

»Ich habe mich wochenlang bemüht, ihn zu erreichen«, erklärt Tucker, »aber er war mit Ihrer Mutter im Ausland.«

»In Italien«, sagt Olympia. »Aber warum haben Sie es überhaupt getan?«

»Ich brauche Ihren Vater und Josiah Little als Zeugen zum Beweis unserer Behauptungen.«

»Sie haben Josiah auch vorladen lassen?« Olympia ist plötzlich warm. Sie entzieht ihm ihre Hand und öffnet die oberen Knöpfe. »Wie konnten Sie das tun, ohne mich zu fragen?«

»Miss Biddeford, Sie haben mich beauftragt, Sie bei diesem Prozeß vor Gericht zu vertreten«, entgegnet er, während er aus seinem Wintermantel schlüpft.

»Ja, aber ...«

»Und ich muß versuchen, Ihre Interessen nach bestem Wissen und Gewissen wahrzunehmen. Um das zu tun, können aber gewisse Maßnahmen notwendig werden, die nicht in allen Einzelheiten zwischen uns abgesprochen sind.«

»Und mein Vater wird hier sein? Heute?«

»Ja. Ich denke schon. Wenn es ihm bei diesem Wetter möglich ist. Ich hoffe, er ist schon gestern abend gekommen, bevor der Schneesturm einsetzte.«

Sie wendet sich ab. Sie hat ihrem Vater nicht einmal mitgeteilt, daß sie den Aufenthaltsort ihres Sohnes kennt, geschweige denn, daß sie einen Sorgerechtsantrag gestellt hat.

»Wenn Sie wirklich angenommen haben, ich könnte den Antrag ohne die Hilfe anderer durchsetzen«, sagt Tucker, »habe ich Sie, fürchte ich, getäuscht.«

»Mein Vater weiß nichts von diesem Verfahren«, sagt sie.

»O doch. Jetzt schon. Jetzt weiß er Bescheid.«

»Er war sicher entsetzt, als er davon hörte?«

Tucker überlegt einen Moment. »Er wirkte etwas erschrocken, aber bei weitem nicht in dem Maß, wie ich erwartet hatte. Es wird Sie überraschen zu hören, daß er sofort bereit war, Sie nach Kräften zu unterstützen. Ich hatte sogar den Eindruck, daß er erleichtert war.«

»Sie haben mit ihm gesprochen?«

»Zunächst habe ich ihm geschrieben – mehrmals, wie ich schon sagte. Und gestern vormittag habe ich mit ihm telephoniert.«

»Mein Vater hat ein Telephon?« fragt sie.


Der Sitzungssaal ist klein, mit holzgetäfelten Wänden, ein Raum, der für geschlossene Verhandlungen gedacht ist. Olympia, die diese Intimität als bedrückend empfindet, fühlt sich noch stärker bedrängt, als einige Minuten später Albertine und Telesphore Bolduc eintreten und sich auf Anweisung des Gerichtsdieners ihr und Payson Tucker gegenübersetzen. Nur der Gang trennt sie voneinander. Albertine, die Olympia nie gesehen hat, mustert ihre Gegnerin mit einem langen Blick, und Olympia zwingt sich trotz ihres Unbehagens, diesen Blick ruhig zu erwidern. Wenn sie schon bereit ist, Klage zu erheben, dann muß sie auch den Mut zeigen, dieser Frau in die Augen zu sehen.

Sie liegen sehr tief in dem schmalen Gesicht mit den scharf gemeißelten Zügen, und in diesem Gesicht ist leicht zu lesen. Olympia sieht sofort, daß Albertine Bolduc zornig ist. Aber in den Zorn mischt sich auch Neugier. Sucht sie in Olympias Gesicht nach einer Ähnlichkeit? Nach einem Grund für diese Klage? Oder nach einem Hinweis auf den Grad von Olympias Entschlossenheit? Albertines dickes dunkles Haar setzt tief in der Stirn an, und über dem Mund liegt der schwache Schatten eines Bärtchens. Ihre Lippen und Wangen sind rot – ein natürliches Rot, keine Schminke, dessen ist Olympia sicher. Sie trägt ein schwarzes Wollkostüm, entweder schlecht geschnitten oder von einer Bekannten ausgeliehen, aber das mindert nicht den Eindruck ihrer aufrechten Haltung. Sie trägt den Kopf hoch, so daß die Rüschen ihres Blusenkragens kaum das Kinn berühren.

Ihr Mann, der neben ihr sitzt, beugt sich plötzlich vor, um zu sehen, wem dieser intensive Blick seiner Frau gilt. Er scheint sich erst jetzt der Schirmmütze zu erinnern, die er auf dem Kopf trägt, und nimmt sie ab. Sein Schnurrbart ist feucht, seine Wangen sind von der Kälte rauh und rot. Er sagt etwas zu seiner Frau, und sie antwortet ihm, fast ohne die Lippen zu bewegen, starr vor Schock vielleicht.

Ein dicker, fast glatzköpfiger Mann mit Backenbart und Monokel nimmt neben Albertine Platz und versperrt Olympia die Sicht. Er stellt eine Ledertasche auf den Tisch vor sich. Und dann, noch ehe Olympia Gelegenheit hat, ihre Gegner näher ins Auge zu fassen, kündigt der Gerichtsdiener das Erscheinen des Richters an.

»Bitte erheben Sie sich für den Vorsitzenden Richter Levi Littlefield.«

Der Richter betritt den Raum mit fliegender Robe. Er ist klein und schmächtig, aschblond, glattrasiert, und er trägt keine

Brille. Er sieht wesentlich jünger aus, als Olympia erwartet hat. Nur die Robe verleiht ihm eine gewisse Autorität.

»Er ist so jung«, bemerkt Olympia zu Tucker, als sie sich wieder setzen.

»Er ist nicht so jung, wie er aussieht«, entgegnet Tucker. »Lassen Sie sich von seinem Äußeren nicht täuschen. Er ist hart und erfahren.«

»Mr. Payson Tucker«, sagt Richter Littlefield, den Blick zu den Unterlagen gesenkt, die vor ihm liegen. »Sie sind der Vertreter der Antragstellerin. Was haben Sie dem Gericht mitzuteilen?«

Tucker steht auf und tritt zu einem Pult, das zwischen den Anwaltsbänken aufgestellt ist. Er ist so groß, daß er den Oberkörper vorbeugen muß, um vorlesen zu können, was er geschrieben hat. Er hat sich, wie Olympia jetzt bemerkt, das Haar schneiden lassen und trägt es glatt zurückgekämmt. Sie kann, da sie links hinter ihm sitzt, nur sein Profil sehen. Seine Hand zittert leicht. Ist es möglich, daß dies Tuckers erster Prozeß ist? Sie hat ihn nie danach gefragt.

»Ich beantrage die Herausgabe eines männlichen Kindes namens Pierre Francis Haskell. Das Kind ist drei Jahre, zehn Monate und dreizehn Tag alt und derzeit in Ely Falls, New Hampshire, wohnhaft.«

»In Ordnung, Mr. Tucker. Fahren Sie fort.«

»Wir wünschen dem Gericht das folgende zur Kenntnis zu bringen: Albertine und Telesphore Bolduc, wohnhaft Alfred Street 137 in Ely Falls, New Hampshire, verüben seit drei Jahren und circa zehn Monaten fortgesetzte Freiheitsberaubung an dem besagten Kind. Diese Freiheitsberaubung ist die Folge der heimlichen und widerrechtlichen Wegnahme des Kindes am 14. April 1900 aus der Obhut seiner Mutter, der Antragstellerin, Olympia Biddeford. Die widerrechtliche Wegnahme des Kindes erfolgte auf Veranlassung des Vaters der Antragstellerin, Philip Arthur Biddeford, wohnhaft in Boston, Massachusetts, der das Kind damit seiner Freiheit beraubte und die Mutter ihrer elterlichen Rechte und Freuden. Am 14. April 1900 wurde das Kind widerrechtlich in die Obhut des leiblichen Vaters gegeben, Dr. John Warren Haskell, Wohnsitz unbekannt. Am 15. April übergab besagter Vater das Kind dem Waisenhaus von St. André in Ely Falls, New Hampshire, und erteilte widerrechtlich den Auftrag, das Kind in einer Pflegefamilie unterzubringen.«

»Mr. Tucker«, unterbricht Littlefield. »Ist das Kind anwesend?«

»Nein, Euer Ehren«, antwortet Tucker. »Die Antragsgegner haben darum ersucht, das Kind für die Dauer dieser Verhandlung bei den Eltern von Mrs. Bolduc lassen zu dürfen, die hier in Ely Falls nicht weit vom Gericht wohnen. Der Junge wird bis zum Tag der Urteilsverkündung dort bleiben und dann erst hierher gebracht werden.«

»Und damit sind Sie einverstanden?«

»Ja, Sir. Wir möchten dem Kind den Aufenthalt in dieser fremden Umgebung ersparen.«

»Ja, natürlich. Sind Philip Biddeford und das Waisenhaus von St. André heute hier vertreten?«

»Mr. Biddeford hat anwaltschaftliche Vertretung abgelehnt und sich bereit erklärt, hier für die Antragstellerin als Zeuge auszusagen. Soviel ich weiß, hat auch das Waisenhaus anwaltliche Vertretung abgelehnt und sich bereit erklärt, für die Antragsgegner auszusagen, die von meinem Kollegen Mr. Addison Sears vertreten werden.«

»Trifft das zu, Mr. Sears?«

»Ja, Euer Ehren.«

Jetzt blickt Tucker von seinen Aufzeichnungen auf und wendet sich weniger förmlich an den Richter. »Euer Ehren, da diese Kette widerrechtlicher Handlungen zwangsläufig dazu führte, daß das Ehepaar Bolduc die Sorge für das Kind übernahm, und da es sich hier nicht um eine Strafsache handelt, sondern um einen Antrag auf Erteilung des Sorgerechts, kann die Antragstellerin das Ehepaar Bolduc lediglich in seiner Eigenschaft als Pflegeeltern belangen. Es wird sich zeigen, ob zu einem späteren Zeitpunkt Strafanzeige erstattet werden wird.«

»Habe ich recht verstanden, daß der Vater des Kindes nicht aufzufinden ist?« fragt Littlefield.

»Das ist richtig, ja«, bestätigt Tucker.

»Gut« sagt Richter Littlefield. »Dann fangen wir an.«

Addison Sears, der nicht einmal so groß ist wie Olympia, steht auf. Er tritt zum Pult und rückt sein Monokel zurecht. Olympia fällt auf, daß er an den Fingern seiner schwammigen linken Hand nicht nur einen, sondern mehrere Brillantringe trägt. Sein maßgeschneiderter Anzug sitzt, anders als die Kleidung seiner Mandanten, tadellos. Er trinkt ausgiebig aus einem Glas Wasser, das er mit ans Pult gebracht hat.

»Guten Morgen, Euer Ehren«, sagt er in einem Ton, der darauf schließen läßt, daß er mit dem Richter persönlich bekannt ist.

»Guten Morgen, Mr. Sears«, erwidert der Richter liebenswürdig.

»Euer Ehren, der Fall liegt einfach«, beginnt Sears, in seinen Unterlagen blätternd, als wäre dies noch gar nicht der eigentliche Beginn. »Es gibt in diesem Land kein Gesetz, das von einem Gericht verlangen würde, das Sorgerecht für Pierre Francis Haskell der jungen Person zu erteilen, die links von mir sitzt.«

Er macht eine Pause, um die Worte »junge Person« in ihrer ganzen unterschwelligen Bedeutung wirken zu lassen.

»Betrachten wir die Fakten«, fährt er dann fort. »Eine leichtsinnige Fünfzehnjährige, selbst noch ein Kind, unreif und ohne Lebenserfahrung, läßt sich mit einem Mann ein, der beinahe dreimal so alt ist wie sie, und bringt diesen Mann dazu, Ehebruch zu begehen und seine Frau und seine vier Kinder zu verlassen.« Wieder hält Sears inne, um dem Gericht Gelegenheit zu geben, sich der Schwere dieser moralischen Verfehlungen bewußt zu werden.

»Sie bringt das Kind zur Welt, ein männliches Kind, das sie gleich nach der Geburt weggibt«, fährt er dann fort. »In den folgenden Jahren zeigt sie keinerlei Interesse an seinem Wohlergehen. Sie unterstützt das Kind nicht, weder in moralischer noch in finanzieller Hinsicht. Sie erkundigt sich nicht nach seiner Gesundheit und seinen Lebensverhältnissen. Sie besucht es kein einziges Mal. Und jetzt fällt ihr plötzlich ein, daß sie das Sorgerecht für dieses Kind haben möchte?«

Sears schüttelt den Kopf, als wäre er zutiefst verwundert.

»Offen gesagt, Euer Ehren, wenn diese Angelegenheit nicht so ernst wäre, könnte man sie lachhaft nennen.«

Richter Littlefield lacht nicht. Sears schiebt seine Finger in die kleinen Taschen seiner seidenen Weste. »Wenn Sie gestatten, Euer Ehren, möchte ich unter Vermeidung der verwirrenden Fachsprache unseres Berufsstandes die Position meiner Mandantin in einer Sprache darlegen, die der jungen Person links von mir hoffentlich verständlich sein wird«, fährt Sears mit einem herausfordernden Blick zu Tucker fort, der selbst den Gebrauch der verwirrenden Fachsprache nicht vermieden hat.

»Bitte, Mr. Sears.«

»Für die Antragsgegner geht es um zwei Dinge«, beginnt Sears. »Wir werden erstens beweisen, daß Olympia Biddeford weder für dieses noch sonst ein Kind zur Mutter taugt. Und wir werden zweitens beweisen, daß es im Interesse des Kindes liegt, in der Obhut von Albertine und Telesphore Bolduc zu verbleiben, die praktisch seit der Geburt des Jungen die Rolle der Eltern übernommen haben.«

Sears nimmt wieder einen Schluck Wasser und räuspert sich. »Wir werden zeigen, Euer Ehren, daß die Antragstellerin, Olympia Biddeford, sich im Alter von nur fünfzehn Jahren, einem Alter, möchte ich bemerken, in dem der Charakter sich gerade zu formen beginnt, auf eine unzüchtige Beziehung mit einem Mann eingelassen hat, der verheiratet war und bereits vier Kinder hatte; daß Olympia Biddeford sich nicht nur leichtfertiger und sittenloser Handlungen schuldig gemacht, sondern sich auch als eine verworfene und lasterhafte Person erwiesen hat.«

Sears dreht sich langsam um und blickt Olympia direkt ins Gesicht. Trotz ihres Bestrebens, sich nicht erschüttern zu lassen, schießt ihr heiße Röte ins Gesicht wie zur Bestätigung von Sears' Anschuldigungen. Dann kehrt er Olympia abrupt den Rücken, wie um zu zeigen, daß er ihren Anblick nicht ertragen könne.

»Euer Ehren, die Gerichte dieses Landes sind in ihren Entscheidungen übereinstimmend zu dem Schluß gelangt, daß ein Kind, das bei einer unmoralischen Mutter aufwächst, Gefahr läuft, selbst ein Mensch ohne Moral zu werden. In fast allen Fällen wurde ledigen Müttern nicht nur das Sorgerecht, sondern auch das Besuchsrecht verweigert.

Olympia Biddeford hat keinerlei Interesse am Wohlergehen des Kindes gezeigt. Sie hat den Jungen am Tag seiner Geburt weggegeben, sie hat nie Erkundigungen nach ihm eingezogen, niemals auch nur einen Penny zu seinem Unterhalt beigesteuert. Sie hatte bis zum vergangenen Herbst keine Ahnung von seinem Aufenthaltsort. Hinzu kommt, daß sie niemals mit dem Kind zusammengetroffen ist, nie auch nur ein Wort mit ihm gewechselt hat. Gemäß den Gesetzen dieses Landes verliert eine Mutter, die ihr Kind aufgibt, die dieses Kind zu lange in der Obhut von Pflegeeltern läßt, alle Rechte auf dieses Kind. Da es im Staat New Hampshire keinen einschlägigen Präzedenzfall gibt, möchte ich mich auf andere Fälle beziehen, wie in meinem Schriftsatz zitiert. Insbesondere möchte ich auf den Fall Hoxie gegen Potter verweisen, in dem 1888 der Oberste Gerichtshof von Connecticut entschieden hat: ›Das Gericht fühlt sich nicht aufgerufen, die Bande zu durchtrennen, die mit der Zeit entstanden sind, und ist der Überzeugung, daß dem Wohlergehen des Jungen und den Rechten und Gefühlen seiner Pflegeeltern am besten gedient ist, wenn die elterliche Sorge in den Händen jener bleibt, die sie bis jetzt ausgeübt haben.‹«

Olympia wirft Tucker einen Blick zu. Der scheint vertieft in das Studium der Aufzeichnungen, die vor ihm liegen.

»Olympia Biddeford mag die leibliche Mutter sein, aber sie ist nicht die nährende Mutter«, verkündet Sears. »Und selbst wenn sie eine moralisch unantastbare Frau wäre, was sie eindeutig nicht ist, müßte man sie aufgrund ihres Alters zur Zeit der Zeugung des Kindes, aufgrund ihres Personenstands, der weiterhin der einer Ledigen ist, und aufgrund ihrer Unfähigkeit, dem Jungen eine religiöse Erziehung zuteil werden zu lassen, als untauglich betrachten, die elterliche Sorge zu übernehmen. Sie selbst gehört keiner Konfession an, sie besucht auch nicht regelmäßig den Gottesdienst.«

Blitzartig dreht Sears sich um und deutet mit dem Finger auf Olympia, die unwillkürlich zusammenzuckt.

»Vielleicht möchte Olympia Biddeford sich rehabilitieren, indem sie das Kind wieder zu sich nimmt«, sagt der Anwalt, als wäre der Gedanke ganz neu. »Das war eine Zeitlang eine nicht ungeläufige, aber irrige Vorstellung der Gerichte. Ich zitiere aus einer Entscheidung des Obersten Gerichtshofs von Tennessee aus dem Jahr 1873: ›Mit der Aufgabe ihres Kindes fällt für die ledige Mutter der entscheidende Einfluß weg, der im Gewand der Mutterliebe zu einer Wiederherstellung ihrer Ehre führen könnte. Ihre Liebe zu dem Kind und die Furcht vor einer Trennung könnten sich als ihr Heil erweisen.‹«

Sears blickt zum Richter und hebt beide Hände. »Aber dem Staat New Hampshire liegt nichts an der Rehabilitierung der Mutter, Euer Ehren. Ihm liegt in erster Linie das Wohl des Kindes am Herzen.«

Olympia preßt im Schoß ihre Hände zusammen. Aber mir

liegt doch auch das Wohl des Kindes am Herzen, möchte sie am liebsten aufbegehren.

»Lassen wir also für den Moment die Ehre der Olympia Biddeford außer acht«, fährt Sears fort. »Fassen wir einzig das Interesse des Kindes ins Auge.«

Wieder dreht Sears sich um, aber diesmal richtet er seinen Blick auf Albertine und Telesphore Bolduc, die beide sogleich die Köpfe senken, als sollten auch sie mit Tadel belegt werden. Sie scheinen sich in dieser Verhandlung nicht wohler zu fühlen als Olympia.

»Lassen Sie mich kurz aus Chapsky gegen Wood, 1881, zitieren«, sagt Sears: »›Wird ein Kind erst nach dem Verlauf von Jahren zurückgefordert, nachdem neue Bande geflochten und Leben und Denken des Kindes in bestimmte Bahnen gelenkt wurden, so sollte gründlich bedacht werden, wie unwahrscheinlich es ist, daß dem Kind eine solche Veränderung zuträglich sein wird. Es ist eine bekannte Tatsache, daß mit dem Verlauf der Zeit Blutsbande sich lockern und Gemeinschaftsbande sich festigen; und das Gedeihen und das Wohlergehen des Kindes hängen von der Fähigkeit ab, alles zu tun, was das Bestehen dieser Bande verlangt.‹«

Sears blickt einen Moment in seine Unterlagen und sorgt so für eine weitere Pause.

»Pierre Francis Haskell befindet sich seit seinem zehnten Lebenstag in der Obhut von Mr. und Mrs. Bolduc. Sie waren also praktisch sein Leben lang seine Pflegeeltern. Das Kind kennt keine anderen Eltern. Die Bolducs haben dem Jungen all die Liebe und Zuwendung erwiesen, die sie einem leiblichen Kind gegeben hätten, wäre ihnen eines geschenkt worden. Mr. und Mrs. Bolduc sind reif genug, um angemessen für den Jungen zu sorgen: Sie sind beide zweiunddreißig Jahre alt. Sie führen seit elf Jahren eine glückliche Ehe. Sie gehören beide seit langem der Gemeinde St. André in Ely Falls an, sind beide katholischer Konfession und besuchen regelmäßig den Gottesdienst.

Sie haben den leidenschaftlichen Wunsch geäußert, dem Jungen eine ordentliche religiöse Erziehung zu ermöglichen. Sie sind ferner fest verankert in der frankoamerikanischen Gemeinde hier in Ely Falls und in ihren eigenen Großfamilien mit zahlreichen Vettern und Cousinen, Tanten, Onkeln und Großeltern, die den kleinen Jungen lieben. Wie Sie zweifellos wissen, Euer Ehren, sind die Frankoamerikaner für ihre starke familiäre und kulturelle Verbundenheit bekannt, die sie selbst als ›La Foi‹ bezeichnen. Hinzu kommt, daß die Bolducs fleißige und arbeitsame Leute sind. Obwohl sie beide in der Textilfabrik von Ely Falls arbeiten, haben sie, unter großen persönlichen Opfern, ihr Leben so eingerichtet, daß der Junge stets angemessen, um nicht zu sagen bestens, versorgt ist. Albertine Bolduc selbst wird Ihnen Näheres über ihre Beziehung zu dem Kind sagen, wenn ich sie später als Zeugin aufrufe.«

Sears läßt sein Monokel auf die Brust hinunterfallen.

»Euer Ehren, es wäre ein Verbrechen – ja, ein *Verbrechen* –, dem Jungen die einzigen Eltern zu nehmen, die er je gekannt hat. Und da es in aller Regel nicht Sache des Staates New Hampshire ist, an seinen Bürgern Verbrechen zu begehen, plädieren wir für die Zurückweisung des Antrags auf Herausgabe, den der Vertreter der Antragstellerin vorgebracht hat.«

Der Anwalt nimmt wieder neben den Bolducs Platz und reibt sich beinahe gelangweilt, als wüßte er schon die Entscheidung des Richters, den Nasenrücken.

»Der Antrag auf Zurückweisung wird abgelehnt«, erklärt Richter Littlefield kurz, und Olympia begreift, daß Sears' Vortrag nie dazu gedacht war, den Richter zur Einstellung des Verfahrens zu veranlassen, sondern vielmehr dazu diente, ihn seine Argumente vorbringen zu lassen. Und das ist dem Anwalt hervorragend gelungen, wie sie trotz ihrer Abneigung gegen ihn zugeben muß.

Neben ihr steht Tucker auf. »Euer Ehren«, sagt er, »ich möchte Olympia Biddeford als Zeugin aufrufen.«

Sie hat mit Tucker vereinbart, daß sie sich für die Verhandlung konservativ kleiden wird, ohne einerseits ihren gesellschaftlichen Stand zu verbergen, ohne ihn aber andererseits hervorzukehren. Sie hat sich deshalb ein Kostüm aus anthrazitgrauem Gabardine gekauft, zu dem sie eine hochgeschlossene Bluse mit schmaler schwarzer Samtschleife und kleine Perlenohrringe trägt.

Tucker steht langsam auf und tritt, seine Aufzeichnungen zurücklassend, zu ihr an den Zeugenstand. »Miss Biddeford«, beginnt er wohlwollend und mit einem Lächeln, das sie, obwohl es zweifellos einstudiert ist, beruhigt, »darf ich fragen, wie alt Sie sind?«

»Zwanzig.«

»Und wo haben Sie Ihren Wohnsitz?«

»In Fortune's Rocks.«

»Wo haben Sie vorher gelebt?«

»Ich war Schülerin am Hastings-Seminar für junge Frauen in Fairbanks, Massachusetts«, antwortet sie und legt dabei die Betonung auf das Wort ›Seminar‹, wie Tucker es ihr geraten hat.

»Wie lange haben Sie diese Schule besucht?«

»Drei Jahre.«

»Welche Ziele verfolgt diese Lehranstalt für junge Damen?«

»Die Ausbildung junger Frauen zu Lehrerinnen, die später einmal in fremde Länder gesandt werden sollen, um dort Kinder zu unterrichten und ein gutes Beispiel christlicher Weiblichkeit zu geben.«

»Waren Sie mit den Zielen der Schule einverstanden?«

»Ich hatte nichts gegen sie einzuwenden«, antwortet sie diplomatisch.

»Sie hatten die Absicht, selbst auf diese Weise missionarisch tätig zu werden?« Tucker betont das Wort »missionarisch«.

»Ich sah darin meine Zukunft. Ja.«

»Und wie haben Sie Ihre Aufgabe an dieser Schule bewältigt?«

»Ich denke, gut.«

»Trifft es nicht zu, daß Sie unter zweihundertsiebzig jungen Frauen regelmäßig die beste oder zweitbeste Schülerin waren?«

»Doch, ja.«

»Trifft es nicht zu, daß Sie, wenn Sie wollten, heute jederzeit eine Stellung als Lehrerin annehmen könnten, ohne weitere Ausbildung?«

»Doch«, antwortet sie. »Das stimmt.«

»Dann erklären Sie bitte dem Gericht, warum Sie es zu diesem Zeitpunkt nicht wollen.«

»Ich möchte meinen Sohn zu mir nehmen.«

Albertine Bolduc stößt einen unterdrückten Schrei aus und preßt sofort ihre Hand auf den Mund. Ihr Mann legt ihr den Arm um die Schultern.

»Ich denke, wir können mit gutem Gewissen sagen«, fährt Tucker fort, ohne den kleinen Zwischenfall zu beachten, jedoch einen scharfen Blick auf Sears werfend, »daß die Lehrerschaft dieser religiös orientierten Schule Sie weder als leichtsinnig noch sittenlos betrachtete, und ebensowenig als verworfen, lasterhaft oder gemein.«

»Euer Ehren!« Addison Sears ist aufgesprungen. »Würden Sie den Herrn Kollegen freundlicherweise auffordern, diese Art der Befragung zu unterlassen, da auf solche Fragen von seiten der Zeugin nur mit Mutmaßungen geantwortet werden kann.«

»Mr. Tucker«, sagt der Richter nur.

Tucker scheint der leichte Tadel unberührt zu lassen. »Miss Biddeford, wovon leben Sie?«

»Ich habe Geld von meinem Vater.«

»Wäre es richtig zu sagen, daß Sie sich für die absehbare Zukunft in finanzieller Hinsicht nicht zu sorgen brauchen?«

»Man bemüht sich natürlich immer, sorgsam mit dem Geld umzugehen«, antwortet sie vorsichtig, »aber ja, ich denke, das könnte man sagen.«

»Wenn Ihnen also das Sorgerecht für Ihren Sohn zugesprochen würde, hätten Sie es nicht nötig zu arbeiten, um Geld zu verdienen?«

»Nein.«

»Sie könnten sich also uneingeschränkt um den Jungen kümmern?«

»Ja.«

Tucker dreht sich halb herum und sieht Albertine Bolduc an, als wollte er auf den Unterschied zwischen seiner Mandantin und der Pflegemutter hinweisen. Er geht zum Tisch zurück und wirft einen Blick in seine Unterlagen.

»Miss Biddeford, ich weiß, daß diese Fragen für Sie schmerzlich sind, aber kommen wir zum Tag der Geburt Ihres Sohnes.«

Olympia atmet einmal tief durch. So oft ist sie diese Fragen mit Tucker durchgegangen, aber sie fürchtet sie noch immer.

»Wo wurde das Kind geboren?«

»Im Haus meines Vaters in Boston.«

»Wann genau ist es zur Welt gekommen?«

»Am vierzehnten April 1900, nachmittags um zwei Uhr.«

»War es eine normale Geburt?«

»Ja.«

»Was geschah unmittelbar nach der Geburt des Kindes?«

»Man hat es mir weggenommen.«

»Wer hat es Ihnen weggenommen?«

»Das weiß ich nicht. Aber ich weiß, daß es auf Anweisung meines Vaters geschah. Ich bezweifle allerdings, daß er persönlich das Kind an sich genommen hat.«

»Und wie kommt es, daß Sie nicht mit Sicherheit wissen, wer das Kind Ihrer Obhut entrissen hat?«

»Der Arzt meiner Mutter hatte mir Laudanum gegeben.«

»Sie sprechen von Dr. Ulysses Branch aus Boston?«

»Ja.«

»Wieviel Laudanum wurde Ihnen verabreicht?«

»Drei Löffel, glaube ich.«

»Sie haben also geschlafen?«

»Ja.«

»Haben Sie überhaupt eine Erinnerung an den Jungen?«

Nich einmal während ihrer Vorbereitungen auf den Prozeß ist es Olympia je gelungen, diese Frage ohne Tränen zu beantworten. »Ja«, antwortet sie so ruhig wie möglich. »An einiges erinnere ich mich. Ich war in einer Art Dämmerzustand.«

»Schildern Sie dem Gericht, woran Sie sich erinnern.«

»Man sagte mir, das Kind sei ein Junge. Er war in Decken eingewickelt, als man ihn zu mir legte. Ich erinnere mich an dunkles feines Haar, wunderschöne Augen ...« Sie beißt sich auf die Lippe.

»Das ist schon gut so«, sagt Tucker schnell, da er erreicht hat, was er wollte. »War es Ihr Wunsch, das Kind nach der Geburt wegzugeben?«

»Nein.«

»Hatten Sie Ihre Einstellung dazu klar geäußert?«

»Ja, ich habe mit meinem Vater darüber gesprochen.«

»Und was sagte er?«

»Daß er, wie er sich ausdrückte, Maßnahmen getroffen habe. Und daß ich nichts mehr von ihm zu erwarten hätte, wenn ich mich ihm widersetzte.«

»Aber Miss Biddeford, war Ihnen denn das Kind nicht wichtiger als Geld und Gut?«

»Doch, das Kind war mir viel wichtiger«, antwortet Olympia erregt. »Aber ich wußte, daß ich, wenn ich mich den Wünschen meines Vaters nicht fügte, nicht in der Lage wäre, das Kind und mich zu ernähren. Ich hätte nicht für das Kind sorgen können.«

»Miss Biddeford, erklären Sie dem Gericht, warum Sie Ihren Antrag erst heute stellen, und es nicht schon früher – vor ein oder zwei Jahren – getan haben.«

Olympia sieht erst Tucker an und läßt ihren Blick dann über die im Saal Versammelten schweifen – den Richter, den

Schreiber, den Gerichtsdiener, die Bolducs, Addison Sears. Von dem, was sie jetzt sagen wird, hat Tucker ihr erklärt, kann alles abhängen.

»Mein Kind ist mir gestohlen worden«, sagt Olympia. »Ich habe unter dem Verlust sehr gelitten und leide immer noch darunter. Seit der Geburt meines Sohnes habe ich jeden Tag an ihn gedacht und gewünscht, er könnte bei mir sein. Aber bis vor kurzem haben mir weder mein Alter noch meine Lebensumstände erlaubt, die Rückgabe meines Kindes zu fordern. Außerdem kannte ich seinen Aufenthaltsort nicht, da ich all die Jahre darüber nie eine Auskunft erhalten habe.«

Tucker nickt aufmunternd, und genau in diesem Moment empfindet Olympia mit aller Schärfe, daß einer hier fehlt. Der Junge selbst. Ihr Sohn. Obwohl sie nicht wünscht, daß er wie eingesperrt hier sitzen und diese Auseinandersetzung miterleben müßte, erscheinen ihr alle Aussagen und Behauptungen hohl ohne ihn.

»Aber es ist nicht so, daß ich meinen Sohn nur bei mir haben möchte, weil ich ihn als mein ›Eigentum‹ betrachte«, sagt Olympia. »Nein, ich bin überzeugt, daß ich ihm eine gute und liebevolle Mutter sein werde und daß ich ihm in bezug auf sein leibliches Wohl und auch auf seine geistige Entwicklung Vorteile bieten kann, die anderen Kindern normalerweise nicht zuteil werden.«

Albertine Bolducs Blick ist so böse, daß Olympia ihn kaum aushalten kann. Sie versucht, sich einzig auf Tuckers Gesicht zu konzentrieren.

»Mr. Tucker, der Verlust meines Sohnes quält mich jeden Tag«, sagt sie mit einer Leidenschaft, die nicht gespielt ist. »Unsere Trennung ist unnatürlich und zutiefst schmerzhaft. Ich wünsche mir von Herzen, daß das Gericht das Unrecht, das meinem Kind und mir angetan wurde, wiedergutmachen wird und daß wir eines Tages zueinanderkommen werden, wie es von Gott und Natur gewollt ist.«

Albertine Bolduc schließt die Augen. Ihr Mann, der sie immer noch im Arm hält, starrt Olympia mit einem Blick blanken Hasses an. Tucker steht reglos, um Olympias Worte wirken zu lassen.

»Keine weiteren Fragen, Euer Ehren«, sagt er dann und kehrt zu seinem Platz zurück.

Addison Sears ist schon auf den Beinen. »Euer Ehren, ich habe sehr wohl noch einige Fragen an die Antragstellerin.«

»Bitte, Mr. Sears.«

Der korpulente kleine Mann läßt sich Zeit, ordnet, wie es scheint, seine Unterlagen, während er sich gemächlich dem Zeugenstand nähert. Es ist so kalt im Raum, daß Olympia flüchtig den Atem des Anwalts sieht.

»Guten Morgen, Miss Biddeford«, sagt er, ohne sie eines Blickes zu würdigen.

»Guten Morgen«, erwidert sie leise.

Mit einem Ruck hebt Sears den Kopf und sieht sie scharf an. »Sie werden lauter sprechen müssen, Miss Biddeford, sonst kann das Gericht Sie nicht hören.«

Sie begreift sofort, was er vorhat: Er wird sie behandeln wie ein ungezogenes Kind, das gescholten und bestraft werden muß. Sie hebt den Kopf. »Guten Morgen«, wiederholt sie lauter und deutlicher.

»Miss Biddeford, sind Sie oder waren Sie je verheiratet?«

»Nein.«

»Wenn Ihnen also das Sorgerecht für den Jungen zugesprochen würde, müßten Sie als ledige Mutter für ihn sorgen?«

»Ja«, antwortet sie einfach.

»Miss Biddeford, Sie haben ausgesagt, daß Sie vor Ihrer Übersiedlung nach Fortune's Rocks die Schule besucht haben. Aber trifft es nicht zu, daß Sie unmittelbar vor Ihrem Umzug nach Fortune's Rocks bei Averill Hardy in Tetbury, Massachusetts, angestellt waren, und sich nicht, wie Sie uns gesagt haben, an der Hastings-Mädchenschule aufhielten?«

Die bewußt falsche Benennung der Schule entgeht Olympia nicht und wird, vermutet sie, ihre Wirkung auf den Richter nicht verfehlen.

»Doch«, antwortet sie, »das stimmt. Aber es handelte sich um ein Sommerpraktikum, das von Hastings Seminar für junge Frauen organisiert war und zu meiner Ausbildung am Seminar gehörte. Es stand unter der Schirmherrschaft der Schule.«

»Gewiß«, sagt Sears. »Sie übernahmen einen Posten als Erzieherin der drei Söhne von Mr. Hardy. Ist das richtig?«

»Ja.«

»Und ist es nicht richtig, daß Sie diesen Posten am zwölften Juli vergangenen Jahres von heute auf morgen aufgegeben haben? Daß Sie diese drei Jungen ohne Erzieher zurückgelassen haben und ihnen Ihren Entschluß nicht einmal mitgeteilt haben?«

»Unter den gegebenen Umständen konnte ich ...«

»Ist es nicht so, daß Sie Ihre Anstellung bei Mr. Hardy unter *dubiosen* Umständen aufgegeben haben?«

»Euer Ehren!« Tucker ist aufgesprungen. »Mr. Sears gestattet der Zeugin nicht, ihre Antwort zu vollenden.«

»Mr. Sears.«

Addison Sears verneigt sich demonstrativ zum Richtertisch hin. Als er sich Olympia wieder zuwendet, lächelt er. »Ich bitte um Entschuldigung für dieses kleine Vergehen, Miss Biddeford. Ich habe es wohl zu eilig, der Wahrheit auf den Grund zu kommen. Bitte, vollenden Sie Ihre Antwort. Es liegt mir fern, Sie daran zu hindern.«

Aber dazu kommt Olympia nicht. Denn während Tucker und Sears sich ihr kleines Gefecht geliefert haben, hat der Gerichtsdiener auf ein Klopfen an der Tür des Sitzungssaals hin diese geöffnet. Auf der Schwelle steht Philip Biddeford im schneebeckten Mantel, seine Melone in der Hand.

Er wirkt unsicher, verwirrt von dieser Umgebung, als sei er nicht gleich fähig, sich zu orientieren. Dann erblickt er seine

Tochter im Zeugenstand unter den Augen des Richters, und dieser Anblick erscheint ihm offenbar so unnatürlich, so erschreckend, daß er blaß wird und eine Hand auf sein Herz drückt. Olympia springt auf, als wollte sie zu ihm laufen, und wird sich erst in diesem Moment bewußt, daß sie im Zeugenstand wie gefangen ist. Sie kann ihrem Vater nicht entgegengehen, sie kann ihn nicht einmal begrüßen. Schlimmer noch, sie wird im Beisein ihres Vaters Sears' schreckliche Fragen beantworten müssen.

Der Gerichtsdiener führt Philip Biddeford zu einer Bank. Tucker, der sich im vergeblichen Bemühen, Biddeford ein Signal zu geben, in seinem Sitz herumgedreht hat, wendet sich wieder Olympia zu.

Aber das Wort hat Sears. »Bitte, Miss Biddeford, die Frage lautete, wenn ich mich nicht täusche: Trifft es nicht zu, daß Sie diese drei Jungen, ohne ein Wort der Erklärung und ohne sich auch nur von ihnen zu verabschieden, im Stich gelassen haben?«

Instinktiv greift Olympia zu dem Medaillon unter ihrer Bluse und berührt es durch den Stoff hindurch. »Mr. Hardy hat mir unerwünschte und ungehörige Avancen gemacht, und ich hielt es deshalb aus Gründen meiner persönlichen Sicherheit für ratsam, unverzüglich das Haus zu verlassen. Diese Situation konnte ich ja wohl kaum den drei Söhnen Mr. Hardys erklären.«

»Ich verstehe. Sie sahen sich also erneut in eine unschickliche Affäre verwickelt.«

Tucker springt erneut auf, wütend diesmal. »Einspruch!«

»Miss Biddefords moralische Einstellung ist hier von Relevanz«, sagt Sears so gelassen, als hätte er Tuckers Empörung vorausgesehen.

»Euer Ehren, wenn der Herr Kollege Miss Biddefords Beziehung zu Mr. Hardy als ›Affäre‹ beschreibt, so ist das eine Entstellung der Aussage meiner Mandantin«, erklärt Tucker hitzig. »Miss Biddeford wurde von Mr. Hardy belästigt – nicht umgekehrt.«

»Meinen Sie nicht, daß dies eine Frage ist, die Miss Biddeford selbst uns beantworten sollte?« fragt Sears.

»Ja, dieser Meinung ist auch das Gericht«, sagt Richter Littlefield. »In Zukunft, Mr. Sears, werden Sie Ihre Fragen in angemessenen Grenzen halten.«

»Gewiß, Euer Ehren.«

Sears streicht sich wie tief in Gedanken das Kinn und greift dann von neuem an.

»Miss Biddeford, wann hat Ihre sexuelle Beziehung zu Dr. Haskell begonnen?«

Die Schroffheit der Frage verschlägt Olympia die Sprache. Und auch Tucker, der ruckartig von seinen Unterlagen aufblickt, scheint überrascht. Mit einem solchen Frontalangriff haben sie beide nicht gerechnet. All ihren guten Vorsätzen und Tuckers Ratschlägen entgegen, senkt Olympia den Kopf. Mein Gott, denkt sie, ich kann nicht zulassen, daß mein Vater sich das alles anhören muß. Sie sieht wieder auf und bittet Tucker mit flehendem Blick, etwas zu tun.

Und Tucker, der entweder die Verzweiflung in Olympias Gesicht erkennt oder von ähnlichen Überlegungen bewegt wird, steht auf. »Euer Ehren, ich bitte darum, Mr. Philip Biddeford, den Vater der Antragstellerin, der soeben eingetroffen ist, zu veranlassen, den Saal während dieser Befragung seiner Tochter zu verlassen.«

Littlefield nickt und gibt dem Gerichtsdiener ein Zeichen. »Bitte führen Sie Mr. Biddeford in einen anderen Raum, wo er einen Aufruf abwarten kann. Oder eine Vertagung«, fügt er mit einem Blick auf seine Taschenuhr hinzu.

Olympia blickt ihrem Vater nach. Sie hat den Eindruck, daß er sich im Hinausgehen auf den Arm des Gerichtsdieners stützen muß.

Sears richtet seine Aufmerksamkeit wieder auf Olympia. »Also noch einmal, Miss Biddeford: Wann hat Ihre sexuelle Beziehung zu Dr. Haskell begonnen?«

»Am vierzehnten Juli 1899.«

»Und welcher Art waren diese sexuellen Beziehungen?«

»Einspruch, Euer Ehren«, ruft Tucker, »muß die Zeugin diese unsägliche Frage beantworten?«

»Einspruch stattgegeben«, sagt Littlefield. »Mr. Sears, das Gericht wird eine solche Befragung der Zeugin nicht dulden.«

»Miss Biddeford«, fährt Sears fort, »wo haben Sie sich mit Mr. Haskell zur Ausübung sexuellen Verkehrs getroffen?«

»In seinem Hotel.«

»Sie meinen das Highland Hotel in Fortune's Rocks?«

»Ja.«

»Sie pflegten ihn in seinem Zimmer aufzusuchen?«

»Ja.«

»In demselben Zimmer, das er mit seiner Ehefrau teilte, wenn sie an den Wochenenden zu Besuch kam?«

»Ich glaube, ja«, antwortet Olympia und fragt sich, woher Sears das alles wissen kann.

»Wäre es zutreffend, zu sagen, daß Sie den Anstoß zu dieser Beziehung gegeben haben?«

Olympia überlegt einen Moment. Es ist eine Frage, über die sie selbst viel nachgedacht hat. »Ja«, antwortet sie schließlich.

»Und Sie wußten, daß Dr. Haskell Frau und Kinder hatte?«

»Ja.«

»Sie hatten seine Frau und seine Kinder kennengelernt und gesellschaftlich mit ihnen verkehrt?«

»Ja.«

»Sie waren von Zeit zu Zeit im Haus Ihrer Eltern zu Gast?«

»Ja.«

»Wie oft haben Sie den Geschlechtsverkehr mit Dr. Haskell ausgeübt?«

»Das weiß ich nicht.«

»Häufiger als ein dutzendmal?«

»Das ist möglich.«

»Sind Sie immer ins Hotel gegangen?«

»Nein.«

»Wo haben Sie sich noch getroffen?«

»Auf einer Baustelle.«

»Auf einer Baustelle?« wiederholt Sears ungläubig. Er wendet sich von Olympia ab und blickt zu Albertine und Telesphore Bolduc.

»Dr. Haskell ließ damals gerade ein Haus bauen«, fügt Olympia hinzu.

»In Fortune's Rocks?«

»Ja.«

»Und Sie haben in diesem halbfertigen Haus den Beischlaf mit ihm ausgeübt?« fragt Sears.

»Das sagte ich doch bereits.«

Die Anspannung unter Sears' Verhör löst quälende Kopfschmerzen aus, die vom Nacken aufwärts ziehen. Wie lang, fragt sie sich, wird das noch so weitergehen?

»Miss Biddeford, haben Sie zu der Zeit, als Sie sich diesem schändlichen Treiben hingaben, Ihr Handeln als Unrecht empfunden?«

»Ich empfand es als Unrecht von mir, Catherine Haskell weh zu tun«, antwortet sie. »Ich habe es nicht als Unrecht empfunden, John Haskell zu lieben.«

»Catherine Haskell war Dr. Haskells Frau?«

»Ja.«

»Und betrachten Sie Ihr Verhalten zu jener Zeit heute als sündhaft?«

»Nein.«

»Wirklich nicht? Miss Biddeford, gehen Sie zur Kirche?«

»Hin und wieder.«

»Wann haben Sie das letztemal einen Gottesdienst besucht?«

»Letzten Juni«, antwortet sie.

»Aha. Das war vor zehn Monaten. Wenn Ihnen das Sorgerecht für den Jungen zugesprochen werden sollte, werden Sie dann Ihr früheres Verhalten als sündhaft betrachten?«

»Euer Ehren!« Tucker ist schon wieder auf den Beinen. »Die Zeugin kann nicht wissen, was sie an irgendeinem Tag in der Zukunft empfinden wird.«

»Mr. Sears.«

»Dann lassen Sie mich die Frage anders formulieren, Euer Ehren. Miss Biddeford, wie wollen Sie Ihrem Sohn die Umstände seiner Geburt erklären, wenn er in ein Alter kommt, in dem er fähig sein wird, solche Dinge zu verstehen? Immer vorausgesetzt, es gibt an solch unnatürlichem Verhalten überhaupt etwas zu verstehen.«

»Ich werde es ihm auf die gleiche Weise erklären, wie ich hoffe, daß Mrs. Bolduc es erklären würde. Das heißt, ich werde meinem Sohn die Wahrheit sagen.«

Kopfschüttelnd flüstert Albertine Bolduc ihrem Mann etwas zu.

»Miss Biddeford, haben Sie je mit dem Kind Verbindung aufgenommen?«

»Nein.«

»Haben Sie je an seinem Wohlergehen Interesse gezeigt?«

»Ich habe diesen Antrag gestellt.«

»In irgendeiner anderen Weise?«

»Ich habe an diesem Kind seit dem Tag seiner Geburt ein tiefes Interesse.«

»Haben Sie irgendeiner anderen Person dieses Interesse gezeigt, bevor Sie im Juli letzten Jahres nach Fortune's Rocks übersiedelt sind?«

»Nein.«

»Sind Sie dem Kind je begegnet?«

»Nein.«

»Miss Biddeford, lieben Sie John Haskell heute noch?«

Die Frage kommt schnell und scharf wie eine Klinge. Aber Olympia zögert nicht mit ihrer Antwort. »Ja«, antwortet sie klar, und zum erstenmal während dieser Verhandlung zeigt Sears sich überrascht. Er trinkt einen Schluck Wasser.

»Können Sie sich heute einen Tag vorstellen, an dem Sie, im Interesse Ihres Sohnes, Ihre Liebe zu John Haskell aufgeben würden?« fragt er.

Tucker springt auf, um einzugreifen, aber Olympia beantwortet die Frage schon.

»Nein«, sagt sie. »Es wäre niemals im Interesse des Kindes, daß ich meine Liebe zu John Haskell aufgebe.«

»Euer Ehren, ich habe keine weiteren Fragen.«

Olympia trifft ihren Vater in der Mittagspause in einem kleinen Raum, der sich an den Sitzungssaal anschließt. Er richtet sich schwerfällig auf und muß sich auf die Tischkante stemmen, um aufzustehen. Seit Olympia ihren Vater zuletzt gesehen hat, sind nur zehn Monate vergangen, aber sie erkennt ihn kaum wieder. Seine Gesichtsfarbe ist kalkig, und er scheint gebrechlich; sie weiß nicht, ob das eine Folge des Schocks ist, der ihn beim Anblick seiner Tochter im Zeugenstand erschüttert hat, oder ob es dem Alter zuzuschreiben ist. Vielleicht ist er krank. Als sie einander umarmen, küßt sie ihn, obwohl das zwischen ihnen nicht üblich ist.

»Mein liebes Kind«, sagt er.

Sie halten sich an den Händen. Mit dem Kuß hat sich eine Flut von Gefühlen in Olympia Bahn gebrochen. Sie setzen sich in die Ledersessel an einem Bibliothekstisch. Tucker bleibt diskret an der Tür stehen.

»Muß das wirklich sein, Olympia?« fragt er.

»Ich werde meinen Sohn zu mir zurückholen, Vater«, erwidert sie. »Aber mich bedrückt der Gedanke, daß du deshalb leidest.«

»Ich leide nicht, wenn du nicht leidest«, sagt er. »Und der Skandal ist mir längst gleichgültig. Du solltest wissen, daß deine Mutter damals nicht damit einverstanden war, wie ich … den Jungen … habe fortbringen lassen. Sie war mir sehr böse. Und jetzt … Ach, von jetzt kann ich kaum sprechen.«

»Du hast es ihr gesagt?«

»Ja, natürlich. Ich hielt es für meine Pflicht. Sie wird ohnehin davon hören. Olympia, bitte laß mich dir helfen. Ich möchte alles wiedergutmachen. Ich werde hier bleiben, solange du mich brauchst. Ich muß dir allerdings schon jetzt sagen, daß ich als Zeuge aussagen werde. Man hat mich vorgeladen.«

»Das solltest du auch, Vater«, erwidert sie. »Sag die Wahrheit. Nur sie kann mir helfen.«

»Du brauchst sicher Geld.«

Olympia richtet sich ein wenig auf und sieht zu Tucker hinüber. »Mr. Tucker war so freundlich, mir Zahlungsaufschub zu gewähren.«

»Das werde ich mit Mr. Tucker regeln«, sagt ihr Vater. »Du solltest nicht versuchen, gar so selbständig zu sein, Olympia. Das ist nicht gut fürs Herz.«

Und während sie ihren Vater betrachtet, sein blasses Gesicht und den von der Reise nassen und zerknitterten Mantel, denkt sie, daß er in manchen Dingen natürlich ein sehr kluger Mann ist.

»Vater…«, beginnt sie, kann aber nicht weitersprechen, da sich in diesem Moment die Tür öffnet und Richter Littlefield ins Zimmer tritt.

»Oh, entschuldigen Sie«, sagt er, »ich wußte nicht, daß jemand hier ist.«

Dann erst scheint er die andere Person im Raum zu bemerken.

»Philip!« ruft er. Wesentlich schmächtiger ohne die weite Robe, tritt er näher.

Olympias Vater steht auf. »Levi!« Er reicht Littlefield die Hand.

»Es tut mir leid, daß Sie hier erscheinen müssen. Sie sind gestern abend angekommen?«

»Nein, heute morgen.«

»Und haben hoffentlich den schlimmsten Sturm verpaßt?«

»Mit knapper Not, ja.«

»Nun, ich werde Sie beide wieder allein lassen.«

Mit einem leichten Nicken zu Olympia geht Littlefield aus dem Zimmer.

»Sie und Richter Littlefield sind miteinander bekannt?« fragt Tucker an Philip Biddeford gewandt.

»Soweit ich mich erinnere, ging es um eine Schweineherde, die in den Obstgarten eingebrochen war und ziemlich heftige Verwüstungen angerichtet hatte«, erklärt Olympias Vater. »Richter Littlefield regelte die Angelegenheit damals mit viel Fingerspitzengefühl und Witz.«

Olympia erinnert sich an den Einbruch der Schweineherde vom benachbarten Bauernhof. Wann war das? Vor sechs Jahren? Vor sieben?

Tucker lächelt. »Das war wahrscheinlich eine erheiternde Abwechslung für ihn.«

»Ja, vermutlich.«

»Vater«, meint Olympia, »gehen wir doch mit Mr. Tucker zusammen zum Mittagessen. Dann können wir dir auch gleich ein Hotelzimmer reservieren. Bei diesem Wetter kannst du unmöglich heute nach Boston zurückfahren.«

»Olympia!« Ihr Vater sieht sie an. Sein Gesicht hat wieder etwas Farbe bekommen. »Olympia, du hast mir so sehr gefehlt.«


*Der Vertreter der Antragstellerin ruft Philip Arthur Biddeford:*

»Mr. Biddeford, haben Sie am Nachmittag des vierzehnten April 1900 die widerrechtliche Wegnahme des minderjährigen männlichen Kindes Pierre Francis Haskell aus der Obhut seiner Mutter, Ihrer Tochter, Olympia Biddeford, veranlaßt?«

»Ja.«

»Haben Sie selbst das Kind weggebracht?«

»Nein. Ich ließ das Kind von der Zofe meiner Frau holen und zu mir hinunterbringen, wo ich meinen Diener, Josiah

Little, beauftragte, das Kind unverzüglich zu seinem Vater, Dr. John Haskell, zu bringen.«

»Sie hatten das vorher so mit Dr. Haskell vereinbart?«

»Ja.«

»Auf welchem Weg?«

»Schriftlich. Per Post.«

»Auf Ihre oder auf seine Veranlassung?«

»Auf meine. Ich hatte dem Mann über seinen Anwalt geschrieben.«

»Und wie sah Ihre Vereinbarung aus?«

»Daß er für die Unterbringung des Kindes in einem Waisenhaus sorgen würde. Für ihn war das keine Schwierigkeit, da er sowohl in Ely Falls als auch anderswo häufig mit wohltätigen Einrichtungen zusammenarbeitete.«

»Mr. Biddeford, erklären Sie dem Gericht, warum Sie Ihrer Tochter ihr Kind heimlich und widerrechtlich genommen haben.«

»Ich war um Ihren Ruf besorgt.«

»Bedauern Sie ihre Handlungsweise heute?«

»Ja, sehr. Ich kann nur hoffen, daß meine Tochter mir eines Tages verzeihen wird.«

*Der Vertreter der Antragsgegner befragt Philip Arthur Biddeford:*

»Mr. Biddeford, wie haben Sie reagiert, als Sie erfuhren, daß Ihre Tochter ein Kind erwartet?«

»Ich war entsetzt.«

»Waren Sie der Meinung, Ihre Tochter sei zu jung für ein Kind?«

»Ja.«

»Waren Sie der Meinung, sie sei zu jung, um ein Kind großzuziehen?«

»Ja.«

»Ihre Tochter war damals sechzehn Jahre alt?«

»Ja.«

»War sie in Ihren Augen selbst noch ein Kind?«

»Ja, in der Tat.«

»Haben Sie sich damals irgendwelche Gedanken über das Wohl des zu erwartenden Kindes gemacht?«

»O ja.«

»Welcher Art?«

»Ich glaubte damals, daß es in einem Heim besser versorgt wäre. Aber heute bedaure ich...«

»Bitte beschränken Sie sich darauf, die Fragen zu beantworten, Mr. Biddeford.«

»Ja.«

»Was hat Sie, außer den Gedanken um das Wohl des Kindes, damals sonst noch bewegt?«

»Höchste Sorge um den Ruf und die Zukunft meiner Tochter.«

*Der Vertreter der Antragstellerin ruft Josiah Little:*

»Mr. Little, wir haben gehört, daß Mr. Philip Biddeford Ihnen am vierzehnten April 1900 vorübergehend das neugeborene männliche Kind seiner Tochter Olympia Biddeford anvertraut hat, mit der Anweisung, es zu Dr. John Haskell zu bringen. Ist das zutreffend?«

»Ja.«

»Was also haben Sie getan?«

»Meine Frau hat einen Koffer mit den Sachen des Babys gepackt, und dann sind wir mit einer Droschke zum Bahnhof gefahren und haben den Zug nach Rye, New Hampshire, genommen.«

»Ihre Frau hat Sie begleitet?«

»Ja, Sir, und sie hat auf der Fahrt immer nur geweint.«

»War Ihnen klar, daß all dies ohne das Wissen Olympia Biddeford geschah, die infolge der Betäubungsmittel, die man ihr während der Entbindung verabreicht hatte, kaum bei Bewußtsein war?«

»Ja, Sir, deswegen hat meine Frau ja so geweint.«

»Was geschah, als Sie in Rye ankamen?«

»Wir haben einen Wagen nach Ely Falls genommen. Mr. Biddeford hatte uns Geld für die Reise gegeben.«

»Und dort trafen Sie mit Dr. John Haskell zusammen?«

»Ja.«

»Wo war das?«

»Im Ely Falls Hotel.«

»Berichten Sie uns, wie dieses Zusammentreffen ablief.«

»Wir sind in Dr. Haskells Zimmer hinaufgegangen. Ich kannte ihn von früher, als er häufiger bei Mr. und Mrs. Biddeford zu Gast war. Und wir haben ihm das Kind gegeben.«

»Was geschah dann?«

»Dann hat Dr. Haskell fürchterlich geweint. Ach, ich kann's nicht erzählen.«

»Es muß leider sein, Mr. Little. Sie müssen uns so genau wie möglich berichten, was geschah.«

»Also, Dr. Haskell hat geweint, und dann hat er das Kind aufs Bett gelegt und ausgezogen und ganz vorsichtig untersucht. Danach ist er wieder ruhiger geworden und hat uns gesagt, daß das Kind gesund sei, und meine Frau, die sich deswegen große Sorgen gemacht hatte, war sehr erleichtert.«

»Und wie ging es weiter?«

»Dann ist Dr. Haskell zur Tür gekommen, wo meine Frau und ich warteten, und hat sich bei uns bedankt, und meine Frau hat zu ihm gesagt: ›Sie müssen dafür sorgen, daß das Kind in gute Hände kommt‹, und Dr. Haskell hat es ihr versprochen.«

»Und weiter?«

»Dann hat er nach Miss Biddeford gefragt. Er wollte wissen, wie es ihr geht und wie die Entbindung verlaufen ist. Das konnte ihm meine Frau sagen, die die ganze Zeit bei ihr war. Und als das Baby zu weinen anfing, hab ich Dr. Haskell den Koffer gegeben, und er hat das Kind auf den Arm genommen. Meine Frau und ich sind dann gegangen. Wir haben im Hotel übernachtet, weil es schon zu spät war, um noch nach Boston zurückzufahren.«

*Der Vertreter der Antragstellerin ruft Mutter Marguerite Pelletier:*
»Sie sind die Mutter Oberin im Orden der Nonnen von St. Jean Baptiste de Bienfaisance. Ist das richtig?«
»Ja, das ist richtig.«
»Und Sie sind die Leiterin des Waisenhauses von St. André?«
»Ja.«
»Hatten Sie vor dem fünfzehnten April 1900 jemals mit Dr. John Haskell zu tun?«
»Ja, wir hatten in jenem Jahr schon mehrmals mit Dr. Haskell zu tun. Es kam immer wieder vor, daß er um Unterbringung für Säuglinge ersuchte, deren Mütter bei der Geburt gestorben waren oder die von jungen Mädchen zur Welt gebracht worden waren, die selbst nicht für die Kinder sorgen konnten.«
»Ich verstehe. Und hatte er vor dem fünfzehnten April mit Ihnen über das Kind Olympia Biddefords gesprochen?«
»Ja, Sir. Er sagte uns allerdings den Namen der Mutter nicht. Er sagte nur, daß er uns irgendwann im April ein Neugeborenes bringen werde, das weder Mutter noch Vater habe, und bat uns, für die Unterbringung des Kindes zu sorgen. Das haben wir natürlich zugesagt. Dr. Haskell hatte so viele unserer Kinder behandelt und für seine Dienste niemals eine Rechnung gestellt.«
»Und hat Dr. Haskell Ihnen das Neugeborene am Morgen des fünfzehnten April 1900 gebracht?«
»Nein, es war am Nachmittag des fünfzehnten April. Er kam mit dem Kind in mein Büro.«
»Und weiter?«
»Er war sehr aufgewühlt und schien tief bekümmert über das Schicksal des Kindes, höchst besorgt, daß es gut untergebracht werden würde. Obwohl er mir nichts über die Um-

stände der Geburt des Kindes mitteilte und ich mich nicht befugt fühlte, Fragen zu stellen, dachte ich mir damals schon, daß er wahrscheinlich persönlich betroffen sei. Auch weil er dem Kind seinen Namen gab. Das war ungewöhnlich. Außerdem hinterließ er dem Waisenhaus einen beträchtlichen Geldbetrag zur Versorgung des Kindes. Er bat mich mehrmals, sobald wie möglich eine gute Pflegefamilie für das Kind zu finden, und er wollte es nur in einer Familie mit Mutter *und* Vater wissen.«

»Und dann?«

»Dann hat er den kleinen Jungen auf die Stirn geküßt und mir in die Arme gelegt.«

»Und haben Sie den Jungen in eine Familie gegeben, wie beauftragt?«

»Ja, Sir. Wir gaben den Jungen bei Mr. und Mrs. Bolduc in Pflege.«

*Der Vertreter der Antragsgegner befragt Mutter Marguerite Pelletier:*

»Mutter Marguerite, ist es richtig, daß im vergangenen September zwischen Ihnen und der Antragstellerin ein Gespräch stattgefunden hat?«

»Ja, Mr. Sears, das ist richtig.«

»Können Sie uns über dieses Gespräch berichten?«

»Sie kam zu mir, um sich über ein Kind zu erkundigen. Ich stellte sehr schnell fest, daß es sich um ihr eigenes Kind handelte. Sie gab mir einige Auskünfte über ihre Lebensverhältnisse.«

»Und wie stellten Sie fest, daß das Kind der Antragstellerin der kleine Junge war, den Dr. Haskell am fünfzehnten April 1900 in Ihre Obhut gegeben hatte?«

»Sie nannte mir den Namen des Vaters.«

»Ich verstehe. Wie ging es dann weiter?«

»Ich bat sie, in meinem Büro zu warten, weil ich mich mit Bischof Louis Giguere besprechen wollte, der Mitglied des Verwaltungsrats des Waisenhauses ist.«

»Und was beschlossen Sie und Bischof Giguere?«

»Wir beschlossen, der jungen Frau zu sagen, daß ihr Kind unter unserer Betreuung gestanden hatte, aber in eine Pflegefamilie gegeben wurde. Wir beschlossen ferner, ihr den Vornamen des Kindes zu nennen, aber nicht seinen Familiennamen.«

»Warum das?«

»Wir wollten die Privatsphäre des Kindes und der Pflegeeltern schützen.«

»Und wie reagierte die Antragstellerin auf Ihre Mitteilung?«

»Sie war sehr erregt.«

»War irgend etwas an dem Gespräch, das Sie an jenem Tag mit Olympia Biddeford führten, ungewöhnlich?«

»Ja.«

»Würden Sie uns das genauer erklären?«

»Nun, Mr. Sears, ich sehe leider viele junge Mädchen in ähnlicher Situation. Sie glauben, sie könnten ihre Kinder einfach im Stich lassen und weiterleben wie vorher. Und dann erscheinen sie eines Tages, von Reue oder Schuldgefühlen oder was weiß ich getrieben, vor unserer Tür und wollen das Kind wiederhaben. Zunächst glaubte ich, Olympia Biddeford wäre nicht anders als all die anderen jungen Frauen, mit denen ich immer wieder zu tun habe. Aber sie war anders.«

»Inwiefern?«

»Sie war verstockt. Ich fragte sie, ob sie bereit sei, für ihre Sünden um Vergebung zu bitten, und sie erklärte mir unmißverständlich, sie betrachte ihr Handeln nicht als sündhaft und würde nicht für etwas um Vergebung bitten, was in ihren Augen nicht unrecht sei.«

»Erinnern Sie sich an den Wortlaut dieses Austauschs?«

»Ich sagte, niemand werde *zufällig* schwanger, es gehören immer auch Wille und Absicht dazu. Sie habe eindeutig wider Gott und Natur gesündigt. Und darauf erwiderte sie: ›Zu lieben ist keine Sünde wider die Natur. Niemals werde ich das glauben.‹ Ich fand es frech und anmaßend von ihr, ausgerechnet mir, in meiner Eigenschaft als Funktionsträgerin der katholischen Kirche, zu sagen, sie bereue es trotz der Sündhaftigkeit der Beziehung nicht, geliebt zu haben und geliebt worden zu sein.«

»Und damit war das Gespräch beendet?«

»Ja. Ich habe für sie gebetet.«

*Der Vertreter der Antragsgegner ruft Mrs. Bardwell, Direktorin des Hastings-Seminars für junge Frauen:*

»Mrs. Bardwell, zunächst möchte ich Ihnen danken, daß Sie die Reise von West-Massachusetts nach Ely Falls auf sich genommen haben, die, wie wir alle wissen, recht beschwerlich ist.«

»Ja, Sir, das ist sie. Aber als ich Ihr Angebot erhielt, meine Reisekosten zu übernehmen, dachte ich mir, daß mir ein paar Tage Ruhe am Meer nicht schaden könnten.«

»Ja. Gut. Mrs. Bardwell, erinnern Sie sich an die Antragstellerin, Olympia Biddeford, die Ihre Lehranstalt besucht hat?«

»O ja, Mr. Sears.«

»Was können Sie uns über ihren Aufenthalt dort berichten?«

»Ihre schulischen Leistungen waren hervorragend. Sie hat sich im Unterricht stets hervorgetan, und alle ihre Lehrer haben ihr ausgezeichnete Noten gegeben.«

»Und wie, würden Sie sagen, hat sie sich in das Leben an der Schule eingeordnet?«

»Sie war das, was ich eine Eigenbrötlerin nennen würde. Sehr zurückhaltend. Wenn sie in der Schule Freundinnen hatte, so weiß ich nichts davon. Das ist, wenn ich das hinzufügen darf, äußerst ungewöhnlich. Man sollte erwarten, daß eine junge Frau im Lauf von drei Jahren menschlichen Kontakt findet.«

»Würden Sie Olympia Biddeford also als unsozial bezeichnen?«

»O ja.«

»Würden Sie sagen, daß Olympia Biddeford bezüglich ihrer Ausbildung das nötige Rüstzeug besitzt, um andere zu unterrichten?«

»Absolut.«

»Würden Sie sie für einen Posten als Lehrerin oder Erzieherin empfehlen?«

»Ganz gewiß nicht. Ich kann nicht jemanden empfehlen, der seinen Arbeitgeber ohne jeden Grund im Stich gelassen hat.«

»Wie erfuhren Sie davon, daß die Antragstellerin ihren Posten als Erzieherin bei Mr. Averill Hardy im Juli letzten Jahres aufgegeben hat?«

»Ich bekam einen Brief von Mr. Hardy. Es war das erste, was ich hörte. Miss Biddeford hat es nicht für nötig gehalten, uns von sich aus Mitteilung zu machen. Mr. Hardy schrieb, er sei froh, daß sie gegangen sei, da einer seiner Söhne ihm gestanden habe, sie hätte versucht, sich dem Jungen auf unschickliche Weise zu nähern.«

»Würden Sie Olympia Biddeford wieder in Ihrer Lehranstalt aufnehmen?«

»In Anbetracht dieses Schreibens könnte ich das nicht tun.«

*Der Vertreter der Antragsgegner ruft Zachariah Cote:*
»Mr. Cote, Sie genießen innerhalb der literarischen Gemeinde keinen geringen Ruf als Lyriker. Ist das richtig?«

»Ja, Mr. Sears, ich darf das in aller Bescheidenheit bestätigen.«

»Würden Sie uns berichten, wie Sie Olympia Biddeford kennengelernt haben?«

»Ich war mehrmals im Haus ihres Vaters in Fortune's Rocks zu Gast.«

»Und was hielten Sie von Olympia Biddeford, als Sie sie kennenlernten?«

»Nun, sie war unverkennbar sehr gebildet. Sie schien mir ein nettes junges Mädchen zu sein, wenn auch vielleicht ein wenig zu sehr von sich überzeugt.«

»Hat sich Ihre Meinung über sie zu irgendeiner Zeit im Laufe jenes Sommers geändert?«

»O ja, ganz entschieden.«

»Können Sie uns Näheres dazu sagen?«

»Am vierten Juli 1899 kehrte ich von einer Festlichkeit in Rye zurück. Sie kennen diese Tradition vermutlich. Die Bauern fahren ihre Heuwagen in die Stadtmitte und entzünden dort ein großes Feuer.«

»Ja, Mr. Cote, dieser Brauch ist uns allen bekannt. Bitte fahren Sie fort.«

»Tja, also, mein Kutscher beschloß, die Straße durch das Sumpfgebiet zu nehmen, um nach Fortune's Rocks zurückzukehren. Das ist der schnellste Weg. Ich wohnte damals im Highland Hotel.«

»Ja, weiter.«

»Als wir um die Ecke kamen, sah ich am Straßenrand ein Paar in enger Umarmung.«

»Können Sie uns sagen, wer die beiden Personen waren?«

»Ja. Es waren Olympia Biddeford und Dr. John Haskell.«

»Und Sie können das mit Sicherheit sagen?«

»Ja. Das Licht der Wagenlaterne fiel direkt auf ihre Gesichter.«

»Was war Ihre Reaktion?«

»Ich war sehr schockiert, Sir. Dr. Haskell war ein verheirateter Mann. Und Olympia Biddeford war erst fünfzehn Jahre alt.«

»Haben Sie irgend jemandem von dieser Beobachtung erzählt?«

»Nein. Ich dachte mir allerdings damals schon, daß wahrscheinlich der Tag kommen würde, an dem ich mit Philip Biddeford darüber sprechen müßte.«

»Und haben Sie Olympia Biddeford in diesem Sommer nochmals unter ungewöhnlichen oder kompromittierenden Umständen beobachtet?«

»Ja, das kann man sagen. Einmal, als ich nach einem Morgenspaziergang ins Highland Hotel zurückkam, traf ich Olympia Biddeford dort auf der Veranda an.«

»Um welche Zeit war das?«

»Es kann noch nicht acht gewesen sein.«

»Was für einen Eindruck machte sie auf Sie?«

»Ich muß sagen, ich war ziemlich erschüttert über ihr Aussehen. Sie sah – wie soll ich sagen? – unordentlich aus.«

»Haben Sie mit ihr gesprochen?«

»Ja. Ich bemühte mich, ein wenig Konversation zu machen.«

»Und wie hat sie auf dieses Bemühen reagiert?«

»Auf mich wirkte sie arrogant. Sie lehnte meine Einladung zum Frühstück ab und lief einfach davon.«

»Mr. Cote, haben Sie Catherine Haskell gekannt?«

»Ja, ich habe sie sogar gut gekannt. Eine sympathische Frau. Eine vorbildliche Ehefrau und Mutter.«

»Ist es richtig, daß Sie und Catherine Haskell einmal Gelegenheit hatten, Olympia Biddeford in kompromittierender Situation mit Dr. John Haskell zu beobachten?«

»Ja, das ist leider richtig.«

»Können Sie uns dazu Näheres sagen?«

»Das ist eine heikle Angelegenheit, Sir. Der Zwischenfall ereignete sich bei einem Gartenfest im Haus Philip Biddefords am zehnten August 1899. Während ich mit Mrs. Haskell zusammen auf der Veranda war, warf sie rein zufällig einen Blick durch das Teleskop, das dort aufgestellt war, und richtete es völlig ahnungslos auf ein Fenster der Kapelle, die an das Haus gebaut war. Die Szene, die sie dabei zu sehen bekam, war unglaublich schockierend!«

»Haben Sie selbst diese Szene auch gesehen?«

»Ja, Sir. Als ich Mrs. Haskells Erschrecken bemerkte, beugte ich mich hinunter, um selbst durch das Fernrohr zu sehen.«

»Und was haben Sie gesehen?«

»Ich sah Olympia Biddeford und Dr. John Haskell in – wie soll ich sagen – in eindeutiger Situation.«

»In der *Kapelle,* Mr. Cote?«

»Ja, in der Kapelle. Auf dem *Altar,* wenn ich das hinzufügen darf.«

»Auf dem Altar, Mr. Cote?«

»Ja.«

»Und wie reagierte Mrs. Haskell auf diesen Anblick?«

»Sie wurde kreidebleich.«


*Der Vertreter der Antragstellerin befragt Zachariah Cote:*

»Mr. Cote, Sie sind Dichter, ist das richtig?«

»Ja, Mr. Tucker, das habe ich bereits gesagt.«

»Und genießen Sie ein gewisses Ansehen?«

»Kein geringes Ansehen, wenn ich das so sagen darf.«

»Genossen Sie dieses nicht geringe Ansehen auch schon im Sommer 1899?«

»Ich denke doch.«

»Mr. Cote, haben Sie nicht im Juni 1899 Mr. Philip Biddeford, dem Herausgeber des *Bay Quarterly,* ein halbes Dutzend Gedichte vorgelegt in der Hoffnung, daß er diese Werke veröffentlichen würde?«

»Das kann sein. Ist es von Belang?«

»Richter Littlefield wird darüber entscheiden, was von Belang ist, Mr. Cote. Bitte antworten Sie mir.«

»Ich weiß es nicht mehr.«

»Denken Sie nach, Mr. Cote.«

»Wie ich schon sagte, es kann sein.«

»Wäre es richtig zu sagen, daß Mr. Biddeford die Veröffentlichung dieser Gedichte ablehnte?«

»Wenn Sie es so formulieren wollen.«

»Ich bin kein Dichter, Mr. Cote; ich halte mich lieber an die schlichte Wahrheit.«

»Ich erinnere mich nicht genau.«

»Vielleicht hilft Ihnen das hier, Ihr Gedächtnis aufzufrischen, Mr. Cote. Ist dies nicht der Durchschlag eines Schreibens, das Mr. Philip Biddeford Ihnen schickte?«

»Ich bin nicht sicher.«

»Lassen Sie sich Zeit.«

»Es scheint so, ja.«

»Von wann ist dieses Schreiben datiert?«

»Vom vierten August 1899.«

»Mit anderen Worten, Sie müßten es kurz vor dem Abend des zehnten August, an dem das Gartenfest im Haus Philip Biddefords stattfand, erhalten haben.«

»Das kann sein.«

»Mr. Cote, wären Sie so freundlich, uns den Brief vorzulesen?«

»Euer Ehren, muß ich das wirklich tun?«

»Mr. Tucker, ist das notwendig?«

»Euer Ehren, ich möchte zeigen, daß Mr. Cote in dieser Sache vielleicht kein unparteilicher Zeuge ist.«

»Also gut. Fahren Sie fort.«

»Mr. Cote!«

»Ja?«

»Den Brief.«

»Meinetwegen, Mr. Tucker, wenn es sein muß, werde ich ihn vorlesen. Aber ich möchte doch gegen diese Verletzung meiner Privatsphäre energisch protestieren.«

»Mr. Cote, wir befinden uns hier in einer Gerichtsverhandlung. Von Verletzungen der Privatsphäre kann keine Rede sein.«

»›Mein lieber Mr. Cote, ich sende Ihnen beiliegend die Gedichte zurück, die Sie mir überlassen haben, da ich mich nicht in der Lage sehe, sie, wie ich gehofft hatte, im *Bay Quarterly* zu veröffentlichen. Obwohl zweifellos ungewöhnlich in Stil und Inhalt, sind sie für diese Zeitschrift nicht geeignet. Vielleicht sollten Sie erwägen, in Zukunft etwas sparsamer mit den Adjektiven umzugehen, das würde den Gedichten, denke ich, etwas von ihrer Rührseligkeit nehmen.

Mit den besten Grüßen, Philip Biddeford.‹«

»Mr. Cote, hat dieser Brief Sie geärgert?«

»Er war natürlich enttäuschend. Und falsch in seinem Urteil, möchte ich hinzufügen.«

»Aber das Gartenfest der Biddefords am zehnten August haben Sie trotzdem besucht?«

»Ja. Ich hatte zugesagt, und ich halte im allgemeinen mein Wort.«

»Natürlich, Mr. Cote. Sagen Sie, hat Olympia Biddeford sich Ihres Wissens in der Öffentlichkeit je anstößig benommen?«

»Wie meinen Sie das?«

»Nun, haben sie und Dr. Haskell sich im Beisein anderer in irgendeiner Weise gehenlassen?«

»Nein, es sei denn, man zählt das eine Mal in der Kapelle.«

»War das Innere der Kapelle von den Räumen aus sichtbar, in denen das Fest stattfand?«

»Nein.«

»Hat an diesem Abend noch jemand außer Ihnen und Mrs. Haskell Olympia Biddeford und Dr. Haskell zusammen gesehen?«

»Das weiß ich nicht.«

»Mr. Cote, trifft es nicht zu, daß Catherine Haskell am Abend des Gartenfests nicht rein zufällig einen Blick durch das Teleskop warf, sondern vielmehr von Ihnen dazu aufgefordert wurde, es zu tun?«

»Weiß Gott nicht, Sir!«

»Von Ihnen, der das Paar den ganzen Abend lang beobachtet hatte und wußte, daß es in die Kapelle gegangen war?«

»Nein, Mr. Tucker.«

»Und war es nicht so, daß Sie selbst das Teleskop so eingestellt hatten, daß es direkt auf ein Fenster der Kapelle gerichtet war?«

»Nein, das stimmt nicht. Ich verbitte mir Ihre schamlosen Unterstellungen.«

»Euer Ehren, ich habe keine weiteren Fragen an den Zeugen.«

»Mr. Cote, Sie können den Zeugenstand verlassen.«

»Aber ich möchte auf die völlig unbegründeten Unterstellungen Mr. Tuckers antworten, Euer Ehren.«

»Ja, das glaube ich. Sie können jetzt den Zeugenstand verlassen.«

»Nun gut, aber ich bin mit dieser Vorgehensweise nicht einverstanden.«

»Das kann ich mir vorstellen. Da es inzwischen spät geworden ist, werden wir die Sitzung für heute vertagen und, wenn es das Wetter erlaubt, alle nach Hause gehen. Mr. Sears, haben Sie weitere Zeugen?«

»Ja, Euer Ehren, ich werde morgen Mrs. Bolduc aufrufen.«

»In Ordnung. Und jetzt wollen wir Schluß machen.«


## 22


Sie sucht sich vorsichtig ihren Weg durch den Schneematsch und kann doch nicht verhindern, daß der Saum ihres Kostümrockes auf dem kurzen Weg, wenige hundert Meter nur, vom Hotel zum Gericht naß und schmutzig wird. Die Sonne ist herausgekommen, warm und kräftig, und sie ahnt den Frühling in der Luft – den Frühling, der jetzt nur noch zwanzig Tage entfernt ist. Vielleicht wird sie den Winter doch durchstehen. Sie verspürt plötzlich ein heftiges Verlangen, nach Fortune's Rocks zurückzukehren. Der Schnee auf dem Rasen wird bis zum Abend geschmolzen sein, und vielleicht zeigt sich darunter schon erstes Grün.

Olympia und ihr Vater haben am vergangenen Abend im Ely Falls Hotel miteinander gegessen und heute morgen dort gefrühstückt, in einem Speisesaal, dessen Schäbigkeit ihre Freude aneinander nicht beeinträchtigen konnte; und sie haben es beide genossen, wieder über die Welt jenseits der Grenzen von Fortune's Rocks miteinander sprechen zu können. Er wollte unbedingt wissen, was sie von Roosevelt halte und von der Kontroverse auf den Philippinen, und sie neckte ihn damit, daß er nun doch ein Telephon hat installieren lassen. Worauf er gestand, daß er auch einen Phonographen gekauft hat und beinahe sicher ist, daß es der Aufzeichnung eines Konzerts des Cellisten Pablo Casals zu verdanken ist, wenn es jetzt ihrer Mutter endlich wesentlich bessergeht.

»Vater, du solltest nach Hause fahren«, sagte Olympia, als sie nach dem Frühstück mit ihrem Kaffee in der Bibliothek des Hotels saßen. »Ich kann dir nicht sagen, wie dankbar ich dir bin, daß du gekommen bist, aber Mutter braucht dich dringender.«

»Brauchst du denn nicht meine moralische Unterstützung bei der Verhandlung?«

»Ich schaffe es mit Hilfe von Payson Tucker. Er ist mir eine große Stütze. Und ich danke dir, daß du seine Rechnung übernimmst. Ich verspreche dir, daß ich euch besuche, sobald das hier vorbei ist.«

Und ich werde den Jungen mitbringen, hat sie insgeheim gedacht.

»Na schön«, antwortete ihr Vater, »aber ich fahre nur unter der Bedingung, daß du mir erlaubst, Charles Knowlton vorbeizuschicken, damit er sich anschaut, was am Haus an Reparaturen nötig ist. Wenn du weiter dort leben willst, Olympia, muß einiges modernisiert werden. Ich kann mir kaum vorstellen, wie du den Winter überstanden hast.«

»Ich bin in die Küche gezogen«, sagte Olympia, und ihr Vater lächelte ungläubig bei der Vorstellung. Sie hatte den Eindruck, daß er in den vierundzwanzig Stunden in Ely Falls um Jahre jünger geworden war. Ja, er schien beinahe ausgelassen, als er sich auf den Weg zur Bahn machte.

Aber die Hochstimmung trübt sich, als sie dem Gerichtsgebäude wieder näher kommt. Ihr graut davor, noch einen Tag in diesem Sitzungssaal zu verbringen. Der Raum ist so düster und bedrückend, viel zu klein für soviel Leidenschaft, soviel Sehnsucht, so starke Antipathien. Und immer liegt in ihrem Mund der bittere Nachgeschmack des Verhörs, bei dem sie gezwungen wurde, Gedanken und Gefühle zu offenbaren, über die man öffentlich niemals sprechen dürfte. So stark ihr Wunsch ist, diesen Prozeß zu gewinnen, fehlt es ihr doch nicht an Mitgefühl für Albertine Bolduc, die heute in den Zeugenstand gerufen wird und ähnliche Fragen beantworten muß wie gestern sie selbst.

Ihre Beklemmung weicht Verwunderung, als sie auf dem Weg zum Hautportal des Gerichtsgebäudes um die Ecke biegt. Überall auf den Steinstufen haben sich Menschen versammelt, einige mit Photoapparaten, andere mit handbeschrifteten Plakaten. »*La Survivance!*« steht auf einem. »*Je me souviens!*« auf einem anderen.

Ein Mann, der fast über dem steinernen Geländer hängt, bemerkt sie, wie sie überrascht an der Ecke stehenblieb. »*Voilà la jeune fille!*« schreit er laut. Und schon drängt sich die Menge ihr entgegen. Ehe Olympia weiß, wie ihr geschieht, ist sie von Männern umringt, die ihr herausfordernde Fragen und Bemerkungen ins Gesicht schreien. »*Où est le docteur?*« »Miss Biddeford, warum wollen Sie das Sorgerecht?« »*Où est la justice?*«

Ein Plakat wird ihr beinahe ins Gesicht gestoßen, und sie reißt abwehrend beide Arme hoch. Als sie jemand energisch fortführen will, leistet sie mit aller Kraft Widerstand, bis sie die vertraute Stimme Payson Tuckers erkennt und aufblickend seine lange, dürre Gestalt sieht, die alle Umstehenden überragt.

»Lassen Sie sie in Ruhe«, befiehlt er mit überraschend gebieterischer Stimme. »Lassen Sie uns durch.«

Er nimmt Olympia beim Arm und führt sie durch die Menge, die sich gehorsam teilt. Sie laufen die Treppe hinauf und drängen sich zur Tür hinein, die nur ihnen geöffnet wird. Er führt sie eilig in ein Vorzimmer.

»Ist Ihnen etwas passiert?« fragt er sofort.

»Nein«, antwortet sie, obwohl sie sehr erschrocken ist. »Ich glaube nicht. Aber ich verstehe das nicht.«

»Es ist eine Katastrophe.« Tucker sucht einen Lichtschalter, findet keinen und zieht die staubigen Vorhänge vor dem Fenster auf. »Eine Katastrophe.« Er öffnet seine Aktentasche. »Haben Sie die Zeitungen gesehen?«

»Nein.«

»Dann sehen Sie sich diese mal an.«

Es sind zwei Blätter, der *Ely Falls Sentinel,* den sie kennt, und *L'Avenir,* eine französischsprachige Zeitung, die sie hin und wieder an Zeitungsständen gesehen, aber nie gekauft hat.

»Schöne Tochter von Bostoner Intellektuellem will Sorgerecht für Franko-Kind«, lautet die Schlagzeile des englischen Blattes. »Skandal in Fortune's Rocks«, meldet die französische Zeitung, und im Untertitel steht: »Zerstörung einer frankoamerikanischen Familie«. Beide Texte sind mit Zeichnungen von Olympia illustriert. Das Porträt im *Ely Falls Sentinel* zeigt in ovaler Fassung, einer Kamee ähnlich, das junge, aber ernste Gesicht einer hübschen Frau, die wie ein Gibson Girl aussieht. Auf dem Bild, das den Bericht in *L'Avenir* begleitet, ist hingegen eine Frau im tiefausgeschnittenen Kleid zu sehen, das viel Busen enthüllt. Die Lippen der Frau sind geöffnet, feine Haarsträhnen umrahmen federleicht ihr Gesicht.

»Oh«, sagt Olympia und setzt sich.

»Das ist genau das, was ich nicht wollte«, sagt Tucker, ergreift eine der Zeitungen und schlägt mit dem Handrücken dagegen. »Die Stadt spaltet sich in zwei Lager. Die Frankogemeinde hält zusammen wie Pech und Schwefel, und diese Leute werden sich jetzt alle um die Bolducs scharen. Und die Yankees, die sich von der *Survivance* bedroht fühlen, werden die schlimmsten Vorurteile hervorholen und sie auch noch schüren. Das brodelt schon seit Jahren, es ist latent immer vorhanden, und hin und wieder tritt ein Ereignis ein, wie dieser Prozeß, und bringt das Faß zum Überlaufen. Das ist Sears' Werk, das weiß ich. Er hat dabei nichts zu verlieren und alles zu gewinnen. Ich vermute sogar, daß er deshalb den Fall übernommen hat. Des Aufsehens wegen. Denn verdienen kann er dabei nicht viel.«

Aber Olympia kommt ein anderer Gedanke. »Für mich steckt Zachariah Cote dahinter. Das ist seine Handschrift«, sagt sie. »Das wäre seine Art der Rache dafür, daß Sie ihn gestern so gründlich auseinandergenommen haben.«

Tucker sieht Olympia an und scheint sie erst jetzt wirklich wahrzunehmen. »Miss Biddeford.« Er legt die Zeitung nieder. »Ich rege mich hier über Klassenkampf auf, während Sie doch die Leidtragende sind.«

»Sie haben mich gewarnt«, sagt sie.

»Ja, aber eine Warnung ist nichts im Vergleich mit dem Schock der Realität. Ich weiß das.«

Tucker nimmt die Zeitungen vom Tisch und steckt sie in seine Aktentasche. »Sind Sie sicher, daß Sie weitermachen wollen?« fragt er. »Es ist nicht zu spät, den Antrag zurückzuziehen.«

»Ich bin froh, daß mein Vater nicht mehr hier ist, um das zu sehen«, sagt Olympia, die aufgestanden und ans Fenster getreten ist. »Was ist ›*La Survivance*‹?« fragt sie, zu der Menschenmenge hinunterblickend. »Ich weiß, es bedeutet ›Überleben‹, aber wofür steht das Wort hier?«

»Es ist der Schlachtruf der frankoamerikanischen Gemeinde. Er steht für ihre Entschlossenheit, ihre Kultur und ihre Sprache von den Einflüssen der Angloamerikaner reinzuhalten. Ein Bemühen übrigens, das, wie die Geschichte immer wieder gezeigt hat, zum Scheitern verurteilt ist, aber gerade das macht die Frankos wahrscheinlich um so entschlossener. Wir beide wissen natürlich, daß es bei diesem Prozeß nicht um Klasse oder Kultur geht, aber sie wollen es anders sehen.«

»Sind Sie da so sicher?« entgegnet sie. »Sind Sie so sicher, daß es nicht um Klasse oder Kultur geht?«

»Bis jetzt war ich es«, antwortet Tucker. »Aber nun hat sich alles geändert.«

In dem kleinen Sitzungssaal hört man das Lärmen der wachsenden Menge draußen auf der Straße durch das einzige Fenster, dessen Vorhänge zugezogen sind. Albertine Bolduc wirkt ängstlich und hält die Hand ihres Mannes umfaßt. Richter Littlefield betritt den Raum, und sogar er scheint erschüttert.

»Ich hatte gehofft, diese Angelegenheit in aller Diskretion hinter geschlossenen Türen verhandeln zu können«, beginnt er, gleich nachdem er sich gesetzt hat. »Aber manchmal kommt es vor, daß eine Gerichtssache ohne Zutun des Gerichts an die Öffentlichkeit gelangt, und diese Öffentlichkeit glaubt, an dem Rechtsverfahren teilhaben zu müssen. Einzelheiten dieser privaten Auseinandersetzung hier haben ihren Weg in die Zeitungen gefunden, und ich hoffe, ich werde nie erfahren, daß einer der hier Anwesenden dafür verantwortlich ist.« Littlefield sieht Sears durchdringend an, der seinerseits ein erstauntes Gesicht macht und die Hände ausbreitet, als wollte er sagen: Ich war's nicht.

»Wenn Einzelheiten eines Gerichtsverfahrens an die Öffentlichkeit gelangt sind«, fährt Littlefield fort, »und die Öffentlichkeit den Eindruck hat, daß ihr die Teilnahme verweigert wird, besteht die Möglichkeit, daß einer Partei oder auch beiden daraus Schaden erwächst. Ich habe mich daher mit großem Widerstreben und nach reiflicher Überlegung entschlossen, die Öffentlichkeit zu diesem Verfahren zuzulassen. Wir werden in einen größeren Saal umziehen, und da ich keinen von uns der Gefahr körperlicher Verletzung durch die Menge aussetzen möchte, die sich draußen angesammelt hat, werde ich den Gerichtsdiener bitten, Sie durch die Tür hinter mir zu führen. Das Publikum wird durch einen anderen Eingang hereinkommen.«

Tucker wartet, bis Sears die beiden Bolducs durch die Tür hinter dem Richter geleitet hat, bevor er seinerseits Olympia zu diesem Ausgang führt. Er nimmt ihren Arm, und gemeinsam betreten sie ein düsteres Labyrinth kleiner Räume. Der Weg führt um unzählige Ecken, und sie hält sich instinktiv dicht an Tucker. Als sie sich eine Zeitlang ganz ohne Licht zurechtfinden müssen, legt er einen Arm um ihre Schultern, um sie zu führen. Es ist seltsam, nach so langer Zeit wieder die beschützende Berührung eines Mannes zu fühlen. Noch ehe sie die Tür des neuen Sitzungssaals erreicht haben, hört Olympia Aufmunterungsrufe für Albertine und Telesphore Bolduc.

Tucker nimmt sie bei der Hand.

»Mr. Tucker, ich habe Angst«, sagt sie, zu ihren gefalteten Händen hinunterblickend.

»Miss Biddeford, ich möchte Ihnen gern etwas sagen«, erwidert er. »Ich weiß, das ist ein unmöglicher Moment...«

In der Düsternis des Richterzimmers kann sie sein Gesicht nur ahnen, sieht einzig seine Augen.

»Ich weiß, ich sollte es lassen«, sagt er.

»Mr. Tucker!«

»Ich wollte Ihnen nur sagen, wie sehr ich Ihren Mut bewundere und daß ich hoffe, wir werden eines Tages Freunde sein können und nicht nur Mandantin und Anwalt.«

Olympia entzieht ihm ihre Hand. »Sie haben wirklich einen höchst seltsamen Moment gewählt, um mir Ihre Bewunderung auszudrücken.«

»Ja. Ich weiß. Aber gibt es für solche Erklärungen denn überhaupt den richtigen Moment und den richtigen Ort?«

»Nein, vielleicht nicht.«

Olympia sieht Tucker freimütig an. »Ich möchte keinem Menschen die Hoffnung nehmen, ich brauche sie ja selbst so dringend«, sagt sie mit Bedacht. »Und vor allem Sie möchte ich nicht enttäuschen, da ich Ihnen schon jetzt ungeheuer dankbar bin. Aber ich kann niemandem mehr bieten, als ich habe.«

»Ich verstehe.«

»Bitte nennen Sie mich doch Olympia. Es ist absurd, an Förmlichkeiten festzuhalten, da wir ohnehin schon von soviel Schwulst und Zeremoniell umgeben sind.«

»Danke, Olympia«, sagt er.

»Mein Gott, Tucker«, sagt Richter Littlefield, der plötzlich aus der Düsternis auftaucht und sie beide erschreckt. »Wenn ich dahinterkomme, daß Sears diesen Aufruhr angezettelt hat, werde ich dafür sorgen, daß er aus der Anwaltskammer ausgeschlossen wird. Sagen Sie mir, daß Sie es nicht waren.«

»Nein, Sir, ich war es nicht«, antwortet Tucker, ziemlich verwirrt darüber, daß Littlefield seine persönlichen Worte zu Olympia wahrscheinlich gehört hat. »Ich habe gar nichts davon, wenn der ganze Saal mit Frankos vollgepackt ist.«

»Ja, richtig.«

»Und wenn ich noch etwas sagen darf, Sir«, fügt Tucker hinzu. »Es muß nicht Sears gewesen sein.«

»Nein, vielleicht nicht. Aber wer dann?«

»Ein verärgerter Zeuge vielleicht?« meint Tucker mit einem Blick auf Olympia.

»Lassen Sie mich darüber nachdenken«, sagt Littlefield. »Und richten Sie Ihrem Vater aus, daß er mir immer noch einen Korb Äpfel schuldet.«

»Wie bitte, Sir?«

»Eine alte Wette, Mr. Tucker. Eine alte Wette.«

Littlefield tritt an die Tür und hält sie ihnen auf.

»Das wird ein Zirkus werden«, bemerkt Tucker auf dem Weg zur Tür leise zu Olympia. »Es kann unangenehm werden für Sie. Das klingt mir so, als wären da drinnen weit mehr Frankos als Yankees. Denken Sie einfach nur an das, was Sie erreichen wollen, und daran, daß nicht die Öffentlichkeit entscheidet.«

»Das möchte ich doch hoffen«, wirft Littlefield ein.

In dem großen Saal erwartet sie genau das, was Tucker vorausgesagt hat: Er und Olympia werden bei ihrem Eintritt von grölenden Stimmen empfangen. »*La Survivance!*« brüllen mit erhobenen Fäusten die Männer in grauen Arbeitshemden und den Schirmmützen. Warum sind diese Männer nicht bei der Arbeit, fragt sich Olympia.

Richter Littlefield tritt absichtlich unmittelbar nach ihnen in den Saal und greift sofort zu seinem Hammer. Laut und ungeduldig klopft er damit auf den Tisch. »Eines möchte ich hier sogleich klarstellen«, beginnt er, an die Menge gerichtet. »Derartige Tumulte werden in diesem Gerichtssaal nicht geduldet. Jeder, der sich hier lautstark bemerkbar macht, wird unverzüglich des Saales verwiesen. – Mr. Sears, ich bitte Sie, beginnen Sie ohne weiteren Aufschub.« Vielleicht liegt es an der Spannung im Saal, vielleicht an seiner Überzeugung, daß kein anderer als Sears für dieses irritierende Spektakel verantwortlich sein kann – Littlefields Aufforderung an Sears fällt jedenfalls schärfer aus, als sie sein müßte.

»Der Vertreter der Antragsgegner ruft Albertine Bolduc.«

Begleitet von gedämpftem Gemurmel, das auf einen strengen Blick Littlefields in die Menge vorübergehend versiegt, betritt Albertine Bolduc den Zeugenstand. Olympia sieht sofort, daß die Frau große Angst hat, ihre Hände zittern. Sie trägt dasselbe Kostüm mit derselben Bluse wie am Vortag, und das Haar mit den Stirnfransen ist wie gestern aufgerollt.

»Euer Ehren«, beginnt Mr. Sears, der einen Gehrock in feinen Nadelstreifen aus marineblauem Tuch trägt, und hebt gestikulierend die Hände, daß die Brillanten an seinen Fingern im elektrischen Licht funkeln, »ich möchte mehrere Beweisstücke vorlegen und aufnehmen lassen.«

»Bitte, Mr. Sears.«

Der Saal ist groß, mit vielen Bankreihen und sogar einer Galerie, die bis auf den letzten Platz besetzt zu sein scheint. An den Wänden hängen Porträts ernster Männer mit düsteren Gesichtern.

»Ich habe hier ein Dokument, das vom Waisenhaus von St. André ausgestellt ist, und ein weiteres vom Staat New Hampshire«, sagt Sears. »Ich habe ferner mehrere Photographien.«

»Lassen Sie diese Dokumente und Photographien vom Gerichtsschreiber als Beweisstücke aufnehmen«, sagt Littlefield.

Sears läßt die Unterlagen eintragen und nimmt sie dann

wieder an sich. Sie an die Brust drückend, als wären sie ihm lieb und teuer, nähert er sich Albertine Bolduc.

»Guten Morgen, Mrs. Bolduc.«

»Guten Morgen.«

»Ich habe hier zwei Urkunden. Ich bitte Sie, sich diese Dokumente anzusehen und mir zu sagen, worum es sich handelt.«

Sears hält ihr das erste Papier hin, und sie nimmt es mit zitternder Hand. »Können Sie dem Gericht sagen, was es ist?«

»Ja.« Ihre Stimme ist kaum zu hören. »Ist Pflegebescheinigung vom Waisenhaus.«

»Und das hier?«

»Ist staatliche Bescheinigung, daß wir Pflegeeltern sind«, sagt sie stockend.

Sears nimmt die beiden Papiere wieder an sich und reicht sie an Richter Littlefield weiter.

»Und können Sie mir auch sagen, was diese beiden Photographien zeigen, Mrs. Bolduc?«

»Ja«, antwortet sie. »Das hier? Ist meine kleine Pierre und ich, als er fünf Monate alt. Und das andere ist Pierre mit eine Huhn in Handwagen. Er ist ein Jahr.«

»Wer hat die Photographien gemacht?«

»Vorarbeiter in der Fabrik. Er ist ein Freund von mir und mein Mann.«

»Danke«, sagt Sears rasch und gibt die Photographien an Littlefield weiter, der sie sich einen Moment lang ansieht. Es ist merkwürdig, wie schroff Sears mit Albertine Bolduc umgeht. Vielleicht ist ihm ihr Mangel an Bildung peinlich, der durch ihr gebrochenes Englisch noch hervorgehoben wird.

»Euer Ehren«, sagt Tucker, »dürfen wir uns diese Photographien auch ansehen?«

»Bitte. Schreiber, geben Sie dem Herrn Anwalt diese Urkunden und Photographien.«

Später wird Olympia denken: Es gibt Momente im Leben, auf die man sich nicht vorbereiten kann.

Die erste Photographie zeigt eine sitzende Frau, die ein kleines Kind in einem langen weißen Kleid hält. Die Arme der Frau sind unter den Falten des Kleides verborgen. Sie lächelt strahlend, ein hübsches Lächeln, das gleichmäßige weiße Zähne entblößt. Sie trägt eine Bluse mit breitem weißem Kragen und ebenfalls breiten Manschetten, dazu einen dunkleren Rock. Das Kind hat, wie es scheint, eine Kette um den Hals und Schühchen aus Glacéleder an den Füßen. Auch das Kind, dessen Gesicht wie das der Mutter dem Betrachter zugewandt ist, lächelt breit mit zahnlosem Mündchen. Man kann beinahe sein Lachen hören. Und die Mutter sieht den Photographen mit einem verschmitzten Blick an, als wollte sie sagen: Nun, was halten Sie von meinem kleinen Schatz?

Auf dem zweiten Bild versucht ein kleiner Junge von vielleicht einem Jahr nach einem Gockel zu greifen, der vor den kleinen hölzernen Wagen gespannt ist, in dem der Junge sitzt. Hohes Gras und Blätter rundherum legen nahe, daß die Aufnahme irgendwo auf dem Land gemacht wurde.

Olympia denkt: Er war so ein entzückendes Baby, und mir sind alle diese Jahre schon verloren. Ganz gleich, wie dieses Verfahren ausgeht, ich kann sie nie zurückholen.

Tucker, der Olympias Reaktion auf die Photographien bemerkt hat, winkt rasch dem Schreiber, um sie wegnehmen zu lassen.

»Mrs. Bolduc«, sagt Sears, »berichten Sie uns in Ihren eigenen Worten, wie das Kind zu Ihnen in Pflege gekommen ist.«

»Meine eigenen Worte?« fragt sie verwirrt und sieht den Richter hilfesuchend an.

»Auf englisch, bitte«, sagt Littlefield, und im Saal erhebt sich unwilliges Gemurmel.

Albertine Bolduc blinzelt in den Sonnenstrahl, der auf den Zeugenstand fällt. Sie dreht den Kopf aus seinem blendenden Licht. »Ich bin acht Jahre verheiratet und bekomme keine Kinder«, beginnt sie. »Und ich frage Nonnen im Waisenhaus. Sie mir erklären, wie ich Kind bekommen kann. Weil der Arzt mir sagt, ich kann keine eigene Kinder bekommen. Sehr traurig für mich und mein Mann.«

»Ja«, sagt Sears. »Fahren Sie fort.«

»In April 1900 ich bekomme Besuch von Mère Marguerite. Sie sagt, sie hat Baby.«

»Sie sprechen von Mutter Marguerite Pelletier?«

»Ja. Sie kommt Sonntag nachmittag zu mir und sagt, sie hat Baby für Telesphore und mich, wenn wir wollen. Ich sage sofort ja, wir tun alles, wir wollen Baby unbedingt. Und am Morgen gehen mein Mann und ich nicht zur Arbeit und holen Baby.«

»Können Sie mir das Datum sagen?«

»Fünfundzwanzigster April 1900.«

»Und an diesem Tag haben Sie die Urkunden unterzeichnet, die ich Ihnen vorhin gezeigt habe?«

»Ja.«

»Wie haben Sie sich an dem Tag gefühlt?«

»Wie ich Kind gesehen habe, so klein, ich liebe ihn sofort. Und mein Mann auch. Ich sehe es in sein Gesicht. Wir nehmen Baby mit zu uns, und wir machen ihm ein Bett und die ganze Tag wir lieben ihn.«

Tucker wirft Olympia einen Blick zu.

»War der Junge gesund?«

»Ja, er gesund. Er wird groß.«

»Aber wie konnten Sie denn weiterarbeiten, Mrs. Bolduc, nachdem Sie das Kind bei sich aufgenommen hatten?«

»Mein Mann und ich, wir gehen zu Vorarbeiter und fragen, ob wir können abwechselnd arbeiten, damit immer einer bei Baby sein kann. Vorarbeiter sagt ja, weil wir gute Arbeiter sind.«

»Wo ist der Junge jetzt?«

»Bei meine Mutter.«

»Euer Ehren«, sagt Sears, »ich habe hier eine eidesstattliche Erklärung von Schwester Thérèse Bracq, der Nonne, die für das

Waisenhaus von St. André Hausbesuche macht. Sie kann heute hier wegen einer Erkrankung nicht erscheinen. Sie bestätigt, daß sie bei mehreren Hausbesuchen bei der Familie Bolduc festgestellt hat, daß der Junge gut versorgt und gepflegt wird und fast immer einer der Eltern bei ihm ist. Sie erklärt weiter, daß einige Angehörige des großen Familienverbands der Bolducs ebenfalls bei der Betreuung des Kindes helfen, wenn es nötig ist.«

Sears reicht das Dokument dem Richter, der es überfliegt.

»Und jetzt, Mrs. Bolduc«, fährt Sears fort, »berichten Sie uns, wie Ihnen zumute war, als Sie im vergangenen Herbst hörten, daß Olympia Biddeford, die leibliche Mutter des Kindes, Antrag auf Erteilung des Sorgerechts für dieses Kind gestellt hat.«

Aus dem hinteren Teil des Saals ertönt ein lautes »Non!«

Littlefield schlägt sofort mit dem Hammer auf den Tisch. »Gerichtsdiener«, befiehlt er, »bringen Sie den Mann hinaus.«

Sie warten, während der Zuschauer, ein Mann mit einem Plakat und einem blauen Schal, aus dem Saal geführt wird.

Albertine richtet ihren Blick auf Olympia. Zum erstenmal, seit sie gestern den Gerichtssaal betreten haben, sehen die beiden Frauen einander an.

»Ich kann es nicht glauben«, sagt sie, als spräche sie Olympia direkt an. »Ich kann es nicht glauben. Der Junge gehört uns. Niemand kann ihn wegnehmen, ich sage zu Telesphore. Er schimpft und ist sehr wütend. Und ich sage, er lieber still sein wegen dem Kind. Ich halte Pierre in den Armen und sage ihm, ich ihn niemals verlasse. Dann uns jemand von Ihnen erzählt, daß Sie manchmal arme Leute vertreten.«

»Ja, danke. Wie nennt Sie der Junge?« fragt Sears rasch, offenbar bemüht, das Thema zu wechseln. Und gewiß nicht aus Bescheidenheit, vermutet Olympia, sondern weil er den Bezug auf die »armen Leute«, der in diesem Fall nur schaden kann, möglichst schnell vergessen machen möchte.

»Er nennt mich natürlich *maman*.«

»Und Ihren Mann, wie nennt er ihn?«

»Papa.«

»Der Junge kennt keine anderen Eltern, ist das richtig?«

»Ja.«

»Würden Sie mir sagen, warum Sie den Jungen nicht adoptiert haben, Mrs. Bolduc?«

»Der Vater nicht zu finden ist. Aber wir wollen adoptieren. Und die Nonnen sagen, nach fünf Jahren ist möglich.«

»Und wann werden Sie den Jungen in der Schule anmelden?«

»Mit sechs Jahren.«

»Danke, Mrs. Bolduc, das ist alles.«

Sears kehrt an den Anwaltstisch zurück, hebt die Schöße seines Gehrocks und setzt sich. Im Zeugenstand nimmt Albertine ein Taschentuch aus ihrer Handtasche und tupft sich die Oberlippe.

»Euer Ehren«, sagt Tucker und erhebt sich, »ich habe noch einige Fragen an Mrs. Bolduc.«

Der Richter ist dabei, sich Notizen zu machen, und reagiert nicht gleich. Mit einer impulsiven Geste der Ermutigung berührt Olympia Tuckers Hand. Er sieht zu ihrer Hand hinunter und hebt den Blick dann zu ihrem Gesicht.

»Ja, bitte, Mr. Tucker«, sagt Littlefield.

Gemessenen Schrittes geht Tucker zum Zeugenstand. Er mustert Albertine Bolduc einen Moment, ehe er zu sprechen beginnt. Albertine, der das Schweigen Unbehagen einflößt, wird noch nervöser.

»Mrs. Bolduc«, sagt Tucker schließlich. »Ich möchte Ihnen gern einige Fragen zu Ihrer Biographie stellen.«

»Ja?«

»Sie sind amerikanische Staatsbürgerin?«

»Ja.«

»Sind Sie hier geboren? In diesem Land?«

»O ja.«

»In Ely Falls?«

»Ja, meine Mutter arbeitet siebenundvierzig Jahre in der Fabrik.«

»Siebenundvierzig Jahre?« wiederholt Tucker scheinbar beeindruckt. »Das ist eine sehr lange Zeit, Mrs. Bolduc.«

»Ja«, bestätigt sie. »Und sie hat sieben Kinder.«

»Sieben Kinder? Das ist wirklich außergewöhnlich.«

»Nein, nein, ist nicht«, versichert Albertine Bolduc. »Gibt viele Franko-Eltern, die viele Jahre in der Fabrik arbeiten und viele Kinder haben. Ist ganz normal.«

»Können Sie mir noch ein Beispiel geben?«

»Meine Schwester, sie arbeitet vierundzwanzig Jahre und hat vier Kinder und eines liegt im Sterben.« Albertine Bolduc bekreuzigt sich.

»Und wie alt ist sie? Ihre Schwester, meine ich?«

»Zweiunddreißig.«

»Das würde heißen, daß sie in der Fabrik angefangen hat, als sie – acht Jahre alt war?«

»Ja, ist richtig.«

Sears springt etwas schwerfällig auf. »Euer Ehren, ich verstehe nicht, worauf diese Fragen abzielen.«

»Mr. Tucker?«

»Euer Ehren, mir liegt daran aufzuzeigen, in welcher kulturellen Umgebung dieser Junge aufwachsen wird. Ich halte diese Fragen für durchaus relevant.«

»Gut, dann fahren Sie fort.«

»Und wie war es bei Ihnen, Mrs. Bolduc? Wann haben Sie in der Fabrik zu arbeiten begonnen?«

»Ich habe mit acht angefangen, wie meine Schwester.«

»Aha. Und haben Sie eine Schule besucht?«

Sears, der sich gerade erst gesetzt hat, springt wieder auf. »Also, wirklich, Euer Ehren, Mrs. Bolducs Schulbildung hat nun wahrhaftig nichts mit ihrer Fähigkeit zu tun, ein Kind in angemessener Weise zu versorgen.«

»Euer Ehren«, entgegnet Tucker und tritt etwas näher zum Richtertisch. »Noch einmal, ich versuche aufzuzeigen, in welcher Umgebung der Junge aufwachsen würde. Ich halte das für äußerst bedeutsam. Kein Mensch lebt in einem Vakuum. Ein Kind wird nicht nur von seinen Eltern erzogen, es wird in eine Gemeinschaft hineinerzogen, wenn ich das einmal so sagen darf. Das Gericht kann sich kein angemessenes Urteil über die Lebensumstände des Kindes bilden, ohne eine klare Vorstellung von der Beschaffenheit dieser Gemeinschaft zu haben.«

Der Richter bedenkt Tuckers Argument, wobei er den jungen Anwalt aufmerksam mustert. Ein langes Schweigen folgt. Selbst das Publikum im Saal schweigt in Erwartung der Entscheidung des Richters.

»Gut, Mr. Tucker«, sagt er endlich. »Mr. Sears, Sie werden Mr. Tucker fürs erste ohne weitere Unterbrechungen mit seiner Befragung fortfahren lassen.«

Tucker kehrt zu Albertine Bolduc zurück und stellt sich so nahe, daß er den Arm auf die Kante des Zeugenstands legen könnte. »Mrs. Bolduc«, fragt er erneut, »haben Sie eine Schule besucht?«

Albertine senkt den Kopf. »Nein«, antwortet sie. »Meine Mutter hat kein Geld für Schule.«

»Weil katholische Schulen Geld kosten und weil Ihre Mutter Sie auf eine katholische Schule geschickt hätte. Ist das richtig?«

»Ja. Auf die Schule von St. André.«

»Werden Sie dorthin Ihren Pflegesohn schicken?«

»O ja.«

»Und auf dieser Schule wird Ihr Pflegesohn französisch sprechen, und der Unterricht wird in französischer Sprache abgehalten, nicht wahr?«

Von hinten rufen mehrere Leute »*La Langue*« und »*Je me souviens*«, und Littlefield schlägt mit seinem Hammer auf den Tisch, sichtlich erbost über diese erneute Mißachtung seiner

Anordnungen. »Gerichtsdiener, bringen Sie die Leute hinaus, die da eben gestört haben. Und wenn ich noch einen Ton von einem der Zuschauer höre, werde ich den Saal räumen lassen. Ist das klar? – Mrs. Bolduc, bitte beantworten Sie die Frage.«

Albertine, die sich an ihrer Handtasche festzuhalten scheint, sieht Tucker an. »Ja. Ist mir wichtig«, erklärt sie. »*La Langue,* daran wir glauben.«

»Erklären Sie mir, warum das so ist.«

»Wenn wir unsere Sprache aufgeben und nur englisch sprechen, wir verlieren unser Leben ... unsere«, sie sucht nach dem Wort, »*culture.*«

»Ich verstehe. Sie besuchen also die Kirche von St. André?«

»Ja.«

»Wie oft besuchen Sie den Gottesdienst?«

»Jeden Sonntag.«

Olympia wüßte gern, warum Tucker der Frau diese Fragen stellt. Sie scheinen ihr wie geschaffen, die Tauglichkeit Albertine Bolducs als Mutter und Betreuerin eines Kindes noch hervorzuheben. Ist nicht die Ausübung der Religion ein Punkt, den ihr – Olympias – eigener Anwalt, lieber hätte vermeiden sollen?

»Mrs. Bolduc, was arbeiten Sie in der Fabrik?« fragt Tucker.

»Ich kämme die Baumwolle.«

»Und wie viele Stunden am Tag arbeiten Sie?«

»Zehneinhalb.«

»Und welchen Lohn bekommen Sie dafür?«

»Ich verdiene über dreihundert Dollar im Jahr.«

Tucker lächelt Albertine an. »Wäre es richtig zu sagen, daß Sie Ihre Arbeit mit Stolz tun, Mrs. Bolduc?«

»O ja, ich bin stolz. Ich bin gute Arbeiterin, habe Aufsicht über viele Frauen.«

»Sind Sie ganz allgemein der Überzeugung, daß man ein Kind Arbeitsmoral lehren sollte?«

Sie scheint verwirrt. »Ich Sie nicht verstehe.«

»Sollte man ein Kind lehren, daß Arbeit etwas Gutes ist?«

»Aber ja«, antwortet sie, immer noch verwirrt. »Jeder muß arbeiten.«

»Genau«, bestätigt Tucker. »Und was für Werte möchten Sie Pierre sonst noch mitgeben?«

»Ehrlichkeit, ja? Freundlichkeit zu anderen. Gehorsam?«

»Natürlich. Lassen Sie mich das noch einmal zusammenfassen«, sagt Tucker. »Sie würden hoffen, daß Ihr Pflegesohn in französischer Sprache erzogen wird. Richtig?«

»Ja.«

»Sie würden hoffen, daß Ihr Pflegesohn im römisch-katholischen Glauben erzogen wird.«

»*Mais oui*«, antwortet sie schnell.

»Sie würden Werte wie Ehrlichkeit, Gehorsam und Freundlichkeit zu anderen fördern?«

»Gewiß.«

»Und Sie würden jene Einstellung zur Arbeit fördern, die der frankoamerikanischen Gemeinde soviel gilt.«

»Ja, das muß ich.«

»Aber Sie würden Pierre nicht mit acht Jahren in die Fabrik gehen lassen, wie Sie das tun mußten.«

»Nein.« Sie schüttelt den Kopf.

»Sie würden warten, bis er zehn ist.«

Sie scheint kurz zu überlegen. »Zehn, ja«, sagt sie dann.

Tucker hält inne. »Ganz bestimmt zehn?« fragt er.

»Ja, zehn, ich denke. Bestimmt.«

Einen Moment ist es ganz still. Dann springt Sears wie elektrisiert von seinem Platz auf und beginnt zu sprechen, aber selbst Olympia sieht, daß es zu spät ist. Sie beobachtet, wie sich zuerst Verständnislosigkeit und dann Begreifen in Albertine Bolducs Gesicht ausbreiten. Am Tisch der Antragsgegner senkt Telesphore den Kopf in die Hände.

»Mr. Sears, setzen Sie sich«, sagt Richter Littlefield.

»Aber, Euer Ehren«, protestiert Sears.

»Setzen Sie sich, Mr. Sears.«

Die Stille im Saal ist unheimlich, als hätte sich etwas Großes und Gewichtiges über die Menschen gesenkt.

»Ich habe keine weiteren Fragen, Euer Ehren«, sagt Tucker in die Stille hinein.

»Sie haben keine weiteren Zeugen?«

»Nein. Aber ich bitte um Erlaubnis, mich mit einigen Worten an das Gericht zu wenden.«

»Euer Ehren«, ruft Sears, rot im Gesicht. »Das ist äußerst ungewöhnlich. Mr. Tucker kann zu diesem Zeitpunkt kein Plädoyer abgeben.«

»Die Beweisführung der Antragstellerin ist abgeschlossen«, entgegnet Tucker.

Littlefield denkt einen Moment nach. »Das mag etwas ungewöhnlich sein, Mr. Sears, aber es ist nicht ohne Beispiel. Mr. Tucker gefährdet unter Umständen den Erfolg des Antrags seiner Mandantin, wenn er plädiert, bevor er die anderen Zeugen der Antragsgegner gehört hat. Aber wenn er es will, so kann er es tun.«

»Ja, ich möchte jetzt plädieren«, erklärt Tucker.

»Euer Ehren, das ist völlig irregulär.«

»Ja, Mr. Sears, es ist irregulär, aber – ich wiederhole – nicht ohne Beispiel. – Mr. Tucker, bitte fangen Sie an.«

Sears setzt sich kopfschüttelnd. Albertine, die sichtlich verwirrt ist über den plötzlichen Abbruch des Verhörs und erschrocken über die Erkenntnis, daß sie möglicherweise der eigenen Sache geschadet hat, bleibt reglos im Zeugenstand sitzen. Richter Littlefield sieht sie an und bittet sie höflich, den Zeugenstand zu verlassen. Albertine steht schwankend auf und stolpert, so daß sie in einem Moment bitterer Ironie gezwungen ist, Tuckers dargebotene Hand zu fassen und sich von ihm an ihren Platz zurückführen zu lassen. Sears, rasend vor Zorn, steht sofort auf, um Tucker wegzudrängen und sich selbst um Albertine zu bemühen.

Tucker kehrt an seinen Tisch zurück und zieht ein schmales Bündel Unterlagen aus seiner Aktentasche. Er sieht Olympia an, als wollte er etwas zu ihr sagen, aber er tut es nicht. Ihr Blick folgt ihm, als er langsam zum Pult geht. Ihre Zukunft liegt in den Händen dieses jungen Mannes, der vielleicht noch nie ein Plädoyer gehalten hat.

»Euer Ehren«, beginnt er, »mein Vortrag wird, auch wenn das keinesfalls in meiner Absicht liegt, von den anwesenden Angehörigen der frankoamerikanischen Gemeinde möglicherweise als Hetze aufgefaßt werden. Da aber dieses Gericht kein Forum für politische Auseinandersetzungen ist und da ich bei meinem Schlußplädoyer nicht gern von Zwischenrufen und Pfiffen von der Galerie unterbrochen werden möchte, bitte ich um Räumung des Saales während dieses Teils des Verfahrens.«

Augenblicklich bricht auf der Galerie Lärm aus – laute Rufe in Französisch und Englisch schallen in den Saal. Albertine dreht sich erschrocken herum, um zu sehen, was vorgeht. Littlefield läßt seinen Hammer sprechen, bis endlich wieder Ruhe einkehrt.

»Mr. Tucker«, sagt er, »dies ist ein triftiger Grund, den Saal räumen zu lassen. Gerichtsdiener, bitte fordern Sie die Besucher auf, den Saal zu verlassen. Wer Widerstand leistet, wird festgenommen.«

Tucker wartet bewegungslos am Pult.

»Mr. Tucker«, sagt Littlefield, als der Saal leer ist, »ich denke, wir brauchen keine Störungen mehr zu fürchten. Sie können beginnen.«

Die Aura der Stille, die Tucker umgibt, breitet sich wie in konzentrischen Kreisen im Saal aus.

»Euer Ehren«, beginnt er, »wir können nicht für die Erziehung des Kindes garantieren, wenn wir das Sorgerecht vergeben. Der Oberste Gerichtshof von Texas würdigte das 1894, als er die elterliche Autorität mit einer Treuhänderschaft verglich, die öffentlicher Beaufsichtigung unterliegt:

›Der Staat, als Schützer und Förderer des Friedens und des Wohlergehens der Gesellschaft, hat ein Interesse an der geeigneten Erziehung und Versorgung des Kindes, damit aus ihm ein nützlicher Bürger werden kann; aber wenn er auch erkennt, daß dem Interesse des Kindes und der Gesellschaft am besten gedient ist, wenn Erziehung und Versorgung des Kindes, solange es minderjährig ist, den Eltern überlassen wird, und zwar uneingeschränkt von staatlicher Beaufsichtigung, so besitzt er dennoch im angebrachten Fall das Recht, den Eltern das Sorgerecht für das Kind zu nehmen, wenn die Interessen des Kindes und der Gesellschaft dies verlangen.‹

Euer Ehren, wie wir gesehen haben, sind Albertine und Telesphore Bolduc tief in der frankoamerikanischen Gemeinde von Ely Falls verwurzelt. Sie haben es selbst bekundet, und ihr rechtlicher Vertreter hat es uns ebenfalls gesagt. Die frankoamerikanische Gemeinde dieser Stadt jedoch bekämpft erwiesenermaßen fortdauernd alle fortschrittlichen Ansichten darüber, was der Entwicklung des Kindes gemäß ist. Den Zahlen dieses Jahres zufolge besuchen nur dreihundertzwölf von achthunderteinundsiebzig frankoamerikanischen Kindern im Schulalter in dieser Stadt überhaupt eine Schule. Das heißt, nur ein Drittel, Euer Ehren. Siebzig Prozent aller frankoamerikanischen Kinder in dieser Stadt, die zwischen acht und vierzehn sind, arbeiten in der Textilfabrik am Ort. Ich darf das Gericht an die Gesetze über Kinderarbeit erinnern, die in diesem Staat gelten: Kein Kind unter zwölf Jahren darf in einer Fabrik oder einer technischen Werkstatt beschäftigt werden. Ebenso kein Kind unter fünfzehn während der Ferien der öffentlichen Schulen, es sei denn, es hat vor seinem sechzehnten Geburtstag jedes Jahr mindestens sechzehn Wochen die Schule besucht.

Wie kommt es dann, daß so viele Kinder in den Fabriken von Ely Falls arbeiten?« fragt Tucker. »Die Antwort ist einfach. Die Eltern der frankoamerikanischen Gemeinde umgehen die

Gesetze über Kinderarbeit, indem sie über das Alter ihrer Kinder falsche Angaben machen. Das ist keine Vermutung, das ist eine Tatsache. Sie tun es nicht, weil sie schlechte Menschen sind. Sie tun es, weil sie es im Rahmen ihrer Kultur nicht für unrecht ansehen und weil sie arm sind. Ich zitiere aus einem Leitartikel, der jüngst in der Zeitung der frankoamerikanischen Gemeinde, *L'Avenir,* erschienen ist: ›Die Gesetze über Kinderarbeit in diesem Staat erweisen sich als unwirksam, weil so viele frankoamerikanische Eltern das Alter ihrer Kinder fälschen. Selbst die frommen Nonnen des Ordens von St. Jean Baptiste de Bienfaisance haben Schock und Bestürzung darüber geäußert, daß so viele frankoamerikanische Kinder in den Fabriken arbeiten.‹«

Tucker macht eine Pause, um den Anwesenden Zeit zu geben, dies aufzunehmen.

»Ich habe hier eine Anzahl von Photographien, die ich dem Gericht gerne vorlegen möchte«, fährt Tucker dann fort. »Diese traurigen Bilder wurden in diesem Jahr in der Textilfabrik aufgenommen. Eines zeigt sechs Kinder, von denen keines älter als zehn sein kann, schmutzig und erschöpft alle, wie sie zwischen Webstühlen stehen, die mindestens einen halben Meter größer sind als die Kinder. Ein anderes zeigt einen Jungen in abgerissener Kleidung und ohne Schuhe und Strümpfe, der auf einer Kiste steht, damit er überhaupt die Kontrollknöpfe der Maschine erreichen kann, an der er arbeitet.«

Tucker tritt zum Richtertisch und reicht Littlefield die Photographien, der sie sich aufmerksam ansieht. Sears bittet nicht darum, sie sehen zu dürfen.

»Euer Ehren«, nimmt Tucker den Faden wieder auf, »wir alle wissen schon lange von dieser Situation in Ely Falls, aber wir haben uns geweigert hinzusehen. Es scheint, daß die Stadträte, ob Yankee oder Franko, sich entschieden haben, ›Petit Canada‹ nach seinen eigenen Gesetzen leben zu lassen. Das betrifft nun zwar nicht direkt den Fall, der hier verhandelt wird, ist aber insofern relevant, als es für das zukünftige Leben eines kleinen Jungen, Pierre Francis Haskells nämlich, von Bedeutung ist.

Wenn der Junge unter der Obhut von Albertine und Telesphore Bolduc bleibt, wird er irgendwann vor seinem zwölften Geburtstag anfangen, in der Fabrik zu arbeiten. Lassen Sie mich erläutern, was das für ihn bedeuten wird. Er wird nicht nur um eine Schulbildung gebracht; er wird sechs Tage in der Woche täglich elf Stunden arbeiten müssen, ohne Sonne und frische Luft, wahrscheinlich in einem Raum voller feinster Baumwollfasern. Er wird der Gefahr zahlreicher Krankheiten ausgesetzt sein, wie zum Beispiel Masern, Diphtherie und Lungenleiden. Er wird wahrscheinlich im Wachstum steckenbleiben und sein Augenlicht gefährden. Er wird außer den ewiggleichen Handgriffen, zu der seine Arbeit ihn zwingt, keinerlei körperliche Bewegung haben. Er wird in einer der Arbeiterunterkünfte leben, in denen es von Kakerlaken, Mäusen und Ratten wimmelt und wo Schmutz und Armut die Verbreitung von Krankheiten wie Windpocken und Cholera fördern. Bischof Louis Giguere selbst hat in diesem Jahr folgenden Artikel in *L'Avenir* geschrieben. ›Die Zustände in den Arbeiterunterkünften sind unbeschreiblich. Die Toiletten sind menschenunwürdig in ihrem Schmutz, die Keller stinken nach Unrat, die Treppen sind lebensgefährlich. In den Abwasserrohren klaffen große Löcher, durch die giftiges Gas entweicht. Es gibt keine angemessene Ventilation in den Häusern und keine angemessene Wasserversorgung.‹

Euer Ehren, ich will damit nicht unterstellen, daß der Raum, in dem Albertine und Telesphore Bolduc leben, von solcher Art ist, aber als Mitglied der frankoamerikanischen Gemeinde wird Pierre Francis Haskell in diesem Milieu aufwachsen. Und er wird in das Erwachsenenalter eintreten, wenn er es überhaupt erreicht, ohne eine andere Wahl zu haben, als in die Fabriken zurückzukehren. Er wird praktisch keine Schulbildung besitzen, keine Fertigkeiten außer denen, die er sich an den Webstühlen angeeignet hat. Ist der Staat bereit, Pierre Francis Haskell zu einem solchen Leben zu verurteilen? Denn das ist klar: Wenn Albertine und Telesphore Bolduc das Sorgerecht für den Jungen zugesprochen wird, wird der Junge damit zu einem Leben in Armut und der versäumten Gelegenheiten verurteilt.«

Olympia sieht hinüber zum Tisch ihrer Gegner. Sears hält Albertine Bolduc am Arm, als wollte er sie zurückhalten. Telesphore murmelt zornig immer wieder: »*Non, non, non.*«

»Euer Ehren«, sagt Tucker, »jede der beiden Frauen, die heute hier anwesend sind, erwartet je nach Ihrer Entscheidung großer Schmerz oder große Freude. Aber wie der Kollege Addison Sears selbst ausgeführt hat – wir können uns um den Schmerz oder die Freude der Mutter nicht kümmern. Wir müssen zuerst und, wenn nötig, ausschließlich, an das Wohl des Kindes denken. Und es kann keinen Zweifel daran geben, daß dem Jungen besser gedient ist, wenn er Olympia Biddeford zugesprochen wird, die, das zeigt ihr eigenes Beispiel, für die Erziehung des Jungen, seine finanzielle Sicherheit und sehr wahrscheinlich für eine höhere Schulbildung garantiert. Es geht hier darum, ob aus diesem Jungen ein Fabrikarbeiter wird oder ein Arzt, ein Lehrer, ein Richter. Dem Jungen diese Möglichkeiten zu nehmen wäre ein Verbrechen.«

Wieder macht Tucker eine Pause.

»Euer Ehren, Olympia Biddeford war selbst noch ein Kind, als sie merkte, daß sie ein Kind erwartete. Seit diesem Tag hat sie ein Verhalten gezeigt, das jeder christlichen Frau Vorbild sein kann: Sie hat sich weitergebildet; sie führt ein ordentliches Leben; sie geht klug und umsichtig mit den Privilegien um, die ihr dank ihrer Geburt gegeben sind, nämlich gute Familie und ansehnlicher Wohlstand. Ich kann mir nicht denken, daß einer von uns, die wir heute hier sind, auch nur einen Moment daran zweifelt, daß sie dem Jungen eine gute Mutter sein wird.«

Tucker schiebt seine Unterlagen zusammen.

»Dem Gericht obliegt die Entscheidung in einer Frage, die großes moralisches und rechtliches Gewicht hat: Wem gebührt das Sorgerecht für das Kind?«

Tucker sieht ostentativ zu Richter Littlefield hinüber, dann wendet er sich langsam zu Olympia um. Lange hält er ihren Blick fest.

»Geben wir ein Kind seiner rechtmäßigen Mutter zurück«, sagt er.


## 23


»Urteilsverkündung morgen nachmittag drei Uhr. Hole Sie um elf zum Essen ab. Kopf hoch. Tucker.«

Sie schiebt das gelbe Telegramm in die Tasche ihres Kleides. Bevor sie die Tür ganz schließt, sieht sie einen Moment dem geschmeidigen jungen Telegrammboten nach, der mit seinem Trinkgeld zur Straße hinausläuft. Dann geht sie an die frühere Anrichte und gießt sich zur Beruhigung ihrer Nerven einen Whiskey ein, was sonst nicht ihre Art ist. Wozu hat sie diese Flasche Whiskey überhaupt gekauft? fragt sie sich. Die Karaffe ist alt, geschliffenes Glas, ein Erbstück der Mutter ihrer Mutter.

Mit dem Glas in der Hand geht sie ins vordere Zimmer und bleibt an den Fenstern stehen. Die untergehende Sonne färbt das Wasser mit rosigem Schimmer, der schon im nächsten Moment verblaßt. Sie stellt das Glas auf das Fensterbrett und zieht die Nadeln aus ihrem Haar, hält es mit beiden Händen in seiner ganzen Fülle vor ihr Gesicht.

Ein Urteil ist gefällt worden. Ihr Schicksal ist besiegelt, und sie weiß noch nicht, wie es aussieht. Sie ist erstaunt, wie schnell die Wartezeit vorüber ist. Tucker hat gemeint, Littlefield werde mindestens eine Woche für seine Entscheidung brauchen; aber es sind nur vier Tage gewesen. Doch darauf war sie nicht vorbereitet.

Sie setzt sich in ihren Windsorsessel und nimmt wieder das Nachthemd zur Hand, an dem sie gearbeitet hat. Sie zieht die Stecknadel mit den Perlköpfen aus dem Stoff und steckt sie in das alte, mit Roßhaar gefüllte Nadelkissen, das sie als Kind gestickt hat. Mit der Schere schneidet sie die Fadenenden ab, die noch in den Nähten hängen. Rundherum auf dem Boden liegen Stoffreste, Leinen und Baumwolle. Das Nachthemd wäre wahrscheinlich längst fertig, wenn sie nicht immer wieder von lebhaften Bildern aus dem Gerichtssaal abgelenkt würde, die sie veranlassen, Nadel und Faden aus der Hand zu legen.

Sie denkt an Payson Tucker, sieht ihn, wie er nach seinem Schlußplädoyer an den Tisch zurückkehrt, bleich, mit leicht zitternden Händen. In diesem Moment ist ihr klargeworden, wie mutig es von ihm war, seinen Schlußantrag auf dieses besondere Argument zu stützen, wohl wissend, daß er damit den Kampf mit einer ganzen Kultur aufnimmt. Ein anderer wäre vielleicht voll Überschwang gewesen, Tucker aber hatte gedämpft gewirkt. »Eine riskante Sache«, sagte er nur, als sie ihm später dankte.

Sie denkt an Sears bei seinem abschließenden Vortrag, wie er klein, dick und glatzköpfig mit beiden Händen in der Luft herumfuchtelte und sie – Olympia – mit Beschuldigungen überschüttete, jedes seiner Worte von seiner Wut auf Tucker befeuert. Sein Plädoyer, dem Eröffnungsvortrag nicht unähnlich, allerdings noch grimmiger und vielleicht überzeugender, war mindestens so stark wie das Tuckers. Unzählige Male wies er darauf hin, daß man das Verhalten eines einzelnen nicht nach dem Verhalten einer kulturellen Gemeinschaft beurteilen dürfe. Und als er zum Ende gelangte, war Olympia sich überhaupt nicht sicher, welcher Vortrag den Richter stärker beeindruckt haben könnte.

Sie erinnert sich ihres eigenen Auftritts im Zeugenstand, der quälenden Fragen über ihre Beziehung zu Haskell, die sie beantworten mußte. Und sie denkt auch an ihren Vater, wie er in der Tür stand, blaß und eingefallen, und sich vermutlich fragte, wie sein Leben an diesem schrecklichen Punkt hatte ankommen können. Sie denkt an Josiahs erstaunliche Geschichte seiner Fahrt mit Lisette und dem Kind nach Ely Falls, was für eine Qual das für Lisette gewesen sein muß. Sie sieht Mutter Marguerite in ihrer Tracht vor sich, deren Worte das Gewicht der Wahrheit besaßen; und Mrs. Bardwell, die Direktorin in Hastings Seminar für junge Frauen, in ihrem Tweedkostüm und mit ihrer Geschichte von Averill Hardys falschen Beschuldigungen. Und sie denkt an Cote, wie er sich am Ende seiner Aussage gewunden hat, was für eine Genugtuung es war, den Mann, dem nicht einmal Richter Littlefield zu glauben schien, in die Enge getrieben zu sehen.

Dann taucht das Bild Albertine Bolducs auf, wie sie im Zeugenstand saß – das fehlerhafte Englisch, die offenkundige Liebe zu dem kleinen Jungen, die schmerzlich beredten Photographien. Olympia schüttelt rasch den Kopf. Sie kann jetzt nicht an Albertine denken.

Sie hält das Nachthemd hoch und mustert es einen Moment prüfend. Im vergangenen Monat hat sie aus einer Laune heraus in Ely Falls fünf Hornknöpfe in verschiedenen Tiergestalten gekauft, die sie an das Nachthemd genäht hat: ein Elefant, ein Affe, ein Bär, eine Giraffe und etwas, was man mit ein wenig gutem Willen einen Büffel nennen könnte. Sie geht mit dem Hemdchen in die Küche, wo sie das Bügeleisen auf dem Herd warmgestellt hat. Während sie die Nähte plättet, wandern ihre Gedanken nach oben zu der Truhe, die jetzt beinahe bis zum Rand gefüllt ist mit Hemden und kurzen Hosen, Unterwäsche, Pullovern und Jacken, die sie für den Jungen genäht oder gestrickt hat. Ein Werk der Liebe und noch etwas anderes – das einzige, was sie in den langen Wintermonaten des Wartens auf den Prozeßbeginn daran gehindert hat, zu verzweifeln.

Wieder läutet es draußen. Verwundert hält sie inne, lauscht, das Eisen in der Hand. Zwei Besuche innerhalb von zwanzig Minuten? Vielleicht ist es ein zweites Telegramm. Hat Littlefield vor Ungeduld das Urteil heute schon verkündet? Nein, sicher nicht. Sie stellt das Eisen auf einen Backstein und geht um die Ecke in den hinteren Korridor.

Er steht vor der Tür. Durch die Glasscheiben kann sie sein Gesicht sehen. Sie stützt sich mit einer Hand an die Wand, um sich zu halten. Er trägt einen Anzug und einen grauen Filzhut. Eine Weste, die bis hoch auf die Brust geknöpft ist. Vielmehr kann sie nicht erkennen, weil die Sonne hinter ihm steht und ihr letztes Licht blendend durch das kahle Geäst der Bäume fällt.

Freudiges Erschrecken. Ungläubigkeit.

Wie in Trance geht sie die sechs oder sieben Schritte bis zur Tür und öffnet.

»Olympia«, sagt er.

Sie tritt etwas zurück, und er kommt ins Haus.

Er blickt sie unverwandt an, als könnte auch er seinen Augen nicht trauen. Sie dreht sich herum und geht zur Küche. Sie weiß, daß er ihr folgen wird. Ihr Herz klopft so heftig, daß sie die Hand auf die Brust drücken muß.

»Olympia«, sagt er wieder.

Sie wendet sich nach ihm um. Er nimmt seinen Hut ab.

Sein Gesicht ist älter geworden, aber der kräftige Teint ist geblieben. Sein Haar, das er jetzt kurzgeschnitten trägt, beginnt über der Stirn leicht zurückzuweichen. Er erscheint ihr magerer, sehniger, als sie ihn in Erinnerung hat. Aber am stärksten beeindrucken sie seine Augen. Sie sind alt, viel älter als sein Körper, tief eingesunken, als hätte die Last der letzten vier Jahre, nein, beinahe fünf jetzt, sich in diesen Höhlen niedergelassen, dort ihren Schaden angerichtet.

Sie stehen einander gegenüber, zwischen sich den Küchentisch, und einer betrachtet den anderen.

»Ich bin gekommen, sobald ich es hörte«, sagt er schließlich, das Schweigen brechend.

Sie kann nichts sagen.

»Ich war tief im Landesinneren. Ich bin gerade erst mit der Bahn aus Minneapolis gekommen.«

Sie schüttelt den Kopf und legt eine Hand auf die Stuhllehne, um sich zu stützen.

»Minnesota«, fügt er hinzu.

Sie hebt den Kopf.

»Als ich in die Pension in Minneapolis zurückkam, in der ich gewohnt habe, lag ein Brief von Mr. Tucker da. Und ich habe eben in den Zeitungen über den Prozeß gelesen. Sie schreiben beinahe über nichts anderes.«

Sie wendet ihm den Rücken zu und blickt über das Spülbecken hinweg zum Fenster hinaus.

»Niemand weiß, daß ich hier bin«, fährt Haskell fort. »Ich werde es keinem Menschen sagen. Nicht einmal Tucker. Ich fürchte, meine Anwesenheit würde alles nur komplizieren und vielleicht deinen Antrag gefährden, da ich ja immer noch der gesetzliche Vormund bin.«

Sie beißt die Zähne aufeinander.

»Ich wohne im Dover Inn«, sagt er. »Da läuft mir bestimmt niemand über den Weg, der mich kennt.«

Sie dreht sich wieder herum und lehnt sich an die Kante des Spülbeckens.

»Olympia«, sagt er und legt seinen Hut auf den Tisch.

»Möchtest du eine Tasse Tee?« fragt sie mit schwankender Stimme und sieht ihm an, daß er kaum weiß, wie er ihr antworten soll. »Ich setze das Wasser auf«, fügt sie hinzu. »Wenn du mich einen Moment allein lassen würdest, bringe ich den Tee ins vordere Zimmer.«

Er zögert, aber dann scheint er zu verstehen. »Gut«, sagt er und tritt, wenn auch widerstrebend, durch die Schwingtür.

Sobald er fort ist, schlägt sie die Arme um ihren Kopf und

läßt sich in bauschenden Röcken zu Boden fallen. Sie senkt ihren Kopf in die Umhüllung ihrer Arme. Sie weint laut, da sie weiß, daß er sie nun nicht hört. In all ihren Phantasien hat sie es sich so nicht vorgestellt. Sie ist brüchig geworden wie der Lehm in den Sümpfen. Das hat er ihr angetan.

Nach einer Weile steht sie auf. Sie nimmt ein Taschentuch aus der Tasche ihres Kleides und trocknet sich die Augen. Kaum wissend, was sie tut, füllt sie den Kessel mit Wasser und wird sich im selben Moment bewußt, daß sie ihn nicht so lange im vorderen Zimmer warten lassen kann.

Er sieht zum Meer hinaus, einen Ellbogen auf das schmale Fensterbrett gestützt, eine Hand in der Hosentasche. Seine Haltung, seine Gebärden haben trotz all der Zeit, da er im Innern des Landes gelebt hat, nichts von ihrer Eleganz eingebüßt.

Er hört das Rascheln ihres Kleides und dreht sich herum.

»Ich war immer nur im Sommer hier«, sagt er. »Der Strand hat jetzt etwas Majestätisches, ganz ohne Menschen.«

»Die Natur ist oft ohne Menschen am schönsten«, erwidert sie.

»Weißt du, ich empfinde die Schuld jetzt kaum noch«, sagt er. »Nur die Bestrafung ist geblieben.«

»Deine Kinder.«

»Die Schuldgefühle sind abgestumpft. Was ich am schärfsten empfinde, ist der Verlust. Die verlorenen Jahre, die man nie zurückbekommt.«

»Warum bist du so weit fortgegangen?«

»Catherine hat mich darum gebeten. Ich konnte mich ihr nicht widersetzen.«

Olympia schweigt, in Gedanken bei dieser Bitte und den Umständen, unter denen sie geäußert worden sein muß.

»Zu denken, daß ich dich seit jenem Abend nicht wiedergesehen habe«, sagt er, ohne sie einen Moment aus den Augen zu lassen.

»Es war ein entsetzlicher Abend.«

»Der schlimmste, den ich je erlebt habe«, sagt er. »Ich war erschüttert von Catherines Schmerz, von seiner Tiefe. Er wollte sich nicht erschöpfen. Auf der Fahrt zum Haus hat sie sich aus dem Wagen geworfen.«

»Das wußte ich nicht.«

»Sie hat sich den Arm gebrochen.«

»Das hat mir niemand erzählt.«

»Ich hatte keine Ahnung, daß sie mich so liebt. Sie hat den Schmerz der Armverletzung kaum gespürt. Die andere Verletzung ging viel tiefer.«

»Ich erinnere mich, wie schön sie war«, sagt Olympia.

»Ja.«

Immer noch hält sein Blick Olympias Gesicht fest. Sie muß ihre Augen abwenden.

»Was tust du in Minnesota?« fragt sie.

»Ich arbeite unter den norwegischen Einwanderern und den Arapaho. Ich habe eine Praxis, aber ich bin selten dort. Die meisten meiner Patienten leben weit abseits von der Stadt. Manchmal bin ich tagelang unterwegs.«

»Das ist sicher hart?«

»Nur ihr Leiden zu sehen, das ist hart. Im Vergleich mit ihnen kennen wir kaum die Bedeutung des Wortes.«

Und jetzt sieht sie auch, daß die kräftige Gesichtsfarbe von der Sonne herrührt. Auch seine Hände sind sonnenverbrannt. Sie hat den Eindruck, daß in seinen Schultern eine rohe Kraft steckt, die sie früher nicht bemerkt hat. Und auch in seinen Händen, die größer geworden zu sein scheinen.

»Du hast den Jungen gesehen?«

»Ja.« Sie zögert. »Er ist dir sehr ähnlich.«

Sie beobachtet sein Bemühen, seine Gesichtszüge zu beherrschen.

»War deine ganze Arbeit – Strafe?« fragt sie, an die Indianer denkend.

»In gewisser Weise. Eine Verbannung.«

Sie streicht über ihren Rock. Sie trägt immer noch eine Schürze. Darunter ein graues Hemdblusenkleid. »Ich bin auch in die Verbannung geschickt worden«, sagt sie. »Nach der Geburt.«

»Du meinst die Schule.«

»Ja. Sie war wie ein Gefängnis.«

»Du weißt, daß ich den Jungen bei mir hatte«, sagt er. »Einen Tag lang.«

»Ja.«

»Ich habe nicht gewußt, daß ich so starker Liebe überhaupt fähig bin«, sagt er. »Ich habe die ganze Nacht mit ihm auf dem Bett gelegen. Ich hatte eine Amme engagiert, die von Zeit zu Zeit ins Zimmer kam. Ursprünglich hatte ich vorgehabt, den Jungen gleich am Morgen ins Waisenhaus zu bringen, aber ich konnte mich nicht von ihm trennen. Schließlich mußte die Amme mich daran erinnern, daß er bessere Betreuung brauchte, als ich sie ihm bieten konnte.«

Das Bild des Mannes und des Säuglings zusammen auf dem Bett ist kaum zu ertragen.

»Ich dachte, ich würde umkommen vor Schmerz, als ich ihn dort zurückließ«, fährt Haskell fort. »Ich wollte sterben. Ich dachte daran, mich im Wasserfall zu ertränken.«

»Hast du für deine anderen Kinder nicht ähnliche Liebe empfunden?« fragt sie.

»Wahrscheinlich«, antwortet er, »aber Catherine hat sie so ganz in Besitz genommen, als sie noch klein waren.« Er hält einen Moment inne. »Martha geht nach Wellesley.«

Sie hat vergessen, daß Martha inzwischen im College-Alter ist. »Wir hätten uns dort vielleicht getroffen«, sagt Olympia.

»Es war das Wissen, daß ich nur diese eine Nacht hatte«, sagt Haskell zur Erklärung. »Es ist die Zeit, die die Intensität der Liebe bestimmt.«

»Glaubst du?« fragt sie.

Ruhelos beginnt er im Zimmer hin und her zu gehen. »Ich

hatte angefangen zu trinken«, sagt er. »Ich war herumgezogen. Ich hatte ein Postfach, bei dem ich von Zeit zu Zeit vorbeischaute. Dort erwartete mich der Brief deines Vaters. Es war ein brutaler Brief. Aber ich hatte es nicht besser verdient.«

»Von alledem weiß ich nichts.«

»Aber nach der Nacht mit dem Kind habe ich gesehen, wie banal meine Trinkerei war, wie abgedroschen die Versuche der Selbstzerstörung. Da bin ich nach Westen gegangen.«

Sie versucht, ihn sich unter den Indianern vorzustellen.

»Du bist noch schöner geworden«, sagt er.

Sie schaut weg.

»Du hast dein Haar früher nie offen getragen.«

»Ich trage es auch jetzt im allgemeinen nicht offen«, entgegnet sie. »Ich habe nur gerade die Nadeln herausgenommen.«

»Ich habe einen Trümmerhaufen hinterlassen, und ich habe darüber geweint«, sagt er. »Um die Menschen, deren Leben jetzt für immer geschmälert bleiben muß.«

Wie vertraut er ist, und doch wie fremd. Er ist Jahre älter, nicht sein Körper, aber der Blick dieser Augen, die vielleicht zuviel gesehen haben.

»Das absolut Unverzeihliche«, sagt er, beide Hände in die Jackentaschen schiebend und den Kopf schüttelnd, »das absolut Unverzeihliche ist, daß ich es wieder tun würde. Wenn ich an Wunder glaubte, würde ich niederknien und darum beten, die Momente mit dir noch einmal erleben zu dürfen.«

Seine Worte erschrecken sie. Diese Reuelosigkeit erscheint ihr gotteslästerlich. Aber hat sie sich nicht ebenso reuelos gezeigt? In einem katholischen Waisenhaus. In einem Gerichtssaal.

»Nicht um diesen Preis«, sagt sie.

»Selbst um diesen Preis.«

»Ich glaube dir nicht. Du kannst nicht ahnen, wie hoch der Preis ist.«

»Nein«, sagt er. »Das kann ich nicht.«

Er setzt sich in den Windsorsessel, zu seinen Füßen die Stoff-reste.

»Wirst du den Prozeß gewinnen?« fragt er.

»Ich weiß es nicht. Das Urteil wird morgen verkündet.«

»Ich gehe natürlich wieder zurück. Obwohl ich gern wissen würde, wie das Urteil lautet. Es tut mir gut, mir dich mit dem Jungen vorzustellen.«

»Ach, ich möchte ihn so gern bei mir haben«, sagt sie.

»Ich würde ihn gern sehen.«

»Du kannst ihn sehen, wenn du es so machst, wie ich es machen mußte«, versetzt sie hart. »Du stellst dich auf die andere Straßenseite und hoffst, daß er vorbeikommt.«

»Es tut mir leid, daß du das tun mußtest.«

»Ich mußte Fragen über dich beantworten«, sagt sie. »Ich mußte ihnen fast alles über uns sagen. Wie wir zusammen im Hotel und in deinem Haus waren.«

»Mein Gott.«

»Es war unsäglich. Es macht mir schon längst nichts mehr aus, mir einzugestehen, was ich getan habe. Aber es laut sagen zu müssen, vor Menschen, die ich nicht kannte und nie in mei-nem Leben wiedersehen wollte! Als ich da im Zeugenstand saß, kam ich mir vor, als würde ich nackt ausgezogen. Ach nein, schlimmer noch.«

»Olympia, das alles tut mir so leid.«

Sie zuckt mit den Achseln, wie um zu sagen, daß es jetzt keine Rolle mehr spiele. »Arbeitest du gern in Minnesota?« fragt sie.

»Ärzte werden dringend gebraucht.« Er sieht sich um. »Lebst du allein hier?«

»Ja.«

»Unglaublich.«

»Findest du?«

»Ja.«

»Ich wollte dir sagen, daß ich doch keinen Tee gemacht habe.«

»Ich glaube, ich könnte sowieso keine Tasse halten«, erwidert er.

»Möchtest du einen Schluck Whiskey? Ich hatte mir gerade einen eingeschenkt, als du kamst.«

»Tatsächlich? Das sieht dir eigentlich gar nicht ähnlich. Aber woher soll ich jetzt noch wissen, was dir ähnlich sieht? Ja, danke, ich nehme gern einen.«

Sie geht an die Anrichte und gießt ihm ein Glas ein. Als sie zurückkommt, starrt er wieder zum Fenster hinaus. Er nimmt das Glas von ihr entgegen. Er besitzt, denkt sie, eine große innere Reserve, die ihr selbst nicht zur Verfügung steht.

»Es tut mir so unendlich leid, Olympia. Daß du so jung ein Kind bekommen und es gleich wieder verlieren mußtest. Das ist mehr, als einem Menschen zugemutet werden sollte.«

»Ich möchte nicht, daß dir etwas leid tut«, entgegnet sie.

»Es macht mich glücklich, einfach nur in diesem Zimmer zu sein«, sagt er. »Ich habe es mir tausendmal vorgestellt.«

Aber auch wenn er jetzt glücklich ist, kann er es nicht mehr in dem Maße sein wie einst. Er hat seine Kinder geopfert. Er hat die Kinder gezwungen, ihn zu opfern. Was kann nach einem solchen Verlust an Glück noch bleiben?

»Ich habe nie aufgehört, dich zu lieben«, sagt er. »Nicht einen Moment lang.« Er trinkt von seinem Whiskey. »Es muß ausgesprochen werden. Selbst jetzt empfinde ich Freude, allein darüber, es auszusprechen. Ich hätte nicht gedacht, daß solche Liebe so lange Zeit überdauern kann. Aber so ist es. Es wäre sinnlos, etwas anderes zu sagen als die Wahrheit.«

»Ja. Mir war es eine Erleichterung, Mr. Tucker die Wahrheit sagen zu können«, erklärt sie. Sie schlingt die Arme um ihren Oberkörper. Mit dem Untergang der Sonne ist es kälter geworden im Zimmer. »Ich möchte dir etwas zeigen«, sagt sie. »Oben. Aber warte einen Augenblick hier.«

Sie geht in die Küche, um das Nachthemd zu holen. Wieder zurück, fragt sie: »Kommst du mit?«

Er folgt ihr ins vordere Vestibül und die breite Treppe hinauf. Sie gehen durch einen dunklen Korridor. Vor einem Zimmer, es ist nicht ihres, bleibt sie stehen und öffnet die Tür. Sie tritt an einen Tisch und schaltet eine Lampe ein. Ihr Licht fällt auf ein Kinderbett, über das eine weiß-blaue Häkeldecke gebreitet ist. Auf dem Boden liegt ein kleiner dunkelblauer Teppich mit einem roten Stern in der Mitte. Alles ist da – ein Kindertisch mit Stühlen, eine rotgestrichene Holzkiste für Spielsachen. Am Fenster hängen blaue Gardinen mit einem Sternenmuster, von der Zimmerdecke hängt ein Mobile mit Blechsternen herab.

»Die Möbel habe ich auf dem Speicher entdeckt«, sagt sie. »Es waren einmal meine. Die Decke, die Vorhänge und das Mobile habe ich selbst gemacht«, fügt sie nicht ohne Stolz hinzu. »Mein Zimmer ist gleich nebenan. Ich denke mir, er wird in meiner Nähe sein wollen. Er wird sicher Angst haben. Ich jedenfalls habe Angst.«

Sie geht zu einer Metalltruhe, kniet nieder und klappt sie auf. Drinnen sind all die Kleidungsstücke, die sie für den Jungen gemacht hat. Sie faltet das Nachthemd und legt es dazu. Dann schließt sie die Truhe.

»Ich weiß, daß du ihm eine sehr gute Mutter sein wirst«, sagt Haskell.

Er steht immer noch an der Tür. Sie sieht zu ihm hinauf.

»Ich gehe jetzt«, sagt er.

Sie hat nicht erwartet, daß er so bald wieder gehen würde, und da sie unvorbereitet ist, nimmt sie Zuflucht zu Förmlichkeit. »Hast du einen Wagen?« fragt sie.

»Ich gehe bis Ely zu Fuß, und von dort nehme ich die Elektrische. Der Marsch wird mir guttun. Obwohl ich in den Sümpfen sicher ins Stocken geraten werde.«

Sie steht auf.

»Du hast nicht gesagt, wie es für dich gewesen ist«, sagt er.

»Ich kann nicht.«

»Dein Gesicht ist wunderbar. Reifer. Als hätte dein Charakter sich abgerundet.«

»Aber wir sind alle unvollendete Porträts«, entgegnet sie.

»Willst du mir wenigstens die Hand geben?« fragt er. »Wir haben nie richtig Abschied genommen.«

»Nein. Das konnten wir nicht.«

Sie geht ihm entgegen und reicht ihm die Hand. Die seine ist rauh und schwielig.

»Wir haben zusammen ein Kind«, sagt er. »Es scheint kaum möglich.«

»Ich habe mich oft gefragt, wann es war«, sagt sie und sieht sich im Zimmer um, in dem vielleicht ihr Sohn wohnen wird. »Er könnte morgen schon hier sein. Wenn ich mir das vorstelle!«

»Gib ihm deine ganze Liebe«, sagt Haskell. »Und meine dazu.«

Sie drückt seine Hand mit aller Kraft, gräbt ihre Nägel in seine Haut. Die Sehnsucht ist brennend scharf, der Schmerz überwältigend.

»Du hättest jederzeit zurückkommen können!« ruft sie weinend.

»Ich habe mich gezwungen wegzubleiben. Kannst du nicht verstehen, wie weit fort ich mußte?«

»Du hättest das Kind behalten können!«

»Nein, Olympia, das konnte ich nicht.«

Er zieht sie an sich, birgt ihren Kopf in seiner Umarmung. Er weint selbst wie ein Kind, schluchzend und schluckend, ohne Scham, ohne einen Versuch, es vor ihr zu verbergen. Sie fühlt sich getröstet von seinem Körper.

Er umschließt ihr Gesicht mit seinen Händen. »Wirst du mir jetzt sagen, daß du mich liebst?« fragt er. Er küßt sie, und sie erinnert sich der Kraft seiner Lippen.

»Niemals werde ich glauben, daß das unrecht ist«, sagt er.

Sie sieht ihn an. Sie braucht Zeit, um sich zu entscheiden.

Sie schließt die Tür und führt ihn durch den Gang in das Zimmer mit den Vergißmeinnicht an den Wänden und der Lampe mit den Bernsteintropfen auf dem kleinen Mahagonitisch. Sie ist noch nicht bereit, ihn in ihr eigenes Zimmer eintreten zu lassen.

»An das Zimmer erinnere ich mich von der Nacht her, als das Schiff unterging«, sagt er, sich umsehend.

Sie tritt zu dem schmalen Bett, sie weiß nicht mehr, wie sie beginnen soll. »Wir haben diese ganze Nacht«, sagt sie. »Wir werden diese ganze Nacht nebeneinander schlafen, und keiner wird uns stören.«

»Keiner«, sagt er. »Was für eine Ruhe.« Er lauscht wie verwundert. Und sie denkt, daß es dort, woher er kommt, roh und laut sein muß.

»Hast du einen anderen geliebt?« fragt er rasch.

Sie schüttelt den Kopf. »Und du?«

»Ich habe andere Frauen gesucht, ja. Um das, was zwischen uns war, zu schmälern. Ich dachte, wenn ich es zu etwas Gewöhnlichem machen könnte, würde es vielleicht erträglich werden.«

Sie spürt Eifersucht. Die Körper anderer Frauen.

»Aber es ging nicht«, fährt er fort. »Ich habe immer dein Gesicht gesehen.«

Er zeichnet mit dem Finger die Konturen ihres Mundes nach. »Das war es, was mich am meisten gequält hat.«

Er küßt sie. Es ist ein keuscher, zurückhaltender Kuß.

»Hast du das Medaillon noch?« fragt er.

Sie nickt.

»Laß es mich sehen.«

Sie öffnet die Knöpfe ihres Kleides. Er knipst die Lampe an. Sie öffnet ihr Kleid, das Medaillon liegt auf ihrer Brust. Er nimmt es in die Hand.

»Das beweist, daß du mich wirklich geliebt hast«, sagt er, »auch wenn du dich weigerst, es zu sagen.«

Er läßt das Medaillon fallen und zeichnet, wie zuvor ihren Mund, den Bogen ihrer Brüste nach.

»Auch die Erinnerung daran war qualvoll«, sagt er.

Sie schläft nicht. Sie hat Angst zu erwachen und zu sehen, daß er fort ist. Mitten in der Nacht kleidet Haskell sich an und geht in die Küche hinunter, um nach etwas Eßbarem zu suchen. Mit Brot, Butter und Marmelade und ein paar zusätzlichen Decken kommt er zurück. Er kleidet sich aus und steigt zu ihr in das schmale Bett. Neben ihnen auf dem Mahagonitisch brennt langsam eine dunkelrote Kerze herunter.

Während er neben ihr schläft, denkt sie: Eine Liebesbeziehung ist die Summe vieler Teile – des Körperlichen, des Gefühls, in einer eigenen Welt zu leben, der Eifersucht, des Verlustes. Eine Liebesbeziehung ist keine gerade verlaufende Bahn, sie ist eher wie ein Kartenspiel, das gemischt wurde, wo dies zu jenem und jenes zu diesem paßt.

»Du kannst jetzt nicht gehen«, sagt sie, ihn weckend. »Ich könnte es nicht aushalten, dich so schnell wieder zu verlieren.«

»Sie sind zerstreut«, bemerkt Tucker, der ihr am Tisch gegenübersitzt. »Aber natürlich, das ist verständlich.«

Die Wände des Restaurants sind mit roter Seide bespannt. Auf den Tischen stehen frühe Narzissen. Die weißen Tischtücher und Servietten sind aus schwerem geprägtem Leinen, die schönste Tischwäsche, die sie je gesehen hat. Der Saal ist gut besucht, jetzt, um die Mittagszeit. Die meisten Gäste sind Männer, aber es sind auch einige Frauen in Kostümen und eleganten Toques unter ihnen. Und so ein Restaurant in Ely Falls?

Olympia blickt zu ihrem Teller hinunter, auf dem eine große Scheibe Roastbeef liegt, die der Ober kurz zuvor an einem silbernen Serviertisch für sie aufgeschnitten hat. Sie nimmt ein kleines Stück auf die Gabel und taucht es in den Meerrettich.

»Ich hatte keine Ahnung, daß es hier so ein Restaurant gibt«, sagt sie.

»Es ist das einzige gute Restaurant in der ganzen Stadt. Ich esse häufig hier.«

»Tatsächlich?«

Sie mustert ihn, als er zu essen beginnt. Er hat für die Urteilsverkündung vermutlich seinen besten Anzug angezogen: feines anthrazitgraues Kammgarn, dazu ein blütenweißes Hemd mit blau-schwarzer Seidenkrawatte. Sein glatt zurückgekämmtes Haar wirkt wie poliert. Nur die leichte Ungeduld mit dem Ober, vielleicht sogar mit ihr, verrät seine Nervosität. Ihre eigene Nervosität scheint ihr auf den Magen geschlagen zu sein, selbst das kleine Stückchen Fleisch kaut sie nur mit Widerwillen.

Sie trinkt einen Schluck Wasser. »Was war das eigentlich für eine Wette?« fragt sie.

»Welche Wette?«

»Littlefield sagte doch, daß Ihr Vater ihm noch einen Korb Äpfel schuldet.«

»Ach so! Mein Vater hat mit Littlefield gewettet, daß ich niemals Jurist werden würde. Er hat ihm die Äpfel inzwischen geschickt.«

Wäre es nicht besser, Tucker zu lieben, denkt sie. Das wäre doch so, wie es sein soll.

»Sie wissen, wie das heute abläuft«, sagt Tucker jetzt. »Wir gehen in den Saal und setzen uns. Dann kommt Littlefield und verliest das Urteil.«

»Und dann ist es vorbei.«

»Und dann ist es vorbei.«

Er hebt sein Weinglas. »Dieses Kostüm haben Sie an dem Abend getragen, als wir im Highland zusammen gegessen haben«, sagt er.

Sie sieht an dem grünen Samt hinunter, sie weiß kaum, was sie heute morgen angezogen hat.

»Ich werde Sie und den Jungen nach Fortune's Rocks fahren«, sagt Tucker.

»Der Junge hat wahrscheinlich noch nie in einem Automobil gesessen«, meint Olympia. »Er wird vielleicht Angst bekommen.«

»Besser im Automobil als mit der Straßenbahn, besonders wenn es spät werden sollte«, entgegnet er. »Es kann zu Unfreundlichkeiten kommen.«

Er meint die Frankos, denkt sie. »Danke.« Sie versucht, doch noch etwas zu essen. »Das Schwierigste ist für mich diese absolute Endgültigkeit des Urteils. Es sollte irgendwie allmählicher gehen. Nicht so abrupt.«

»Sorgerechtsfälle sind immer sehr schwierig«, sagt Tucker. »Aber die Gerichte haben im Lauf der Jahre die Erfahrung gemacht, daß ein glatter Bruch für das Kind besser ist, besonders in diesem Alter. Die meisten Erwachsenen haben keine Erinnerung daran, was geschah, als sie drei Jahre alt waren.«

»Dann wird er sich also nicht an die Pflegeeltern erinnern, wenn ich gewinne.«

»Wahrscheinlich nicht.«

»Ich finde das unglaublich hart«, sagt sie.

Haskell ist früh gegangen an diesem Morgen. Sie hat ihn darum gebeten. Dann hat sie sich die Haare gewaschen, ein Huhn zubereitet und Maisbrot dazu gebacken, ihre eigene Lieblingsspeise, als sie noch ein Kind war. Sie wollte für den Abend, wenn sie mit dem Jungen nach Hause kommen würde, etwas zu essen da haben. Weil sie niemanden kennt, den sie um Rat fragen könnte, hat sie zwei Bücher über Kinderpflege und -erziehung gelesen. Sie hat außerdem eine französische Grammatik gekauft, mit deren Hilfe sie seit Wochen ihre Französischkenntnisse auffrischt, da der Junge natürlich kein Englisch sprechen wird.

»Mr. Tucker, Sie haben mir so sehr geholfen. Ich hoffe, nicht nur für mich, sondern auch für Sie, daß heute alles gutgehen wird.«

»Sie haben überhaupt keinen Appetit«, bemerkt er mit einem Blick auf ihren Teller.

»Nein, tut mir leid.«

»Aber das ist doch ganz verständlich.«

Er greift über den Tisch nach ihrer Hand, und eine Nervosität anderer Art ergreift sie: Nach der Urteilsverkündung – vielleicht nicht gleich heute nachmittag, aber bald – wird sie ihm sagen müssen, daß sie ihm doch keine Hoffnungen machen kann.

Vor dem Gerichtsgebäude herrscht ähnlicher Trubel wie vor vier Tagen. Zeitungsreporter und Franko-Anhänger drängen sich vor dem Haupteingang. Tucker, der mit Olympia vom Restaurant aus zu Fuß gekommen ist, sieht die Leute, bevor sie ihn und Olympia bemerken. Er macht abrupt kehrt und zieht Olympia mit sich.

»Wir nehmen einen Seiteneingang«, sagt er. »Ich möchte dieser Menge lieber aus dem Weg gehen.«

Ihren Ellbogen umfaßt haltend, geleitet er sie in den Sitzungssaal, und sie ist ihm dankbar für die Unterstützung. Sobald sie nämlich Albertine bemerkt, die in ihrem schwarzen Kostüm mit einem Rosenkranz in den Händen dasitzt und mit geschlossenen Augen stumm betet – und dann Telesphore, ebenfalls mit geschlossenen Augen, die Arme über der Brust gekreuzt wie im Schlaf oder in stillem Gebet –, sieht sie plötzlich ganz klar, wie grausam diese kommende Stunde werden wird, und sie stolpert. Doch Tucker hält sie fest und führt sie sicher an ihren Platz.

»Der Richter wird gleich kommen«, sagt er, nachdem er zwischen Olympia und Albertine Platz genommen hat. »In ein paar Minuten ist alles vorbei.«

Und noch während Tucker spricht, fordert der Gerichtsdiener die Anwesenden auf, sich zu erheben, und meldet das Erscheinen des Richters. Levi Littlefield und Addison Sears treffen zu gleicher Zeit aus entgegengesetzten Richtungen im Gerichtssaal ein, Littlefield betritt ihn wieder mit fliegender Robe, und Sears hastet durch den Gang wie ein kleiner Junge, der zu spät zum Unterricht kommt.

Littlefield ignoriert das Zuspätkommen des Anwalts. Er wirkt sehr ernst, beinahe traurig. Er sieht weder Olympia noch Albertine Bolduc an, sondern hält seinen Blick auf seine Papiere gerichtet.

»Ich werde jetzt die Entscheidung des Gerichts in der Sache Biddeford gegen Bolduc bekanntgeben«, beginnt er und setzt seine Brille auf.

Olympia sieht sich in dem dunkel getäfelten Saal um, der von elektrischen Wandleuchten erhellt wird. Jetzt wird über ihre Zukunft entschieden.

»Der Antrag auf Herausgabe wurde von Olympia Biddeford gestellt und richtete sich gegen Albertine und Telesphore Bolduc, denen aufgegeben wurde, den minderjährigen Sohn der Antragstellerin, Pierre Francis Haskell, dem Gericht vorzuführen.«

Littlefield blickt über die Ränder seiner Halbgläser zu den im Saal Versammelten hinunter. »Die Antragstellerin brachte vor, daß das minderjährige Kind ihr unmittelbar nach seiner Geburt widerrechtlich weggenommen und aufgrund einer Reihe weiterer widerrechtlicher Handlungen dem Ehepaar Albertine und Telesphore Bolduc zur Pflege gegeben wurde, bei dem der Junge seit nunmehr über drei Jahren lebt.«

Aus dem Augenwinkel erkennt Olympia, daß Albertine weit vorgebeugt sitzt, als wolle sie Littlefield jedes Wort von den Lippen ablesen.

»Albertine und Telesphore Bolduc tragen in Erwiderung vor, daß sie das Sorgerecht für das Kind innehaben; daß sie als seine Pflegeeltern dieses Sorgerecht beanspruchen und dazu auch berechtigt sind, um dem Kind die angemessene und notwendige Sorge und Obhut zu gewähren, und zu keinem anderen Zweck; daß sie in keiner Weise die Freiheit dieses Kindes eingeschränkt oder es widerrechtlich bei sich behalten haben; und daß es das zarte Alter des Kindes nicht erlaubt, dieses von ihnen zu trennen, da ihm dadurch Schaden an seiner seelischen Gesundheit zugefügt werden könnte.«

Littlefield trinkt aus dem Glas, das auf seinem Tisch steht.

»Aus diesen nüchternen Details des Falles, wie sie dem Gericht vorgetragen wurden, ergeben sich, wie wir gesehen haben, weitreichende Fragen. Wäre es möglich, so würden wir auf leitende Rechtsprechung zurückgreifen; es kommt jedoch gelegentlich vor, daß das Gericht sich mit einem Fall konfrontiert sieht, für den es keine einschlägigen Präzedenzfälle gibt.«

Olympia sieht wieder zu Albertine hinüber und vernimmt im selben Moment hinten im Gerichtssaal leise Geräusche. Sie dreht den Kopf, um zu sehen, wer hereingekommen ist. Haskell setzt sich sofort nieder. Der Gerichtsdiener scheint in Anbetracht der Arzttasche zu glauben, Haskell wäre von Littlefield hergebeten worden für den Fall, daß ärztliche Betreuung notwendig werden sollte; weder spricht er Haskell an, noch fordert er ihn auf, den Saal zu verlassen.

Tucker wirft einen kurzen Blick auf Olympia und dreht sich dann, neugierig, was sie so interessiert, ebenfalls um. Als er sich ihr wieder zuwendet, fliegt sein Blick forschend über ihr Gesicht. Er kennt Haskell nicht – aber wird er an ihrem Verhalten erraten, wer der Fremde ist? Sie beobachtet Tucker und sieht, wie Neugier Begreifen weicht.

»Das Gericht sieht sich heute vor zwei Fragen gestellt«, fährt Littlefield fort. »Die erste ist: Soll das Gericht ein geschehenes Unrecht wiedergutmachen und anerkennen, daß das Kind seiner Mutter widerrechtlich genommen wurde? Und die zweite: Bis zu welchem Grade ist es Aufgabe des Gerichts, das fortgesetzte Wohl des Kindes zu sichern?«

Littlefield befeuchtet seine Fingerspitze mit der Zunge und blättert um. »Das Gericht muß nicht nur die Qualität der Sorge in Betracht ziehen, die dem Kind bisher von seiten seiner Pflegeeltern zuteil wurde, sondern es muß auch die Gemeinschaft prüfen, in die das Kind hineinwachsen wird. Denn es ist eine Tatsache, daß die Gemeinschaft und die häusliche Umgebung dem Kind für sein künftiges Leben entweder Hilfe oder Hindernis sein werden. Wenn es dem Gericht aufgegeben ist, das Wohlergehen des Kindes sicherzustellen, muß es alle zukünftigen Wahrscheinlichkeiten in Betracht ziehen.«

Olympia schließt die Augen.

»So heftig auch die Beschuldigungen gegen Olympia Biddeford sein mögen, die vom Vertreter der Antragsgegner vorgebracht wurden; so klar auch die Tatsache ist, daß die Antragsteller sich als sorgsame Pflegeeltern des Kindes erwiesen haben; so traumatisch sich für den Jungen möglicherweise die Trennung von den einzigen Eltern, die er je gekannt hat, auswirken wird – das Gericht kann nur feststellen, daß es den Antragsgegnern nicht gelungen ist, es davon zu überzeugen, daß für die zukünftige Erziehung und Ausbildung und für das weitere Wohlergehen des Jungen zufriedenstellend gesorgt ist.«

Tucker ergreift ihre Hand. Sie sieht ihn an und blickt dann zu den Bolducs hinüber. Sears sitzt völlig unbewegt, scheinbar in die Betrachtung seiner Aktentasche vertieft. Albertine und Telesphore Bolduc scheinen nicht verstanden zu haben, was der Richter vorgelesen hat, wenn sie offensichtlich auch spüren, daß etwas nicht in Ordnung ist. Albertine blickt gehetzt im Saal umher.

»So schwer dem Gericht die Entscheidung in diesem besonderen Fall wird, es kann nicht zulassen, daß der Junge in einer Familie bleibt, in der er sich in der Zukunft – sei es unter dem Einfluß der Pflegeeltern oder anderer Personen, deren Einfluß die Pflegeeltern unterworfen sind, oder von Umständen, die außerhalb der Kontrolle der Pflegeeltern liegen, wie zum Beispiel Mittellosigkeit oder unzulässige Beeinflussung von seiten der Gemeinschaft – möglicherweise zu einem Gesetzesbrecher entwickeln wird.«

Ein Aufschrei. Littlefield blickt von seiner Urteilsbegründung auf. Albertine schreit mit hocherhobenen Händen immer wieder: »*Non! Non! Non!*« Littlefield ruft sie nicht zur Ordnung, als meinte er, es sei ihr gutes Recht, die Verhandlung zu stören. Albertine verstummt. Sie umklammert den Arm ihres Mannes.

»Des weiteren«, fährt Littlefield fort, »sieht es das Gericht als erwiesen an, daß den Pflegeeltern Albertine und Telesphore Bolduc, auch wenn ihnen persönlich kein Vorwurf zu machen ist, das Kind nur infolge der widerrechtlichen Trennung von seiner leiblichen Mutter anvertraut wurde. Dem Gericht stellt sich daher in diesem Fall eine zweifache Aufgabe: Ein Unrecht wiedergutzumachen, das sowohl dem Kind als auch seiner leiblichen Mutter, Olympia Biddeford, angetan wurde; und für das weitere gesunde Gedeihen des Kindes Sorge zu tragen, indem es, soweit das einem Gericht oder irgendeiner anderen Institution überhaupt möglich ist, seine Geborgenheit und eine ihm förderliche Erziehung und Ausbildung sichert.«

Telesphore Bolduc schlägt die Hände vor sein Gesicht. Albertine wirft den Kopf nach hinten an die Stuhllehne.

»Es ergeht daher folgendes Urteil.«

Albertine beginnt zu schluchzen, heftig und anhaltend.

Littlefield, offensichtlich erschüttert, räuspert sich. »Am zehnten März 1903 gelangt das zuständige Gericht nach eingehender Verhandlung des vorliegenden Falles und nach Würdigung aller zur Sache gehörenden Umstände zu dem Schluß, daß das Kind Pierre Francis Haskell widerrechtlich seiner Freiheit beraubt und von den im Herausgabeantrag bezeichneten Personen festgehalten wurde. Es verfügt daher, daß das besagte Kind seiner Mutter, Olympia Biddeford, zurückgegeben und in ihre Obhut überführt wird.«

»Sie haben ihn wieder«, sagt Tucker neben ihr.

»Gerichtsdiener«, ruft Richter Littlefield, nimmt die Brille ab und wischt sich die Stirn mit einem Taschentuch. »Bringen Sie den Jungen herein.«

Sears steht auf. »Euer Ehren, dürfen sich Mutter und Vater noch von dem Kind verabschieden?«

Littlefield kneift sich den Nasenrücken. »Die Pflegeeltern dürfen sich von dem Jungen verabschieden, aber ich muß ihnen untersagen, das Kind in irgendeiner Weise aufzuregen. Wenn Mr. und Mrs. Bolduc sich nicht beherrschen können, werde ich sie aus dem Saal weisen lassen. Ich wünsche keine Szenen.«

»Euer Ehren«, sagt Sears, »dürfen sich Mr. und Mrs. Bolduc allein von dem Jungen verabschieden?«

»Nein, das kann das Gericht nicht gestatten. Was geschieht, soll vor allen geschehen.«

Die Tür zum Sitzungssaal wird geöffnet, und der Gerichtsdiener erscheint mit seinem Schützling. Der Junge trägt einen marineblauen Mantel mit gleichfarbiger Mütze und lange graue Strümpfe. Die Füße stecken wieder in den rissigen braunen Lederschuhen. Mit großen Augen sieht der Kleine sich um, vielleicht ein wenig furchtsam, vor allem aber mit gespannter Aufmerksamkeit, als erwarte er ein Abenteuer.

Olympia beobachtet Albertine, die sich bemüht, ihre Fassung wiederzufinden, um den Jungen nicht zu erschrecken. Albertine steht auf und schiebt den Rosenkranz in die Tasche ihres schwarzen Kostüms. Telesphore steht hinter ihr, tief gebeugt, als hätte man ihm das Kreuz gebrochen. Sears tritt in den Gang und geht um den Tisch herum. Er stellt sich hinter Telesphore.

Der Gerichtsdiener führt den Jungen an Haskell vorbei, der in einer Haltung sitzt, als befände er sich in der Kirche oder bei einer feierlichen Veranstaltung, die Respekt verlangt. Die Ähnlichkeit zwischen Vater und Sohn ist so auffallend, daß Olympia meint, alle müßten es jetzt bemerken. Der Junge sieht sich fragend um, blickt von Olympia zu Tucker und zu Littlefield, bis er, auf halbem Weg nach vorn, seine Pflegemutter entdeckt.

»Maman!« ruft er und reißt sich los. »Maman!«

Auf seinen stämmigen Beinchen läuft er durch den Gang zu Albertine. Und die reagiert instinktiv und aus langer Gewohnheit. Sie beugt sich zu ihm hinunter, nimmt ihn auf den Arm und drückt ihn fest an sich. Er schmiegt seinen Kopf an die schwarze Wolle ihres Kostüms, legt die Beine um ihre Hüften und schlingt seine Arme um ihren Hals. Albertine hält ihn ein wenig von sich weg und sagt etwas auf französisch zu ihm; er neigt den Kopf zur Seite, als müsse er über die Worte seiner Mutter nachdenken. Aber als er ihr wieder ins Gesicht sieht, das rot und verschwollen ist, spürt er offensichtlich, jedenfalls hat Olympia diesen Eindruck, daß etwas anders ist als gewohnt. Albertine dreht sich herum und reicht das Kind ihrem Mann, der seinen Kopf an den kleinen Hals drückt, um den Jungen seine Verzweiflung nicht sehen zu lassen. Er küßt ihn auf die Wange, dann übergibt er ihn wieder Albertine. Die weiten Ärmel ihres schlechtsitzenden Kostüms hüllen ihn ein. Der Hut rutscht ihr vom Kopf. Der ganze Raum scheint sich kurz vor einer gewaltigen und schrecklichen Explosion zu befinden.

Dann, nach Minuten erst und dennoch viel zu bald, selbst Olympia empfindet es so, muß Albertine den Kleinen hinunterlassen. An ihrem Körper entlang läßt sie ihn zu Boden gleiten und dreht ihn herum, so daß sein Blick Olympia zugewendet ist.

Sie fixiert Olympia mit steinerner Miene. Ihr Gesicht ist aufgequollen und fleckig. Der Junge ist verwirrt, er rührt sich nicht. Der Gang könnte eine Schlucht sein.

Wieder nimmt der Gerichtsdiener den Jungen bei der Hand.

»*Maman?*« ruft der Kleine in fragendem Ton, sich zurück-wendend.

Es erscheint Olympia ungehörig, in Albertines Beisein ihre Arme auszubreiten, aber irgendwie muß sie dem Jungen zeigen, daß er willkommen ist. Sie geht in die Hocke, so daß ihr Gesicht mit seinem auf gleicher Höhe ist. Sie sagt seinen Namen. »Pierre.«

Der Junge mustert die Fremde vor sich. Warum hat seine Mutter ihm befohlen, zu ihr zu gehen? Ist sie vielleicht eine Freundin seiner Mutter? Aber wenn sie eine Freundin ist, warum weinen Mutter und Vater dann?

»*Maman?*« ruft er wieder, zurückgewandt.

Olympia streckt den Arm aus und berührt den Jungen. Zaghaft kommt er näher.

Ein furchtbares Schluchzen – ein Urlaut des Schmerzes – entfährt Albertine.

Der Junge erstarrt, als begreife er mit einem Schlag die Bedeutung dieser Szene. »*Non!*« schreit er laut und stößt Olympias Hand weg. Er läuft zurück zu seiner Mutter, die sich tief über ihn beugt und die Falten ihres Rockes um ihn schließt.

Lange ist es still.

»Gerichtsdiener«, sagt Littlefield dann mit offenkundigem Widerstreben.

Der Gerichtsdiener, dessen hochrotem Gesicht anzusehen ist, wie hart ihn seine Aufgabe ankommt, greift ungeschickt nach dem Jungen.

»Mr. Sears«, sagt Littlefield. »Bitte sprechen Sie mit Ihrer Mandantin.«

Sears tritt hinter Telesphore Bolduc hervor und berührt Albertines Arm.

Sie richtet sich auf, neigt sich aber gleich wieder zu dem Jungen hinunter und spricht mit ihm. Sie zeigt auf Olympia. Das Kind sagt nichts. Albertine greift ihrem Pflegekind unter das Kinn und hebt seinen Kopf an. Sie sehen einander in die Augen.

Olympia sieht den stummen Austausch zwischen Mutter und Kind – einen Blick, der für ein ganzes Leben reichen muß, ein Leben verlorener Tage, ein Leben von Tagen, die von jetzt an immer etwas dunkler sein werden.

Olympia sieht Tucker an, der unter der Last dieser Verantwortung aschfahl geworden ist. Sie sucht nach Haskell. Der steht mit zusammengepreßten Lippen, die Hände vor sich gefaltet. Und dann wagt sie es, ihren Blick wieder auf Albertine Bolduc zu richten, die in diesem Moment das Kind verlieren wird, das ihr Sohn gewesen ist. Das ist ein Schmerz, der keiner Frau aufgebürdet werden sollte, den keine andere Frau mit ansehen kann.

»Nein«, sagt Olympia.

Der Gerichtsdiener sieht erst sie an, dann Littlefield.

Olympia richtet sich hoch auf. »Nicht!«

Tucker legt seine Hand auf ihren Arm.

»Miss Biddeford?« fragt Littlefield verwirrt.

»Ich ziehe meinen Antrag zurück«, sagt Olympia schnell.

»Aber Miss Biddeford, Sie haben einen gültigen Rechtsbescheid.«

»Ich nehme ihn nicht«, sagt sie.

»Miss Biddeford.«

»Ich kann nicht.«

Albertine hält den Jungen in den Armen. Olympia dreht sich herum und läuft den Gang hinunter an Haskell vorbei, der weder versucht, mit ihr zu sprechen noch sie aufzuhalten. Sie drückt die schwere Tür des Saales auf und stürzt hinaus in den steinernen Korridor mit den Bronzebüsten. Ihre Absätze klappern laut. Sie läuft den Gang entlang bis zur Haupttür des Gebäudes und öffnet sie. Blind drängt sie sich zwischen den Reportern und den Männern mit den Plakaten hindurch, erreicht den Bürgersteig und rennt zur nächsten Ecke. Erst da, die

Menge hinter sich und ihr ganzes Leben vor sich, wird ihr wirklich klar, was sie von Beginn an hätte wissen müssen: Er gehört nicht ihr. Er hat ihr nie gehört.

## 24

»Du darfst den Atem nicht anhalten. Du mußt jedesmal atmen, wenn der Schmerz kommt.«

Das Mädchen stößt ein Stöhnen aus, das kaum noch menschlich klingt. Das dünne blonde Haar klebt feucht an ihrer Stirn. Das Baumwollhemd und das Bettzeug sind zerknittert und von Schweiß durchnäßt. Wenn Olympia nicht wüßte, daß sie es bald geschafft haben, würde sie die Wäsche noch einmal wechseln.

Hin und wieder erscheint, unrasiert, in wollenem Hemd und Arbeitshose, der Vater des Mädchens an der Tür und wirft einen Blick ins Zimmer. Er scheint das allerdings mehr aus Pflichtgefühl als aus Fürsorge zu tun. Olympia hofft aus tiefstem Herzen, daß das Kind, das gleich zur Welt kommen wird, nicht durch eine Verbindung von Vater und Tochter entstanden ist. Auf Olympias Frage hat das Mädchen gesagt, sie sei fünfzehn. Eine Mutter scheint es in diesem Haus seit mindestens zehn Jahren nicht mehr zu geben.

Das Mädchen beginnt wieder zu stöhnen und reißt an dem Laken, das zu diesem Zweck an den Pfosten am Fußende des Bettes gebunden ist. Olympia reibt die Vulva des Mädchens vorsichtig mit Schmalz ein und prüft, indem sie behutsam den Kopf des Kindes ertastet, wie weit der Geburtsvorgang fortgeschritten ist.

Gleich nach ihrer Ankunft hat Olympia die Roßhaarmatratze mit einem Gummituch bedeckt und dann alte Zeitungen darauf ausgebreitet, die das Fruchtwasser aufsaugen sollen.

Sie hat saubere Tücher mitgebracht, eine Schere, groben Zwirn, Musselin und ein Heftchen Sicherheitsnadeln, und das alles hat sie auf dem einzigen Tisch im Zimmer bereitgelegt. Sie hat die Brustwarzen des Mädchens mit einer Lösung aus starkem grünem Tee gewaschen und ihren Unterleib mit einem frischen Laken bedeckt.

Sie taucht den Waschlappen in das eiskalte Wasser, das der Vater vom Brunnen gebracht hat, wringt ihn aus und legt ihn dem Mädchen auf die Stirn.

»Schauen Sie hinaus auf die Straße«, sagt sie zu dem Vater, der Beschäftigung zu suchen scheint. »Er muß bald kommen.«

Olympia fürchtet, daß das Becken des Mädchens zu eng ist. Sie könnte die Entbindung wahrscheinlich allein durchführen, aber lieber wäre es ihr, Haskell mit seiner größeren Erfahrung und der Saugglocke zur Seite zu haben. Das Mädchen liegt bereits seit zwanzig Stunden in den Wehen, und ihre Kräfte sind beinahe erschöpft.

Olympia sieht sich im Zimmer um. Jemand hat versucht, es freundlich zu gestalten, aber das Mädchen ist offensichtlich keine begabte Hausfrau. Verschossene rote Vorhänge, vom vielen Waschen verzogen, sind mit kleinen Nägeln, die man in die Rahmen gehämmert hat, an den Fenstern befestigt. Auf dem Boden liegt eine Wachstuchmatte, so abgetreten, daß das Muster kaum noch zu erkennen ist, auf dem Fußende des Betts ist eine gefaltete Wolldecke mit mehreren Löchern. Aber diese bescheidenen Versuche der Verschönerung können das häßliche Gesicht dieses Zimmers, eines von nur zweien in dieser Hütte so fern der Stadt, nicht verbergen. Die Wände sind nicht vermörtelt, die Balken des Giebeldachs liegen bloß. Da es keinen Schrank gibt, hängen die Kleider des Mädchens und des Mannes an Haken in der Wand. Von draußen hört Olympia das Blöken von Schafen, ein anhaltendes, aber nicht unangenehmes Geräusch.

Dann vernimmt sie ein anderes Geräusch, das Brummen

eines Motors, aus weiter Ferne zunächst, ganz leise nur, dann lauter, als der Wagen den holprigen Weg heraufkriecht. Das Mädchen kann von Glück reden, daß das Kind noch in dieser Woche kommt; schon in der nächsten werden Straßen und Wege so schlammig sein, daß jedes Automobil steckenbleiben würde. Olympia sieht flüchtig die Farben Rot und Beige aufblitzen und wartet auf das vertraute Schlagen der Autotür.

Haskell kommt ohne anzuklopfen ins Haus, eine Gewohnheit, die er nicht einmal ablegen kann, wenn sie irgendwo einen Besuch machen.

»Olympia«, sagt er beim Eintreten ins Zimmer. Er stellt seine Tasche ab und schlüpft aus seinem Mantel. Er legt seine Hand auf ihre Schulter. Er muß das tun, Olympia weiß es, um sich zu vergewissern, daß sie da ist, selbst nach so vielen Jahren.

»Die Preßwehen setzen ein«, sagt Olympia, »aber ich glaube, ihr Becken ist zu eng.«

»Wie weit ist sie?«

»Das Kind muß bald kommen.«

Haskell tritt an den Tisch mit der Waschschüssel, rollt seine Ärmel auf und wäscht sich die Hände, nicht ohne eine halbentsetzte Bemerkung darüber zu machen, wie kalt das Wasser ist. Olympia betrachtet seinen breiten Rücken, das Haar, das langsam grau zu werden beginnt, obwohl sein Bart noch tiefdunkel ist. Er geht zur anderen Seite des Bettes und schaut zu dem Mädchen hinunter, das so erschöpft ist, daß es zwischen den Kontraktionen jedesmal einschläft. Durch das Fenster sehen Haskell und Olympia den Vater, der neugierig um den Pope-Hartford herumschleicht, offensichtlich mehr an dem Automobil interessiert als am Befinden seiner Tochter.

»Keine Mutter?« fragt Haskell.

Olympia schüttelt den Kopf.

Haskell kneift die Augen zusammen. »Sag mir, daß es nicht das ist, was ich befürchte.«

»Ich weiß es nicht. Aber ich hatte auch diesen Gedanken.

Hoffentlich nicht. Sie weigert sich zu sagen, wer der Vater ist, aber das kann viele Gründe haben.«

In den acht Jahren ihrer Zusammenarbeit haben sie immer wieder Kinder geholt, die aus inzestuösen Beziehungen hervorgegangen waren. Einmal entbanden sie eine Frau, die gar nicht versuchte, ihre Leidenschaft für ihren Bruder zu verbergen, eine Situation, die Haskell heftig erschütterte.

»Wie heißt der Vater?«

»Colton.«

Sie beugt sich zu dem Mädchen hinunter. »Lydia, das ist Dr. Haskell«, sagt sie, als eine neue Schmerzwelle das Mädchen weckt.

Statt einer Antwort knirscht das Mädchen mit den Zähnen und beginnt in kurzen rhythmischen Stößen zu stöhnen.

Haskell hebt das Laken, um sie zu untersuchen.

»Mit dem Becken bin ich mir nicht sicher«, sagt er. »Aber es wird entschieden Zeit. Wie bist du hergekommen?«

»Mit Josiah.«

»Hat Pfarrer Milton dich gerufen?«

»Ja. Ich habe versucht, dich in der Klinik zu erreichen. Josiah sagte, er würde vorbeifahren und sehen, ob er dich finden kann. Der Vater ist offenbar erst zum Pfarrer gegangen, als das Mädchen schon länger als zehn Stunden in den Wehen lag. Ich vermute, sie glaubten, sie könnten es allein schaffen.«

Haskell schüttelt den Kopf. Mit routinierten Bewegungen – die einander immer gleichen und doch niemals ganz dieselben sind – schiebt er das Mädchen auf dem Bett abwärts, hebt ihre Knie an und bindet ihre Fesseln vorsichtig an den Bettpfosten fest, während Olympia sie in halbsitzende Position aufrichtet und ihr den Rücken mit Kissen stützt. Dabei spricht sie ruhig mit dem Mädchen, um ihr die Angst zu nehmen. Sie hat Lydia schon vorher, in einer Pause zwischen den Kontraktionen, erklärt, was geschehen würde, da sie den Eindruck hatte, daß das Mädchen keine Ahnung davon hatte, was ihr bevorstand. Trotzdem scheint das Kind beinahe außer sich vor Angst und Schmerz.

»Sie kann jetzt pressen«, sagt Haskell.

»Lydia, du mußt jetzt drücken«, erklärt Olympia. »Wie beim Stuhlgang.«

Das Mädchen strengt sich an. Sie stöhnt und keucht. Auf Olympias Anweisung preßt sie noch einmal. Und noch einmal.

»Der Kopf ist da«, sagt Haskell nach einer Weile. »Ich werde die Saugglocke nicht brauchen. Lydia, pressen! So fest du kannst.«

Das Mädchen schreit, als würde ihr Leib auseinandergerissen. Der Vater, der immer noch draußen beim Wagen steht, erstarrt.

Der Kopf tritt aus, und Haskell tastet mit dem Finger rund um den Hals des Kindes, um festzustellen, ob die Nabelschnur dort liegt. »Lydia, pressen! Pressen! Fest!« befiehlt er, diesmal mit einer gewissen Heftigkeit im Ton. Er zieht an der Nabelschnur, lockert sie und schiebt sie über den Kopf des Kindes.

»Massiere jetzt die Gebärmutter«, sagt er zu Olympia.

Sie legt ihre Hand auf den Unterleib des Mädchens und drückt auf die Gebärmutter. Glitschig und puterrot kommt das Kind zur Welt. Haskell umfaßt es fest mit beiden Händen und saugt sofort den Schleim von seinem Mund ab. Olympia hört den ersten erstaunten Schrei des Kindes, eines Jungen.

Das Mädchen auf dem Bett weint, ein besonderes Weinen, das Olympia mittlerweile oft erlebt hat, aber niemals außerhalb des Kindbetts – eine Kombination aus Erleichterung, Freude, Erschöpfung und noch etwas anderem, Furcht vor den kommenden Tagen und Nächten.

An der Tür steht mit weißem Gesicht der Vater.

Während Haskell sich um das Neugeborene kümmert, massiert Olympia die Gebärmutter des Mädchens, um einer Blutung vorzubeugen und wenn möglich eine Kontraktion anzuregen, die stark genug zum Ausstoß der Nachgeburt ist. Nachdem Haskell die Nabelschnur durchtrennt hat, zieht Olympia vorsichtig daran, und die Nachgeburt löst sich. »Lydia, du kannst aufhören«, sagt sie, während sie die Nachgeburt eindreht und herauszieht. Sie legt sie zu späterer Untersuchung auf die Seite. Dann steht sie auf.

»Laß mich mal«, sagt sie und nimmt Haskell das Neugeborene aus den Armen. Sie wickelt es in eine kleine Flanelldecke, und wie jedesmal erscheint ihr diese Geste, von einem Mann ein Kind entgegenzunehmen, als die elementarste, die es gibt.

Olympia wickelt die Decke um ihre Beine, legt den Schal um ihren Hut und bindet ihn unter dem Kinn. Sie sind von der Fahrt auf dem von tiefen Furchen durchgezogenen Weg gründlich durchgerüttelt, als sie das Dorf erreichen und auf die Hauptstraße abbiegen.

»Ich fahre morgen noch einmal hin«, sagt Olympia.

»Hat die Kleine niemanden?«

»Soweit ich feststellen konnte, nicht.«

»Der Vater hat mir nicht gefallen.«

»Mir auch nicht. Ich werde mit Pfarrer Milton über die Familie sprechen müssen. John, ich denke, wir werden sie aufnehmen müssen.«

»Haben wir denn Platz?«

»Gerade noch, ja. Eunice geht ja morgen nach Portsmouth.«

»Als Erzieherin zu den Johnsons?«

»Ja.«

»Und das Baby?«

»Mein Lieber, das ›Baby‹ ist anderthalb Jahre alt.«

»Tatsächlich? Ist Eunice schon so lange da?«

Sie erreichen die Stadtgrenze von Ely Falls. Seit die Fabriken eine nach der anderen schließen, ist die Stadt nicht mehr so lebendig wie früher. Wenn Ely Falls den gleichen Weg geht wie

Lowell und Manchester, wird es nicht lange dauern, bis die Arbeiterhäuser leer stehen und die Fabrikgebäude verfallen.

Sie fahren in östlicher Richtung auf die Straße nach Ely hinaus.

»Wie war es in der Klinik?« fragt Olympia.

»Wie immer eigentlich. Ich hatte allerdings einen ganz schrecklichen Fall versehentlicher Vergiftung mit Oxalsäure. Die Frau hatte das Zeug mit Epsomer Bittersalz verwechselt und ihrem Mann eingegeben. Er ist innerhalb von zwanzig Minuten nach seinem Eintreffen in der Klinik gestorben. Es war entsetzlich, seinen Todeskampf mit anzusehen, Olympia. Die Schmerzen müssen unvorstellbar gewesen sein. Ich habe es mit Magnesium und Kreide versucht, aber es war schon zu spät.«

»Bist du sicher, daß es ein Unfall war?« fragt Olympia.

Haskell wirft ihr einen kurzen Blick zu. »Meine Liebe, du hast wirklich eine schlimme Phantasie.« Er legt seine Hand auf ihr Bein. »Nun, die Polizei muß sowieso jeden Unfalltod untersuchen. Ach, und es war ein Mann da, der mir einen Röntgenapparat verkaufen wollte.«

»Und – kaufst du ihn?«

»Vielleicht, ja. Ich bin ziemlich überzeugt von der Sache.«

Er streichelt durch ihren Rock hindurch ihren Oberschenkel. »Und Tucker war da«, fügt er hinzu.

»Ach ja?«

»Er wollte irgendeine Spendengeschichte mit mir besprechen. Er will übrigens demnächst heiraten.«

»Oh. Wen denn?«

»Eine Frau namens Alys Keep.«

»Die Dichterin?«

»Ja, ich glaube.«

»Erstaunlich.«

»Er hat nach dir gefragt.«

»Ach?«

»Weißt du, ich glaube, er empfindet eine besondere Zuneigung für dich. So, wie er immer nach dir fragt – das ist überhaupt nicht beiläufig.«

Haskell nimmt seine Hand von ihrem Bein, um zu schalten. Sie denkt an ihre erste Begegnung mit Tucker, an den Sorgerechtsprozeß und an die schlimmen Monate danach. An die Nächte, in denen sie, um den Jungen weinend, im Haus herumgelaufen ist. Meistens hörte Haskell sie und kam zu ihr, um sie mit viel gutem Zureden wieder ins Bett zu bringen. Es war Haskell, der eines Tages, als sie nicht im Haus war, das Zimmer ausräumte und die Kindermöbel wieder auf den Speicher brachte.

Er lenkt den Wagen plötzlich an den Straßenrand und biegt auf einen schmalen Weg ab. Sie blickt zum Fenster hinaus. Sie sind im Sumpfgebiet. Er schaltet den Motor aus.

»John?« fragt sie überrascht.

Statt einer Antwort wendet er sich ihr zu und öffnet die beiden obersten Knöpfe ihrer Bluse. Er schiebt seine Finger unter ihr Korsett.

Sie fängt an zu lachen. »John?«

»Gleich sind wir zu Hause«, sagt er, »und dreiundzwanzig Mädchen werden um uns herumtanzen. Wir werden keinen Moment für uns allein haben, und dann muß ich schon wieder in die Klinik, und wenn ich nach Hause komme, bin ich wahrscheinlich so erledigt, daß ich auf der Stelle einschlafe.«

»Gar nicht wahr. Das ist nur ein Vorwand.«

»Brauche ich einen Vorwand?« fragt er, ihre Brust streichelnd.

»Nein, vielleicht nicht.«

»Wir waren schon einmal hier in den Sümpfen«, sagt er, während er die übrigen Knöpfe ihrer Bluse öffnet.

Sie kann den Tag so deutlich sehen und fühlen wie das polierte Holz und das Leder im Inneren des Wagens. Die Feuchtigkeit, die ihren Rock hinaufkroch. Das Flattern einer Vogelschwinge. Die Sonne, die gebrochen durch die Gräser fiel. An jenem Tag hat sie erfahren, was körperliche Leidenschaft ist.

Sein Bart drückt auf die Haut ihrer Brust, und sie riecht sein Haar. Sie ziehen ihre Mäntel nicht aus. Sie könnten ein blutjunges Liebespaar sein, denkt sie, das kein Zuhause hat.

Sie parken in der Auffahrt und betreten das Haus durch die Hintertür, wie sie es immer tun, wobei Haskell ihre beiden Taschen trägt. Maria ist im Korridor am Telephon und diktiert eine Einkaufsliste in die Sprechmuschel.

»Sechs Dutzend Eier, vier Pfund von dem Käse, den Sie uns Montag geschickt haben, sieben Hühnchen... Können Sie einen Moment warten?«

Maria legt die Hand über die Muschel und wendet sich Olympia zu. »Ich gebe eben die Bestellung bei Goldthwaite's auf«, sagt sie. »Sie haben Besuch.«

»Besuch?« fragt Olympia verwundert, während sie sich aus ihrem dicken Schal wickelt.

»Ein Mr. Philbrick.«

»So eine Überraschung«, meint sie.

»Ich laufe nur eben nach oben und ziehe ein frisches Hemd über«, sagt Haskell, schnell seinen Mantel aufhängend. »Dann komme ich und sage brav guten Tag.« Er sieht auf seine Taschenuhr. »Aber ich muß wieder in die Klinik. Bitte Rufus doch, zum Essen zu bleiben. Bis dahin bin ich wieder zurück.«

Olympia sieht zu, wie ihr Mann durch die Küche eilt und unterwegs aus einer Dose ein Plätzchen stibitzt. Er hat vermutlich seit dem Frühstück nichts gegessen.

»Maria, hast du Mr. Philbrick Tee angeboten?«

Maria, die erst vor sieben Monaten zu ihnen gekommen ist, hat sich als die geschickteste unter den Mädchen bewährt und darum das ehrenvolle Amt als Helferin von Lisette erhalten.

»Ja.«

»Und wo ist Josiah?«

»Im Büro. Er sitzt über den Büchern.«

Olympia schiebt sich eine lose Haarsträhne hinter das Ohr. Als sie die Schwingtür aufstößt, empfängt sie das lärmende Durcheinander wie ein warmer Luftzug. Sie sieht es gern als ein Durcheinander mit Methode, aber das ist häufig nicht zutreffend. Sie geht am umgestalteten Eßzimmer vorüber, in dem jetzt zwei lange Refektoriumstische stehen, und dann an einem Salon, in dem Lisette aus einem medizinischen Text vorliest. Acht junge Frauen sitzen um sie herum, alle im Alter zwischen fünfzehn und neunzehn Jahren, aus frankoamerikanischen, irischen oder angloamerikanischen Familien kommend, alle schwanger, alle von ihren Eltern verstoßen. Wenn ihre Zeit kommt, werden die Mädchen oben im Haus entbinden und danach so lange bleiben, wie es für sie nötig ist. Nach dem Wochenbett werden sie zum Haushalt beitragen, indem sie verschiedene Aufgaben übernehmen – bei der Kinderbetreuung, bei der Wäsche oder in der Küche. Die einzige Regel ist, daß sie ihre Kinder nicht verlassen dürfen.

Auf dem Weg zu ihrem Arbeitszimmer muß Olympia an den Abend denken, als sie, im Zimmer mit den Vergißmeinnicht auf dem Bett sitzend, diese Idee hatte. In den Monaten nach dem Sorgerechtsprozeß hat Haskell ihr geholfen, die Idee in die Tat umzusetzen, während er gleichzeitig in Ely Falls seine eigene Klinik einrichtete. Haskell und Olympia zogen in die Räume, die Rosamund Biddeford einst bewohnt hatte, ließen die anderen Zimmer so gestalten, daß sie jungen Müttern mit Neugeborenen als Unterkunft dienen konnten, und nahmen allmählich, im Lauf eines Jahres, junge Frauen auf, die Haskell entweder in der Klinik betreute oder von denen er auf anderem Weg hörte. Schon im folgenden Jahr flehten junge Frauen und ihre Familien um Plätze, und Haskell und Olympia machten weitere Räume bewohnbar. Im Sommer, sobald das Wetter wieder mild ist, werden sie die Kapelle in Angriff nehmen.

Aber ein eigenes Kind haben sie nicht bekommen. Und man

hat ihnen gesagt, daß sie vielleicht nie eines haben werden. Vor nicht allzu langer Zeit hat Olympia in Boston einen Spezialisten aufgesucht, der meinte, ihre Unfruchtbarkeit sei sehr wahrscheinlich die Folge ihrer ersten Entbindung in so jugendlichem Alter.

Philbrick sitzt im ehemaligen Arbeitszimmer ihres Vaters, das jetzt ihres ist. Philbrick, mit seinen sechzig Jahren noch kräftig und robust, trägt zu einer karierten Hose ein Jackett in dunklem Rostrot. Der ewige Dandy, denkt sie und bemerkt nach einem kurzen Blick auf ihn sehr wohl die leere Brötchenplatte auf dem Beistelltisch.

»Guten Tag, Olympia«, sagt er und steht auf.

»Guten Tag, Mr. Philbrick. Bitte setzen Sie sich doch wieder.«

Das Zimmer hat eine freundlichere Aura als zu Zeiten ihres Vaters. Immer noch steht an der einen Wand der Bücherschrank, doch an der anderen hat Olympia Bilder aufgehängt – Gemälde und Zeichnungen einheimischer Künstler, die sie seit etwa sechs Jahren sammelt: Arbeiten von Childe Hassam, Claude Legny, Appleton Brown, Ellen Robbins. Ein rot-weißes, seidenbezogenes Sofa hat den alten Lehnstuhl ihres Vaters verdrängt, aber seinen Schreibtisch besitzt sie noch. Und ebenso die ›Objekte‹ – den Briefbeschwerer aus Malachit, das juwelenbesetzte Kreuz und die Muscheln –, die sie an die Tage erinnern, als ihr Vater hier in seinem Stuhl zu sitzen und in einem der Bücher zu lesen pflegte, die zu Hunderten in der Feuchtigkeit dick und wellig wurden.

»Wir haben uns viel zu lange nicht mehr gesehen«, meint sie, als sie sich setzt.

»Sie führen ja wirklich ein ungewöhnliches Haus«, bemerkt er.

»Tja, das ist seinen Bewohnern zu verdanken«, erwidert sie.

»Ich wollte mir das schon lange einmal ansehen. Ich habe natürlich eine Menge darüber gehört. Wie viele Mädchen haben Sie hier?«

»Im Moment sind es dreiundzwanzig. Acht von ihnen haben noch nicht entbunden. Die anderen werden bleiben, solange es für sie nötig ist. Manche der Mädchen sind inzwischen schon drei Jahre hier.«

»Ein großartiges Unternehmen.«

»Unsere Nachbarn sind anderer Meinung.«

Er lächelt. »Das kann ich mir vorstellen. Aber immer mehr Leute begreifen, daß solche sozialen Einrichtungen wie dieses Heim, das Sie betreiben, dringend notwendig sind. Ich habe ja immer gesagt, daß auf Sie eine ungewöhnliche Zukunft wartet, Olympia.«

»Und ich hoffe, diese Zukunft schließt mich ein«, sagt Haskell, der eben hereingekommen ist, und geht auf Philbrick zu, um ihn zu begrüßen.

»Guten Tag, John.« Wieder steht Philbrick auf. »Ich habe nur Gutes über Ihre Klinik gehört.«

»Danke, Philbrick. Bitte, nehmen Sie wieder Platz. Ja, die Arbeit ist sehr befriedigend. Und wir haben großes Glück mit der Finanzierung.«

»Das hörte ich. Es ist ja immer schwierig, so eine Privatklinik in Betrieb zu halten. Aber Ihre Stiftung hat jetzt einen sicheren Rückhalt.«

»Ja, und ich kann in diesem Jahr sogar zwei Ärzte zusätzlich einstellen. Deswegen muß ich jetzt leider auch schon wieder gehen. Gleich kommt ein junger Mann aus New York, der sich um eine der Stellen beworben hat. Aber ich bin zum Essen zurück, bleiben Sie also, ich würde mich freuen.«

»Danke«, sagt Philbrick, »ich bleibe mit Vergnügen.«

Haskell neigt sich zu Olympia und küßt sie. »Leider haben Olympia und ich mit diesem Haus und der Klinik so viel zu tun, daß wir oft Termine vereinbaren müssen, um uns überhaupt zu sehen«, bemerkt Haskell zu Philbrick.

Philbrick betrachtet das Paar. »Aber der Ehe scheint es nicht geschadet zu haben«, stellt er liebenswürdig fest.

»Nichts wird dieser Ehe je schaden«, erwidert Haskell.

Olympia sieht ihren Mann an, der Philbrick freundlich zulächelt, und vielleicht kann nur sie erkennen, daß etwas in ihm erloschen ist und nie wieder entzündet werden kann, ganz gleich, wie stolz er auf seine Arbeit ist, ganz gleich, wie sehr er seine Frau liebt. Er hat auf seine Kinder verzichten müssen – einmal, weil er sich für die Liebe entschied; noch einmal, als er zusehen mußte, wie Olympia den Jungen den Bolducs überließ; und jetzt, ein drittes Mal, indem er eine Frau geheiratet hat, die höchstwahrscheinlich kein Kind mehr bekommen wird. Olympia denkt oft darüber nach, wie es möglich ist, daß Begierde – Begierde, die den Atem stocken läßt, die mitten in der Äußerung eines Satzes eine Pause der Gedankenverlorenheit fordert – ein Leben von Grund auf verändern und die seelische Gesundheit bedrohen kann.

»Sagen Sie mir, wie es Ihren Eltern geht«, bittet Philbrick, nachdem Haskell gegangen ist.

»Mein Vater besucht uns oft«, antwortet Olympia. »Er unterstützt uns finanziell. Meiner Mutter geht es gut. Sie wird im Sommer heraufkommen.«

»Ich hoffe, ich werde sie beide sehen.«

»Aber sicher. Sie haben ein Haus etwas weiter unten am Strand gemietet.«

»Olympia, ich bin in einer ziemlich ernsten Angelegenheit hier.«

»Ja?« fragt Olympia überrascht.

»Albertine Bolduc ist gestorben.«

Sie läßt beinahe die Teetasse fallen, die klirrend auf der Untertasse landet.

»Sie ist schon vor sechs Monaten gestorben«, fährt Philbrick fort. »Die Lunge. Man hätte es voraussehen können.«

Olympia wendet sich ab. Sie gestattet sich nur ganz selten, an den Jungen zu denken, sich ein Bild von ihm zu machen.

Sie hat im Laufe der Jahre beständig versucht, solche Gedanken wegzuschieben. Sie hat sich bemüht, nicht zu denken: Jetzt ist er neun. Und jetzt ist er zehn.

»Telesphore Bolduc hat sich um den Jungen gekümmert«, berichtet Philbrick, »aber er ist selbst krank. Er hat Tuberkulose. Der Junge ist elf.«

Olympia sagt nichts.

»Ein kritisches Alter, wie Sie wissen«, fügt Philbrick hinzu und beobachtet sie aufmerksam. »Telesphore selbst hat mich gebeten, Sie aufzusuchen.«

»Wirklich?« Sie traut kaum ihren Ohren.

»Wie Sie wissen, sind Sie gemäß richterlicher Entscheidung immer noch der gesetzliche Vormund des Kindes.«

»Aber ich habe diese Verantwortung abgegeben«, entgegnet sie.

»Ja, ich weiß. Und was Sie da getan haben, war bewundernswert.«

»Ich schicke von Zeit zu Zeit Geld«, sagt sie, »aber ich hatte das Gefühl, Abstand halten zu müssen.«

»Natürlich«, meint Philbrick. »Aber Geld ist nicht das, was der Junge jetzt braucht.«

»Ich verstehe nicht.«

»Rein rechtlich ist es notwendig, daß Sie Ihre Zustimmung dazu geben, daß er wieder ins Waisenhaus gegeben wird.«

»Er muß ins Waisenhaus?« fragt sie.

»Leider, ja. Er ist noch minderjährig. Und ich kann mir nicht vorstellen, daß es gelingen wird, eine neue Pflegefamilie für ihn zu finden. Die meisten Leute, die Kinder aufnehmen wollen, interessieren sich für Kleinkinder, aber nicht für elfjährige Jungen.«

»Und was ist mit den anderen Mitgliedern der Familie Bolduc?«

»Die meisten sind nicht mehr in der Gegend. Viele sind weiter nach Süden gezogen.«

»Ach so, ich verstehe.«

»Ich habe mich von Beginn an für den Jungen interessiert«, sagt Philbrick. »Ich besuche ihn von Zeit zu Zeit. Ich würde ihn selbst aufnehmen, aber ich bin nicht das, was der Junge braucht. Er trauert immer noch um seine Mutter. Aber Sie werden sehen, daß er hellwach ist. Er besitzt eine hohe Intelligenz, die…«

»Ich werde sehen…?«

»Er ist hier«, sagt Philbrick rasch.

»Hier? In diesem Haus?«

»Ich habe ihn mitgenommen. Der Junge weiß nichts von Ihnen«, fügt er hinzu. »Ich habe ihm lediglich gesagt, daß ich eine Freundin besuche. Verzeihen Sie mir diese Eigenmächtigkeit, Olympia, aber ich hielt es für das Beste so. Ich fand, Sie müßten den Jungen wenigstens sehen, bevor Sie über seine Zukunft entscheiden.«

»Mr. Philbrick, Sie haben mich völlig aus der Fassung gebracht!«

»Aber Sie werden sie wiederfinden, oder habe ich mich so sehr in Ihnen getäuscht?«

»Wo ist er?« fragt sie.

»Draußen auf der Veranda. Ich glaube, er ist ziemlich begeistert von Ihrem Teleskop.«

Unsicher geht sie aus dem Arbeitszimmer in den ehemaligen Salon, der jetzt voller Möbel steht, um den Mädchen und ihren Kindern Platz zu bieten, wenn sich alle Hausbewohner nach dem Abendessen hier zusammenfinden. Durch die Fenster sieht sie den Jungen auf der Veranda. Er ist hochaufgeschossen, und sein Haar ist schlecht geschnitten. Er trägt einen Pullover, der vielleicht einmal cremefarben war. Sie sieht ihm zu, wie er um das Teleskop herumgeht, sich niederbeugt, um durch das Okular zu sehen, das Rohr hin und her bewegt, offenbar begierig suchend.

Sie nimmt ein Schultertuch von der Lehne eines Sessels und tritt auf die Veranda hinaus.

»Hallo«, sagt sie.

»Oh, hallo«, erwidert der Junge, sich aufrichtend. Er geht einen Schritt auf sie zu und bietet ihr die Hand.

Höflich, denkt sie. Wohlerzogen. Seine Finger sind kalt vom langen Aufenthalt im Freien.

»Du frierst bestimmt«, sagt sie.

»Nein, nein«, versichert er schnell, offensichtlich befürchtend, sie werde ihn ins Haus schicken. »Wohnen Sie hier?«

»Ja«, antwortet sie. »Ich bin Olympia Haskell.«

Er ist mager, in einem Alter, in dem die Knochen schnell wachsen. Und er gleicht Haskell nicht mehr so stark wie früher. Doch die hellbraunen Augen sind die gleichen.

»Sie sind die Frau, die Mr. Philbrick besuchen wollte«, sagt der Junge. Verlegen und vielleicht doch durchgefroren, schiebt er die Hände in seine Hosentaschen.

»Ja.«

»Gehört das Ihnen?« Er nickt in Richtung Teleskop.

»Ja.«

Er spricht gutes Englisch, wenn auch mit Akzent.

»Gehst du zur Schule?« fragt sie.

»Früher bin ich gegangen.«

Olympia nickt.

»Mr. Philbrick nimmt mich im Juni mit nach Boston«, erzählt er. »Wir schauen uns das Naturwissenschaftliche Museum und den Park an.«

»Ich habe früher direkt am Park gewohnt«, sagt sie.

»Wirklich?« fragt er mit lebhaftem Interesse. »Ist es wahr, daß die Kinder im Frühling auf dem See mit kleinen Booten Wettfahrten veranstalten?«

»Ja. Man muß nur am richtigen Tag dort sein.«

»Letztes Jahr waren wir in Portsmouth.«

»Und wie hat dir die Stadt gefallen?«

»Am besten hat es mir am Hafen gefallen, wo die Schiffe gebaut werden.«

»Die Werft.«

»Ja. Kann man damit bis Frankreich sehen?« Wieder zeigt er auf das Teleskop.

»Nein.«

»Kann man die Sterne sehen?«

»Ja.«

»Wieso kann man die Sterne sehen, die so weit weg sind, und Frankreich nicht, obwohl es viel näher ist?«

»Das ist eine interessante Frage«, sagt sie. »Ich denke, es hat mit der Krümmung der Erde zu tun. Außerdem sind die Sterne heller.«

»Könnten wir Ely Falls sehen, wenn wir das Fernrohr richtig einstellen?« fragt er.

»Ich weiß nicht genau. Wenn wir aufs Dach gingen, könnten wir vielleicht den Turm von St. André sehen.«

»Das möchte ich gern«, sagt er.

»Dann kommst du bald wieder, und wir versuchen es.«

»Aber Sie würden doch nicht aufs Dach steigen«, sagt er, anscheinend beunruhigt bei dem Gedanken, daß eine erwachsene Frau auf dem Dach eines Hauses herumturnt.

»Nein, wahrscheinlich nicht. Aber mein Mann könnte mit hinaufsteigen.«

»Ist Ihr Mann jetzt hier?«

»Nein, er kommt erst am Abend zurück.«

»Ach«, sagt der Junge enttäuscht.

»Aber wenn du das nächstemal kommst, ist er bestimmt da«, verspricht Olympia.

»Ich war schon mal hier am Strand«, bemerkt er.

»Ja? Wann denn?«

»Am vierten Juli.«

»Und hast du Spaß gehabt?«

»O ja. Meine Mutter hat ein Picknick gepackt, und sie ist mit mir ins Wasser gegangen.«

Das Gesicht des Jungen trübt sich.

»Schau mal«, sagt Olympia rasch und zeigt zum Meer hinaus. »Da draußen ist ein Fischerboot.«

Der Junge beugt sich zum Teleskop hinunter. »Ja, ich kann es sehen«, sagt er. »Es ist ein Mann drin. Bestimmt ein Hummerfischer. Hier. Möchten Sie auch mal durchschauen?«

Der Junge tritt einen Schritt zurück, um Olympia an das Fernrohr zu lassen. Sie beugt sich zum Okular hinunter. In seiner Aufregung drängt sich der Junge so nahe an sie heran, daß sein Oberarm und sein Ellbogen sie berühren.

Sie sieht den Rasen, zu nahe, die Kapelle, die bald umgebaut wird. Die Felsen. Das Meer. Sie dreht an den Knöpfen, um das Gerät scharf einzustellen. Da ist das Fischerboot, ein Mann in Ölzeug ist dabei, eine Reuse hochzuziehen. In der Ferne, kaum zu erkennen, macht sie noch ein Boot aus und dahinter die Isles of Shoals, dunstverschleiert. Jenseits der Inseln liegt Frankreich. Und weiter weg sind die Sterne. Und noch weiter sind die verlorenen Jahre und eine Geschichte, die in ihren Körper eingeschrieben ist.

Aber hier ist ein Junge, und sein Name ist Pierre.

## Nachbemerkung und Danksagung

Die in diesem Roman zitierten gerichtlichen Urteilsbegründungen beruhen auf Tatsachen, Teile des Urteils basieren auf Gerichtsprotokollen des Falles d'Hauteville gegen Sears, Sears und d'Hauteville, der in Pennsylvania entschieden wurde. Ich danke John Martland, der den Teil meines Romans, der den Prozeß behandelt, durchgesehen und redigiert hat; Informationen über die Rechtsprechung zum Sorgerecht im späten 19. Jahrhundert verdanke ich folgenden Werken; *A Judgment for Solomon* von Michael Grossberg; *From Father's Property to Children's Rights* von Mary Ann Mason und *Governing the Hearth* von Michael Grossberg.

Anregung und Geschichtliches habe ich auch in diesen Werken gefunden: *The Cities on the Saco* von Jacques Downs; *La Foi, La Langue, La Culture* von Dr. Michael Guignard; *Biddeford in Old Photographs*, zusammengestellt von Loretta M. Turner; der Serie *Images of America* Saco, Hampton und Rye betreffend; *From Humors to Medical Science* von John Duffy; *The Library of Health*, herausgegeben von Frank Scholl; *America 1900, The Turning Point* von Judy Crichton; *A World Within a World: Manchester, the Mills and the Immigrant Experience* von Gary Samson; *Working People of Holyoke* von William Hartford; *Woman at Home in Victorian America* von Ellen Plante; und *A Memory Book; Mt. Holyoke College 1837–1987* von Anne Carey Edmonds.

Ich möchte Michael Pietsch für seine beständige Ermutigung und glänzende Bearbeitung danken; Ginger Barber für ihre kenntnisreiche Hilfe in literarischen und finanziellen Dingen; und John Osborn für seine Beratung und Hilfe.